Arne Dahl
Falsche Opfer

PIPER ORIGINAL

Arne Dahl
Falsche Opfer

Kriminalroman

Aus dem Schwedischen
von Wolfgang Butt

Piper München Zürich

Von Arne Dahl liegen im Piper Verlag vor:
Misterioso (Serie Piper 3992)
Böses Blut (Piper Original 7041)

Deutsche Erstausgabe
1. Auflage April 2004
3. Auflage Juni 2004
© Arne Dahl 2000
Titel der schwedischen Originalausgabe:
»Upp till toppen av berget«, Bra Böcker, Malmö, 2000
© der deutschsprachigen Ausgabe:
2004 Piper Verlag GmbH, München
Vermittelt durch die Bengt Nordin Agency, Stockholm
Satz: EDV-Fotosatz Huber /
Verlagsservice G. Pfeifer, Germering
Druck und Bindung: Clausen & Bosse, Leck
Printed in Germany   ISBN 3-492-27068-9

www.piper.de

1

»Ich hab nichts gesehen.«

Paul Hjelm seufzte tief und von Herzen. »Du hast nichts gesehen?«

Er versuchte, den Blick des jungen Mannes zu fangen, doch der hatte die Augen niedergeschlagen und sah verbiestert zu Boden.

Verbiestert? Wann hatte er zuletzt das Wort *verbiestert* benutzt? Hatte er das Wort überhaupt je in seinem Leben benutzt?

Er fühlte sich alt.

»Also noch mal von vorn«, sagte er beherrscht. »Obwohl hinter dir eine wilde Schlägerei ausbrach, hast du *absolut nichts* gesehen. Ist das richtig?«

Schweigen.

Hjelm seufzte erneut. Er hob die Knöchel von der Tischplatte, streckte den Rücken und warf einen Blick zu der Kollegin hinüber, die an der tristen Betonwand lehnte.

In dem Moment, da ihre Blicke sich trafen, wurde ihm die Zwiespältigkeit dieses Augenblicks bewußt. Einerseits die Versetzung zur Abteilung für Gewaltverbrechen im Polizeibezirk City mit dieser endlosen Reihe trostloser, alltäglicher Gewalt. Anderseits die Rückkehr seiner Lieblingskollegin Kerstin Holm nach Stockholm.

Und das erste, womit sich das eingespielte Duo nach seiner Wiedervereinigung abgeben mußte, war – eine Kneipenschlägerei.

Paul Hjelm seufzte ein weiteres Mal und wandte sich wieder dem verstockten Zeugen zu. »Und du hast nicht einen einzigen kleinen Blick über die Schulter geworfen?«

Da lächelte der junge Mann schwach, ein etwas blasses, in sich gekehrtes Lächeln. »Nicht einen einzigen«, sagte er.

»Und warum nicht?«

Zum erstenmal begegneten die Augen des Zeugen seinem Blick. Klarblau. Eine etwas unerwartete Schärfe, als sei er im Begriff, etwas ganz anderes zu sagen als das, was er sagte: »Weil ich gelesen habe.«

Paul Hjelm starrte ihn an. »Hammarby hat gerade ein Heimspiel gegen Kalmar gehabt, sie spielen unentschieden, 2:2, und bleiben auf dem letzten Tabellenplatz, und du sitzt in der Stammkneipe der Byenfans und *liest*? *Kvarnen* ist brechend voll und laut, und im Gedränge frustrierter Hammarbyer sitzt der zwanzigjährige Per Karlsson allein mit einem Buch? Ein äußerst seltsamer Ort zum Lesen, das muß ich sagen.«

Per Karlsson lächelte wieder, das gleiche milde, in sich gekehrte Lächeln. »Es war ruhig, als ich kam«, sagte er.

Hjelm zog den Stuhl vor und ließ sich mit einem Krachen darauf nieder. »Jetzt bin ich aber richtig neugierig«, sagte er. »Was war das denn für ein Buch, das dich so gefesselt hat, daß du es fertiggebracht hast, nicht nur Schreie und Gebrüll und Gedränge zu ignorieren, sondern auch eine Schlägerei, die damit endete, daß ein Mensch einen Bierkrug auf den Schädel bekam und starb?«

»Starb?«

»Ja, er starb. Er verblutete am Tatort. Mir nichts dir nichts. Er verlor zwei Liter Blut in zwanzig Sekunden. Es schoß nur so aus ihm heraus. Alle Adern öffneten sich sperrangelweit. Er hieß Anders Lundström, kam aus Kalmar und hatte sich aus unerfindlichen Gründen ins *Kvarnen* verirrt, was wohl für einen Fan der gegnerischen Mannschaft ungefähr gleichbedeutend damit ist, in die Hölle zu geraten. Und tatsächlich töten ihn die Byenfans mit einem Bierkrug. Und von dem allen bekommst du nichts mit, weil du welches Buch gelesen hast? Das interessiert mich wirklich.«

Per Karlsson sah angeschlagen aus. Er murmelte: »Keins, das Sie kennen …«

»Try me«, sagte Paul Hjelm mit New Yorker Akzent.

Kerstin Holm bewegte sich zum ersten Mal, seit Per Karlsson das Vernehmungszimmer betreten hatte. Lautlos glitt sie zum Tisch und ließ sich neben Hjelm nieder. »Der Kollege hier weiß mehr über Literatur, als du glaubst«, sagte sie. »Als wir uns zuletzt gesehen haben, das war vor fast einem Jahr, da hast du, war es Kafka, gelesen?«

· »K«, sagte Paul Hjelm mehrdeutig.

Kerstin Holm ließ ein kurzes, ein wenig bitteres Lachen hören.

»K«, bekräftigte sie mit New Yorker Akzent. »So try him.« Der junge Mann sah verwirrt aus. Die schwarze Kleidung mitten im Hochsommer. Das ungepflegte, zottelige blonde Haar. Ein Intellektueller in spe? Nein, eher nicht. Der flackernde, gleichsam verwundete Blick. Das introvertierte Lächeln. Absolut kein Student von der Uni. Vielleicht tatsächlich ein junger Mann, der nur las, um sich zu bilden.

Eine Rarität.

»Ovid«, sagte die Rarität. »Ovids *Metamorphosen*.«

Paul Hjelm lachte laut. Er wollte das gar nicht. Per Karlsson zu verhöhnen war das letzte, was er im Sinn hatte. Und doch lief es darauf hinaus. Das passierte ihm immer öfter.

Die Insignien der Bitterkeit.

Verbiestert.

Hjelm verspürte einen kurzen, glücklicherweise rasch vorübergehenden Haß auf sich selbst.

Kerstin Holm sprang für ihn ein. »Es wurde wirklich eine Metamorphose. Für Anders Lundström aus Kalmar. Die ultimative Metamorphose. Die Verwandlung der Verwandlungen. Welche von Ovids Metamorphosen paßt auf das Schicksal von Anders Lundström, Paul? Orpheus?«

»Sicher«, sagte Hjelm gedehnt. »Orpheus, der von den trakischen Bacchantinnen in Stücke gerissen wird.«

Per Karlsson starrte sie an, plötzlich vollkommen außer sich. »Nein«, sagte er. »Nein, nicht Orpheus.«

Hjelm und Holm sahen sich mit einer gewissen Verwunderung an. »Jaja«, sagte Hjelm schließlich. »Wir wissen also, daß dein kleines ›ich habe nichts gesehen‹ eine Lüge ist. Es macht hiermit eine Metamorphose durch. Erzähl jetzt, was du gesehen hast, Per, von Anfang an. Von jetzt ab ist dies ein regelrechtes Verhör. Du heißt also Per Karlsson, bist am 12. April 1979 in Danderyd geboren, bist wohnhaft in Aspudden, hast eine neunjährige Schulausbildung und bist arbeitslos. Ist das korrekt?«

»Ja«, sagte Per Karlsson tonlos.

»Wir haben heute den 24. Juni, es ist acht Uhr dreizehn. Erzähl jetzt alles, was du am 23. Juni, also gestern abend, um einundzwanzig Uhr zweiundvierzig im Restaurant Kvarnen in der Tjärhovsgata gesehen hast.«

Per Karlsson sah ein bißchen blaß aus. Er starrte auf den Tisch und spielte mit seinen Fingern. »Nehmen Sie das hier auf?«

»Alles ist aufgenommen worden, seit du den Raum betreten hast. Und dies hier auch.«

»Ja, also, als ich ins Kvarnen kam, waren nicht viele Leute da. Ich hatte keine Ahnung, daß an dem Abend ein Spiel war, sonst wäre ich bestimmt nicht dahin gegangen. Es war ruhig. Ich las. Dann kamen sie rein. Die ersten Fans kamen kurz nach neun, und von da an wurde es immer voller. Ich versuchte weiterzulesen. Es ging ganz gut. Ich kann mich gut konzentrieren. Ich saß ein bißchen abseits, mit dem Rücken zum Tresen, fast ganz vorne am Fenster, also hörte ich mehr, als daß ich etwas sah. Aber natürlich habe ich mich dann und wann umgedreht.«

»Warum hast du gesagt, du hättest nichts gesehen?« fragte Kerstin Holm.

Paul Hjelm sagte: »Ist es so, daß man automatisch, wenn man mit der Polizei redet, antwortet: ›Ich habe nichts gesehen‹? Ist es schon soweit gekommen?«

»Jedenfalls ist das die häufigste Antwort, die wir bekommen.«

»Soll ich weiterreden?« fragte Per Karlsson verwirrt.

»Selbstverständlich«, sagten Hjelm und Holm im Chor.

Jalm and Halm, das berühmte amerikanische Komikerpaar.

»Eine Gruppe Byenfans von sechs, sieben Mann hörte, wie eine andere Gruppe, vier Jungs vielleicht, småländisch redete. Beide Gruppen standen am Tresen. Die Byenfans fingen mit den Småländern Streit an, die sagten, sie wohnten in Stockholm und wären für Hammarby. Man konnte hören, daß sie Angst hatten. Und daß sie logen. Die Byenfans hörten auch, daß sie logen. Sie wurden immer aggressiver. Zwei von den Småländern konnten sich dünnemachen und zogen Leine. Zwei blieben zurück. Die Stimmung wurde unangenehm. Es kamen noch ein paar Byenfans hinzu und versuchten, die andere Gruppe wegzuziehen. Sie sahen wahrscheinlich, was sich da anbahnte. Schließlich versuchte einer der Småländer abzuhauen. Er gab einem der Hammarbyer im Hintergrund einen Stoß, so daß der hinfiel. Da drückten drei aus der Gruppe den Jungen gegen den Tresen, und der, der hingefallen war, stand auf, riß einen Bierkrug an sich und schlug ihn dem Jungen mit voller Wucht auf den Schädel.«

»Hast du das gesehen?«

»Nein, nicht richtig. Ich hab immer mal wieder hingesehen, mich kurz umgedreht. Aber ich hörte es. Ich habe mich umgedreht, als ich den Schlag hörte. Ein verflucht häßlicher dumpfer Knall. Nicht wie wenn Glas zerbricht eigentlich, ich nehme an, es war der Schädel, der zertrümmert wurde. Scheiße, der Schädel, die Adern. Ich wandte mich genau in dem Moment um, als das Glas getroffen hatte. Es war ein kleiner freier Raum um ihn entstanden. Er hielt die Hände an den Kopf. Und das Blut lief nur so, durch die Finger, die Arme hinunter. Pfui Teufel. Und dann fiel er, sackte einfach zusammen und auf den Boden. Und die Byengang machte direkt 'nen Abgang. Sie liefen schnurstracks zur Tür und raus. Der es getan hatte, hielt noch den Griff des Bierkrugs in der Hand, vollkommen blutig. Ein ganzer Haufen konnte sich verdrücken, bevor die Türsteher reagierten und die Tür blockierten. Dann kam ziemlich schnell die Polizei. Der zweite Småländer lag auf dem Fußboden und versuchte, mit seinem Pulli das Blut zu stoppen, ein Hammarbyer versuchte zu helfen, glaube ich, aber es war hoffnungslos. Überall war Blut.«

Per Karlsson war weiß.

Hjelm und Holm versuchten, die Informationen zu ordnen.

»Dafür, daß du nichts gesehen hast, hast du ziemlich viel gesehen«, sagte Hjelm.

»Regen Sie sich doch deswegen nicht auf«, meinte Per Karlsson mürrisch.

»*Ein ganzer Haufen* konnte sich verdrücken?« sagte Holm. »Hammarbyer?«

»Hauptsächlich Hammarbyer. Auch ein paar andere.«

»Wie viele?«

»Ich hab vor allem das Opfer angesehen.«

Das Opfer.

Hjelm schauderte es.

Per Karlsson sagte: »An die zehn Hammarbyer haben sich verdrückt, würde ich sagen. Und er als erster. Der Täter.«

Der Täter.

Diese Pseudoterminologie, die in die Sprache einfloß, um das Individuelle zu überdecken. Der Zeuge. Das Opfer. Der Täter.

»Mit dem Griff des Bierkrugs in der Hand?« fragte Holm.

»Ja«, sagte Per Karlsson.

»Diesem hier?« sagte Hjelm und hielt einen Plastikbeutel mit dem Griff eines Bierglases in die Höhe. Er war blutig. Geronnenes Blut klebte an der Innenseite des Beutels.

Per Karlsson rümpfte die Nase und nickte.

»Wir haben ihn ein Stück entfernt in der Folkungagata gefunden. Er muß also um die Ecke gelaufen sein, am Hotel Malmen und am U-Bahneingang Medborgarplatsen vorbei. Die Fingerabdrücke sind nicht in unseren Registern. Es ist also von höchster Wichtigkeit, daß du uns helfen kannst, den … Täter zu identifizieren. Du hast nichts davon gehört, daß darüber geredet wurde, wohin er verschwunden sein könnte?«

»Nein«, sagte Per Karlsson.

»Wir gehen noch mal ein paar Schritte zurück«, sagte Kerstin Holm. »Wie viele haben sich verdrückt, bevor die Türsteher die Tür blockierten? An die zehn Hammarbyer, sagst du, aber auch andere?«

»Das nehme ich an. Ein paar, die an dem Tisch neben der Tür gesessen hatten, waren verschwunden. Und noch ein paar andere.«

»Du verstehst, daß wir Verschwundene suchen, unparteiische Zeugen. Die an dem Tisch gleich bei der Tür saßen, waren also keine Byenfans?«

»Nein, sie waren schon vorher da, als das Spiel noch lief. Aber zwischen da, wo ich saß, und ihrem Tisch standen ein paar Tische. Und die wurden ziemlich schnell besetzt. Es war eine Clique von fünf Mann. Und wenn ich jetzt darüber nachdenke, blieb einer von ihnen sitzen. Einer mit rasiertem Kopf und blondem Schnauzbart.«

»Aber sie verschwanden also *nach* ... der Tat?«

»Ich glaube ja.«

»Wie sahen sie aus. Eine Gruppe von Arbeitskollegen?«

»Vielleicht. Ich habe es nicht so genau gesehen. Sie redeten nicht direkt miteinander.«

»Redeten nicht? Wieso, lasen sie Ovids *Metamorphosen*?«

»Sehr witzig. Sie haben doch einen von ihnen. Den mit dem rasierten Schädel. Fragen Sie den doch.«

»Okay. Andere? Du hast also am vorletzten Tisch zum Fenster hin und am vorletzten zur rechten Wand hin gesessen, vom Tresen aus gesehen. Diese Gruppe saß ganz links, auf der anderen Seite des Gangs. Und die Tische dazwischen?«

»Wie gesagt, sie füllten sich schon, bevor die Byenfans kamen. Soweit ich mich erinnere, gab es keine Sitzplätze für die Hammarbyer mehr, außer neben mir. Eine Gruppe setzte sich an meinen Tisch. Ein paar von ihnen sind nach der Tat abgehauen.«

»Und vor dem Fenster zur Tjärhovsgata hin? Das war doch die Richtung, in die du geguckt hast, oder?«

»Eine Frauenclique. Sie hatten die beiden Tische ganz in der Ecke besetzt. Junggesellinnenfete, glaub ich. Im Endstadium. Sie waren ziemlich betrunken – und hinterher total geschockt. Von denen kam keine raus. Die konnten ja kaum noch aufrecht gehen.«

»Andere? Direkt neben dir? An der rechten Wand?«

»Weiß nicht. Daran kann ich mich nicht erinnern.«

»Du kannst dich nicht erinnern? Du scheinst dich ansonsten ziemlich gut erinnern zu können.«

»Tut mir leid. Ich weiß es nicht. Es können welche da gesessen haben. Aber in die Richtung habe ich nicht geguckt.«

»Okay. Und in deinem Rücken? Zum Tresen hin? Du hast dich ja ein paarmal umgedreht?«

»An einem Tisch saß ein Mann allein und starrte mich an. Gleich am Tresen. Zwei Meter groß. Um die Fünfzig. Schwuler, würde ich tippen. Aber seinen Namen haben Sie ja. Er blieb da. Und war wohl am allernächsten dran am Geschehen. An die übrigen Tische erinnere ich mich nicht so gut. Eine Clique Sänger- oder Künstlertypen, die dablieben. Zwei Paare mittleren Alters. Und von den Tischen weiter drinnen habe ich keine Ahnung.«

Per Karlsson verstummte. Auch Hjelm und Holm schwiegen.

Schließlich sagte Kerstin Holm: »Also fassen wir zusammen. Wir zeichnen eine kleine Skizze. Der Tatort, die Theke also, befindet sich im Innern des Lokals, an der der Tür gegenüberliegenden Wand. Direkt vor der Theke stehen ein paar Tische, die in den Raum hineinragen. Von denen weißt du nichts, du warst zu weit weg. Nach außen hin sieht es von der Theke gesehen so aus. Gegenüber die Fenster zur Tjärhovsgata. Links die Tür. Neben der Tür ein einziger längsstehender Tisch. Dann der Gang, dann dreimal drei ziemlich große Tische, an dem mittleren ganz außen hast du gesessen, mit dem Blick zum Fenster. Bevor kurz nach neun die Byenfans hereinströmten, waren folgende Personen im Lokal. Die Tischreihe am Fenster: an den beiden Tischen rechts die Junggesellinnenclique. Dann, am Fenstertisch gleich neben der Tür …?«

»Das weiß ich nicht. Es saßen ein paar Leute da, aber wer, kann ich nicht sagen. Sie blieben auf jeden Fall nachher da.«

»Jetzt die mittlere Reihe, die Tischreihe, in der du gesessen hast.«

»Rechts außen weiß ich nicht, wie gesagt. Dann ich – und nach einer Weile sieben, acht Byenfans. Am Tisch links von mir saß eine Gruppe Studenten, glaube ich.«

»Und die Reihe, die dem Tresen am nächsten liegt?«

»Herrgott. Jaja. Der erste Tisch, ganz rechts, unmittelbar am Tresen: diese beiden Paare und der lange Schwule, der mich anstarrte. Am zweiten Tisch: die Künstlertypen, vier Stück. Am dritten Tisch: keine Ahnung. Und dann der allein stehende Tisch neben der Tür: die Gruppe von fünf Mann, von denen vier abgehauen sind.«

»Na dann«, sagte Hjelm. »Kommen wir jetzt zum Täter.« Er verspürte eine gewisse Befriedigung darüber, das Wort ausgesprochen zu haben, ohne vorher eine Pause zu machen.

»Eigentlich fielen mir in erster Linie die Hammarbyhalstücher auf«, sagte Per Karlsson. »Einer hatte auch eine Fahne, eingerollt, grün-weiß kariert. Der Täter hatte halblanges, ziemlich blondes, ziemlich schmuddeliges Haar. Ich habe ihn fast nur von hinten gesehen. Ich glaube, er hatte auch ein kleines Ziegenbärtchen. Ich weiß nicht, Autobastlertyp, wenn Sie verstehen, was ich meine. Ich bin in Danderyd geboren und aufgewachsen, und er war so einer, den man da draußen auf Anhieb als südliche Vororte klassifizieren würde. Typ Farsta.«

Hjelm und Holm starrten ihn an.

»Vorurteile, ich weiß«, sagte er. »Jetzt wohne ich selbst in den südlichen Vororten. Arbeitslos und ohne Ausbildung in den südlichen Vororten. Das sind Vorurteile, aber besser kann ich ihn nicht beschreiben.«

»Nein, noch etwas«, sagte Kerstin Holm. »Komm mit zum Polizeizeichner. Der arbeitet inzwischen am Computer, es geht also ziemlich schnell.«

Sie stand auf. Per Karlsson stand auf. Sie war größer als er, konstatierte Hjelm sinnloserweise.

»Und sonst fällt dir nichts mehr ein, Per?« sagte er.

Per Karlsson schüttelte den Kopf und warf ihm einen versteckten Blick zu. Diese eigenartige, widersinnige Klarheit.

»Also dann. Danke für deine Hilfe.«

Sie verschwanden.

Paul Hjelm verschwand auch. In die schwebende, halbwirkliche Welt der Tagträume. Per Karlsson. Vor zwanzig Jahren in Danderyd geboren. Danderyd, ging aber nicht mal weiter aufs Gymnasium. Arbeitslos, aber saß in einer der bekanntesten und berüchtigtsten Kneipen von Söder und las römische Klassiker. Was mochte geschehen sein? Es war nicht möglich, sich eine Vorstellung zu machen. Außenseiter in der Schule? Aus Vaters Firma gefeuert? Geduckt und gedeckelt, aber im Begriff sich aufzurichten? Aufruhr gegen den Vater? Allgemein rebellisch? Ehemaliger Drogenabhängiger? Schwer von Begriff?

Nein.

Das andere vielleicht, doch dies nicht. Nicht schwer von Begriff. So viel hatte Paul Hjelm gesehen, obwohl er das Gefühl hatte – ja, schwer von Begriff zu sein.

Degradiert zum trostlosen Limbo der Kneipenprügeleien.

Paradise lost.

Nein, nicht schwer von Begriff. Im Gegenteil, ungewöhnlich aufgeweckt. Und jetzt mußte er aus dem Bewußtsein verbannt werden. Jetzt würden sie sich durch betrübliche Katerverhöre hindurchkämpfen, also mußte Per Karlsson auf andere Erinnerungsbänke versetzt werden als die von Hjelm. Nur seine Aussage durfte bleiben.

Hjelm gähnte, seine Gedanken rollten weiter. Die Monate bei der Ordnungspolizei. Die Abteilung für Gewaltverbrechen im Polizeibezirk City. Bergsgatan. Das höchst vorläufige Dienstzimmer, von dem er ebenso vorläufig befreit war. Das eigentlich einem Polizeibeamten namens Gunnarlöv gehörte, der krank geschrieben war und an dessen Telefon er sich immer mit »Apparat Gunnar Löv, Paul Hjelm« gemeldet hatte. Erst als ein alter Kollege von Gunnarlöv, der jetzt in Härnösand stationiert war, hereinkam und nach Ekel-Nisse fragte, begriff er, warum am Telefon immer eine Pause entstand, wenn er sich meldete. Die Leute mußten sich erst von seiner eigentümlichen Aussprache des Namens Gunnarlöv erholen. Er machte große Augen, als er den Namen im internen Telefonverzeichnis nachschlug und ihn dort gedruckt sah: Nichts von wegen »Gunnar Löv«, sondern »Nils-Egil Gunnarlöv« stand da. Ekel-Nisse.

War ein solcher Name überhaupt erlaubt? Gab es nicht Gesetze? War das nicht das gleiche wie ein Kind auf den Namen Heroin zu taufen, was eine Großfamilie in Gnesta vor einiger Zeit versucht hatte, Heroin Lindgren? Aus irgendeinem Grund war der Name abgelehnt worden, und die Familie hatte eine ganze Serie von Leserbriefen in der Lokalpresse geschrieben, in denen sie gegen die Bevormundungsgesellschaft Sturm liefen.

Gunnarlöv war jedenfalls krank geschrieben, weil er sich während seiner Arbeitszeit in der Filiale der Föreningssparbank am Stureplan befunden hatte, als eine hysterische Bankräuberin von vierzehn Jahren mit hocherhobener Tuckerpistole hereinstürmte und, Zitat, »sämtliche Aktien mit hoher Verzinsung auf einem Tablett« verlangte. Gingen Tuckerpistolen nicht mit Starkstrom? dachte Gunnarlöv und trat auf die Bankräuberin zu, um sie in aller Bescheidenheit auf diesen Umstand hinzuweisen, worauf er zu seiner Verblüffung nicht weniger als vierunddreißig Heftklammern ins Gesicht bekam, schön verteilt. Wunderbarerweise traf keine davon seine Augen. Das erste, was er sagte, als er aus der Bewußtlosigkeit aufwachte, war: »Gehen Tuckerpistolen nicht mit Starkstrom?« Seine Frau starrte mit rotgeweinten Augen auf seinen bandagierten Schädel und antwortete: »Es gibt auch welche mit Akku.«

Die Geschichte von Nils-Egil Gunnarlövs Geschicken und Abenteuern.

Ekel-Nisse im Wunderland.

Nun ja, Paul Hjelms Geschichte war auch nicht gerade viel erhebender. Im Gegenteil, weil nämlich die Geschichte von Ekel-Nisse immerhin gewisse bizarre Pointen in sich barg.

Kerstin Holm kam zurück, sie blätterte in einem Notizblock.

»Willkommen in der Wirklichkeit«, sagte Hjelm schroff.

»Die sieht in Göteborg nicht viel anders aus.«

»Schwedens Scheißloch.«

»Sag mal, was quatschst du denn da?« stieß Kerstin Holm in ihrem gutmütigen Göteborger Dialekt aus.

»Nein, Entschuldigung. Nein, nein. Es war nur was, das vor ein paar Wochen durch die Medien ging. Black Armys Anrufbeantworter vor dem Pokalfinale von Göteborg gegen die Blauweißen im Ullevi-Stadion. Stockholmer Überheblichkeit und die Animosität zwischen Fußballfans in einer ungaren Mischung.«

»Jaja, und jetzt haben wir es wieder. Stockholmer Überheblichkeit und die Animosität unter Fußballfans. Das gröbere Modell. Hast du ihn gesehen?«

»Anders Lundström aus Kalmar? Ja. Verdammt scheußlich. Der Kopf war ein einziger Matsch. Daß ein Bierkrug so viel Schaden anrichten kann.«

»Aber warum? Was war der Grund?«

Paul Hjelm sah Kerstin Holm an. Die beiden hatten eine gemeinsame Vergangenheit, die bewirkte, daß kein Blick zwischen ihnen unschuldig war.

»Meinst du das ernst?« fragte er, halb im Ernst.

»Ja. Doch, ich mein es ernst. Ich meine es wirklich ernst. Warum eskaliert die Gewalt?«

Er seufzte. »Ja du. Jetzt hat man es jedenfalls mal aus nächster Nähe gesehen. Ein gutes halbes Jahr schon. Die graue alltägliche Gewalt in der City. Es trägt nicht gerade dazu bei, die philantropischen Neigungen zu fördern. Bist du jetzt endgültig wieder hier, Kerstin?«

»Ich war *ausgeliehen*. Du weißt doch, wie es mit Fußballspielern ist, die ausgeliehen werden. Irgendwas stimmt nicht mit ihnen. Jetzt bin ich nicht mehr ausgeliehen.«

»Für immer also? Und wie war es, wieder zu Hause zu sein im Göteborgischen?«

»Dies hier ist jetzt zu Hause, so viel ist mir klargeworden. Aber das ist wohl auch alles.«

»Aber das Leben ist okay?«

»Genau. Okay. Nicht mehr und nicht weniger. Unter Kontrolle. Ein bißchen mehr könnte es schon sein ...«

»Ich verstehe. Bei mir ist es das gleiche. Ich glaube, ich stecke in einer Krise, so um die Vierzig. Sollte nicht noch was kommen? War das schon alles? Du weißt.«

»Ich glaube schon.«

»Aber man muß das Beste daraus machen. Wir sind wieder zusammen, und jetzt werden wir eine perfekte Rundum-Lösung dafür liefern, was in den Medien schon unter der Bezeichnung ›der Kvarnenmord‹ läuft. Oder?«

Kerstin Holm kicherte und schob sich einen Priem unter die Oberlippe.

»Was soll denn das sein?« sagte Hjelm und zeigte darauf.

»Lebenserneuerung«, sagte Kerstin Holm, ohne eine Miene zu verziehen. Dann bog sie auf einen anderen Pfad ein – den der Erinnerung: »Was ist mit den anderen? Mit Gunnar habe ich die ganze Zeit Kontakt gehabt, und ihm geht es ja gut.«

»Ja. Doch, unser Freund Gunnar Nyberg ... Er blieb ja als einziger beim Reichskriminalamt. Die Belohnung dafür, daß er sich weigerte, an der Endphase der Jagd auf den Kentucky-mörder teilzunehmen. Und so landete er mitten in diesem Pädophilendschungel. Pedo University.«

»Ich kann ihn vor mir sehen«, lächelte Kerstin Holm und blätterte in ihrem kleinen Notizblock. »Er hat gerade den Kontakt zu seinen Kindern und zu seinem einjährigen Enkelkind wiederaufgenommen, und genau in dem Moment bricht die Pädophilenwelt des Internets über ihn herein. Eine Lokomotive unter Volldampf.«

»Bestimmt.«

Zwei Bilder auf zwei Netzhäuten. Sicher zum Verwechseln ähnlich. Ein prustender Riese mit bandagiertem Schädel, der Pädophile mit der Lötlampe jagt.

»Jaja«, sagte Hjelm grimmig. »Wir anderen haben unsere kleinen Strafen bekommen. Böses Blut kehrt wieder.«

»Das wollten wir nie wieder sagen.«

»Recht hast du. Nie wieder.«

»Und die anderen?«

»Seit der Auflösung der A-Gruppe habe ich nicht viel Kontakt zu ihnen gehabt. Ich war ja der einzige, der ausgeliehen wurde und den tristen Weg zur Ordnungspolizei antreten mußte. ›Gunnar Lövs Apparat‹. Bestrafung. Ich glaube, ganz im Innersten hielten sie mich für verantwortlich für die Panne mit dem Kentuckymörder. Aber Jan-Olov wurde der Sündenbock.«

»Hast du mit ihm noch Kontakt?«

»Nein. Er verschwand einfach. Unfreiwillig pensioniert. Der pensionierte Kriminalkommissar Jan-Olov Hultin. Ich glaube, er hörte sogar auf, Fußball zu spielen. Das Märchen von Holzbein-Hultin ist aus. Söderstedt und Norlander sind bei der Provinzialpolizei gelandet, Abteilung für Gewaltverbrechen. Und Chavez hat sich weitergebildet.«

»Polizeihochschule?«

»Ja. Die Karrierepläne rollen weiter. Gibt es immer noch Kommissarkurse? Falls ja, hat er so einen gemacht.«

»Und unsere Räume? Die ›Kampfleitzentrale‹?«

»Ich glaube, die sind von Verwaltungspersonal übernommen worden.«

Sie schwiegen eine Weile und betrachteten einander. Wirklich alles hatten sie zusammen gemacht ... Für einen kurzen Augenblick trafen sich ihre Hände in einem flüchtigen Händedruck. Dann mußte es genug sein. Sie hatten viel Arbeit vor sich. Kerstin Holm blätterte ihren Notizblock durch. Paul Hjelm überflog die mediokren Kurzverhörprotokolle des Nachtpersonals. Gemeinsam betrachteten sie die kleine Skizze des Restaurants *Kvarnen*.

»Sie warten draußen«, sagte Kerstin und seufzte.
»Jaja. Der Nächste bitte«, sagte Paul und seufzte ebenfalls.

2

Himmel.

Wie lange war es her, seit er den gesehen hatte?

In Schweden gibt es fünfundfünfzig Gefängnisse mit über viertausend Plätzen. Sie sind in vier Sicherheitsstufen eingeteilt. Stufe IV sind offene Anstalten, Stufen I bis III geschlossene. Stufe I sind die sichersten Gefängnisse mit den gefährlichsten Gefangenen, und davon gibt es drei in Schweden: Hall, Tidaholm und Kumla.

Und jetzt sah er den Himmel, im Ernst, ohne Gitter. Und er blickte zurück zu den Toren, die sich hinter ihm schlossen, und für einen Moment hatte er das Gefühl, als verließe er seinen Körper und würde eins mit dem Himmel und sähe die ganze Ebene unter sich, die ganze Närke-Ebene mit ihren rechteckigen grünen, braunen, gelben Feldern, und die Anstalt sah aus wie zwei quadratische Felder inmitten aller anderen Felder.

Die Mauern waren gar nicht zu sehen.

Die Perspektive löste sie auf. Dann war er wieder unten.

Auf festem Boden.

Mit den Füßen auf dem Boden.

Er wandte sich noch einmal um. Die Mauern waren vollständig kahl. Nichts dahinter. Nichts, was aufragte. Nur Mauern. Grau. Graue Mauern.

Er setzte sich in Bewegung. Ein Lächeln spielte um einen Mundwinkel.

Er ging zu dem Van. Der dastand und auf ihn wartete. Brummte. Das Geräusch der Freiheit. Die Freiheit in Form eines grünmetallicfarbenen Vans.

Er hielt inne. Blieb einen Moment stehen. Leichter, warmer Sommerwind an seinen frischrasierten Wangen. Die Sonne. Morgendliche Hitze. In der Ferne flimmerte der Asphalt.

Er blickte zu dem Wagen hinüber. Die Hände, die herausgestreckt wurden, winkten. Noch kein Geräusch. Die Geräusche erreichten ihn nicht. Die Bewegungen dort drinnen. Wie ein Embryo. Ein Ei, das ausgebrütet wird. Konservierte Bewegungen. Zukünftige Ereignisse. Viele schnelle Schritte in einem Punkt gesammelt.

Schritt eins. Die Brieftasche heraus. Lumpige Scheine. Dreivierzig pro Stunde als Basislohn. Aber auch eine kleine Platte. Sie sah aus wie ein Taschenrechner im Visitenkartenformat.

Er zog sie heraus. Wog sie in der Hand. Hielt sie in Richtung des Wagens hoch.

Das Winken hörte auf. Das Geräusch verschwand, bevor es ihn erreicht hatte. Die zukünftigen Bewegungen wurden angehalten.

Ein einziger Knopf, leicht erhaben. Rot. Gleichsam leuchtend.

Er drückte darauf, lächelte schwach und kletterte in den Wagen.

Hinter den Mauern schoß eine Stichflamme auf.

Hoch, hoch zum Himmel hinauf.

Nicht mehr nur Mauern im Rücken.

Als der Van beschleunigte, hatte das Geräusch ihn noch nicht erreicht.

3

»Sie sitzen also im Vorstand des Hammarby-Fanclubs?«

Der Mann war um die Dreißig und blinzelte, als blendete ihn das Licht in dem verdunkelten Vernehmungsraum. Hinter der Tätigkeit des überaus aktiven Brummschädels lief indessen eine andere Tätigkeit ab. Die der Wachsamkeit. Das Gefühl, stets und ständig auf der Anklagebank zu sitzen. »Ja«, sagte er schließlich.

»Was sind eigentlich die Byenfans?« fragte Kerstin Holm.

»Auf jeden Fall keine gewalttätige Organisation.«

»Das hat auch niemand behauptet. Ganz und gar nicht. Aber ein Hammarbyanhänger hat in einem bekannten Hammarbytreffpunkt im Beisein mindestens eines Vorstandsmitglieds des Byen-Fanclubs ein schreckliches Gewaltverbrechen begangen. Deshalb ist es vielleicht nicht völlig aus der Luft gegriffen, daß wir fragen.«

Er blickte mürrisch vor sich hin und schwieg. Schaute hinüber zu Hjelm, der versuchte, einen wachen Eindruck zu machen.

»Ich weiß ungefähr, was es ist«, sagte Hjelm. »Eine unabhängige Zuschauervereinigung. Ist Anfang der achtziger Jahre aus dem harten Kern der Hammarbyzuschauer hervorgegangen.

»Genau«, sagte der Mann mit spürbarem Stolz. »Wir organisieren die Fahrten zu den Auswärtsspielen und haben Donnerstagabend und zwei Stunden bis eine halbe Stunde vor den Heimspielen das Clublokal geöffnet. Wir sind diejenigen, die dafür sorgen, daß es *nicht* ausartet. Wir stehen verdammtnochmal für den einzigen farbenfrohen Karneval in diesem angegrauten Land, und deshalb werden wir unmittelbar verdächtigt.«

»Nicht Sie als Gruppe werden verdächtigt, sondern Sie persönlich, Jonas Andersson aus Enskede, Sie höchst persönlich.

Sie werden verdächtigt, uns die Identität des Totschlägers vom Kvarnen vorzuenthalten.«

»Des Totschlägers vom Kvarnen …«

»Das ist der Name, den *Aftonbladet* ihm gegeben hat, Sie wissen sehr wohl, wem.«

Jonas Andersson aus Enskede begegnete Hjelms Blick, ohne zu zaudern. »Ich habe verflucht noch mal selbst da gesessen und einen Pulli an den zermatschten Schädel des Jungen gepreßt. Ich wußte gleich, daß wir die Schuld bekommen würden. Jetzt geht die Hetzjagd wieder los.«

»Haben Sie den Täter gesehen?«

»Nein.«

»Wo befanden Sie sich?«

»Mit ein paar Kumpels an der Wand, ein Stück von der Tür entfernt. Es war ein Heidenlärm und brechend voll, und ich habe nichts gesehen.«

»Sie haben nichts gesehen?«

Hjelm hängte die Schuhe an den Nagel. Es war das vierte Mal heute, daß er genau diese Worte sagte. Kerstin Holm sah, wie er das Handtuch warf, und nahm den verlorenen Staffelstab auf.

»Wir machen es uns einfach«, sagte sie und schob Jonas Andersson aus Enskede ein Blatt Papier über den Tisch. »Hier ist eine Skizze des Lokals. Wann kamen Sie, und wo sahen Sie was?«

»Ich stand hier, an derselben Wand wie die Tür, zusammen mit so zehn Leuten, die auf Sitzplätze etwas weiter in der Ecke warteten. Wir kamen gegen Viertel nach neun und waren wohl schon nicht mehr ganz nüchtern. Und wir standen da an der Wand und warteten.«

»Okay, war die Gruppe an der Theke da schon gekommen?«

»Es war wahnsinnig voll an der Theke. Ich weiß es nicht. Ich schwöre, daß ich es nicht weiß. Es war so ein Gedränge, und Lärm, und nur Gelaber. Nebelschwaden von Enttäuschung. 2:2 zu Hause gegen Kalmar. Der letzte Platz zementiert. Alle waren ziemlich gefrustet. Und plötzlich wird es ein paar Sekunden lang total still. Es entsteht sozusagen ein kleines Loch in der Masse. Und er liegt da. Mit zermatschtem Kopf. Ich lief hin und half dem Jungen, den Pulli gegen den Schädel zu pressen. Darunter weich. Verdammt scheußlich. Das einzige, was ich sah, war eine ganze Gruppe, die zum Ausgang stürmte.«

»Eine ganze Gruppe?«

»Bestimmt. Mindestens zwanzig Leute entwischten, bevor die Trottel von Türstehern reagierten. Wahrscheinlich saßen sie da und kifften.«

»Zwanzig Byenfans?«

»Auch andere. Jemand kam sogar noch raus, als die Türsteher am Platz waren. Hat sich wohl rausgeredet. Aber ich hab es nicht richtig gesehen.«

»Was Sie gesehen haben, war also wie eine Sturzflut in Richtung Ausgang?«

»Das kann man wohl sagen. Ein bißchen unerwartet. Man reagiert ja im allgemeinen so wie diese aufgedonnerte Brautclique in der Ecke. Panikschreie und so. Aber es waren ziemlich viele, die direkt einfach hinausstürzten.«

»Okay. Können Sie versuchen, das mal anhand der Skizze zu zeigen?«

Jonas Andersson holte tief Luft und stöhnte. Dann begann er, ein bißchen vage auf der Skizze zu zeigen. Er fing mit der Tischreihe am Fenster an. »Die Junggesellinnenclique an zwei Tischen unten in der Ecke. Drei von ihnen kriegten Panikanfälle. Der dritte Tisch, der Tür am nächsten: eine Gruppe Computerheinis. Sie waren nachher alle noch da. Die nächste Reihe: in der Mitte ein paar Byenfans neben einem kleinen Typ, der dasaß und las. Stur in sein blödes Buch vertieft. Auf der einen Seite, an der Wand, eine Gang Jugos. Auf der anderen Seite, uns am nächsten, eine Gang Studis. Dann, in der Reihe am Tresen: die Steintunte. Zwei Paare, die einen Tisch verstopften, und die Steintunte dazwischengequetscht am selben Tisch. Am Tisch daneben: die Alkis. Zu unserer Seite hin ein bißchen gemischte Gesellschaft. Und dann der Tisch bei der Tür, hier an der Wand, neben uns, ein paar harte Typen, keine Skinheads, aber beinah. Die sind abgehauen. Außer einem.«

»Jetzt wird es kompliziert. Die harten Typen. Wie viele waren das?«

»Wir standen neben ihnen, versuchten, mit ihnen zu reden, aber sie sagten kein Wort, saßen ganz still und drückten uns weg, wenn wir ihnen zu nahe kamen, einer hörte sogar Musik. Allerdings nicht der, der dablieb. Kahler Schädel. Mit Schnauzer. Fünf. Fünf waren sie. Einer blieb.«

»Was noch? Die Steintunte? Die Alkis?«

»Aber die waren hinterher noch da. Die haben Sie. Die Steintunte ist Schwedens mutigste Tunte. Sitzt immer da und hält Ausschau unter den Fans. Wir haben uns dran gewöhnt. Aber diesmal starrte er nur den Kleinen mit dem Buch an. Die Alkis kannte ich nicht, aber sie waren typisch. Alkoholisierte Kulturfuzzis, die ihr Södermalm lieben. Haben bestimmt dreißig Jahre lang nichts Kulturelles geleistet.«

»Und neben dem Leser also ›eine Gang Jugos‹?«

»Ja, drei, vier Jugos. Jugoslawen. Sie redeten. Der Junge mit dem Buch saß genau daneben. Und wurde von den Byenanhängern noch näher an sie rangedrückt.«

»Woher wissen Sie, daß es Jugoslawen waren?«

»Sie sahen so aus. Und sie sind abgehauen. Alle zusammen.«

Kerstin Holm hielt inne. Übergab den Staffelstab.

Hjelm war wieder einsatzfähig. Hatte sich erholt. War wieder dienstwillig. »Die ›drei, vier Jugos‹ stürzten also zum Ausgang, unmittelbar nachdem Anders Lundström den Bierkrug über den Schädel bekommen hatte?«

»Ja, genau. Da war irgendeine krumme Sache am Laufen. Ganz klar.«

»Dafür, daß Sie nichts gesehen haben, haben Sie ziemlich viel gesehen«, sagte Hjelm mit einem leichten *Déjà-vu*-Gefühl.

»Ich sitze im Vorstand«, sagte Jonas Andersson und blickte auf. »Ich versuche immer, den Überblick zu haben. Es tut mir wirklich verdammt leid, daß ich Überblick über die falschen Sachen hatte. Ich will den Scheißkerl genauso kriegen wie Sie. Er hat Jahre von Goodwillarbeit kaputtgemacht.«

»Die Alkiliga«, sagte Paul Hjelm unbedacht zu vier leicht angegrauten Herren in abgetragenen Cordjacketts und mit wehenden Haarmähnen und weißgrauen Bärten verschiedenen Zuschnitts.

»Wie bitte?« sagte der Rechte.

»Was sagten Sie?« fragte der Linke.

Die beiden in der Mitte sahen aus, als wären sie von einem fröhlichen Amateur in einem Abendkurs ausgestopft worden.

Hjelm riß sich zusammen und rückte die Situation zurecht.

»Hat einer der Herren etwas von dem gesehen, was die Alkiliga am Tresen im Verlauf des gestrigen Abends angestellt hat?«

»Leider waren wir zum angegebenen Zeitpunkt und am genannten Ort in absolut Wesentliches vertieft«, sagte der Linke.

»Darf man fragen, worin dieses Wesentliche bestand?«

»Natürlich darf man«, sagte der Rechte. »Was damit bekräftigt sein dürfte.«

»Eine sogenannte rhetorische Frage«, sagte der Linke.

Die beiden in der Mitte neigten sich jetzt bedenklich einander zu, als müßten die Säume gleich reißen, und die Füllung würde herausquellen.

»Jetzt mal im Ernst«, sagte Paul Hjelm.

»Wir sind die ›Kreis der Vreeswijk-Freunde‹«, sagte der Rechte. »Wir hatten unsere Jahreshauptversammlung.«

»Wir versuchen, ein Museum für Cornelis Vreeswijk mitten auf Medborgarplatsen auf die Beine zu stellen«, sagte der Linke. »Wir hoffen, die Muslime dazu überreden zu können, vom Minarett ›Hönan Agda‹ zu singen.«

»›Felicia adjö‹«, platzte der rechte Mittlere heraus.

»›Lasse liten blues‹«, meinte der linke Mittlere.

Daraufhin ging das Duo wieder auf die Bretter.

»Die multikulturelle Gesellschaft«, sagte der Rechte mit visionärem Glanz in den Augen.

»Haben Sie überhaupt etwas gesehen?«

Das Duo in der Mitte erwachte wieder zum Leben.

»*Grimassen* …«, sagte der mittlere Linke nüchtern.

» … *und Telegramme*«, vollendete der mittlere Rechte mindestens ebenso nüchtern.

»Sie haben also gestern abend im Kvarnen Grimassen und Telegramme gesehen?« sagte Paul Hjelm und begann, sich gedanklich mit seiner Pension zu beschäftigen. Doch der knallgelb-signalfarbene Umschlag mit Informationen über das neue Pensionssystem, der neulich in seinem Norsborgsreihenhaus durch den Briefschlitz auf den Fußboden geplumpst war, machte diese Gedanken unmöglich. Er hatte sich um einige Tausender im Monat verrechnet. Wie der Rest des schwedischen Volks in seiner Generation.

Das Mittelduo beugte sich synchron über den Tisch vor und unterbrach seine mißlaunigen Pensionsgedanken.

»1966«, sagte der mittlere Linke vertraulich.

»Unübertroffene Platte«, fügte der mittlere Rechte hinzu.

»Mein moralischer Sinn war hoch erfreut, so ambitiöse Pläne für einen Partnertausch zu vernehmen, wie sie am Nachbartisch ventiliert wurden«, sagte der Linke, während das Duo in der Mitte in sich zusammensank, als habe jemand die Fäden losgelassen.

»Und mein moralischer Sinn war ebenso hoch erfreut angesichts des multikulturellen Gesprächs, das am Tisch dahinter stattfand«, sagte der Rechte.

»Darf ich nur einmal dazwischenfragen, ob Sie wissen, warum Sie hier sind?« sagte Hjelm und überlegte, wohin Kerstin verschwunden war. Sich aus dem Staub gemacht hatte, war eine näher liegende Beschreibung.

»Ja, das dürfen Sie.«

»Nur zu.«

»Wissen Sie, warum Sie hier sind?« fragte Hjelm seidenweich.

»Leider nicht«, entgegnete der Rechte. »Wir nehmen es als gegeben hin, dann und wann polizeibehördlicherseits ausgefragt zu werden. Das liegt in der Natur unserer gesellschaftlichen Rolle.«

»Außenseiter«, meinte der Linke todernst und nickte.

»Sie wissen also nicht einmal, daß gestern im Restaurant *Kvarnen* ein Mensch getötet worden ist?«

Es verschlug ihnen tatsächlich die Sprache. Sie wechselten verwunderte Blicke über die Köpfe des inzwischen vollständig zu Boden gegangenen Mittelduos hinweg.

»Wir werden natürlich alles in unseren Kräften Stehende tun, um Sie bei Ihrer Tätigkeit zu unterstützen. Doch das von Ihnen erwähnte Ereignis ist uns leider entgangen.«

»Unmittelbar neben uns saßen zwei nicht mehr ganz blutjunge Paare, vertieft in eine immer lebhafter werdende Diskussion über einen Partnertausch. Und einen Tisch weiter ging der multikulturelle Austausch vor sich.«

»Darüber hinaus waren wir erfreut zu sehen, daß das *Kvarnen* an einem späten Mittwoch abend sowohl Platz für das Hören von Musik als auch für Lektüre bereithielt.«

»Ovid. Der blinde König, der seine Ehefrau ermordete.«

»Und dann seine Mutter. Eine bedeutende Gestalt.«

»Ich vermute, Sie meinen Ödipus, beziehungsweise Orest«, sagte Paul Hjelm.

»Ganz genau. Oder Ovid, wie er auch genannt wird.«

»Lokale Varianten.«

»Und wo wurde Musik gehört?«

»Ein ganzer Tisch an der Tür saß da und lauschte genußvoll, möglicherweise einem Jazzkonzert? Einer von ihnen hatte Ohrstöpsel.«

»Ich erkannte die Art des Zuhörens. Aufmerksam. Wie bei Jazz. Oder Chansons. Cornelis.«

»»Brevet från kolonin««, fuhr das Duo hoch, um auf der Stelle wieder in sich zusammen zu sinken.

Hjelm starrte sie an, einen nach dem anderen, von links nach rechts. Es fiel ihm schwer, sich zu konzentrieren. Er stöhnte einmal kurz und fixierte seine Notizen. ›Multikultureller Austausch‹ stand da in einer Krakelschrift, die nicht seine zu sein schien. »Warum nennen Sie das Gespräch, das hinter den Partnertauschern vor sich ging, multikulturell?« bekam er heraus.

»Es war eindeutig, daß es sich um einen Schweden im Gespräch mit südländischen Freunden handelte, beispielsweise Türken.«

»Oder Basken.«

»Basken?« entfuhr es Hjelm.

»Oder dergleichen. Indern, vielleicht. Wahrscheinlich Südmongolen.«

»Sie sprachen beide ein gebrochenes Englisch. Gesprächsfetzen drangen an unseren Tisch.«

»Englisch?«

»Und sie saßen direkt neben dem Lesenden?«

»Genau. Allerdings dann verschwanden sie.«

»Als die Tat sich ereignete«, konstatierte Hjelm.

»Was uns leider entging. Aber plötzlich waren sie alle verschwunden. Frauen schrien, meine ich mich zu erinnern. Das Paar kam um seinen Partnertausch herum, weil die Frauen plötzlich hysterisch wurden. Möglicherweise hätten wir darauf reagieren sollen.«

»Möglicherweise«, erlaubte Hjelm sich zu sagen. »Möglicherweise hätte das zu einem Augenblick des Nachdenkens gereichen sollen.«

»Doch, doch, ich habe ihn gesehen.«

Kerstin Holm und Paul Hjelm sahen sich an und wandten dann dem Mann mit dem rasierten Schädel und dem schütteren blonden Schnauzbart einen doppelt prüfenden Blick zu.

»Sie haben ihn gesehen?« sagte Holm. »Das haben Sie gestern abend im *Kvarnen* nicht gesagt. Zum Nachtpersonal der Södermalmpolizei haben Sie gesagt, ich zitiere: ›Ich habe nichts gesehen‹.«

»Es war spät, ich war müde und ein wenig angetrunken, und wir wollten gerade weiter. Die anderen waren schon draußen auf der Straße. Ich war noch drin und bezahlte. Es war meine Runde. Ich war ein bißchen sauer darüber, daß ich da im *Kvarnen* hängenblieb, während die anderen weiterzogen zur nächsten Kneipe, und deshalb habe ich nicht klar gedacht. Jetzt habe ich darüber nachgedacht. Und ich habe ihn gesehen.«

Der Kahle war an die Dreißig, trug einen recht eleganten hellen Anzug mit gelbem Schlips und war ein richtiges Kraftpaket. Hjelm fragte sich, ob die Jackenärmel eine Ausstellung von tätowierten Penissen verbargen. Er blätterte in den Papieren und fand den Auszug aus dem Strafregister für Eskil Carlstedt, 700217-1516, geb. in Bromma, Verkäufer, wohnhaft auf Kungsholmen. Es war leer. Nicht einmal das geringste Verkehrsdelikt.

Keine tätowierten Penisse.

»Okay«, sagte Kerstin Holm. »Was haben Sie gesehen?«

Eskil Carlstedt machte eine kurze Pause, saugte Luft ein wie ein Boxer Ammoniak, und legte los: »Wir hatten den Tisch direkt an der Tür. Ich saß mit dem Rücken zur Wand und starrte also auf den Tresen. Wir waren ziemlich früh da, gegen halb acht. Kurz nach neun strömten die Byenfans herein. Ein bißchen sauer, kaum aggressiv. Eine Gruppe bekam die letzten Sitzplätze, neben einem Jungen, der ein Buch las. Eine andere sammelte sich neben unserem Tisch. Dann kam diese Gang rein, sechs, sieben Leute. Die waren ein bißchen anders. Die Aggressionen waren spürbar, will ich mal sagen. Sie stellten sich an die nächste Seite des Tresens, von uns aus gesehen. Noch eine Gruppe kam und stellte sich ans hintere Ende. Zwischen diesen beiden Byengangs standen die Småländer. Vier Mann. Dann griffen sie sie an. Einer drückte dem größten der Småländer eine zusammengerollte Fahne ins Gesicht. Der verkrümelte sich zusammen mit einem Kumpel.

Sie kamen raus auf die Straße. Aber zwei blieben da. Es gab einen Tumult. Einer der Småländer schubste einen Jungen um. Er kam langsam wieder hoch. Und plötzlich schlug er einfach zu. Ich bezahlte gerade. Die Kumpel waren ja schon gegangen, und die Kellnerin stand mir ein bißchen im Blick, deshalb konnte ich nicht richtig sehen, wie es geschah. Ich habe ihn gesehen, wie er vorbeilief. Den Griff des Bierkrugs hatte er noch in der Hand. Er hatte eine Jeansjacke an, Byen-T-Shirt, Byentuch, halblanges, schmuddeliges blondes Haar und einen kleinen Schnauzer.«

»Wie Ihrer?« fragte Hjelm.

Eskil Carlstedt starrte ihn gekränkt an. »Nein«, sagte er schließlich. »Überhaupt nicht. Bauernlippenschnauzer. Mechanikerschnauzer. Fieslingsschnauzer, mit Kautabaksaft gedüngt. Hing ein bißchen zum Kinn runter.«

»Würden Sie ihn erkennen, wenn Sie ihn wiedersähen?«

»Ja, ich glaube schon.«

»Wie viele waren Sie?«

»Fünf.«

»Aber als die Türsteher die Tür blockierten, waren nur noch Sie da?«

»Die anderen waren vorher gegangen. Standen wohl draußen auf der Straße und warteten. Wir wollten zur nächsten Kneipe. Ich war zurückgeblieben, um zu bezahlen. Wie gesagt.«

»Wie mehrfach gesagt, ja«, sagte Kerstin Holm. »Und wer waren die Kumpels?«

Eskil Carlstedt breitete die Arme aus, warf einen Blick auf seine Armbanduhr und strich sich über den glatten Schädel. »Einfach Kumpels. Eine Verkäufer-Clique. Wir gehen einmal die Woche zusammen aus. Reißen Bräute auf.«

»Und hören Musik«, sagte Paul Hjelm.

Carlstedt stöhnte. »Musik? Hören Sie mal, wie lange soll ich hier noch sitzen? Ich habe ein paar Stunden vor der Tür gewartet und habe noch einen Termin.«

»Uns liegen Zeugenaussagen vor, daß Sie schweigend

zusammensaßen und daß mindestens einer von Ihnen Ohrstöpsel trug.«

Carlstedt warf ihm unter nicht vorhandener Stirnlocke einen Blick zu. Nachdenklich. Er überlegte. »Jaja, okay, jetzt verstehe ich. Doch, Kalle macht in einer Rockgruppe mit. Catwalks. Karl-Erik Bengtsson. Wir haben uns eine Demo angehört. Die können richtig gut werden. Haben schon einen Vertrag für eine CD.«

»Und Sie haben alle gehört?«

»Ich verstehe nicht, was das hier mit dem Totschlag zu tun hat.«

»Haben Sie alle gehört?«

»Ja. Wir hatten nur ein Gerät und mußten nacheinander hören.«

»Also gingen die Ohrstöpsel von einem zum andern?«

»Ja. Und das dauerte ein bißchen, also wurde nicht besonders viel geredet.«

»Und die anderen? Können wir die erreichen?«

»Selbstverständlich. Obwohl sie ja keine Zeugen sind. Sie waren ja schon auf der Straße, als es passierte.«

»Wie gesagt. Fällt Ihnen sonst noch etwas ein?«

»Wie zum Beispiel?« seufzte Eskil Carlstedt und starrte demonstrativ auf seine Uhr.

»Zum Beispiel, wer sonst noch im Lokal war. Wir suchen Zeugen.«

»Aber verflucht noch mal, es war doch brechend voll. Okayokayokay. Ganz ruhig. Die, die standen, waren fast alle Byenfans. Bevor die Fans kamen, saßen alle. An der Theke war es leer, aber alle Sitzplätze waren belegt. Außer neben dem Jungen mit dem Buch. Da setzten sich die ersten Fans hin. Die Brautparty an den Fenstertischen unten. Daneben, auf unserer Seite, ein paar solche Yuppietypen oder Computerheinis. Dann der Junge mit dem Buch. Zwei leicht angegraute Paare, die richtig geil aussahen. Eine Schwuchtel. Ein paar Künstlertypen. Und zu uns hin ein paar gemischte Typen, eine Clique, vielleicht Studenten.«

»Sonst niemand?« fragte Kerstin Holm.

Hjelm betrachtete sie aufmerksam.

»Nicht, soweit ich mich erinnern kann. Aber die Hammarbyfans waren ja an die dreißig Mann. Obwohl die Hälfte von ihnen verschwand, bevor die Türwachen reagierten.«

»Aber Sie sind der Meinung, daß es unter den Hammarbyfans eine Reihe von Zeugen geben muß?«

Eskil Carlstedt lachte leicht. »Mindestens zehn Mann haben zugeguckt. Aber die dürften ja wohl nichts sagen.«

Hjelm stand auf und beugte sich über den Tisch.

»Dann stehen nur noch zwei Dinge aus, bevor Sie zu Ihrem ersehnten Treffen abdampfen dürfen. Erstens: Sie kommen mit zum Polizeizeichner und machen eine Rekonstruktion des Täters. Zweitens: Hinterlassen Sie in der Anmeldung unten in der Halle die Namen und Anschriften Ihrer vier Kumpel. Okay?«

»Okay«, seufzte Eskil Carlstedt und warf einen Blick zur Uhr.

Sie saßen still da, ihre Blicke ineinander verloren. Oder kurz und gut verloren. Vor ein paar Jahren hatten sie miteinander geschlafen. Ein einziges Mal. In Malmö. Während einer intensiven Jagd nach dem sogenannten Machtmörder. Der größte – und bei eingehender Betrachtung einzige – Erfolg der A-Gruppe. Die Medien riefen sie zu Helden aus. Die Gruppe wurde als »Sondereinheit für Gewaltverbrechen von internationalem Charakter beim Reichskriminalamt« dauerhaft etabliert. Dann kam der Kentuckymörder. Und ihre Affäre ging in Freundschaft über. Ziemlich enge Freundschaft. Sie waren zusammen in den USA. Sie arbeiteten mit dem FBI zusammen und wurden Jalm & Halm genannt, wie ein hölzernes Komikerpaar im Varieté. Es ging gut. Sie knackten ein altes Rätsel. Fingen einen gesuchten Serienmörder. Dann trafen sie eine falsche Entscheidung, und das Märchen der A-Gruppe war aus. Böses Blut kehrt wieder.

Doch das wollten sie nie wieder sagen.

»Wir könnten den Betrieb jetzt zumachen«, sagte Hjelm. »Es ist Mittagszeit. Wir könnten rausgehen in den immer empörteren Warteraum und sagen: Tut uns leid, kommen Sie morgen wieder. Niemand würde uns Vorwürfe machen.« Er sah ihr in die Augen. Forschend. Versuchte zu sehen, was da vor sich ging. Und sie ließ sich ausforschen. Forschte zurück.

»Nein«, sagte sie.

»Nein«, sagte er.

Und wahrscheinlich gelang es ihnen wirklich zu sehen, worauf die Gedanken des anderen abzielten. Und es ging nicht mehr nur um eine Kneipenschlägerei.

Kerstin Holm drückte auf den Knopf eines internen Telefons, und ein großer schlaksiger Mann um die Fünfzig trat ein. In einem Trainingsanzug, in dem er aussah wie ein Camper, der sich verlaufen hat.

»Stein Bergmark, nicht wahr?« sagte Kerstin Holm und streckte ihm die Hand hin. Er ergriff sie und deutete galant einen Handkuß an. Dann begrüßte er Hjelm etwas männlicher. Absurd männlich, fand der, eine Spur zu spät, als der Schmerz kam.

»Die Steintunte«, sagte Stein Bergmark. »Volltreffer der Byenfans.«

Ihre Blicke mußten einen nicht geringen Teil Verwunderung ausgedrückt haben, denn er fügte hinzu, während er seinen Zweimeterkörper zwischen den Tisch und den Stuhl klemmte: »Sie wissen nicht, daß ich Stein heiße, aber sie finden mich steincool. Zwei Fliegen mit einer Klappe, kann man sagen.«

»Sie gucken sich also unter den Byenfans gern Gesellschaft aus«, sagte Holm. »Und die haben nichts dagegen?«

»Ich nehme an, es spricht ihre latente Homosexualität an. Die unterschwellig immer im Spiel ist, wenn man mit Männern zu tun hat.«

»Haben Sie jemals jemanden abbekommen?«

»Häufiger, als Sie glauben, Frau Polizistin.«

»Aber diesmal suchten Sie nicht unter den Byenfans, nicht wahr?«

Der Lange lachte auf. »Ich muß gestehen, daß mein Begehren diesmal mehr auf intellektuelle Stimulanz ausgerichtet war. Oder zumindest pseudointellektuelle. Wahrscheinlich spürte es, daß der Mangel akut geworden war. Sie wissen natürlich, daß das Bedrohlichste an der Homosexualität durch die Jahrhunderte hindurch ihr klassenüberschreitender Charakter gewesen ist?«

»Sie wohnen auf Östermalm und sind Abteilungsleiter beim Patentamt, ja.«

»Der vor allem mit arbeitslosen Hammarbyfans aus Bagarmossen und Rågsved verkehrt.«

»Wieso übrigens pseudointellektuell?«

»Der Junge mit dem Buch.«

»Aber warum *pseudo*?«

»Das sah ein bißchen künstlich aus mit diesem Buch. Als wollte er ein wenig mit einer Bildung angeben, die er in Wirklichkeit nicht besaß. Und ich war nicht der einzige, der seine Gesellschaft suchte, wie Sie es so diplomatisch ausdrücken, Frau Polizistin. Er war ein richtiger kleiner Leckerbissen. Sie haben nicht zufällig seine Adresse?«

»Nicht der einzige?«

»Von wegen«, sagte Stein ›Steintunte‹ Bergmark. »Eine Clique Machoschwuler saß die ganze Zeit da und starrte ihn an.«

»Eine Clique Machoschwuler?«

»Im Moment verhalten Sie sich genau wie mein Psychoanalytiker, Frau Polizistin. Fünfhundert Mäuse die Stunde dafür, daß Sie wiederholen, was ich gerade gesagt habe.«

»Mit dem Unterschied, daß ich keine fünfhundert Mäuse die Stunde verdiene.«

»Der Tisch neben der Tür. Wie soll ich sie beschreiben? Skinheads, die die Altersgrenze überschritten haben. Edelschwedische Bodybuilder. Fünf Mann.«

»Und alle starrten den Lesenden an?«

»Drei von ihnen. Die mit dem Rücken zur Wand saßen. Zwei saßen mit dem Rücken zum Lokal. Die starrten nicht. Aus natürlichen Gründen.«

»Sind Sie sicher, daß sie den lesenden Jungen anstarrten?«

»So hat mein konkurrenzbewußtes Begehren es jedenfalls aufgefaßt. Ich wurde eifersüchtig. Wer wählt einen Aal, wenn er fünf Filetsteaks in Reichweite hat?«

»Wer saß noch in der Richtung der Blicke?«

»Aber ich bitte Sie, Frau Polizistin. *I only had eyes for him.*«

»Versuchen Sie's.«

Stein Bergmark saß reglos. Vor seinem inneren Auge erstand ein Bild. »Ich saß an dem Tisch direkt vorm Tresen. Neben mir saßen ein paar angejährte Künstlertypen und diskutierten darüber, welches Lied von Cornelis Vreeswijk von der Spitze des noch ungebauten Minaretts gegenüber vom Björnschen Garten gesungen werden sollte. Vor meinen Augen saßen zwei Paare, die sich ziemlich ungehemmt sexuellen Phantasien hingaben. Hinter ihnen, neben unserem Leser und an der Wand, saß eine Anzahl ausländischer Gentlemen und unterhielt sich auf englisch mit einem Schweden, der mir den Rücken zugekehrt hatte. Sie dürften im Blickfeld gewesen sein. Ebenso die Studentengruppe auf der anderen Seite unseres Lesers, den Starrenden am nächsten. Und möglicherweise die überaus angeheiterte Brautpartygesellschaft unten am Fenster.

»Hmm«, sagte Kerstin Holm.

»Hmm«, sagte Paul Hjelm.

Die Steintunte legte die Hände in den Nacken und lehnte sich zurück. »Aber meine edlen Polizeiherrschaften«, stieß er hervor. »Sollten wir nicht einen Todesfall diskutieren?«

4

Arto Söderstedt hatte beschlossen, das Autofahren aufzugeben. Er besaß keinen Wagen, und im Dienst fuhr er äußerst selten. Dennoch hatte er jetzt im Laufe eines Hochsommervormittags, der den schlechten Wetterberichten Hohn sprach, nahezu zweihundert Kilometer zurückgelegt, und als der alte Dienstvolvo jetzt die fruchtbaren Felder der Närke-Ebene hinter sich ließ, mußte er es sich eingestehen.

Es machte Spaß, Auto zu fahren.

Weil er sich in einer Initiative engagierte, die den Autoverkehr in der Innenstadt, besonders auf Södermalm und ganz besonders in der Bondegata, in der er mit seiner großen Familie wohnte, drastisch reduzieren wollte, beschämte ihn dieses Eingeständnis ein wenig.

Er verminderte den Druck aufs Gaspedal, schaltete runter und wandte sich zum Beifahrersitz, auf dem er einen leblosen Sack transportierte.

Er piekte ihn an. Der rührte sich nicht. Er piekte ein bißchen fester. Jetzt kam Leben in den Sack, mit Bewegung zum Achselhalfter und allem.

Viggo Norlander wachte auf.

Ein prächtiger weißer Fleck von erbrochenem Babybrei prangte auf der rechten Schulter seiner Lederjacke.

Arto Söderstedt lachte laut auf. »Fünf Stück habe ich gehabt«, sang er in glockenreinem Finnlandschwedisch. »Fünf Säuglinge haben mir auf die Schultern gespuckt. Und trotzdem habe ich nie, wiederhole *nie*, so erbärmlich ausgesehen wie du nach der ersten Nacht.«

»Schnauze«, krächzte Viggo Norlander und versuchte sich aufzurichten. Beunruhigende Schallwellen wurden aus seinem großen Körper ausgestoßen.

Er hatte eine äußerst sonderbare Nacht hinter sich. Manisch depressiv. Eine manische Depression im Schnellvorlauf.

Abrupte Wechsel von äußerstem Glück und äußerstem Entsetzen.

Zum ersten Mal hatte er eine Nacht allein mit seiner zwei Wochen alten Tochter verbracht.

Es war eine merkwürdige Geschichte. Wie ein Traum. Er war fünfzig und hatte die ersten achtundvierzig Jahre im Zölibat gelebt, abgesehen von einer etwa einmonatigen, schrecklich gescheiterten Jugendehe, die jeden weiteren Umgang mit dem anderen Geschlecht uninteressant machte. Und der Gedanke an das eigene Geschlecht existierte überhaupt nicht in seiner Vorstellungswelt. Er war der denkbar grauste Polizeibeamte gewesen, umgeben und beschützt von einem banalen Regelwerk für Benehmen und Verhalten.

Vorzeitig verschieden, wie er heute von dem früheren Viggo Norlander dachte.

Dann hatte er genug gehabt. Seine verdrängte Seele explodierte, und er begab sich auf einen eigenartigen Feldzug nach Estland, der leider damit endete, daß die dortige Mafia ihn an den Fußboden nagelte.

Das war der beste Augenblick seines Lebens.

Er änderte sein Leben von Grund auf.

Er warf sämtliche grauen Beamtenanzüge fort, hungerte sich den Wanst ab und unterzog sich sogar einer Haartransplantation. Er brachte seine Garderobe auf den neuesten Stand, stylte sich und stürzte sich ins Stockholmer Nachtleben, wo er auch nichts ausließ. Nicht einer einzigen begehrlichen Frau verweigerte er seinen Beistand. Oder seinen Ständer, um es kurz zu machen.

Aber eine dieser Gelegenheiten war außergewöhnlich. Im letzten Herbst, mitten in der laufenden Jagd nach dem Kentuckymörder, trat eine Frau in seinem Alter über die Schwelle seiner Tür in der eindeutigen Absicht, sich befruchten zu lassen. Es dauerte eine Viertelstunde, da war sie schon wieder unten auf der Banérgata. Doch als sie sich auf der Schwelle umdrehte und ihn anlächelte, sah er, ja, *sah* er es ihr wirklich an, daß sie befruchtet worden war.

Er wurde von fiebergleichen Phantasien verfolgt, wie der Nobelpreissohn seinen greisen Vater im Pflegeheim aufsucht, um ihm für seine nahezu übermenschlichen Verstandesgaben zu danken.

Ganz so lief es allerdings nicht. Neun Monate später stand statt dessen eine Frau mit einem kleinen spuckenden Bündel über der Schulter auf seiner Türschwelle und sagte: »Dies ist deine Tochter.«

Viggo Norlander streckte ihr die Hand hin und sagte: »Viggo Norlander.«

Die Frau streckte ihm ihre Hand hin und sagte: »Astrid Olofsson.«

Darauf sagte Viggo Norlander: »Komm herein.«

Die Frau antwortete: »Danke.«

Und Astrid Olofsson trat nicht nur in seine verwohnte Junggesellenwohnung am ruhigsten Ende der Banérgata ein, sondern auch in sein Leben. Und sie war nicht allein. Ihre vierte Äußerung lautete: »Wie soll sie heißen?«

Bemerkenswerterweise zweifelte Viggo Norlander nicht eine Sekunde daran, daß es wahr war. Statt dessen stellte sich eine unmittelbare, zufriedene Ruhe ein. Er hatte sich dieses befruchtete Lächeln vor neun Monaten *nicht* eingebildet. Seine wunderlichen Phantasien um den Nobelpreissohn waren *kein* erstes Zeichen von Altersdemenz gewesen. Er *war* Vater geworden. Und er *hatte* es gefühlt, biologisch, wie eine Schwangerschaft auf Distanz.

Außerdem war die kleine Tochter, die er in seinen Händen hielt, ihm so verblüffend ähnlich, daß jede denkbare Spur von Zweifel ausgelöscht wurde. Das gleiche etwas schmale, in die Länge gezogene Gesicht, als sei die Schwerkraft gerade ums Kinn herum besonders stark. Der gleiche schief-einwärts-nach-hinten-Riecher, wie Arto Söderstedt die Sache ein wenig kryptisch bezeichnet hatte.

»Charlotte«, war Viggo Norlanders Antwort.

Er hatte keine Ahnung, woher sie kam.

Das war erst ein paar Wochen her. Seitdem waren sie jeden

Tag zusammengewesen. Er fühlte sich wohl in Astrids unerwarteter Gesellschaft. Und stellte fest, daß er unmittelbar abhängig wurde, abhängig im Sinne eines Suchtverhaltens, von dem kleinen Wesen mit dem schief-einwärts-nach-hinten-Riecher.

Er, der bis dahin kaum ein Foto eines Säuglings angesehen hatte.

Und jetzt hatte er zum ersten Mal mit der kleinen Charlotte eine Nacht allein verbracht. Eine Nacht zwischen Hoffnung und Verzweiflung. Als Abschiedsgeschenk hatte sie ihm eine ordentliche Portion Brei über die Lederjacke gespuckt. Weil er die ganze Nacht kein Auge zugetan hatte, war er unfähig zu irgendeiner Gegenmaßnahme, sondern trat nur hinaus auf die Banérgata und stieg in seinen Dienstvolvo, den zurückzugeben er sich trotz etlicher Aufforderungen weigerte. Ohne sich über Arto Söderstedts Anwesenheit hinter dem Steuer zu wundern, ließ er sich auf dem Beifahrersitz nieder und verwandelte sich umgehend in einen leblosen Sack mit Vogelkacke drauf. Schon auf den ersten Metern schlief er ein.

»In Kumla ist etwas passiert«, sagte Söderstedt. »Wir fahren als Reichskriminale hin. Lange her. Was war das für eine Nachricht, die du reintelefoniert hast? Krankes Kind zu versorgen? Charlotte geht es doch wohl nicht schlecht?«

»Nein, aber mir.«

»Dann fahr ich wohl besser. Eigentlich fahre ich ja nicht Auto.«

»Gute Nacht.«

Also fuhr Arto Söderstedt. Da Viggo Norlander schlief, mußte er das Kartenlesen auch noch übernehmen. Mit der einen seiner aus der Übung gekommenen Hände hielt er das Lenkrad, mit der anderen suchte er die Karte. Er schlug im Register von *Motormännens vägatlas över Sverige* Kumla nach und bekam ›44 8E 2‹ als Auskunft. Da er sich in einer unberechenbaren Autoschlange am Norrtull befand, kam ihm diese undurchdringliche Kombination von Ziffern und Buchstaben extrem rücksichtslos vor. Als er endlich das System begriffen hatte, zeigte sich, daß er auf ein kleines Kirchdorf südöstlich des Sees Tåkern in Östergötland verwiesen worden war. Weil ihn dies vage an einen früheren Fall erinnerte, begriff er schnell, daß es sich um das falsche Kumla handeln mußte, und zog erneut das Register zu Rate. Damit der in Plastik gebundene *Motormännens vägatlas över Sverige* nicht zuschlug, sobald er die Seite umblätterte, mußte er das aufgeschlagene Buch mit dem linken Schenkel von unten ans Lenkrad drücken, was ihm gewisse Probleme beim Steuern einbrachte. Aber auch fünf weitere Kumlas. Er seufzte leicht und ging sie eins nach dem anderen durch. Schließlich fand er das richtige. ›61 10F 1‹. Die E 18 über Västerås und Örebro, fand er heraus, gerade als er an Järva Krog und der Abfahrt zur E 18 vorüberfuhr. Er rumpelte weiter auf der E 4 nach Norden und dachte positiv. Nur gut, daß Viggo schlief. Siehe da, was für ein Glück er hatte. Er bog bei Kista ab und verlor nicht besonders viel Zeit. Und keiner hatte etwas gemerkt. Er fühlte sich richtig obenauf. Nichts baut einen so auf wie eine insgeheim korrigierte Peinlichkeit. Eine Folge dieser heiteren Gemütsverfassung war die Freude am Autofahren, und jetzt hielt besagtes Auto am Kontrollschalter des Kumlabunkers.

»Guten Morgen«, sagte die Wache.

Sag jetzt nicht Schnauze, dachte Söderstedt im stillen.

»Schnauze«, sagte Viggo Norlander.

Der Wachmann sah eher überrascht als verärgert aus. Er prüfte ihre Ausweise. »Länskriminalbehörde Stockholm? Wir haben eine eigene Länskripo.«

»Wir sind vom Reichskrim«, sagte Söderstedt. »Ans Länskrim ausgeliehen. Es geht um eure Explosion.«

Der Wachmann führte ein paar Telefongespräche und erhielt die Bestätigung. Die Tore glitten auf.

»Du kannst nicht zu allen, die dich ansprechen, Schnauze sagen«, bemerkte Söderstedt und ließ genußvoll das Kupplungspedal kommen. »Das ist eine unmögliche Lebensstrategie.«

»Schnauze«, sagte Viggo Norlander.

Sie parkten den Wagen auf einem genauestens ausgewiesenen Platz, passierten eine ganze Serie von Sicherheitskontrollen und gelangten ins Innere des Kumlabunkers. Sie wanderten durch Korridore, die bleigrau wirken würden, egal, in welcher Farbe sie gestrichen waren. Sie wurden durch eine Tür zum Büro des Chefs der Anstalt geführt. Er saß in einem ledernen Drehstuhl hinter einem leeren, auf Hochglanz polierten Schreibtisch und sah aus, wie Gefängnisdirektoren auszusehen pflegen. Eine ganz spezielle Kombination aus Beamter, Sozialarbeiter und Berufsoffizier.

Es war zehn Uhr zweiundzwanzig am Donnerstag, dem vierundzwanzigsten Juni, der Tag vor dem Mittsommerabend.

Noch glaubten sie, sie würden ihn feiern können.

Der Anstaltschef erhob sich und begrüßte sie. »Wieviel wißt ihr?« fragte er knapp.

»Nicht besonders viel«, entgegnete Söderstedt ebenso knapp. »Nur, daß es sich offenbar um einen Fall fürs Reichskrim handelt.«

»Es betrifft Gefangene der Kategorie I. Also ist es automatisch eine Sache fürs Reichskrim. Aber wir wissen nicht einmal, ob wir es überhaupt mit einem Verbrechen zu tun haben.«

»Krankes Kind zu versorgen«, dachte Norlander laut.

Der Anstaltschef betrachtete ihn entgeistert und entschied, daß Söderstedt derjenige war, mit dem sich reden ließ. Also redete er nur mit ihm. »Heute morgen explodierte in einer der Zellen eine starke Sprengladung. Der Insasse befand sich in seiner Zelle und mußte anschließend von den Wänden gekratzt werden. Wir haben zum gegenwärtigen Zeitpunkt keine Ahnung, wie es ablief, um was für eine Sprengladung es sich handelte, wie sie gezündet wurde etcetera. Der betreffende Insasse hieß Lordan Vukotic, wenn das bei euch was klingeln läßt.«

Söderstedt dachte nach, Norlander dachte nicht nach.

»Vage«, sagte Söderstedt. »Wir haben die Akte mitbekommen, aber ...«, er mußte husten, »... hatten keine Möglichkeit, sie auf dem Weg hierher zu lesen. Aber es geht natürlich um Drogen?«

»Schwere Drogenvergehen und schwere Körperverletzung. Acht Jahre. Drei hatte er abgesessen. Mustergültiger Gefangener. Machte eine Ausbildung zum Wirtschaftsjuristen und sollte in Kürze seinen ersten Freigang bekommen.«

»Vukotic ... der Kreis um Nedic?«

Der Anstaltschef nickte vielsagend. »Ganz klar, der Kreis um Rajko Nedic. Einer der führenden Drogenhändler. Aber das hat Vukotic nie zugegeben. Lordan Vukotic hat den Namen Rajko Nedic überhaupt nie erwähnt. Das ist die Art von Loyalität, die zählt, wenn man wieder rauskommt.«

»Nedic hat nie gesessen, nicht wahr?«

»Nie. Und jetzt war er außerdem auf dem besten Weg, sich einen persönlichen Anwalt anzuschaffen. Doch daraus wurde also nichts. Die Reste des Advokaten werden noch immer von den Wänden gekratzt.«

»Was ist passiert? Wurde sonst jemand verletzt?«

»Die exakt begrenzte Schadenswirkung läßt uns an ein sehr gezieltes Verbrechen denken. Eine perfekt berechnete Ladung. Pustete Vukotics Zelle vollständig weg, aber nichts anderes. Die Nebenzellen blieben unversehrt. Da sitzt übrigens ein alter Bekannter von euch, von der A-Gruppe.«

»Die A-Gruppe existiert nicht mehr«, sagte Norlander brummig.

»Es hat sie aber gegeben. Ihr wart verdammt gut, soweit ich das mitgekriegt habe. Die Besten. Allerdings habe ich nie begriffen, was mit diesem Kentuckymörder passiert ist.«

»Nein, wer hat das schon«, sagte Söderstedt leichthin. »Ein alter Bekannter?«

»Er heißt Göran Andersson. Noch ein mustergültiger Gefangener.«

Weder Söderstedt noch Norlander konnten ein kurzes Lachen unterdrücken. Die Verbrechenslandschaft der Vergangenheit ... »Der lebt noch?« sagte Norlander.

Dann sagte keiner mehr etwas. Statt dessen folgten sie dem Anstaltschef in den Korridor, wurden von ein paar robusten Wachen in ganz andere Trakte des Kumlabunkers eskortiert und sahen, wie die Wände die Farbe wechselten. Sie wurden grauer und grauer. Und schließlich passierten sie die allerletzte, nachgerade spektakuläre Sicherheitskontrolle und befanden sich im Allerheiligsten. Aber es waren keine Insassen zu sehen. Der lange Korridor war abgesperrt, ein beißender Geruch von verbranntem Gummi, verbranntem Plastik und verbranntem Fleisch breitete sich von der einzigen Stelle aus, an der Leben und Bewegung herrschten. Kriminaltechniker liefen durch die Tür ein und aus. Die massive Tür stand sperrangelweit offen und sah vollkommen intakt aus. Kohlschwarz, aber intakt. Ein fetter Zivilpolizist lehnte an der Wand und rauchte eine schlechtgedrehte Zigarette. Er redete schleppend mit einem gutgekleideten, durchtrainierten Herrn, der Söderstedts Säpo-Warner unmittelbar ausschlagen ließ.

Der Anstaltschef hielt inne und stellte die Herren förmlich einander vor. Männliches Händeschütteln.

»Arto Söderstedt und Viggo Norlander vom Reichskrim. Bernt Nilsson von der Sicherheitspolizei. Und unser eigener Närkekrimmer Lars Viksjö.«

»Erster am Platz«, sagte der Dicke.

»Was habt ihr bisher?« fragte Söderstedt und äugte durch die Türöffnung. Die Verwüstung war unglaublich. Der ganze Raum war pechschwarz. Und alles da drinnen bis zur Unkenntlichkeit zerstört. Ein makabres Tiefseeaquarium. Möglicherweise war dieser gigantische Lippfisch ein Bett und jene skulpturierte Koralle ein Fernseher. Und möglicherweise waren die Algenbildungen an der Wand tatsächlich Überreste eines Menschen. Die Techniker schabten Lordan Vukotic buchstäblich von den Wänden. Dann wurden seine Überreste in sorgfältig beschriftete kleine Plastikbeutel verpackt und in einem blauen Plastikbehälter mit der enorm witzigen Bezeichnung ›Obduzentenpuzzle‹ verstaut. Söderstedt ahnte den Humor des Gerichtsmediziners Qvarfordt hinter diesem Leichenwitz; bestimmt war er derjenige, der das Puzzle zusammenlegen würde. Nirgendwo zwischen den Beuteln und Kästen fanden sich Bezeichnungen wie ›Sprengstoff‹ oder ›Zündvorrichtung‹.

»Verblüffend wenig«, sagte Bernt Nilsson von der Säpo schließlich. »Nicht einmal die simpelsten Fakten lassen sich so etablieren. Sonst weiß man doch in der Regel sofort, um was für einen Sprengstoff es sich handelt. Aber die Techniker sind ratlos.«

Söderstedt befingerte einen irritierenden Sonnenbrand an seinem kreideweißen linken Arm; das Ergebnis eines Lochs in seinem Hemd. Er vertrug die Sonne nicht so gut.

Dann wandte er sich an einen fieberhaft arbeitenden Techniker, der augenscheinlich *ratlos war*.

»Keine Neuigkeiten?«

»Nichts«, sagte der und kratzte weiter an der Wand.

Söderstedt wandte sich dem fleischigen Lars Viksjö vom Närkekrim zu. »Habt ihr einen Ablauf?«

Viksjö blätterte in seinem kleinen Notizblock. »Wecken halb sieben. Frühstück sieben. Arbeitspflicht ab halb acht für alle, die nicht studieren. Vukotic studierte Wirtschaftsjura. Deshalb befand er sich in seiner Zelle und nicht in der Werkstatt. Dem Personal zufolge ›übersprang‹ er das Frühstück, also hat er wahrscheinlich seine Zelle überhaupt nicht verlassen. Aber uns ist noch nicht ganz klar, was dieses ›übersprang das Frühstück‹ bedeutet.«

Der Anstaltschef sah etwas bedrückt aus. »Wir zählen die Männer beim Frühstück nicht«, sagte er entschuldigend.

»Wer hat gesagt, Vukotic habe ›das Frühstück übersprungen‹?« fragte Söderstedt.

»Viksjö blätterte hektisch in seinem Block. »Einer der Aufseher«, sagte er schließlich. »Erik Svensson.«

»Okay, mach weiter.«

»Der Knall kam um acht Uhr sechsunddreißig. Anscheinend studieren alle in diesem Trakt, so daß die Nachbarn sämtlich in ihren Zellen waren. Aber die Ladung war offenbar so exakt für die Zelle berechnet, daß sie die Wände nicht beschädigte. Die vier nächsten Zellennachbarn werden allerdings wegen Gehörschäden auf der Krankenstation behandelt.«

»Schwer zu verhören«, warf Norlander brüsk ein und zog den Finger über die pechschwarze Wand. Der nächststehende Techniker warf ihm einen strengen Blick zu. Die Schwärze klebte fest an der Fingerkuppe. Ekelerregend. Verbrannte Zellreste – in doppelter Hinsicht.

»Kann er dagesessen und an einer eigenen Bombe gebastelt haben?« fragte Söderstedt, ohne sich an jemanden speziell zu wenden. »Ist er deshalb nicht zum Frühstück erschienen?«

»Es fällt mir schwer, mir das vorzustellen«, sagte der Anstaltschef. »Obwohl das nur auf meiner Einschätzung der Person beruht.«

»Inwiefern?«

»Vukotic war der Typ, der sich beispielhaft führt, solange er drinnen sitzt, und zwar aus dem einfachen Grund, daß er so schnell wie möglich raus will.«

»Um der juristische Berater des Drogenhändlers Rajko Nedic zu werden.«

»Vermutlich ja. Wir machten uns keine großen Illusionen, ihn rehabilitieren zu können. Auf alle Fälle lieber Wirtschaftsjura als schwere Körperverletzung. So muß man argumentieren.«

»Aber der Arm des Gesetzes ist nicht immer besonders lang«, sagte Söderstedt und wiederholte Norlanders Fehler. Die Schwärze klebte wie Leim an seiner Fingerkuppe. »Wie bekannt«, ergänzte er, seufzte tief und versank in sich selbst.

Unerwartet hatte sich indessen Viggo Norlander ein wenig erholt und übernahm das Kommando. »Sitzen andere von Rajko Nedics Handlangern hier ein? Mit wem hat Lordan Vukotic verkehrt?«

»Niemand gibt den geringsten Kontakt mit Nedic zu«, sagte Bernt Nilsson von der Säpo mit dem Kriminalregister im Schädel. »Aber es sitzen noch ein paar Jugos von der gleichen Sorte hier. Zoran Koco, Petar Klovic, Risto Petrovic.«

»Die drei Genannten sind also ›ein paar Jugos von der gleichen Sorte‹«, sagte Söderstedt zusammenfassend, was ihm einen vernichtenden Blick von Seiten Bernt Nilssons einbrachte.

»Man kann jedoch nicht sagen, daß er mit irgend jemandem *verkehrte*, eigentlich«, sagte der Anstaltschef. »Er blieb meistens für sich.«

Norlander wurde deutlicher: »Was wir brauchen, ist folgendes. Erstens: ein Vernehmungszimmer; zweitens: das Wachpersonal, vor allem Erik Svensson; drittens: Wir müssen das ohrenbetäubende Rauschen in den Trommelfellen der vier Zellennachbarn durchdringen; viertens: ›ein paar Jugos von der gleichen Sorte‹; und schließlich fünftens: aktuelle Information von den Technikern und Ärzten. Sind Qvarfordt und Svenhagen die maßgeblichen Leute?«

Sämtliche Anwesenden starrten ihn verblüfft an.

Nach einer Weile nickte Bernt Nilsson steif.

»Meine Herren«, sagte Norlander förmlich, während er die Babykotze in hauchdünnen weißen Streifen von seiner Schulter abzog. »Morgen ist Mittsommerabend. Ich habe die Absicht, den Tag meiner neugeborenen Tochter zu widmen, nicht Gewalttätern im Kumlabunker. Schreiten wir also zur Tat.«

Er warf einen letzten Blick in die ausgebrannte Zelle. Das hätte er nicht tun sollen. Denn mit einer Art großem Bratenwender pulte einer der Techniker gerade einen formlosen, schwarzgebrannten Klumpen von der Zellenwand. Er wog ihn in der Hand, drehte und wendete ihn. In einem gewissen Moment lag er genau so, daß er Viggo Norlander anstarrte.

Ja, der Klumpen starrte. In dem unförmigen Stück unbenennbarer Materie saß ein Auge eingeklemmt. Vollkommen unversehrt. Als könnte es noch sehen.

Norlander fand, daß es ihn anklagend anstarrte.

»Porzellanauge«, sagte der Techniker mit einem breiten Grinsen.

5

Man aß eine Kleinigkeit.

Es war kurz nach der Mittagspause, und zum drittenmal an diesem Donnerstag aß man eine Kleinigkeit. Man würde mindestens noch dreimal ein bißchen was essen können, bevor es Zeit war, nach Hause zu gehen. Um Mittsommer zu feiern.

Vermutlich indem man ein bißchen was aß, dachte Gunnar Nyberg und starrte auf seine noch unberührte Tasse schwarzen Kaffee.

Asketenkost, wie Ludvig Johnsson es nannte.

Johnsson stopfte vier Kopenhagener pro Tag in sich hinein. Er war dünn wie eine Bohnenstange.

»Es liegt am Stoffwechsel«, hatte Sara Svenhagen vor ein paar Wochen erklärt, am Samstag, dem zwölften Juni, um genau zu sein, kurz nach halb drei, während die Pädophilenjäger, wie die Gruppe inoffiziell genannt wurde, im Strandcafé am Norrmälarstrand saßen und ein bißchen was aßen.

»Du hast deinen Stoffwechsel ruiniert, als du Mister Sweden warst«, fuhr sie didaktisch fort. »Die anabolen Steroide haben das gesamte System durcheinandergebracht. Ludvig ist das genaue Gegenteil. Marathonkörper. Er hat sich seine Trauer förmlich vom Leib gelaufen. Sechzig Kilometer die Woche.

»Trauer?« fragte Nyberg und blickte traurig auf den Kopenhagener, der für ihn bestellt worden war. Er machte gerade eine knochenharte Abmagerungskur, und die ganze Zeit bekam er Kopenhagener und Zimtschnecken und Kekse und Mazariner in seine hilflosen Finger gedrückt.

Sara Svenhagen betrachtete ihn verwundert. Er schaute zurück. Sie war atemberaubend schön. Um die Dreißig. Ihr fast bronzeglänzendes, dunkelblondes Haar ergoß sich wie ein goldener Wasserfall hinab zu den gekräuselten Schulterbändern ihres kleinen schwarzen Leinenoberteils, das sich seinerseits so spröde an die sommersprossige goldbraune Haut schmiegte. Ja, er wurde immer ein wenig lyrisch, wenn er Sara betrachtete. Nicht altersgeil, sagte er sich immer wieder, obgleich zwei Jahrzehnte zwischen ihnen lagen. Nein, es war kein Begehren mit im Spiel. Sie war eher ein rettender Engel, eine Lichtgestalt, die immer zur Stelle war und einen wieder ans Licht des Tages zurückzog, wenn man ins allertiefste Dunkel des Menschlichen geblickt hatte.

Denn genau das war es, was die Pädophilenjägergruppe bei der Reichskriminalpolizei tat. Blickte täglich hinab in die denkbar schlimmsten Sümpfe des Menschlichen, das heißt gewöhnlich vor allem des Männlichen. Etwas so Grauenhaftes hatte er sich nie vorstellen können.

Es war eine überwältigende Zeit gewesen; erst jetzt begannen die Dinge sich zu normalisieren.

Gunnar Nyberg war der einzige aus der A-Gruppe, der mit intakter Ehre davongekommen war, auch wenn die Ehre intern war und niemals, unter gar keinen Umständen, das Licht der Öffentlichkeit erblicken durfte. Die Decke des Stillschweigens war über den Fall ausgebreitet worden, und da lag sie immer noch. Doch intern, im Reichskriminalamt, war er mit einem Glorienschein versehen worden, und wenn nicht der Gedanke an Schwedens größten Polizisten als Kommissar an sich so absurd gewesen wäre, hätte man ihn wohl befördert. Er hatte selbst abgewinkt, um dem Reichspolizeichef Ausreden zu ersparen. Keine Beförderung. Aber gern eine stimulierende Tätigkeit.

So kam es, daß der Mann, der bei einer journalistischen Umfrage im Polizeiblatt zu Schwedens größtem Polizisten ernannt worden war, in der erfolgreichen Pädophilenabteilung beim Reichskrim vor dem Computerbildschirm landete. Er, der gerade angefangen hatte, wieder zu leben, nachdem er von einem Aquariumsdasein in den trüben Wassern des Schuldbewußtseins beinah zerfressen worden war. Er, der sich gerade mit denen versöhnt hatte, die er für unversöhnlich gehalten hatte. Seinen Kindern. Seiner früheren Ehefrau. Den Zeugen und dem Opfer des großen Verbrechens in seinem Leben, der unvergeßlichen Mißhandlung seiner Ehefrau in seiner Bodybuilderzeit. Es war mehr als zwanzig Jahre her, doch jeden einzelnen Tag sah er die kugelrunden Augen seiner Kinder, wie sie die aufgeplatzte Augenbraue seiner Frau betrachteten. Seinen Schmerz sang er sich als Baßsänger im Kirchenchor der Gemeinde Nacka von der Seele.

Doch endlich hatte er den Schritt getan. Gunilla war seit langem wieder verheiratet und lebte in Uddevalla. Mit zitternden Beinen war er hinuntergefahren und hatte sie und Bengt besucht. Sie hatten gerade ihr Haus verkauft und sich auf Orust ein Sommerhaus angeschafft. Dorthin war er gefahren. Sie war ganz anders, als er sie in Erinnerung hatte. War aufgeblüht. War eine kleine Frau, die einen überraschend derben Ton am Leib hatte und ohne zu zögern ihm nicht nur verzieh, sondern ihn unter den Tisch trank, so daß er die Nacht in Tränen aufgelöst verbrachte. Ein lächerlicher Fleischhaufen. Das tat gut. Dann besuchte er seine Tochter Tanja in Uddevalla. Sie war verheiratet und machte Karriere. Kinder mußten warten. Eine eher abwartende, vielleicht eine Spur steife Haltung. Aber auch das ging gut.

Am besten ging es jedoch mit seinem Sohn Tommy, der als Bauer in Östhammar in Roslagen lebte und einen kleinen Sohn namens Benny hatte. Sie besuchte er, sooft er konnte. Die Benzinrechnungen stiegen drastisch. Daß sein alter rostiger Renault abnorm viel Benzin soff, war ihm schnurz. Dieser Enkel sollte verwöhnt werden. Um jeden Preis.

Und er öffnete sich nicht nur für die Welt der Kinder, sondern auch für die der Frauen. Plötzlich konnte er, nach fast zwanzig Jahre währender Enthaltsamkeit, an sich selbst als an ein sexuelles Wesen denken. Er begann wieder, nach Frauen zu schauen, vorsichtig, doch ohne von Schuldgefühlen überwältigt zu werden.

Und ausgerechnet da wurden beide Perspektiven auf das gräßlichste verzerrt.

Kinder und Sex.

Nach den ersten Schocks, als Sara und Ludvig ihn mehrfach schluchzend vor dem Bildschirm zusammengesunken gefunden hatten, nahm er sich der Aufgabe mit der denkbar größten Leidenschaft an. Die Gruppe war im Augenblick die Nummer eins der Reichskriminalpolizei, nach dem Hinscheiden der A-Gruppe. Sie waren, nach einer Phase trostlosen Jagens, mitten in einer erfolgreichen Periode und arbeiteten fleißig mit internationalen Kollegen zusammen. Bevor Nyberg dazugestoßen war, hatte man mit fünfzehn Ländern unter der Führung der National Crime Squad in England an der internationalen Aktion Operation Cathedral zusammengearbeitet, die ein großes Netzwerk von Pädophilen im Internet aufgedeckt hatte, und das erste, was er sich Ende Oktober hatte vornehmen müssen, war eine Widerwärtigkeit namens Pedo University. Im Mai des voraufgegangenen Jahres hatte die amerikanische Polizei eine internationale Aktion unter dem Namen Operation Sabbatical eingeleitet, und Ende Oktober erfolgte ein koordinierter Zugriff in den beteiligten Ländern. Und zu Hause verfolgten andere Teile der Gruppe all die Spuren und Netzwerke, die im Zusammenhang mit der Entlarvung eines zweiundzwanzigjährigen Pädophilen in Örebro entdeckt wurden, der als der bislang schlimmste Kinderschänder des Landes galt.

Es ging also voran. Und Gunnar Nyberg hatte zum erstenmal ernsthaft das Gefühl, daß er etwas *Wesentliches* tat. Er rettete Kinder. Und damit verbrachte er auch seine Freizeit. Seit einem Jahr hielt er in den Schulen der Stadt Vorträge über Doping, die immer mehr Anerkennung fanden. Gratis, zur unverhohlenen Verblüffung der Rektoren.

Wer kannte die negativen Nebenwirkungen der anabolen Steroide besser als er?

Und obwohl er tagein, tagaus die schrecklichsten Seiten des menschlichen Begehrens betrachtete, fand er, daß sein Leben sich gut anließ. Wider Erwarten, wenn er an den Kentuckymörder dachte.

Sein Blick schweifte über den Mälaren. Den Hochsommersee. Ein paar Wochen des Juni waren schon vergangen. Das Wetter konnte sich nicht richtig entscheiden, was es wollte, doch gerade im Moment schaute die Sonne hervor und strich ihre frischgebutterte Butter auf die Scheibe frischbackenes Riddarfjärden-Brot und garnierte das Ganze mit Spinnakern in allen Farben des Regenbogens. Die Luft fühlte sich ungewöhnlich gesund an, was nur teilweise an dem fehlenden Autoverkehr lag. Auf Västerbron war es jetzt die immer dichter werdende Läuferschar, die Schlangen bildete.

Gunnar Nyberg wandte sich wieder Sara Svenhagen zu. Ihre Miene ließ erkennen, daß sie auf etwas geantwortet hatte, was er schon wieder vergessen hatte.

»Entschuldigung, was hast du gesagt?« mußte er sagen.

»Ludvig ist seiner Trauer um die Familie davongelaufen«, sagte sie. »Das hast du also nicht gewußt? Daß Ludvig Johnsson vor ein paar Jahren seine Familie bei einem Verkehrsunfall verloren hat?«

»Wie? Das begreife ich nicht. Er ist mir immer als so ... unbekümmert erschienen.«

»Das ist eine Maske. Er läuft im wahrsten Sinne des Wortes um sein Leben. Jeden Tag. Frau und zwei Söhne, einfach so. Weg, von einer Sekunde zur nächsten.«

»Habt ihr damals schon zusammengearbeitet?«

»Ja, allerdings nicht mit dem hier. Das war, bevor die Polizei richtig begriffen hatte, wie ernst diese Geschichte mit der Kinderpornographie wirklich war. Wie wahnsinnig verbreitet sie ist. Nein, wir arbeiteten bei der Stockholmer Kripo. Er war mein Lehrmeister, kann man wohl sagen. Und Ludvig war es, der die ganze Pädophilenabteilung aufgebaut hat und mich mit rübergenommen hat.

»Und mich auch, nehme ich an.«

»Ihr kanntet euch von früher, ja«, sagte Sara. »Wieso?«

Gelände, das so schwer zu betreten gewesen war. Fast ausradiert unter Ängsten von zwanzig Jahren. Die Vergangenheit. Die Zeit damals. Die Zeit der Steroide.

»Wir sind zusammen zur Polizeischule gegangen«, sagte Gunnar Nyberg. »Wir waren damals richtig enge Freunde. Teilten das Zimmer. Aber wir drifteten auseinander. Als er ein guter Polizist wurde und ich ein schlechter. Und jetzt wußte ich nicht einmal, daß er seine Familie verloren hat.«

»So was macht die Zeit«, sagte Sara und legte ihre Hand auf seine.

Er lächelte. Schief, spürte er. Er lächelte schief und blickte in die Runde. Sie aßen ein bißchen was. Fünf Pädophilenjäger. Seine neue A-Gruppe.

Deren Chef, der Kometkarrierist Kommissar Ragnar Hellberg, allgemein als Party-Ragge bekannt, plötzlich aufstand und mit dem Finger zeigte: »Jetzt kommt die Spitze.«

Sie verließen das Strandcafé und drängten sich durch die Volksmassen hinauf zum Norrmälarstrand. Nyberg konnte ohne schlechtes Gewissen den Kopenhagener den wartenden Spatzen überlassen.

Die Spitzengruppe des Stockholm-Marathons war gerade durch, als sie das rot-weiße Absperrband erreichten. Wenn jemand sich über das heftige Drängeln beschwerte, bekam er einen Polizeiausweis unter die Nase gehalten. Nyberg wußte, daß Polizeibeamte suspendiert worden waren, weil sie außerhalb des Dienstes ihren Polizeiausweis benutzt hatten, und ließ den offenbar nicht besonders kleinlichen Kommissar Hellberg den Weg bahnen.

Die Dichte der Läufer auf der Marathonstrecke nahm zu. An die einhundert waren bereits durch, als Nyberg fragte: »Und wie erkennen wir ihn?«

»Das wirst du schon sehen«, lachte Sara.

Und er sah es. Man konnte es gar nicht übersehen.

Ludvig Johnsson lief mit einem blinkenden Blaulicht auf dem Kopf. Er lief unglaublich schnell und winkte der ausgelassen gröhlenden Pädophilenjägertruppe fröhlich zu.

Kommissar Ragnar Hellberg tauchte unter dem rot-weißen Absperrband durch und glitt durch eine Lücke in der Kette der Marathonläufer hindurch. Die Gruppe folgte ihm. Party-Ragge winkte mit seiner Legitimation großmütig den herbeieilenden Funktionären zu, die daraufhin mitten im Schritt innehielten und die in wichtiger Mission unterwegs befindliche Bullenbande durchließen. Sie eilten im Laufschritt die Polhemsgata hinauf.

»Was passiert jetzt?« keuchte Gunnar Nyberg, dessen Körper nicht direkt fürs Joggen gebaut war.

»Jetzt wird er wahnsinnig überrascht sein, uns oben an der Fleminggata noch einmal zu sehen«, sagte Sara.

Und sie kamen genau zur rechten Zeit, um zu sehen, wie sich das merkwürdige blinkende Blaulicht näherte. Ludvig Johnsson lachte tatsächlich sehr überrascht, zeigte auf sein Blaulicht und sah sie vorwurfsvoll an.

»Das bescheuerte Blaulicht wiegt ein paar Kilo«, lachte Kommissar Ragnar Hellberg sadistisch, als Johnsson außer Sichtweite war.

Dann konnten sie sich entspannen und noch einmal *ein bißchen was essen*, bevor es Zeit würde, Johnsson auf der zweiten Runde unten am Norrmälarstrand abzupassen. Diesmal sah er nicht mehr so taufrisch aus, und beim zweitenmal oben an der Fleminggata war das Blaulicht verschwunden. Es ließ sich nie feststellen, wo es geblieben war.

Dafür nahm die ganze Gruppe Platz in einem vorgefahrenen Polizeiwagen, der mit eingeschaltetem Blaulicht Kurs auf Stockholms Stadion nahm, wo sie alle mit einem auf dem Kopf befestigten Blinklicht an der Laufbahn standen und den erschöpften Marathonhelden in Empfang nahmen.

Gunnar Nyberg stand da und fühlte sich mit dem blinkenden Blaulicht auf der Birne reichlich bizarr. Es war kurz vor fünf, und er tat sein Bestes, um mitzumachen, um genausoviel Spaß zu haben, wie ihm die anderen zu haben schienen, damit er nicht daran dachte, daß er *hierfür* den Feiertag mit seinem Enkel Benny in Östhammar geopfert hatte.

Und als er sah, wie der drahtige Jugendfreund auf der Laufbahn von Stockholms Stadion im Schatten des altehrwürdigen Glockenturms die herzlich-innige Umarmung der fabelhaften Sara Svenhagen entgegennahm, konnte er sich mit dem Gedanken fast versöhnen. Die güldene Haarpracht glänzte wundersam im glühenden Licht der Spätnachmittagssonne.

Das war damals.

Jetzt war es verschwunden. Sara Svenhagen hatte sich die Haare kurzgeschnitten. Sie war wie ein anderer Mensch. Ebenso ansprechend, keine Frage, aber ansprechend auf eine ganz andere Art und Weise. Interessanter, vielleicht. Weniger Lichtgestalt und mehr Mensch. Mit allem, was das beinhaltete.

»Was ist denn in dich gefahren?« fragte Nyberg unverblümt.

Ludvig Johnsson schien nicht richtig zu verstehen, wie er da schlank auf dem Bürgersteig neben dem Polizeipräsidium saß und seinen dritten Kopenhagener an diesem Tag verschlang.

Doch Sara verstand. Sie lächelte leicht. »Lebenserneuerung«, sagte sie nur.

Gunnar Nyberg starrte hinab in seine noch nicht angerührte Tasse schwarzen Kaffee und wußte nichts zu sagen. Was ihn betraf, reichte es bis auf absehbare Zeit mit der Lebenserneuerung.

Obwohl, da war ja noch das mit den Frauen, natürlich ...

Ludvig Johnsson setzte sich auf dem Trottoir vor dem Eßlokal mit dem sympathischen Namen Annikas Café & Speiselokal in der Kungsholmsgata auf seinem ranken Stuhl zurecht. »Und du bleibst bei deiner Asketenkost, Gunnar?« sagte er.

Johnsson sah beinah unverschämt gut durchtrainiert aus mit seinem sehnigen Körper und der gepflegten Glatze innerhalb des mönchartigen Kranzes von schwarzem Haar. Er trug einen leichten hellen Leinenanzug und einen grünlichen Schlips zu dem beigen Hemd und sah mindestens zehn Jahre jünger aus als Nyberg, obwohl sie gleich alt waren, also Ende Vierzig.

Es war immer eine unerhörte Qual, diesen gutgetrimmten Mann Überflüssiges in sich hineinschaufeln zu sehen. Überhaupt war es ein seltsames Erlebnis, Ludvig Johnsson wiederzusehen. Sie hatten einander während einer kurzen Periode vor fünfundzwanzig Jahren wirklich sehr nahegestanden. Gemeinsam die Polizeischule besucht, fast rund um die Uhr zusammengelebt. Schon da war die Verteilung klar gewesen: Gunnar verbrachte die meiste Zeit beim Krafttraining, Ludvig lief Amok auf den Joggingloipen. Gunnar wurde Mister Sweden und ein widerwärtiger Norrmalmsbulle mit Baseball-schläger. Ludvig ging in die Provinz und wurde ein freundlicher Stadtteilpolizist in Vänersborg. Und jetzt begegneten sie sich wieder. Als Pädophilenpolizisten, wie eine Boulevardzeitung sie eine Spur zu unvorsichtig genannt hatte. Und erstaunlich wenig hatte sich verändert. Auf ganz verschiedene Art und Weise hatten beide ihre Familie verloren, und nun fanden sie wieder zusammen. Wiederum eher aufgrund der Unterschiede als aufgrund der Ähnlichkeiten. Ludvig spritzig, geschmeidig, elegant, europäisch. Gunnar groß, stark, kämpferisch, urschwedisch.

»Ich *muß* Asketenkost zu mir nehmen«, sagte Gunnar Nyberg. »Ich habe noch zwölf Kilo abzunehmen bis zu Schwedens zweitgrößtem Polizisten.«

Ludvig Johnsson lachte amüsiert. »Ja, ich habe diese Reportage gelesen. Hatten sie vorher mit dir gesprochen?«

»Jemand rief an und fragte, ob ich immer noch hundertneununddreißig Kilo wöge. Ich habe geantwortet: nein, hundertsechsundvierzig. Auf dieser Konversation baut die Reportage auf. Schwedens größter Polizist.«

»Nein, hört mal, Leute«, sagte Ludvig Johnsson abrupt und schlug sich auf die Marathonknie. »Jetzt ist verdammt erst mal Mittsommer angesagt. One to go. Mögen die Pädophilen ringsum im Lande in Frieden ruhen. Auf jeden Fall ein paar Tage. Was wollt ihr machen?«

»Ich verbringe die Tage mit meinem Enkel«, sagte Nyberg, ohne zu zögern. »Tanz um den Mittsommerbaum in Östhammar.«

»Ich laß es ruhig angehen«, sagte Sara Svenhagen. »Abschalten. Es ist alles ein bißchen zu sehr auf Hochtouren gelaufen die letzte Zeit.«

»Ich werde mich erneuern«, sagte Ludvig Johnsson kryptisch.

Da schallte eine wohlbekannte Stimme die Kungsholmsgata entlang: »Nein, was sieht man denn da. Schwedens eindeutig größter Polizist.«

Gegen die graue Fassade des Polizeipräsidiums zeichnete sich ein kurzhaariger dunkelblonder Mann mit rotem T-Shirt, Jeans und Sandalen und einem roten Mal auf der Backe ab. Nyberg machte sich die Mühe, sich zu erheben und die Arme auszubreiten. Die beiden Männer umarmten einander. Als Nyberg losließ, sah der andere aus, als hätte ihn gerade eine Anakonda umschlungen.

»Geehrte Pädophilenjäger«, sagte Nyberg launig. »Treffen Sie den Helden von Hallunda. Paul Hjelm, den Stolz des Polizeikorps'. Ludvig Johnsson und Sara Svenhagen.«

»Hallo«, sagte Johnsson.

»Hej«, sagte Sara Svenhagen.

»Hej«, schnaufte Hjelm und eroberte seine Lungenkapazität zurück. »Gratuliere zu euren Festnahmen in letzter Zeit. Es ist wohl ziemlich gut gelaufen.«

»Danke«, sagte Svenhagen. »Doch, unsere Mühe hat sich gelohnt.«

»Endlich, kann man wohl hinzufügen«, sagte Johnsson.

»Und du, womit pusselst du herum zur Zeit?« fragte Nyberg und schlug Hjelm auf die Schulter. »Warst du nicht bei der Ordnungspolizei gelandet?«

»Mitten im Alltag, kann man wohl sagen, ja. Im Augenblick geht es um den Totschläger vom Kvarnen, wenn euch dieses raffinierte kriminelle Genie etwas sagt.«

»Kneipenschlägerei?« sagte Nyberg rücksichtslos. »Bist du dafür nicht ein klein wenig ... überqualifiziert?«

»Sag das nicht«, erwiderte Hjelm. »Es läßt sich ganz spannend an. Na, wir werden sehen. Ich arbeite übrigens mit Kerstin zusammen, Gunnar.«

»Was du nicht sagst«, meinte Nyberg erfreut. »Meine alte Zimmergenossin. Sie wollte zurück. Und jetzt seid ihr zusammen gelandet. Das paßt doch gut.«

»Das paßt sogar ausgezeichnet«, sagte Hjelm. »Ich soll hier in dem erlesenen Annikas Café & Speiselokal ein paar belegte Brote kaufen, dann machen wir weiter mit den Verhören. Die Sache hat ganz überraschende Pointen.«

»Was hältst du von einem Besuch in Östhammar an Mittsommer. Du mußt mal kommen und meinen Sohn kennenlernen. Tommy.«

»Danke, also ich meine, nein danke. Ich glaube, die Kinder haben einiges geplant. Wir mieten wieder die Kate auf Dalarö.«

»Jaja, hol jetzt deine Totschlägerstullen«, sagte Nyberg. »Sonst kriegst du noch Ärger mit Kerstin.«

Hjelm ging hinein, kaufte in Annikas Café & Speiselokal ein paar ansehnlich belegte Brote und machte sich winkend auf den Weg zurück zum Präsidium.

Aber eigentlich war er an einem anderen Ort.

Anderswo.

Genauer gesagt im Restaurant *Kvarnen* um einundzwanzig Uhr zweiundvierzig am vorherigen Abend.

Er hielt plötzlich inne, dort auf der Kungsholmsgata. Der Riesenkomplex des Polizeipräsidiums türmte sich vor ihm auf. Nach rechts ging es zum Reichskrim in der Polhemsgata. Nach links würde er durch den schattigen Park am galanten Eingang des Länskrim in der Agnegata vorbeigehen und in der Bergsgata herauskommen, wo der deutlich anspruchslosere Eingang des Polizeibezirks City lag.

Rechts gehörte der goldenen Vergangenheit an.

Links der eher schmutzgrauen Gegenwart.

Ohne richtig zu verstehen, warum, stand er da und zauderte am Scheideweg wie Stiernhielms Herkules.

Erst jetzt war er gezwungen, etwas zu formulieren, was während mehrerer Stunden an diesem Donnerstag vor Mittsommerabend unformuliert im Vernehmungsraum in der Luft gelegen hatte. Und er hatte es ein übers andere Mal in Kerstin Holms Blick gelesen, wenn sie sich angesehen hatten, um ihre Intuition miteinander abzustimmen.

Ja – dies war ein ganz gewöhnliches graues und rohes Alltagsgewaltverbrechen in der Innenstadt von Stockholm. *Aber war es nur das?*

Waren es nur ihre hochgespannten Hoffnungen auf ein *richtiges Verbrechen*, die sie hinter dieser schäbigen Gewalttat unter Fußballfans etwas anderes vermuten ließen?

Paul Hjelm stand eine Weile dort am Scheideweg. Er spürte, wie Nybergs forschende Blicke sich in seinen Nacken bohrten. Dann akzeptierte er den Zustand der Dinge und wandte sich nach links. Kehrte zurück zur Ordnungspolizei, zur Abteilung für Gewaltverbrechen im Polizeibezirk City, und zu den grauen, aber rohen Gewalttaten.

Doch irgend etwas in ihm ahnte eine bevorstehende Metamorphose.

6

Ihr Magen knurrte nicht, er brüllte. Wie wenn ein einsamer Inder durch den Dschungel schleicht und das Herz ihm bis zum Halse schlägt, und plötzlich hört er das, was man, wie er weiß, nur einmal im Leben hört.

Sehr spät im Leben.

Das Brüllen des Tigers.

Obwohl der Tiger ein kaum furchteinflößender weiblicher Bulle von fünfunddreißig war und der Inder ein verweinter junger Bursche aus Kalmar von knapp zwanzig. Und in seinem Leben war es kaum spät.

Aber spät war es im Leben seines besten Freundes gewesen. Gestern abend. Am dreiundzwanzigsten Juni um einundzwanzig Uhr zweiundvierzig im Restaurant *Kvarnen* in der Tjärhovsgata auf Södermalm.

Kerstin Holm sehnte Paul Hjelm herbei. Mehr noch aber –

das mußte sie zugeben – sehnte sie die belegten Brote herbei, die er mitbringen würde.

Ihr Magen brüllte noch einmal auf. Mehr als mörderisch.

Aber davon merkte Johan Larsson aus Kalmar nichts. Er weinte hemmungslos. Er war vollkommen durcheinander. Er begriff nichts. Überhaupt nichts. Vier junge Burschen aus Kalmar hatten sich frohgemut nach Stockholm begeben, um zusammen mit ihrer Fußballmannschaft, dem überraschend erfolgreichen Aufsteiger in die erste Liga, Kalmar FF, ein kleines Abenteuer zu erleben. Am Mittwoch, dem dreiundzwanzigsten Juni, um neunzehn Uhr, hatten sie im Söderstadion ihre Plätze eingenommen, ihre Mannschaft angefeuert und zu einem beachtlichen 2:2 angetrieben. Durchaus zufrieden mit dem Abend, hatten sie ein Lokal aufgesucht, von dem sie hatten reden hören, *Kvarnen* am Medborgarplats. Da sollte Leben in der Bude sein, hatten sie gehört. Sie wußten indessen nicht, daß die Bude brechend voll war mit enttäuschten Hammarbyfans, deren gesammelte Frustration über den letzten Tabellenplatz sich jetzt dem Siedepunkt zu nähern begann. Und keiner hatte ihnen Glauben geschenkt, als sie wie Petrus dreimal ihren Meister verleugneten. Statt dessen war einer von ihnen gestorben. Sein Blut war in Johan Larssons Hände geflossen, war zwischen den Nähten seines rotweißen Spielertrikots hervorgeströmt, und das Leben würde nie wieder so sein, wie es gewesen war.

Vielleicht würde er das Meer von Blut vergessen, vielleicht würde er sogar seinen alten Freund, Anders Lundström, vergessen, doch nie würde er den blinden Haß vergessen. Die Wut ohne jedes Maß. Diese Blicke, die *nur töten wollten.* Die würden bis zum allerletzten Augenblick von Johan Larssons anspruchsloser Erdenwanderung dableiben. Soviel war ihm klar.

Aber sonst nichts.

Kerstin Holm tat, was sie konnte. Sie versuchte, mütterlich zu sein, sie sagte sich: Ich könnte die Mutter dieses Mannes sein; doch es klappte nicht richtig. Ihr war nicht hundertprozentig klar, was es hieß, mütterlich zu sein.

Sie hatte keine Kinder, wußte nicht, ob sie Kinder haben wollte. Vor einem Jahr wußte sie, daß sie *keine* Kinder haben wollte. Jetzt wusste sie nicht einmal mehr das. Die Zeit begann ihr davonzulaufen. Ihre Beziehungen hatten nicht richtig gehalten, was sie versprochen hatten. Als Kind war sie von einem Verwandten vergewaltigt worden, ihre erste Ehe mit einem Polizisten in Göteborg war eine einzige, merkwürdig in die Länge gezogene Vergewaltigung gewesen, ihr seltsames, kurzes, intensives Verhältnis mit Paul Hjelm vor mehr als zwei Jahren war in erster Linie eine vergoldete Erinnerung, von der das Blattgold abzublättern begonnen hatte, und die wichtigste Beziehung ihres Lebens, eine mindestens ebenso intensive Verliebtheit in einen krebskranken sechzigjährigen Pastor der Schwedischen Kirche, hatte so geendet, wie sie es vorausgesehen hatte.

Er war gestorben.

Sie war bei ihm, als er starb, und er ließ ihr ein Erbe von Erinnerungen zurück, mit denen sie nicht recht umzugehen wußte. Sie waren von etwas *Heiligem* umweht, dessen sie sich ganz einfach nicht würdig fühlte.

Paul Hjelm trat ein und winkte mit einer Plastiktüte. Sie stieß einen Seufzer der Erleichterung aus, und ihr Magen brüllte wild, als sei er sich über den Inhalt der Plastiktüte vollauf im klaren.

Paul hörte es, winkte noch einmal mit der Tüte, bekam unmittelbar Rückmeldung von dem Tiger in ihrer Magengegend und hob verwundert die Augenbrauen. »Die Mysterien der Biologie«, sagte er, setzte sich und überflog ihre Notizen. ›Gruppe von sieben‹, stand da. ›Blinder Haß‹, stand da. ›Drei Hauptfiguren, Täter eigentlich Nebenfigur.‹ ›Der, der half (Jonas A), verdammt wütend. Auf uns, weil wir dahin gegangen waren. Auf d. Tät., weil er Scheiße gebaut hatte.‹ – ›Anders hat ihn nur umgeschubst, damit wir hinter Hjalle und Steffe her und abhauen konnten.‹ – ›Ganz unerwartet.‹ – ›Die unglaublich kalten Blicke, als wäre niemand dahinter.‹ – ›Die ganze Gang verschwand. Auf einen Schlag.‹

Mehr stand nicht da.

Hjelm blickte auf und betrachtete Johan Larsson aus Kalmar. Er saß da wie ein Häufchen Elend und schluchzte.

Die sogenannte sinnlose Gewalt.

Einen Moment lang war ihm übel.

Dann sah er die neue Zeichnung an. Sie lag neben den beiden anderen. Drei voneinander unabhängige Phantombilder des Täters. So gleich und doch so verschieden. Per Karlssons, Eskil Carlstedts und Johan Larssons.

Das ungepflegte, halblange dunkelblonde Haar, der kleine Schnauzer, der ein paar Millimeter an den Mundwinkeln herabhing, die blauen Augen. Soweit stimmten sie überein. Doch die Gesichtsform, die Form der Nase und der Augen, das alles unterschied sich in grundlegenden Punkten. Aus diesen drei Skizzen ließ sich kein einheitliches Bild herstellen; es fragte sich, ob sie auch nur für die Medien brauchbar waren.

Hjelm hielt Johan Larsson Eskil Carlstedts Zeichnung hin: »So sah er also aus?«

Larsson blickte auf, das Gesicht hochrot, Rotz lief ihm ungehindert aus der Nase. Hjelm reichte ihm ein Taschentuch, ohne die Zeichnung hinzulegen. Schließlich gelang es Johan Larsson, die Zeichnung zu fixieren. Er nickte, dann sank sein Gesicht wieder auf die Arme hinab.

Hjelm tauschte die Zeichnung gegen Per Karlssons Zeichnung aus. »Also so?« fragte er.

Der junge Mann aus Småland sah wieder auf. »Genau so«, sagte er.

Hjelm seufzte und ließ die Zeichnung sinken. »Wie betrunken warst du?«

»Ziemlich«, sagte Johan Larsson nur.

»Und du hast in dem Lokal nichts anderes gesehen, woran du dich erinnern kannst?«

Kerstin sah Paul fragend an. Er blickte fragend zurück. Als sie sich wieder dem jungen Mann zuwandten, sahen sie, daß er sich fragte, warum sie sich fragend ansahen. Es wurde ein bißchen ätzend.

»Ich habe nur eins gesehen, woran ich mich erinnern kann«, sagte er glasklar.

Sie ließen ihn gehen.

Sie sahen sich an und rissen die Plastiktüte mit den belegten Broten auseinander.

»Die Computerheinis«, nuschelte Hjelm, den Mund voll von Mozzarella und Parmaschinken.

»Die hab ich mir vorgenommen, während du weg warst. Das ging schnell. Sie haben nichts gesehen. Und sie waren keine Computerheinis, sondern Aktienmakler. Sie saßen direkt neben der Tür und haben, weiß der Kuckuck, absolut nichts gesehen. Ausgenommen eins: die Junggesellinnenclique. Ich bekam den Eindruck, daß sie es auf einen raffinierten *gang bang* mit der Braut in spe und ihren sinnlos betrunkenen Kolleginnen abgesehen hatten.«

»Und die Junggesellinnenclique hatte wirklich nichts zu bieten, kann ich dir verraten. Ein raffinierter *gang bang* wäre ihnen, soweit ich es beurteilen kann, nicht völlig fremd gewesen. Was aber wohl bedeutet, daß die ganze Reihe unten am Fenster, ein Tisch Aktienmakler und zwei Tische Jungfernabschied, als Zeugen wertlos sind?«

»Das Beste, was die Aktienmakler zu bieten hatten, war: ›Es rauschten massenhaft Leute vorbei, und im gleichen Augenblick fingen die Bräute an zu jaulen.‹ Beide Gruppen waren ganz einfach ein bißchen zu scharf und zu betrunken. Genau wie das sogenannte Paarpaar, das tatsächlich ins Kvarnen gekommen war, um einen Partnertausch zu praktizieren. Sie hatten sich vorher noch nie getroffen, sondern nur erotische E-Mails ausgetauscht, in denen sie sich gemeinsamen Phantasien von Partnertausch und Gruppensex hingaben. Die Pläne dürften naturgemäß nicht realisiert worden sein, in Anbetracht des Alkoholpegels. Zu geil und zu voll. Alle zusammen – obwohl es erst zwanzig vor zehn war. Jungfernfete, Computerheinis und das Paarpaar.«

»Dann nehmen wir die, die naturgemäß *am wenigsten* geil und betrunken hätten sein sollen.«

»Aber anderseits diejenigen, die am beschäftigtsten waren.«

»Das Personal also. Die Kellnerinnen oder die Rausschmeißer?«

»Türsteher, heißt das. Welche von beiden haben es verdient, am längsten zu warten?«

»Rein mit den Kellnerinnen.«

Druck aufs Haustelefon. Kurzes Gespräch mit der Anmeldung, und herein stiefelte eine Schar Schönheiten von der leicht verlebten Sorte. Fünf Frauen. Sie sanken auf die Stühle und begannen im Kanon zu protestieren. Es hörte sich an wie das Affenhaus auf Skansen.

»Es tut uns natürlich ausgesprochen leid, daß Sie haben warten müssen«, sagte Hjelm verbindlich, nicht gänzlich geblendet von all diesem weiblichen Glanz. »Es mußten viele verhört werden, und keine von Ihnen verpaßt Ihre Arbeitszeit, denn es ist erst vierzehn Uhr zehn, und das *Kvarnen* hat noch nicht geöffnet.«

»*Dürfen* wir denn öffnen?« fragte die Älteste. »Ist es denn kein Tatort?«

»Wir haben alles sichergestellt, was sichergestellt werden mußte, also können Sie einfach weitermachen wie gewöhnlich. *Business as usual*. Und es wird bestimmt voll. Viel Gratisreklame in den Medien. Genau wie Tony Olsson in jedem Verlag, den er sich aussucht, Bücher herausbringen kann.«

»Tony Olsson?« sagten die Kellnerinnen im Chor.

»Der Polizistenmörder, der vor ein paar Tagen aus Costa Rica zurückgekehrt ist«, verdeutlichte Hjelm. »Und sich für unschuldig erklärt hat.«

»Und was hat das mit uns zu tun?« platzte eine der Damen heraus.

»Nichts«, seufzte Hjelm. »Wer von Ihnen stand hinter der Theke, als diese Sache passierte?«

»Ich«, sagte eine kleine dunkle Frau um die Dreißig. »Karin Lindbeck«, fügte sie routiniert hinzu.

»Was haben Sie von dem Vorfall gesehen?«

»Nicht viel. Ich stand am anderen Ende des Tresens und nahm die Bezahlung für eine Großbestellung entgegen. Es war kompliziert und dauerte lange.«

»Aber auch sicherheitshalber?« warf Kerstin Holm ein.

»Ich bitte Sie«, sagte Karin Lindbeck und hob abwehrend die Hände.

»Sie spürten also, daß die Atmosphäre bedrohlich war?« sagte Hjelm.

»Das kann man wohl sagen ... Es lag etwas in der Luft.«

»Und Sie hatten den Täter zuvor bedient?«

»Vermutlich. Aber er stand ein Stück im Hintergrund dieser Machogang und war etwas kleiner, glaube ich. Ein Mitläufer. Nicht besonders auffällig.«

»Ist es einer von diesen dreien?« sagte Hjelm und breitete die drei Phantomzeichnungen auf dem Tisch aus.

Die Barfrau Karin Lindbeck schaute sie durch. Schnell, routiniert. Gewohnt, sich Gesichter zu merken. »Kaum«, sagte sie nur.

»Keinerlei Ähnlichkeit?«

»Nur das Haar und der Schnauzbart.«

»Könnten Sie uns etwas Besseres liefern?«

»Ich glaube schon.«

»Und Sie hatten ihn vorher noch nie gesehen?«

»Möglicherweise habe ich ein paar aus dieser Gang mal gesehen. Aber nicht ihn. So auf Anhieb.«

»Sie können uns nachher bei ein paar Zeichnungen helfen, Karin. Fällt Ihnen sonst noch etwas ein?«

»Die Jungs aus Småland. Eine schüchterne Truppe, die ziemlich schnell einsahen, daß sie so fehl am Platz waren wie nur irgend möglich. Aber zu spät. Der, der starb, machte einen netten Eindruck. Er war derjenige, der bestellte.«

»Okay, danke. Der Rest von Ihnen waren also Kellnerinnen. Sie haben eine Einteilung, nicht wahr? Tischeinteilung?«

»Ja«, antwortete die älteste der Kellnerinnen, eine gefärbte Blondine Mitte Vierzig. Ich hatte das Fenster. Die Brautfete und die Aktienheinis. Sie flirteten hemmungslos miteinander.

Und tranken genauso. Die haben mich voll auf Trab gehalten. Ich saß im übrigen hinten und machte gerade eine Pause, als die Sache passierte. Er war schon tot, als ich wieder herauskam.«

»Weiter.«

»Ich war in der Ecke«, sagte eine andere. »Hab nichts gehört und nichts gesehen.«

»Sehr kurz und bündig, aber vielleicht nicht die ganze Wahrheit.«

»Ich war im Innern des Lokals. Und da passierte nicht viel. Business as usual.«

»Weiter.«

»Ich hatte die Mittelreihe«, sagte eine junge Dame mit chinesischem Aussehen. »Zur Tür hin saß eine Gruppe Studenten, sie redeten über Prüfungen in Sozialanthropologie, glaube ich, dann der Junge, der so tat, als läse er, allein, und dann eine Gruppe Südeuropäer zusammen mit einem Schweden. Sie sprachen Englisch.«

»Sie haben nicht zufällig mitbekommen, worüber sie sprachen?«

»Ich versuche nicht zu lauschen.«

»Wie bei den Prüfungen in Sozialanthropologie?«

Die Chinesin wand sich.

»Nun kommen Sie schon«, sagte Hjelm. »Irgendwas haben Sie gehört.«

»Sie saßen zusammen und verhandelten über etwas. Sie waren keine Kumpels. Im Gegenteil, glaube ich. Mißtrauen. Versuchten, zu einer Lösung von irgendwas zu kommen.«

»Von was? Denken Sie nach.«

»Sollten wir nicht über den Mord sprechen? Von dem habe ich nichts gesehen. Stand mit dem Rücken dazu.«

»Antworten Sie nur auf die Frage.«

»Nein, ich weiß es nicht. Ein Treffpunkt, vielleicht. Ich weiß nicht.«

»Aber sie sind direkt abgehauen, als die Schlägerei anfing? Die ganze Gang? Sind sie abgehauen, ohne ihre Rechnung zu bezahlen?«

»Wenn man nur trinkt, bezahlt man sofort. Es gab keine Rechnung zu bezahlen. Alles war schon bezahlt. Aber sie sind wirklich ziemlich schnell verschwunden.«

Hjelm dachte nach. Irgend etwas rührte sich diffus hinter seiner Stirn. »Keine Rechnung? Nein, verdammt, klar. *Keine Rechnung zu bezahlen.*«

Die Kellnerinnen nahmen mißtrauisch diesen eigenartigen kleinen Ausbruch zur Kenntnis.

»Wer hatte den Tisch neben der Tür? Also an der Wand neben der Tür?«

»Ich«, sagte die jüngste der Kellnerinnen, eine recht kräftige Frau mit kurzen Haaren.

»Was saßen da für Leute, und was passierte?«

»Fünf sehr ernste und stille Typen.«

»Verkäufertypen?«

»Nicht direkt, nein, das finde ich nicht. Vielleicht kann man sagen, *man hätte erwarten können*, daß sie laut gewesen wären. Aber ganz im Gegenteil. Sie redeten kaum ein Wort zusammen. Saßen nur da und starrten verstohlen.«

»Fünf Machoschwule, die auf einen kleinen lesenden Jungen starren«, sagte Hjelm deutlich.

»Sie haben nicht ihn angestarrt. Es war weiter weg.«

»Hörten sie Musik?«

»Kaum. Einer von ihnen hatte kleine Ohrstöpsel, aber es sah eher wie ein, ja, ein Hörapparat aus.«

»Und dieser Ohrstöpsel machte nicht die Runde?«

»Nein. Es war nur der eine, der sie hatte. Er saß mit dem Rücken zum Lokal.«

»Und sie tranken nicht viel?«

»Wenn es hochkommt, jeder ein Bier.«

»Und keiner von ihnen blieb da, um die Rechnung zu bezahlen?«

»Nein, nein. Das war genauso hier. Es gab keine Rechnung. Aber einer von ihnen blieb da. Rasierter Schädel und Schnauzer.«

»Und die anderen vier waren *nicht* vor dem Totschlag gegangen?«

»Nein, sie sind als allererste abgehauen. Sobald der Bierkrug kaputtging. Einer von ihnen zeigte auf den, der dablieb, und sagte etwas. Und da setzte er sich hin und wartete.«

»Sie ließen Eskil Carlstedt also absichtlich zurück?«

»Wenn er so heißt, ja. So sah es aus. Ich stand gerade in der Byenfangruppe daneben und versuchte eine Bestellung aufzunehmen. Das dauerte. Ich stand auch mit dem Rücken zu dem … Totschlag.«

Hjelm versuchte, Kerstin Holms Blick zu fangen. Sie saß da und zog harte Striche auf ihrem Notizblock. Schließlich hob sie den Blick. Er war konzentriert.

»Wollen wir mal kurz nach draußen gehen?« fragte Hjelm.

»Können wir«, sagte Holm. »Aber eine Frage noch an Sie«, fügte sie an und zeigte auf die Chinesin. Hjelm sah die unterstrichenen Wörter ›tat so als ob‹. Holm fuhr fort: »Warum sagten Sie, daß der Junge, der las, nur so tat?«

»Was?«

»Sie haben schon verstanden.«

»Er hat nicht einmal umgeblättert.«

»Was tat er denn sonst?«

»Weiß nicht. Dachte. Oder lauschte.«

Sie gingen hinaus in den Korridor.

»Wir schicken sofort eine Streife zu Eskil Carlstedt«, sagte Hjelm. »Er wohnt hier auf Kungsholmen.«

»Wir hätten auf das mit dem Musikhören reagieren müssen, die Demokassette, die Reaktion, als wir fragten«, sagte Holm. »Verdammt.«

»Und zugenäht«, sagte Hjelm.

Holm ging fort, um eine Streife nach Carlstedt loszuschicken. Hjelm kehrte zu den Kellnerinnen zurück. »Ja, meine Damen«, sagte er und streckte sich. »Jetzt brauchen wir möglichst detaillierte Beschreibungen von den Südländern, dem Schweden sowie den vier, die von dem Tisch an der Tür verschwanden.«

Die älteste der Kellnerinnen sprang erregt auf: »Aber was zum Teufel machen Sie hier eigentlich?« rief sie.

»Ich habe nicht die blasseste Ahnung«, sagte Paul Hjelm wahrheitsgemäß.

Drei robuste Türsteher der klassischen Sorte saßen aufgereiht da wie die Affen, die nichts sehen, nichts hören und nichts sagen wollen.

Allerdings nur fast.

Sie redeten nämlich eine ganze Menge. Doch ausschließlich darüber, wie heroisch sie die Tür blockiert hatten, obwohl alle versucht hatten rauszukommen. Sie stellten es ungefähr so dar, als wären sie heldenmütige UNO-Soldaten, die mit ihren bloßen Körpern einen Völkermord verhindert hatten.

»Im Hinblick darauf, daß mindestens zwanzig Personen sich davonmachen konnten, kann die Reaktion vielleicht trotz allem nicht als blitzschnell bezeichnet werden«, sagte Hjelm trocken.

Sie starrten ihn an. »Es gibt noch eine Tür zwischen der Garderobe und dem Lokal«, sagte der Älteste gekränkt. »Wir hören nicht alles, was da drinnen vor sich geht.«

»Wir hatten es mit einer verflucht aufsässigen Schlange zu tun«, sagte der Größte. »Viele lästige Immigranten.«

»Immigranten?« fuhr Hjelm hoch. Es war offenbar, daß der Mann nicht gewohnt war, ein anderes Wort als ›Kanaken‹ zu benutzen. Hjelm fuhr fort: »Trotzdem haben Sie an die dreißig bereits betrunkene Byenfans hineingelassen, von denen einer sich außerdem als Mörder herausstellen sollte.«

»Bei den Byenfans weiß man doch, wo man dran ist«, sagte der dritte.

»Ach so ist das«, sagte Hjelm säuerlich, ließ die Sache jedoch auf sich beruhen. »Hätten Sie nicht ein wenig schneller reagieren können, als zwanzig Mann auf einen Schlag aus dem Lokal herausstürmten?«

»Da entsteht ein verdammter Druck, und es war nicht ganz einfach, sich in die entgegengesetzte Richtung zu bewegen.«

»Unser Job ist schließlich, die Leute zu kontrollieren, die *rein*wollen, nicht die, die *raus*wollen.«

»Wir wußten ja nicht, was passiert war. Wir können nicht einfach anfangen, die Leute aufzuhalten, die das Lokal verlassen.«

»Was waren es denn für Leute, die herauskamen?«

»Männer. Nur Männer. Byenfans vor allem, auch ein paar etwas ältere Builder.«

»Meinen Sie Bauarbeiter?«

»Nein, Bodybuilder. Bauarbeiter gibt es doch wohl nicht mehr.«

»Irgendwelche ... Immigranten?«

»Eventuell auch eine Anzahl Ka... Herren mit dunklerer Hautfarbe, ja«, sagte der Größte. »Mir war so, doch.«

»Aber Sie müßten das hier doch alles wissen«, sagte der Älteste. »Sie hatten doch einen Mann vor Ort.«

Hjelm starrte Holm an. Holm starrte Hjelm an. »Einen Mann vor Ort?« sagten sie im Chor. Es klang zwar nicht übermäßig professionell, aber was soll man machen?

»Ja, sicher doch«, sagte der größte der Türsteher. »Wir hatten es gerade geschafft, uns hineinzudrängen und die innere Tür zu blockieren. Er war nicht richtig rausgekommen. Ich drückte ihn zurück. Da zeigte er seinen Polizeiausweis vor und drängte sich raus.«

»Seinen Ausweis?« sagte der Chor.

»Seinen Polizeiausweis.«

Sie saßen nur da. Schließlich sagte Kerstin Holm: »Fanden Sie es nicht sonderbar, daß ein Polizist hinaus wollte, nachdem ein Verbrechen begangen worden war?«

»Woher soll ich denn wissen, wie Sie arbeiten, verdammt.«

»Und wie er aussah, wissen Sie nicht mehr?«

»Es war ein ziemlicher Tumult, gelinde gesagt. Ein Typ lag auf dem Boden, in einer Blutlache. Alle schrien wild durcheinander, die Leute drängten zur Tür. Ich sah nur, wie er mit einem Polizeiausweis wedelte, und da hab ich ihn rausgelassen.«

»In die Freiheit«, sagte Paul Hjelm.

7

Viggo Norlander war scharf. Bissig. Hungrig.

Einem außenstehenden Betrachter konnte es sich so darstellen, als sei er ein hochmotivierter Polizeibeamter, der um jeden Preis einen komplizierten Mordfall lösen will.

Arto Söderstedt war *kein* außenstehender Betrachter. Er war ein skeptischer Betrachter. Und Viggo Norlander war kein hochmotivierter Polizeibeamter, der um jeden Preis einen komplizierten Mordfall lösen will. Er war ein hochmotivierter frischgebackener Vater, der um jeden Preis das Mittsommerfest mit seiner kleinen Tochter verbringen wollte.

Söderstedt fand das nicht in gleichem Maße ehrenwert. Er rief sich all die abgeblasenen Mittsommerfeiern mit seinen enttäuschten und weinenden Söhnen und Töchtern in Erinnerung und verspürte einen Stich von Neid angesichts der Zielbewußtheit Norlanders. So zielbewußt war er selbst nie gewesen.

Andererseits war seine Vaterschaft nie ähnlich außergewöhnlich gewesen. Im Gegenteil, er empfand sich als ein ausgesprochen normaler Vater. Anjas fünf Schwangerschaften waren ohne größere Komplikationen verlaufen, die Kinder waren eine Woche zu früh oder zu spät herausgeflutscht, kerngesund und kreideweiß. An der Vaterschaft konnte nie gezweifelt werden. Es sei denn, ein anderer Weißfinne hätte in den söderstedtschen Kleiderschränken gehockt und wäre wie *Jack in the box* jedesmal herausgeflogen, wenn der Gatte sich auf den Weg zur Polizeistation gemacht hatte.

Oder zum Gerichtssaal. Denn Söderstedts eigene kleine Extravaganz hatte nichts mit seinem Familienleben zu tun. Es war seine Karriere, die ungewöhnlich war. Und geheim. In sehr jungen Jahren war er fast besinnungslos in Rekordzeit durch die finnische Juristenausbildung gespurtet, war Anwaltsgenie in einer angesehenen Kanzlei geworden und hatte bereits im Alter von fünfundzwanzig Jahren den Abschaum der Welt verteidigt. Die bessergestellten Teile des Abschaums der Welt. Menschen, die es sich leisten konnten, einen Staranwalt wie Arto Söderstedt zu engagieren, um dem langen Arm des Gesetzes zu entwischen. Und noch darauf zu scheißen, mit der gleichen Selbstverständlichkeit, mit der ein Hund auf eine Wiese scheißt.

Schließlich hatte er ganz einfach genug. Warf seine Hugo-Boss-Anzüge und Armani-Schlipse fort, verschrottete den Porsche, gab seine finnische Staatsbürgerschaft auf, entfloh der Aufmerksamkeit nach Schweden und wurde – Polizist. In dem hartnäckig beibehaltenen Glauben, daß ein System sich trotz allem nur von innen heraus verändern läßt.

Und an diesem Nachmittag, während vor den Mauern die Hochsommersonne langsam niederging, saß er gemeinsam mit dem Abschaum der Welt von der zweiten Sorte zusammen im Bunker von Kumla. Der Sorte, die sich keinen Toppanwalt wie Arto Söderstedt leisten konnte, um dem langen Arm des Gesetzes zu entwischen.

Er war nicht durch und durch zufrieden.

Aber Viggo Norlander war wie der Fisch im Wasser. In drastischer Weise uninteressiert an formellem Rang, hatte er Übergeordnete wie Bernt Nilsson von der Sicherheitspolizei und Lars Viksjö von Närkes Länskrim auf die Zuhörerbank verbannt. Oder war es die Auswechselbank?

Er hob seinen energiedampfenden schief-einwärts-nach-hinten-Riecher von dem Papierhaufen vor sich und blickte über die Versammlung in dem kleinen kahlen Vernehmungsraum. »Versuchen wir mal zusammenzufassen, bevor wir ihn reinlassen«, fragte er ohne Fragezeichen. »Der Wachmann Erik Svensson sah, daß Lordan Vukotic nach dem Wecken um halb sieben noch tief ins Bett vergraben liegenblieb. Unter seinem Laken teilte Vukotic mit, daß er sich nicht gut fühle, und bat darum, das Frühstück auslassen zu dürfen, was ihm erlaubt wurde. Als um acht Uhr sechsunddreißig die Bombe hochging, war er folglich seit dem Abend zuvor nicht aus seiner Zelle herausgekommen. Können wir daraus irgendwelche Folgerungen ziehen?«

»Es ist vielleicht nicht unwahrscheinlich, daß es zwischen dem Auslassen des Frühstücks und der Explosion einen Zusammenhang gibt«, sagte Bernt Nilsson. »Aber wenn ja, wie sieht der aus? War er wirklich dabei, unter dem Laken eine Bombe zu basteln, und etwas lief schief und sie ging von selbst hoch?«

»Hände auf die Decke«, sagte Söderstedt und wurde dafür mit Blicken der Art belohnt, wie sie einem singenden Orang-Utan im Ballkleid begegnen.

»Alternativ?« sagte Norlander kalt.

»Wir wissen zu wenig«, sagte Söderstedt abwiegelnd. »Es kann ein Dutzend Gründe dafür geben, daß er nicht frühstücken wollte. Vielleicht fühlte er sich wirklich nicht wohl. Vielleicht hat Lordan Vukotic zum ersten Mal in seinem Leben die Wahrheit gesagt. Mach weiter.«

Norlander machte weiter. »Die ›paar Jugos von der gleichen Sorte‹, Zoran Koco, Petar Klovic und Risto Petrovic, halten die Schnauze, kurz und gut. Alle drei gehören zur Bande des einflußreichen Drogenhändlers Rajko Nedic, genau wie Vukotic, und die rücken nicht mit der Sprache raus. Hatte jemand den Eindruck, einer von ihnen wüßte was?«

Drei geschüttelte Köpfe.

»Sie sahen tatsächlich verschreckt aus«, sagte Nilsson. »Selbst ein so notorischer Kriegsverbrecher wie Klovic wirkte beunruhigt. Vukotic stand dem unerreichbaren Nedic wirklich nahe, so viel wissen wir, man könnte ihn vielleicht seine rechte Hand nennen, und diese rechte Hand hat man im Herzen des Kumlabunkers erwischt. Vielleicht ist das, was wir da sehen, der Beginn eines Machtkampfs in der Drogenbranche. Vielleicht ist es jedenfalls das, was Klovic und die Jungs glauben. Obwohl es ansonsten keine Anzeichen dafür gibt.«

Söderstedt betrachtete Bernt Nilsson verstohlen. Er entsprach nicht richtig seinem vielleicht ein klein bißchen ungerechten Bild des Säpomanns. Keine verstiegenen Konspirationstheorien, keine absolute Schweigepflicht, nichts von den alten Dummheiten, die fast dazu geführt hätten, der A-Gruppe ihren ersten Fall zu vermasseln. Den Machtmörder. Aber anderseits war das vielleicht eine verstiegene Konspirationstheorie.

»Kriegsverbrecher?« war alles, was er sagte.

Nilsson sah ihn an. »Klovic war bezeugtermaßen Lagerwache in Bosnien. Bosnienserbe. Sollte eigentlich vor dem Kriegsverbrechertribunal in Den Haag sitzen, aber anscheinend reicht es nicht für eine Anklage. Petrovic war ebenfalls an ethnischen Säuberungen beteiligt. Allerdings in Kroatien. Von Serben. Aber unter Rajko Nedics Fittichen finden sich die ehemaligen Feinde in einer gemeinsamen Liebe. Der Liebe zu Waffen.«

»Also nimmt Nedic gern Kriegsverbrecher in Dienst?«

»Sie sind ja hervorragende Arbeitskräfte. Fertig ausgebildet, sozusagen. Nedic ist vielleicht seit dreißig Jahren in Schweden, er wurde schon in den siebziger Jahren schwedischer Staatsangehöriger, aber er scheint zahlreiche Kontakte zu den paramilitärischen Gruppen an allen Fronten des ehemaligen Jugoslawiens zu haben. Ein großer Teil der Drogen soll von da unten kommen.«

»Aber in diesem Fall können wir die Jugos abschreiben?«

»Sehr wahrscheinlich. Jetzt sind sie ja Opfer.«

»Also«, griff Norlander den Faden wieder auf, »haben wir nicht viel, wonach wir gehen können. Die allgemeine Rundfrage, um herauszubekommen, womit Lordan Vukotic den gestrigen Abend verbrachte, hat nichts ergeben. Es hat den Anschein, als habe der Anstaltschef recht: Er hielt sich wirklich für sich. Aß um halb fünf zu Abend. Die Zeit bis zum Appell um halb acht ist blank. Keiner sagt etwas über diese drei Stunden. Und die gehörgeschädigten Zellennachbarn haben nichts anderes zu sagen als …«

»Was?« unterbrach Söderstedt.

»Was?« sagte Norlander.

»Die gehörgeschädigten Zellennachbarn haben nichts anderes zu sagen als: Was?«

Der dicke Lars Viksjö brach in ein dröhnendes Lachen aus.

Bernt Nilsson und Viggo Norlander zogen die Augenbrauen hoch. Und Söderstedt lachte sich ins Fäustchen; es war verlockend, Norlander ein wenig zu reizen. Seine energischen Kreise zu stören.

Dieser fuhr jedoch relativ unberührt fort: »Sie wissen nichts, außer daß plötzlich die Trommelfelle platzten. Pang, und sie waren hinüber.«

»Aber einer ist noch da«, sagte Bernt Nilsson. »Was dagegen, ihn zu treffen?«

Söderstedt und Norlander blickten sich an. Die Bande der Vergangenheit. Sie sagten nichts, ließen nur Göran Andersson eintreten und beobachteten ihn. Sein langer Körper steckte in einem kotzgrünen Freizeitoverall. An den Füßen trug er ein Paar ausgelatschte Birkenstock. Und das Gesicht war ein ganz anderes. Aus dem korrekten, gutfrisierten Bankbeamten war ein – ja, wie sollte man es nennen? – ein *Denker* geworden? Sein blondes Haar strebte in alle Richtungen, ein ziemlich ungepflegter Bart saß unordentlich in Flecken übers Gesicht verteilt, aber sein Blick, dieser klarblaue Blick, war glasklar. Das einzige, was das Bild eines waschechten Künstlers störte, waren zwei ein wenig blutige Wattebäusche in den Ohren.

Leonardo da Vinci, dachte Söderstedt.

Peter Dahl, dachte Norlander.

Irgendwo dazwischen lag vielleicht die Wahrheit.

Wie viele hatte dieser Mann ermordet?

Waren es fünf? Oder sechs?

»Hej«, sagte Göran Andersson. »Wo habt ihr Hjelm gelassen?«

Es dauerte eine Weile, bis bei ihnen der Groschen fiel. »Wir arbeiten nicht mehr zusammen«, sagte Söderstedt.

»Was?« sagte Göran Andersson.

Söderstedt kicherte. »Die gehörgeschädigten Zellennachbarn haben nichts anderes zu sagen als: Was?«

»Hörst du überhaupt etwas?« rief er.

Andersson kicherte auch. »Ihr müßt nur laut sprechen. Sie

sagen, daß geplatzte Trommelfelle heilen, aber einerseits dauert es lange, andererseits bleiben wahrscheinlich Narben zurück, die für alle Zukunft das Klangbild verzerren.«

»Was macht die Familie?« sagte Söderstedt laut.

»Danke«, sagte Andersson ebenso laut, als habe er Kopfhörer auf. »Jojje ist jetzt fast zwei Jahre. Wir sind uns ja nur hier begegnet. Der Vater im Kumlabunker.«

»Heißt dein Sohne Jojje?«

»Eigentlich heißt er Jorge. Vermutlich der blondeste Jorge auf dem Erdball.«

Söderstedt und Norlander wechselten verblüffte Blicke. »Jorge?« sagten sie im Chor.

»Nach dem Mann, der mir das Leben gerettet hat, ja. Jorge Chavez. Und Paul. Nach Paul Hjelm. Paul Jorge Andersson. Die beiden Polizisten, die mich aus der Unterwelt herausgehoben haben. Jetzt darf Jojje weitermachen. Und Lena, natürlich. Sie wartet auf mich. Sie trägt mich die ganze Zeit auf ihren zarten Armen.«

»Ei der Daus«, sagte Söderstedt. »Wirfst du noch Pfeile?«

»Nie mehr«, sagte Göran Andersson ruhig.

»Erzähl jetzt«, unterbrach Viggo Norlander.

Andersson wandte Norlander ruhig seinen klaren Blick zu. »Bist du nicht der, den sie gekreuzigt haben?« sagte er.

Norlander sah instinktiv auf die runden Narben an seinen Händen. Stigmata. »Erzähl einfach.«

»Gibt gar nicht viel zu erzählen«, sagte Göran Andersson. »Frühstück, zurück zu den Studien, Poff. Es ist ein extrem unangenehmes Gefühl, wenn einem das Blut aus den Ohren quillt. Beinah mystisch.«

»Du hast die Zelle neben Lordan Vukotic, nicht wahr?«

»Hatte. Ich glaube, sie haben den Sektor zugemacht. Ich weiß noch nicht, wo ich heute nacht schlafe.«

»Was studierst du?« fragte Söderstedt.

Der Blick kehrte zu dem hellhäutigen Finnlandschweden zurück. »Ich studiere Kunst. Wenn ich die Kunstgeschichte gelernt habe, will ich selbst anfangen zu malen. Theorie und Praxis sollen eins werden.«

»Du sonderst dich ein bißchen ab, Vukotic hat sich auch etwas abgesondert«, sagte Norlander. »Das verbindet vielleicht irgendwie. Hast du ihn heute morgen gesehen?«

»Nein«, sagte Andersson. »Wir sehen uns normalerweise beim Frühstück. Aber heute nicht.«

»Er wurde gestern nachmittag um halb fünf beim Essen gesehen. Bis zum Appell drei Stunden später scheint niemand ihn gesehen zu haben. Hast du ihn gesehen?«

»Du mußt dir klarmachen, daß ich in meiner Zelle sitze. Das ist alles, was ich tue. Ich esse im Speisesaal, ich werde ein paar Minuten auf den Hof gelassen, ich studiere in meiner Zelle. Sonst nichts.«

Söderstedt blickte sich um. War er der einzige, der etwas leicht Schwebendes in Göran Anderssons Antwort wahrnahm?

»Du hast nicht auf die Frage geantwortet«, sagte er nur.

Andersson saß da und schwieg. Reglos. Wie er einst dagesessen und auf seine Opfer gewartet hatte. Aber doch nicht ganz. Er zuckte die Schultern. »Wenn ich ein anderer wäre als der, der ich bin, der ich geworden bin, dann wäre dies eine Verhandlungsposition. Dann, meine Freunde, hätte ich gefragt, ob es nicht allmählich Zeit wäre für den einen oder anderen Freigang, oder zumindest für etwas längere Besuchszeiten.«

Es war still in dem kargen kleinen Raum. Vier Polizistenblicke auf einen dem Anschein nach transformierten Mörderblick gerichtet.

»Aber ich bin nun mal so, wie ich bin«, sagte er. »Kurz vor dem Appell hörte ich ein leichtes Jammern draußen im Gang. Nur kurz, als sei es zwischen den Zähnen herausgerutscht. Ich schaute nach draußen und sah, wie Lordan Vukotic sich in seine Zelle *schleppte*.«

»Wie, *schleppte*?« sagte Norlander.

»Er warf einen sehr schnellen Blick in meine Zelle. Das

Gesicht sah aus wie immer, aber es war offensichtlich, daß er schwer verletzt war. Die Beine gaben unter ihm nach. Der Blick, dem ich begegnete, war ein Todesblick.«

»Und du hast nichts unternommen?«

»Ich hasse diese Welt hier. Ich verstehe noch immer nicht, wie ich hier landen konnte. Ich will nichts mit ihr zu tun haben. Wenn er selbst es vorzog, die Sache nicht zu melden, warum hätte ich es dann tun sollen?«

»Du hast dich nicht so radikal geändert, wie es den Anschein hatte«, sagte Söderstedt.

»Was ist dann deine Interpretation der Tatsache, daß der verletzte Vukotic am Tag danach in die Luft gesprengt wurde?« fragte Norlander.

»Das ist wohl ziemlich offensichtlich«, sagte Göran Andersson und strich sich über seinen schütteren Bart. »Jemand hat die Spuren des eigenen Wütens getilgt.«

Und gewütet haben mußte jemand, wie sich zeigte.

Gegen halb sechs traf ein vorläufiger gemeinsamer Bericht der Kriminaltechniker und des Gerichtsmediziners ein. Ein langes, schwieriges Schreiben quoll aus dem primitiven Faxgerät in dem kleinen Vernehmungsraum der Kumlaanstalt.

Der Gerichtsmediziner Qvarfordt hatte sein Obduzentenpuzzle gelegt. Viggo Norlander konnte sich noch immer nicht ganz von dem starrenden Auge in dem Fladen frei machen, der von der Wand gekratzt worden war. Es betrachtete ihn anklagend, während er sich durch den Bericht des Gerichtsmediziners arbeitete.

»Ich weiß zwar nicht, wie sie das schaffen, aber Tatsache ist, daß sie folgendes herausgefunden haben: Lordan Vukotics Milz war gerissen, das linke Schienbein war gebrochen, und beide Arme waren ausgekugelt. In dem Zustand muß die Explosion fast wie eine Befreiung gekommen sein.«

»Er hat also kaum an einer eigenen Sprengladung unter dem Laken gebastelt«, sagte Bernt Nilsson.

»Keineswegs«, sagte Söderstedt und blickte von dem zweiten Protokoll auf, dem der Spurensicherung. »Sie haben einen mikroskopisch kleinen Zündmechanismus gefunden. Ferngesteuert. Und der Sprengstoff soll eine Art Lösung sein, nehmen sie an. Flüssig. Aber sie wissen nicht richtig, was es ist, nur daß es hyperaktiv ist.«

Vier Polizeibeamte unterschiedlicher Herkunft und unterschiedlichen Charakters verdauten gemeinsam die Information.

Der korpulente Viksjö, der augenscheinlich den am besten eingestellten Verdauungsapparat hatte, durfte zusammenfassen: »Lordan Vukotic bekommt gestern abend eine richtig gründliche Abreibung. Er *schleicht* sich in seine Zelle und überspringt das Frühstück, *damit es nicht herauskommt, daß er Prügel bezogen hat*. Anschließend wird er mit Hilfe einer äußerst avancierten Sprenganordnung in tausend Stücke zerfetzt. Wie soll man das erklären?«

»Entweder ist es banal«, sagte Bernt Nilsson. »Ein Schurke mit guten Kenntnissen im Bauen von Sprengladungen schlägt ihn aus irgendeinem trivialen Anlaß zusammen und bemäntelt sein Verbrechen mit einem anderen. Bringt das Opfer, das auch der einzige Zeuge ist, zum Schweigen.«

»Oder es ist alles andere als banal«, sagte Söderstedt. »Zwei Fragen stellen sich. Warum versucht Vukotic zu verbergen, daß er mißhandelt worden ist? Warum wird er trotz seines Schweigens ermordet?«

»Er hat doch reichlich Anhang hier drinnen«, sagte Nilsson. »Er ist Rajko Nedics rechte Hand, er hat mindestens drei exjugoslawische Typen als Schutz. Warum wendet er sich nicht an die?«

»Weil *sie* diejenigen sind, vor denen er seine Verletzungen geheimhält«, nickte Norlander. »Und warum das?«

»Weil er gesungen hat«, nickte Söderstedt seinerseits. »Weil er gefoltert worden ist und geplaudert hat.«

»Und zwar über Nedic«, nickte Viksjö.

Am Ende schloß sich auch Bernt Nilsson an und machte das nickende Quartett komplett.

»Und das war es, was wir nicht erfahren durften. Deshalb wurde er so radikal ausgelöscht. Aber man hat die technische Kompetenz der Polizei unterschätzt.«

»Aber warum ein so avancierter und offenbar teurer Sprengstoff?« fragte Söderstedt.

»Wenn es denn wirklich so wenig ist – hochexplosive Flüssigkeit und mikroskopisch kleiner Zündmechanismus –, dann ist es wohl das einzige, was man in ein Hochsicherheitsgefängnis hineinbekommt. Noch dürfte es unmöglich sein, eine Wasserstoffbombe hinter die Mauern zu schmuggeln.«

Söderstedt seufzte und wedelte mit dem Fax. »Ich kann dennoch nicht umhin, Chefkriminaltechniker Brynolf Svenhagen zu zitieren: ›Perlen vor die Säue‹.«

8

Chefkriminaltechniker Brynolf Svenhagen hatte eine Tochter. Sie hieß Sara. Sara arbeitete in der Abteilung für Pädophilie beim Reichskriminalamt. Die Abteilung für Pädophilie beim Reichskriminalamt war im Moment verwaist. Verwaist bedeutete allerdings nicht, daß niemand arbeitete. Die Tochter des Chefkriminaltechnikers Brynolf Svenhagen arbeitete nämlich.

Allerdings zu Hause.

Sie hatte ihren beiden Kollegen, den Jugendfreunden Gunnar Nyberg und Ludvig Johnsson, gesagt (und sie zitierte im Halbdunkel sich selbst): ›Ich laß es ruhig angehen. Schalte mal ab. Es ist alles ein bißchen zu sehr auf Hochtouren gelaufen die letzte Zeit.‹ Der zweite Teil ihrer Äußerung war zutreffend, der erste war falsch. Sie hatte gelogen. Aber es durfte immerhin als eine Notlüge bezeichnet werden. Sie strich sich über das frischgestutzte blonde Haar und klickte sich mit der Maus weiter durchs Intranet. Sie war mit dem Zentralrechner der Polizei verbunden. Und sie würde noch viele Stunden arbeiten. So gut kannte sie sich selbst.

Obwohl sie sich nicht *wieder*erkannte.

Jetzt spiegelte sie sich plötzlich dort im Bildschirm, und wieder einmal war ihre instinktive Reaktion, daß sie dem Ordner ›Favoriten‹ im Internet-Explorer beigekommen und auf einer weiteren Kinder-Porno-Site gelandet war.

Auf dem Bildschirm zeichnete sich nämlich ein kleiner Junge ab.

Sie stand auf und begann, in ihrer Zweizimmerwohnung in der Surbrunnsgata auf und ab zu gehen. Hatte sie sich deshalb ihre langen goldblonden Haare abgeschnitten? Um einem Opfer der Kinderpornographen zu gleichen?

›Was ist denn in dich gefahren?‹ wie Gunnar Nyberg spontan herausgeplatzt war, als sie in Annikas Café & Speiselokal saßen und aßen und Sonne tankten.

Ja du, Sara, was ist in dich gefahren? Fragte sie sich. Identifikation mit den Opfern? Spürte dein Unterbewußtsein, daß du dich allzuweit von der entsetzlichen Wirklichkeit entfernt hattest? Daß du aus einer Distanz heraus arbeitetest? Daß der Computer als immerwährendes Arbeitsgerät bewirkte, daß du dich in einem ewigen Cyberspace bewegtest? Daß ebendieses Gerät an sich den Gräßlichkeiten des Kindesmißbrauchs einen Schimmer von Unwirklichkeit verlieh? Und damit einen versöhnlichen Schimmer?

Der Abstand *war* ja groß. Sie selbst war in einer ruhigen, stillen grauen patriarchalischen Vorortwelt mit polizeilichem Anstrich aufgewachsen. Der urgesteinschroffe Brynolf drillte seine drei Kinder freimütig, nicht darin, mit vier Jahren vier Sprachen zu sprechen, nicht darin, mit acht Sinfonien zu komponieren, auch nicht darin, mit zwölf Tennisprofi zu sein, nein, er drillte sie in kriminaltechnischen Verfahrensweisen. Er ließ einfach die Kinder ein von der Ehefrau penibel aufgeräumtes Zimmer betreten, sich darin umsehen, schickte sie dann auf die Toilette, wo sie warten mußten, bis sie wieder herausgerufen wurden. Etwas war dann mit dem Zimmer geschehen, und die Kinder sollten mit Hilfe von Empirie und List herausfinden, was. Das waren eigentlich die einzigen Gelegenheiten, bei denen Sara ihren Vater richtig glücklich erlebte. Im übrigen war er weder gut noch böse, weder kumpelhaft noch gemein, sondern schlicht und einfach schroff. Wie ein altmodischer Patriarch.

Nein, die Ursache dafür, daß sie sich selbst so scharf antrieb, war kaum in ihrer Erziehung zu finden. Anderseits hielt sie noch viel weniger von dem genetischen Erklärungsmodell. Natürlich trug sie kein Polizei-Gen in sich, das sie dazu zwang, Lösungen zu suchen. Auch kein Mitgefühl-Gen, das sie dazu brachte, mit den mißbrauchten Kindern zu leiden. Und natürlich gab es – selbst wenn dies täglich in dem einen oder anderen Diskussionszusammenhang behauptet wurde – auch kein Pädophil-Gen, das ganze Stammbäume von Männern ihr Geschlecht vor kleinen Kindern entblößen und an gebrauchten Windeln schnüffeln ließ. Krankheit, ja – eine ganze Welt innerhalb der Welt der groteskesten Krankheit. Genetik, nein – keine Pädophil-Gene. Das zu glauben weigerte sie sich.

Nein, sie verstand den Grund dafür, daß sie sich den Hintern abarbeitete, ebensowenig, wie sie den Grund dafür verstand, daß sie sich plötzlich das Haar abschneiden ließ. Sie wußte nur, daß sie weitermachen mußte, daß sie um jeden Preis den Dingen auf den Grund gehen mußte und nicht zulassen durfte, daß durch eigene oder anderer Menschen Leichtfertigkeit auch nur ein einziges Kind in der Welt sexuell mißbraucht wurde, wenn dies verhindert werden konnte. Das war der Antrieb. Jedes kleine Versäumnis war gleichbedeutend mit Schuld. Und deshalb nahm sie eine immer übermenschlichere Arbeitsbürde auf sich. ›Es ist alles ein bißchen zu sehr auf Hochtouren gelaufen die letzte Zeit‹, war eine mehr als zutreffende Äußerung.

Sie hatte einen häufig wiederkehrenden Alptraum. Sie konnte ihn mit niemandem teilen. Nicht mit ihrem Chef, dem Partylöwen Kommissar Ragnar Hellberg, nicht mit ihrem Mentor, dem ewig laufenden Ludvig Johnsson, nicht einmal mit ihrem neuen Kollegen, mit dem sie so guten Kontakt bekommen hatte, dem Teddybären Gunnar Nyberg.

Nein, sie konnte ihn nicht teilen.

Es war einfach unmöglich.

Es ist Nacht. Eine Frau liegt in einem schwachbeleuchteten Krankensaal. Sie ist allein. Ihr Gesicht ist im Dunkeln. Nur ihr großer Bauch ist beleuchtet, als glühte er von innen heraus, mit einem ganz eigenen Licht. Sie kann fast sehen, wie es sich darin bewegt, sie meint, das Leben an sich zu sehen. Das Heilige im Leben. Sie streicht sich vorsichtig über den Bauch. Plötzlich leuchtet er nicht mehr. Die spröde Flamme des Lebens erlischt. Ein Schatten fällt über sie. Gleichzeitig kommt eine lang anhaltende Wehe. Sie versucht zu schreien, doch sie kann nicht. Sie hat keine Stimme. Nur den Schatten, der sich materialisiert und Mann wird, Geschlecht wird. Und die Wehen werden stärker, werden zu einem einzigen langen Krampf. Und gleichzeitig, genau gleichzeitig, dringt der Schatten in sie ein. *Sie wird vergewaltigt, während sie gebiert.* Und nur das reicht aus, um mehrmals zu sterben, immer von neuem. Doch es *ist* nicht genug. Die nächste Einsicht ist schlimmer. Er hat es nicht auf sie abgesehen. Sie ist nur ein Instrument, ein Hindernis auf dem Weg, das durchdrungen werden muß. Und da, genau in dem Augenblick, in dem sein Geschlecht das Kind erreicht, genau in dem Augenblick, als er ein zweites Mal penetrieren will, da stirbt sie.

In diesem Moment wacht sie auf. Im Todesaugenblick.

Sie schloß die Augen.

Wo verläuft die Grenze zum Wahnsinn?

Wenn man tatsächlich zuviel gesehen hat?

Sie war noch keine dreißig und hatte alles gesehen.

Eine bereits ziemlich brüchige Beziehung war sofort erloschen, als sie befördert und von Ludvig Johnsson in die Pädophilenjägergruppe geholt wurde. Seitdem war das Thema ›Beziehung‹ nicht aktuell gewesen. Sie wußte nicht, ob sie den Glauben an diese Art von Zärtlichkeit noch besaß. Sie lebte allein. Wollte allein leben.

Eine Weile stand sie am Fenster und blickte hinunter auf die Surbrunnsgata. Im Haus gegenüber gingen die ersten Lichter an. Eine Privatsphäre nach der anderen wurde entblößt.

Sara Svenhagen wollte sie nicht sehen.

Sie kehrte an ihren Computer zurück, sah im Vorübergehen den kleinen Jungen sich im Bildschirm spiegeln, ging vom Intranet ins Internet und klickte auf ›Favoriten‹.

In dem Sammelordner mit dem jovialen Namen ›Favoriten‹ lagen die Adressen Hunderter von Kinderporno-Websites, eine schlimmer als die andere.

Sie schaute auf die Uhr. Noch zwei Minuten und zwölf Sekunden.

Wenn es stimmte. Wenn sie wirklich den Code geknackt hatte.

Es war eine schwedische Website. Durch die japanische Polizei war sie auf deren Existenz aufmerksam gemacht worden. Sie offenbarte sich einmal in zwei Wochen für zehn Sekunden, um sogleich spurlos zu verschwinden. Kein Polizist hatte sie jemals fangen können. Alles deutete darauf hin, daß sie ein Adreßbuch enthielt, Adressen eines großen internationalen Netzwerks, in dem alle Fotos aneinander schickten. Falls alles stimmte, würde sich also auf dieser Website, die am Donnerstag, dem 24. Juni, um neunzehn Uhr, sechsunddreißig Minuten und sieben Sekunden auftauchen sollte, eine ziemlich umfangreiche Adressenliste offenbaren. In einer Minute und achtundvierzig Sekunden. Ein Klicken auf eine unterstrichene Zeile, die sich höchstens fünfzehn Sekunden zeigen würde, und die gesamte Liste würde heruntergeladen.

Der rätselhafte Code wurde im Verlauf einer Razzia bei einem Pädophilen in Nässjö gefunden. Er war auf ihrem Tisch gelandet, weil er für unknackbar gehalten wurde; sie hatte noch nicht Party-Kommissar Hellbergs volles Vertrauen. Party-Ragges. Also arbeitete sie viel im geheimen. Ließ sich nie Überstunden anschreiben. Verschoß unglaublich viel Pulver, um den Code zu knacken. Und plötzlich hatte sie es geschafft. Glaubte sie. Hoffte sie jedenfalls. Es war ein ziemlich einfacher Code. Fand man den Schlüssel, öffnete sich die Tür sperrangelweit. Und aus dem rätselhaften Nässjö-Code krochen eine Internetadresse und eine Uhrzeit hervor.

Nicht einmal Johnsson und Nyberg wußten, was sie trieb. Um neunzehn Uhr, fünfunddreißig Minuten und vierzig Sekunden. Noch siebenundzwanzig Sekunden.

Sie saß vollkommen still. Ihr Zeigefinger, der leicht auf der Maustaste ruhte, zitterte nicht das geringste bißchen. Jetzt oder nie. Eine zweite Chance bekam sie nicht. Dann wäre sie für immer verspielt.

Sie sah vage Konturen eines gleichsam selbstleuchtenden Bauchs.

Die Adresse war eingegeben, www. usw. Schnell die Retourtaste und dann mit dem Mauspfeil zu der unterstrichenen Zeile. Alles war vorbereitet. Der Countdown lief.

Neunzehn Uhr, sechsunddreißig Minuten, null Sekunden.

Sieben, sechs, fünf, vier, drei.

Zwei.

Eins. Null.

Retourtaste.

Und da war sie. Die Homepage. Anspruchslos. Undurchdringlich.

Aber mit einer unterstrichenen Zeile.

Hin mit dem Mauspfeil. Klick.

Speichern?

Aber klar doch.

Es rasselte ein bißchen auf der Festplatte. Sie war drin.

Und die Website war fort.

Sara Svenhagen lehnte sich leicht im Stuhl zurück. Die Andeutung eines Lächelns. Das konnte sie sich erlauben.

Ein großer Bauch glomm leuchtend im Dunkeln.

9

Rauf und runter, vor und zurück, immer wieder.

Wie das Pendel einer Uhr. Tick-tack.

Fünf, sechs Jungen im Alter von zehn bis zwölf fuhren Skateboard im Björnschen Garten. Und zwei geläuterte Polizeiinspektoren sahen ihnen von einer Parkbank zu.

Als Paul Hjelm sich zuletzt im Björnschen Garten aufgehalten hatte, war es der schäbigste, heruntergekommenste öffentliche Platz der ganzen Stadt gewesen. Ein Tummelplatz für Junkies und Alkis. Und jetzt war es nahezu eine Oase. Mit dem eleganten kleinen Café *Viva Espresso*, mit üppigem Grün, Spielplatz und Skateboardrampe. Und bald Stockholms erster Moschee.

Da kann man von Metamorphose sprechen, dachte Paul Hjelm.

Und nicht nur da. Die gesamte Gegend um Medborgarplatsen hatte ihren Charakter geändert. Hier schlug jetzt der Puls von Södermalm. Der Bereich um die Kreuzung von Götgata und Folkungagata war nicht nur das Kneipenviertel, zu dem es neu Hinzugezogene vom Land als erstes hintrieb, es war nicht nur als Stockholms gefährlichste Ecke bekannt, sondern als das Viertel mit Stockholms höchster Kneipendichte. Im Umkreis von fünf Minuten Fußweg um die U-Bahnstation Medborgarplatsen lagen nicht weniger als fünfundsechzig Kneipen. Um den klassischen Würstchenstand an der Ecke Götgata-Tjärhovsgata drängten sich zu jeder Stunde Menschen. Und gerade gegenüber, auf der anderen Seite der Götgata, an der äußeren Ecke von Medborgarplatsen, lag das große Straßencafé des aufwendigen Etablissements mit dem jetzigen Namen *London New York*. Und auf der anderen Seite von Medborgarplatsen ringelten sich die Schlangen zu der ständig gefüllten Kneipe mit dem eher bodenständigen Namen *Snaps*.

Es mußte also genaugenommen hinlänglich viele Zeugen dort draußen gegeben haben, als zwanzig Mann auf einen Schlag aus dem nur zehn Meter entfernten *Kvarnen* herausstürzten. Die nicht gerade überwältigend stimulierende Aufgabe, diese ausfindig zu machen, war an die Polizeiwache des Stadtteils Södermalm delegiert worden.

Doch was hatten diese potentiellen Zeugen auf der anderen Seite gesehen? Einen Schwarm von Kneipengästen, die herausstürmten und davonliefen? Das war in diesen Breiten nichts besonders Außergewöhnliches. Die Streifenpolizisten hatten einen ziemlich aussichtslosen Job vor sich.

Hjelm seufzte leicht und versuchte Menschen zu zählen. Allein von seiner Bank am Rand des Björnschen Gartens aus bekam er locker an die fünfzig zusammen.

Seit der Sommersonnenwende waren erst ein paar Tage vergangen, und es war immer noch hell. Es war acht Uhr am Abend, und die Sonne schien fast so intensiv wie mitten am Tag. Die Luft wirkte frisch, beinah wie auf dem Lande. Vögel sangen froh und naturgetreu. Sonnenstrahlen funkelten in den Fenstern von Björns Trädgårdsgränd. Kleine Kinder tollten noch munter auf dem Spielplatz, überwacht von schläfrigen Eltern. Und die Skateboardjungs würden bestimmt bis zum Einbruch der Dunkelheit bleiben.

Nichts deutete darauf hin, daß vor weniger als vierundzwanzig Stunden nur ein paar Meter entfernt ein Mann verblutet war.

Das Erschrecken der Öffentlichkeit über den Kvarnenmord hielt sich in Grenzen. Obwohl die Boulevardpresse wieder einmal Panikmache betrieb. Aber vermutlich hatten die Leute von Panikmache ganz einfach genug.

Es war nämlich ein Frühjahr der Gewalt gewesen. Die akuten Stadien des langen Bombenkriegs der Nato gegen Jugoslawien waren überstanden, achtzig Tage eifrigen Bombens. Krieg auf Distanz. Die ethnische Säuberung im Kosovo hatte endlich ein Ende gefunden. Die Flüchtlinge begannen in ihre verminte Heimat zurückzukehren. Zwei amerikanische Gymnasiasten hatten Hitlers Geburtstag damit begangen, ihre Schulkameraden mit allen möglichen Schießeisen niederzumähen. Die Eltern hatten keine Erklärung. Und in Schweden war ein Zweiundzwanzigjähriger in Örebro als einer der übelsten Kinderschänder des Landes überführt worden. Videofilme der selbst verübten Vergewaltigungen, eine großartige Sammlung von Filmen und Bildern und Internetkontakten. In einigen Tagen sollte der Prozeß beginnen, aber es stand bereits im voraus fest, daß er in eine geschlossene psychiatrische Anstalt eingewiesen werden würde. Und dann der Polizistenmord in Malexander. Die Täter waren endlich gefaßt, alle drei. Drei junge Männer mit Nazisympathien hatten in Östgötaland kaltblütig zwei Polizisten hingerichtet. Einer der Burschen war Kriegsveteran aus Bosnien. Ein anderer krönte seine Schauspielerkarriere mit ein paar Polizistengenickschüssen. Er hatte in Lars Noréns geschickt inszeniertem Stück *Sju tre* mitgespielt, in dem drei Nazis vor den Augen eines ohnmächtigen Autors auf der Bühne für ethnische Säuberung plädierten, was in schwedischen Feuilletons eine hitzige Diskussion hervorgerufen hatte. Doch kaum anderswo. Bis sich das Land gemeinsam über die Genickschüsse von Malexander empören und dem Theater die Schuld geben sollte.

Ein eigenartiges Frühjahr.

Kerstin Holm wandte sich auf der Parkbank um. »Was sagt die Familie?« fragte sie.

»Die sind auf dem Torp in Dalarö«, sagte Hjelm. »Ich kann mir die ganze Nacht um die Ohren schlagen, wenn ich will. Mit einer alten Flamme im *Kvarnen* einen draufmachen.«

»Alles zu seiner Zeit«, lachte Kerstin Holm. »Wie geht es ihnen?«

»Gut. Danne ist über die schlimmsten Pubertätsmacken hinaus. Er ist siebzehn und will Polizist werden, komischerweise. Man kann nur hoffen, daß es vorübergeht. Tova ist fünfzehn und absolut unerträglich.

»Und ... Cilla?«

Paul lachte leichthin und betrachtete Kerstin. Sie blinzelte zurück. Er sah die schmalen Ringe um ihre Iris, die verrieten, daß sie Kontaktlinsen trug. Und ihre Oberlippe war ausgebeult, als sei sie mißhandelt worden. Allerdings nur von der Gothia Kautabak AG.

»Danke, gut«, sagte er. »Cilla ist jetzt Abteilungsleiterin in der Reha-Abteilung im Krankenhaus Huddinge. Normale Arbeitszeiten. Und im Augenblick nimmt sie einen langen angesammelten Urlaub.«

Sie schwiegen eine Weile. Die Vergangenheit waberte zwischen ihnen wie ein Gespenst. Aber das kleine Gespenst Laban. Oder Casper. Das netteste Gespenst der Welt.

Es war eine Zeit, auf die sie beide mit offenen Sinnen zurückblickten. Und ganz ohne Bitterkeit.

Schließlich sagte Kerstin Holm: »Sollten wir ein schlechtes Gewissen haben, weil wir uns nicht voll auf den Kvarnenmörder konzentrieren?«

»Das haben wir doch getan, nach allen Regeln der Kunst. Dies hier muß man wohl als private Nachforschung bezeichnen. Außerhalb der Arbeitszeit.«

»Wir wagen also nicht, uns Überstunden anzuschreiben?«

»Das kommt ganz auf das Resultat an, vermute ich.«

Kerstin seufzte einmal tief und streckte die Arme zur Seite aus. Ihre Fingerspitzen berührten sein Nackenhaar. »Laß uns mal hoffen, daß es für diesen Sommer genug gewesen ist mit der Gewalt«, sagte sie, schien jedoch ihren Worten selbst keinen Glauben zu schenken.

»Warten wir ab, ob die Polizeiolympiade eine abschreckende Wirkung hat. World Police and Fire Games. Du weißt, daß sie in ein paar Tagen mit einem Fest eröffnet wird? Da kannst du all die Veteranen treffen. Die Spieler der A-Mannschaft.«

»Wie peinlich ist es, wenn man der Begeisterung für diese Spiele nicht soviel abgewinnen kann?«

»Sehr peinlich. Du bist schließlich Polizistin.«

Sie lachten.

»Es ist eine amerikanische Idee«, sagte Hjelm schließlich. »Zum ersten Mal in Europa versammeln sich Polizisten, Gefängnispersonal, Zollbeamte und Feuerwehrleute, um gegeneinander anzutreten. Besonders das Boxen muß eine Menge Kriminelle als Zuschauer anziehen. Bullen zuzuschauen, die aufeinander losdreschen.«

Ein frischer Wind blies dem Abend Leben ein. Es wurde rasch kühler. Die Sinne wurden nüchtern. Konzentrierten sich auf die Aufgabe.

»Es ist wohl an der Zeit, das Unformulierte zu formulieren«, sagte Kerstin Holm.

Da die einzige konkrete Handlung, nämlich Eskil Carlstedt zu einer neuen Vernehmung zu holen, ein Schlag ins Wasser gewesen war, gab es weiter nicht viel Konkretes zu tun. Die Thekenfrau Karin Lindbeck hatte eine Zeichnung des Täters produziert, die zuverlässiger zu sein schien als die drei vorherigen. Sie entschieden sich dafür, diese an die Medien zu geben. Und sie prangte bereits auf den Aushängern der Zeitungen. Viel mehr gab es im Moment nicht zu tun. Sämtliche Streifenpolizisten der Stadt waren jetzt mit der regional begrenzten Jagd nach Byenfans beschäftigt. Der Kvarnenmörder ruhte in ihren Händen. Es war ein in höchstem Grad regionaler Fall.

Den ganzen Nachmittag hatten sie sich die Tonbänder der Vernehmungen angehört. Was war das eigentlich für ein Verlauf, der sich da abzeichnete? Sie hatten bei den gleichen Passagen gestutzt.

»Wie viele Parteien sind eigentlich aktuell?« fragte Hjelm. »Sind es zwei oder drei?«

»Instinktiv würde ich sagen, drei«, erwiderte Kerstin Holm. »Aber die dritte ist viel zu vage. Trotzdem frage ich mich, was Per Karlsson da gemacht hat. Er las Ovid und sah nichts. Dennoch zeigte sich, daß er verflixt viel gesehen hat. Seine Aufmerksamkeit gehörte nicht dem Buch, das ist klar. Das einzige, was er *nicht* sah und *nicht* hörte, war die Gruppe, die ihm am allernächsten saß und sozusagen direkt in seine Ohren englisch sprach. Trotzdem genügt das nicht. Er ist nach dem Totschlag nicht abgehauen. Ich würde also sagen, zwei. Zwei Parteien.«

»Zwei Gruppen. Eine sitzt am Tisch gleich an der Wand neben der Tür. Die andere sitzt am mittleren Tisch ganz hinten an der entgegengesetzten Wand.«

»Die erste besteht aus fünf ›Macho-Schwulen‹, ›Skinheads, die die Altersgrenze passiert haben‹, ›edelschwedischen Bodybuildern‹, von denen man Unruhe ›erwarten konnte‹. Die zweite besteht aus ›drei, vier Jugos‹ oder ›wahrscheinlich Südmongolen‹ in englischem ›multikulturellen Austausch‹ mit einem Schweden, wahrscheinlich dem, der nachher mit seinem Polizeiausweis wedelt, um rauszukommen.«

»In der Englisch sprechenden Gruppe herrscht ›Mißtrauen‹, sie ›verhandeln‹, möglicherweise über einen ›Treffpunkt‹. Drei, vier ›Südeuropäer‹ in Verhandlungen mit einem – echten oder falschen – schwedischen Polizeibeamten. Nichts deutet darauf hin, daß sie sich der Anwesenheit der edelschwedischen Fünferbande bewußt sind, von der sie indessen ganz offenbar beobachtet werden. Unser Freund, die Steintunte, hat über unseren lesenden Freund gesagt: ›Eine Gang Machoschwule saß da und starrte ihn die ganze Zeit an.‹ Die Kellnerin hat gesagt: ›Nicht den haben sie angestarrt. Weiter weg.‹ Und weiter weg haben wir nur unseren ›multikulturellen Austausch‹.

»Und dann der Ohrstöpsel.«

»Und der Ohrstöpsel. Dann ereignet sich der Totschlag. Man reagiert mit dem Rückenmark. Sieht ein, daß es hier gleich von Bullen wimmeln wird. Beide Gangs vermischen sich mit fliehenden Hammarbyanhängern. Von jeder Gang bleibt einer zurück. Wollen wir einmal annehmen, daß der ›Polizist‹ wartet, um nicht mit den fliehenden ›Jugos‹ zusammen gesehen zu werden? Wenn das zutrifft, ist er höchstwahrscheinlich wirklich Polizist. Oder versteht sich zumindest auf polizeiliches Vorgehen. Er weiß, daß die Minuten um die Tatzeit aus allen möglichen denkbaren Perspektiven unter die

Lupe genommen werden. Er hat vor, sich gegen Ende aus dem Staub zu machen, als ›die Jugos‹ schon weg sind. Doch er kommt ein bißchen zu spät. Die Türsteher haben plötzlich erkannt, daß etwas Dramatischeres von ihnen gefordert ist, als das Lokal von ›Immigranten‹ freizuhalten. Er überschlägt die Situation einen Augenblick lang. Ist es das Risiko wert, seine Polizeimarke zu zeigen, um herauszukommen? Oder ist es besser, zu bleiben und sich eine hübsche Erklärung zurechtzulegen? Zu handeln, wie ein Polizist handeln soll, und das Kommando über die Situation in die Hand zu nehmen? Möglicherweise kann man aus der Entscheidung, die er trifft, den Schluß ziehen, daß relativ viel auf dem Spiel steht. Er wagt nicht, das Risiko einzugehen, identifiziert zu werden. Also wedelt er den überforderten Türstehern mit seinem Ausweis vor der Nase herum und verduftet. Keiner kann ihn identifizieren. Er hat die richtige Wahl getroffen.«

»Aus der edelschwedischen Gang bleibt ein Mann zurück. Er ist im Begriff abzuhauen wie die anderen, erhält jedoch Order dazubleiben. Warum? Was war dein erster Gedanke, als du Eskil Carlstedt gesehen hast?«

Hjelm überlegte. Der Mann mit dem rasierten Schädel und dem schütteren blonden Schnauzbart betritt das Vernehmungszimmer. Er ist an die Dreißig, trägt einen ziemlich eleganten hellen Anzug mit gelbem Schlips und ist ein richtiges Kraftpaket. Hjelm fragt sich, ob die Ärmel seines Jacketts eine Ausstellung von Penistätowierungen verbergen.

»Ja«, sagt er nur. »Eskil Carlstedt war ein Köder. Vermutlich sahen sie alle fünf gleich zwielichtig aus. Aber Carlstedt war vermutlich der einzige ohne Vorstrafe. Dadurch, daß er blieb, lenkte er unsere Aufmerksamkeit von einer Bande ab, die sich bei genauerer Betrachtung verdammt verdächtig benahm. Er brachte uns dazu, für einen Augenblick zu glauben, sie seien eine Clique Verkäufer gewesen, die einen drauf machten und Frauen aufreißen wollten und sogar ein Demoband von einer Rockgruppe anhörten. Dieser Augenblick genügte Carlstedt, um sich in Luft aufzulösen. Und mit ihm die ganze Räuberbande. Für einen Mann ohne Vorstrafenlatte trat er verdammt routiniert auf.«

»Sie hatten die ganze Nacht, um ihre Strategie durchzugehen. Carlstedt wurde von der Polizei festgehalten, machte eine kurze Aussage, der zufolge er nichts gesehen hatte, hinterließ Name und Anschrift und kam am folgenden Morgen wieder zu uns. Da hatte seine Aussage sich verändert. Sie war gut einstudiert. Der einzige Punkt, wo er ein bißchen ins Schleudern kam, war die Sache mit dem Ohrstöpsel. Aber auch das hat er gar nicht schlecht gelöst.«

»Die vier Namen seiner Kumpel waren reine Erfindung. Kein einziger von ihnen existiert in Wirklichkeit. Er saß die ganze Zeit da und sah auf die Uhr. Weil er sie treffen wollte, um gemeinsam mit ihnen zu verschwinden. Er brauchte nur das Präsidium zu verlassen, und die Sache war aus der Welt. Also spielte er mit, setzte sich zum Polizeizeichner und produzierte eine Phantasiezeichnung, nannte vier falsche Namen, die von der Polizei bestimmt erst in ein paar Stunden nachgeprüft werden würden, und zog Leine. Und jetzt hockt die komplette Gang irgendwo zusammen. Um was zu tun?«

»Was mir auch auffällt, ist die professionelle Vorgehensweise beider Parteien. Aber zugleich können wir feststellen, daß sie eigentlich nichts Kriminelles getan haben. Nicht ernstlich. Wie zum Beispiel jemanden mit einem Bierkrug zu erschlagen.«

Sie erhoben sich gleichzeitig von der Parkbank. Eine leichte Dämmerung fiel über den Björnschen Garten. Der Spielplatz begann sich zu leeren. Nur die Skateboarder schwangen auf und ab, vor und zurück, immer wieder. Wie das Pendel einer Uhr.

»Wollen wir nachsehen?« sagte Paul Hjelm. »Ob dies alles nur Hirngespinste frustrierter Reichskrimmer sind, die sich nicht mit Kneipenschlägereien zufriedengeben?«

»Oder ob wir tatsächlich auf dem besten Weg sind, wieder Reichskrimmer zu werden«, nickte Kerstin Holm.

Es waren nur wenige Schritte zum Restaurant *Kvarnen*, einer von Schwedens letzten erhaltenen Bierschwemmen. Vor ein paar Monaten war es neunzig Jahre alt geworden. Nie zuvor war es Schauplatz eines Mordes gewesen. Aber fast. Es wurde 1906-1908 als Ersatz für den Hamburger Keller gebaut, jene legendäre Kneipe, in der die zum Tode Verurteilten ihre Henkersmahlzeit und ihren Abschiedstrunk zu sich nahmen, bevor sie zum Galgenhügel bei Johanneshov geführt wurden.

Das gleiche war mit Anders Lundström aus Kalmar geschehen.

Die Türsteher erkannten sie und ließen sie an der nicht vorhandenen Schlange ›lästiger Immigranten‹ vorbei. Die innere Tür öffnete sich, und sie betraten das Lokal. Die Kellnerinnen nickten ihnen kurz zu.

Es war tatsächlich brechend voll. Draußen vor der Tür ein richtig schöner Sommerabend, und eine Luft zum Schneiden im Innern des verräucherten Lokals. Sie blickten nach rechts, zu dem Tisch, an dem Eskil Carlstedt und die Kumpels gesessen hatten. Sie blickten zum Tresen. Sie blickten zu dem mittleren Tisch, an dem Per Karlsson und Ovid gesessen hatten. Und sie drängelten sich langsam durch zu dem Tisch an der gegenüberliegenden Wand. An dem das multikulturelle Gespräch stattgefunden hatte.

An die zehn, zwölf Zwanzigjährige saßen zusammengedrängt um den Tisch. Sie lachten, rauchten und tranken Bier. Sie schienen ihren Spaß zu haben. Genossen es, sich an einem medienmäßig so vielbesungenen Ort zu befinden. Im Zentrum der Ereignisse.

Hjelm vermutete, daß fünfundsiebzig Prozent von ihnen davon träumten, Programmchef im Fernsehen zu werden. Der Landesdurchschnitt.

»Hej«, sagte er und ging auf die Knie.

Sie starrten ihn an und zogen instinktiv die Beine ein. Er schob sich zwischen Frauenschenkel und hochgerutschte Miniröcke. Die Proteste verstummten, als er ins Dunkel unter dem Tisch abtauchte; er nahm an, daß Kerstin ihren Polizeiausweis gezeigt hatte.

Sesam, öffne dich!

Er kroch tiefer unter den Tisch. Es wäre nicht nötig gewesen. Fast ganz außen an der Kante saß ein kleines Ding, so klein, daß er es zuerst übersehen hatte.

Er zog es ab, kroch heraus, kam hoch, streifte sich Asche und Kautabak von den Knien und wandte sich Kerstin Holm zu.

Dann ließ er das kleine Mikrophon vor ihren Augen tanzen.

10

Sie liegen im Bett. Der Sonnenuntergang wird von ihren noch schweißnassen Körpern reflektiert. Es ist die Ruhe nach dem Sturm. Das Begehren ist abgeklungen. Es wird bald von neuem erwachen. Es ist nie weit entfernt. Es wird immer dasein. Nicht einmal der Tod kann sie trennen.

Doch es ist auch die Ruhe vor dem Sturm, wie die Redewendung eigentlich lautet. Und jetzt ist der wirkliche Sturm im Anzug.

Der Orkan.

Diese Einsicht pflanzt sich langsam fort durch ihre Körper. Die Ruhe weicht, die immer nur zeitweilige Ruhe.

Das Beben der Unruhe geht durch die Nacktheit.

Er setzt sich auf die Bettkante. Er ist hell, sie ist dunkel, und sie sieht, in diesem Augenblick sieht sie, wohin seine Seele sich bewegt hat. Wieder einmal. Und sie beugt sich vor zu ihm. Die Brüste berühren weich seinen Rücken. Und langsam und vorsichtig zieht sie ihn aus dem Todesschatten. Wie er es so oft mit ihr getan hat.

Sie weiß, daß er den Schulhof sieht. Sie weiß, daß er aus sich selbst herausgetreten ist. Sie weiß, daß er einen Jungen sieht, einen blonden Jungen, der dort auf dem öden Fußballfeld liegt. Sie weiß, daß er hört: ›Wenn du aufstehst, kriegst du Prügel.‹ Und einer nach dem anderen geht zu ihm hin. Steht da. Guckt. Und dann pissen sie auf ihn. Einer nach dem anderen. Zuerst nur die Jungen. Die Mädchen stehen im Hintergrund, kichern, schütteln sich. Die Mutigen gehen weg. Aber keine ist mutig genug zu petzen. Es wird einfach weitergehen. Und weitergehen. Aber noch kein Mädchen. Trost in der Erniedrigung. Dann bricht der letzte Damm. Ein Mädchen kommt auf ihn zu. Sie trägt einen Rock. Den Slip hat sie schon ausgezogen und hält ihn in der Hand. Sie senkt sich gemächlich über ihn. Pißt langsam auf seinen Körper. Und sie ist dunkel.

Aber da spürt er etwas Weiches an seinem Rücken, und das holt ihn zurück. Er hebt ab, er schwebt, er fliegt. Er sitzt auf einer Bettkante und fliegt. Er streckt die Hände hinter den Nacken und erreicht sie. Läßt die Hände durch das schwarze Haar gleiten.

Und sie kann wieder lächeln.

»Ich war geschädigt«, sagt sie und versucht, ein Schluchzen zu unterdrücken. »Ich war tot. Du hast mich aus dem Totenreich geholt. Das weißt du.«

Und sie sitzen da mit seltsam verschlungenen Gliedern. Sie sind eine Skulpturengruppe. Auf ewig vereint. In einer verrückten Liebe.

»Was willst du?« fragt sie.

Es ist ein Ritual. Keiner von beiden darf davon abweichen.

Er lächelt und sagt: »Ich will auf einer Veranda sitzen und lesen. Es soll warm sein, aber leicht regnen. Der Regen soll gemütlich auf das Dach der Veranda tröpfeln, und wenn ich vom Buch aufblicke, soll von den fallenden Regentropfen Dampf aufsteigen.«

Sie lächelt. Sie kennt es so gut. Sie sagt: »Weißt du, was ich will?«

Er lacht: »Keine Ahnung.«

»Ich will die Delphine singen hören. Ich will sehen, wie es über der hellblauen Wasseroberfläche aufschäumt. Ich will sehen, wie die Delphine in Freiheit spielen. Ich will hören, wie sie miteinander sprechen, wenn keine Menschen sie dressieren.«

Er wendet sich um, drückt sie ein letztes Mal fest an sich, zieht sich an, steht auf und geht zu der Schultertasche auf dem Fußboden. Er starrt hinein.

Sie steht auch auf, zieht sich langsam an, tritt zu ihm und legt den Arm um ihn. Auch sie starrt in die Tasche.

Darin liegen zwei schwarze gestrickte Gesichtsmasken und zwei mattschwarze Pistolen.

Er beugt sich hinunter und zieht mit einem Ruck den Reißverschluß zu.

Dann nimmt er den Wagenschlüssel vom Schreibtisch, wirft ihn in die Luft, fängt ihn auf und sieht ihr in die Augen. »Komm, fahren wir los und erledigen es«, sagt er.

11

Der Mann steht ganz still. Er hat mit allem gebrochen, und er steht ganz still neben seinem Wagen. In der Hand hält er einen Aktenkoffer. Ganz still.

Es ist dunkel, aber warm. Als habe der Sommertag sich noch ein wenig versteckt.

Als gebe es noch Licht.

Der Sommer hat kaum begonnen, und die Nächte werden schon wieder länger. Es ist Mittsommerabend, denkt er, seit ein paar Stunden. Die Woche hat mit der Sommersonnenwende angefangen. Und endet mit dem Mittsommerabend.

Wie wir heutzutage die längsten Tage des Jahres feiern.

Keine Lilien und Akeleien, keine Rosen und Saliveien, keine liebliche Krauseminze.

Kein Herzensfreud.

Eigentlich will er nur an einen Ort, wo der Winter kürzer ist. Das ist alles.

Darauf wartet er.

Er steht ganz still und blickt ins Dunkel.

Richtig stockdunkel ist es nicht. Das wird es nicht in diesen Tagen. Nicht richtig, nicht wirklich pechschwarz. Wenn er den Weg entlang zu dem schäbigen Gewerbegebiet hinaufblickt, kann er Konturen alter Schuppen und rostiger Autowracks erkennen.

Da hört er es.

Und im selben Augenblick, in dem er die dumpfe Explosion hört, weiß er, daß die Sache schiefgelaufen ist. Alles. Sein ganzes Leben ist schiefgelaufen.

Er steht ganz still.

So heikel war die Sache also.

So dünn war die Trennlinie.

So delikat der Drahtseilakt.

Schon als er die dritte Salve hört, setzt er sich in seinen Wagen, seufzt und fährt davon.

Es ist schon alles zu spät.

Sechs Mann in einem Van. Einem metallicgrünen Van dicht neben einem alten Industriegebäude. Die Fenster sind beschlagen vom schweren Atmen und von den unfreiwilligen Aussonderungen der Männer.

Ein Warten ohnegleichen.

Die Nacht schleppt sich hin.

Fünf Mann befinden sich in leichter Bewegung. Fast regloser Bewegung. Einer schlägt ununterbrochen mit dem Zeigefinger an den Daumen, einer leckt sich ständig die Lippen, er wird noch Blasen kriegen, einer kneift sich in die Nase, einer läßt das Knie auf und ab wippen, einer kaut auf dem Daumennagel.

Aber einer sitzt vollkommen still. Er hockt hinten im Van. Es ist so anstrengend wie Stretching. Nach einer Minute pflegen die Schenkelmuskeln anzufangen zu flattern. Bei diesem Mann tun sie es nicht. Er ist absolut ruhig. Die linke Hand läßt die Maschinenpistole am linken Schenkel ruhen, den Lauf zum Dach des Van gerichtet. Die rechte Hand hält etwas, das einem Visitenkartentaschenrechner ähnelt. Dünn, schwarz, und mit einem einzigen, leicht erhabenen Knopf. Einem roten.

Er schaut auf die Uhr. Dann wirft er einen Blick auf seine Männer. Er sieht sie sich gegen das nicht richtig kohlschwarze Dunkel abzeichnen. Der Schweiß rinnt von den dicken schwarzen Wintermützen über ihre Gesichter. Alle tragen schwarze Mützen, außer ihm. Seine ist golden. Sie krönt seine Stirn wie eine Königskrone.

Der Schweiß trieft, aber die Gesichter sind unter Kontrolle. Angespannt, gesammelt, konzentriert. So soll es sein.

»Drei raus«, sagt er.

Die drei hinteren Männer verwandeln ihre schwarzen Wintermützen in Gesichtsmasken, ziehen schwarze Vorhänge über ihre Gesichter. Die Augen leuchten darunter. Sie entsichern ihre Waffen und springen hinaus. Drücken sich mit den Maschinenpistolen im Anschlag an die Wand des Schuppens.

Er schaut auf den Sekundenzeiger. Die ruhigen, unberührten Schübe. Schritt für Schritt für Schritt. Minuten ununterbrochenen Betrachtens.

Jetzt punkt zwei. Eine Sekunde darüber. Zwei. Drei.

Da hört er die ersten Andeutungen von Motorgeräusch.

Sie werden lauter. Schließlich nickt er leicht und zieht den goldenen Vorhang vors Gesicht. Die beiden auf den Vordersitzen tun das gleiche. Aber ihre sind schwarz.

Hinter dem Schuppen wird die Fahrbahn erleuchtet, zuerst fast unmerklich, dann heller und heller.

Im selben Moment, in dem die Front des schwarzen Mercedes hinter dem Schuppen auftaucht, drückt er auf den roten Knopf.

Es ist nicht wie eine Explosion. Es ist eher so, als würde der Wagen von innen erleuchtet. Ein innerer Blitz. Sonderbar lautlos.

Der Mercedes rollt noch ein paar Meter. Bleibt stehen.

Die drei vom Schuppen sind bereits auf dem Weg.

Die drei im Van steigen aus. Einer von ihnen trägt eine goldene Gesichtsmaske. Er ist goldgekrönt, und er weiß es.

Als er bei dem Wagen ankommt, ist die Lage bereits klar.

Der Wagen brennt nicht, es steigt nur ein bißchen Rauch von ihm auf. Auf jeder Seite ein Mann, über den Wagen gebeugt. Sie werden abgetastet, eine Maschinenpistole in den Rippen. Im Wagen ein Mann. Auf dem Rücksitz. Er ist tot. Sein Körper zerfetzt. Eine Kette ringelt sich von einem Handgelenk zu einem Aktenkoffer. Der ist intakt. Explosionssicher. Der Goldgekrönte nickt dem maskierten Mann neben sich zu – dem Breitesten von allen. Der Breite holt einen Bolzenschneider hervor, beugt sich in den Wagen und knipst die Kette durch. Mit dem Aktenkoffer in der Hand zieht er sich aus dem Leichenwagen zurück.

Der Goldgekrönte nickt dem Breiten zu und fixiert die Männer, die gegen den Wagen geneigt stehen. Beide bluten aus dem Gesicht. Durch den Rauch nimmt er den Blick des Hinteren wahr. Aus dem dunklen Gesicht, wie er da an der Beifahrerseite des Mercedes steht, rinnt Blut. Ein dunkler, kalter Blick, der nicht weicht. Ein Blick, wie ihn der Goldgekrönte schon gesehen hat. Ein Blick, wie er ihn selbst haben möchte. Der Blick eines Mannes, der so viele Menschen getötet hat, daß es nichts mehr bedeutet. Der Blick eines Mannes, der weiß, daß er sterben wird, der das nicht fürchtet und der nur so viele wie möglich mit auf die andere Seite nehmen will.

Zwei Maschinenpistolen sind auf den Mann auf der Beifahrerseite des Mercedes gerichtet, zwei auf den auf der Fahrerseite. Als der Fahrer sich umdreht, sieht er genauso aus wie der Beifahrer. Ganz genauso.

Der gleiche Blick jenseits aller Hoffnung.

Der Goldgekrönte macht eine Geste mit der Maschinenpistole, und der Breite tritt ein Stück vor den Wagen, stellt sich ins Scheinwerferlicht. Er bricht das Schloß des Aktenkoffers auf und öffnet ihn. Die Maschinenpistole hängt an einem Riemen um seinen Hals.

Er schaut in die Tasche, blickt sofort wieder hoch. Enttäuschung in seinen Augen. »Was ist das, verdammt?« sagt er.

Der Goldgekrönte tritt zu ihm, der Kleinere der Maskierten folgt ihm. Drei Blicke in einen offenen Aktenkoffer.

In dem Aktenkoffer liegen ein Schlüssel und ein Funkgerät in je einer Box. Und ein Stück Papier ist dabei. Der Goldgekrönte reißt das Papier heraus.

Ein Moment der Unaufmerksamkeit.

Als er wieder aufblickt, hat der Dunkle auf der Beifahrerseite eine Pistole in der Hand. Er schießt sozusagen über die Schulter. Der Schuß trifft den Mann hinter ihm ins Gesicht, genau da, wo in der schwarzen Gesichtsmaske das weiße Loch leuchtet. Für einen Augenblick leuchtet es statt dessen rot. Dann überhaupt nicht mehr.

Es läuft ab wie in Zeitlupe. Der Mann auf der Fahrerseite zaubert ebenfalls eine Waffe hervor. Er schießt in ihre Richtung. Daneben. Maschinenpistolensalven dröhnen.

Der Breite reagiert instinktiv. Er bekommt die Maschinenpistole nicht hoch. Statt dessen läuft er. Den nächsten Schuppen im Auge. Er ist nur drei Meter entfernt. Zwei. Er spürt den Schmerz im Rücken. Ein Meter. Null. Er ist in Deckung hinter dem Schuppen. Als er fällt, ist aller Schmerz verschwunden. Er spürt nichts mehr. Als letztes sieht er den Aktenkoffer, der vor ihm auf dem Asphalt liegt. Er ist blutverschmiert.

Danach sieht er nichts mehr.

Dann zerplatzt die Sommernacht. Es ist, als explodierte sie, als würde der ganze Sommer in tausend Stücke gesprengt.

Aber es wird kein langes Feuergefecht. Vier Maschinenpistolen gegen zwei Pistolen. Der Goldgekrönte merkt, daß die

Kriegsroutine doch nicht soviel bedeutet. Die beiden Männer neben dem Auto liegen bald am Boden und baden in ihrem Blut.

Ein Jammern steigt auf in die Nacht. Als er sich umblickt, liegt noch einer der Maskierten verletzt am Boden. Er reißt sich die schwarze Gesichtmaske herunter und brüllt. Sein Gesicht ist lila. Seine Kleidung färbt sich an der Schulter rot von Blut. Der Goldgekrönte beugt sich zu ihm hinunter und macht dem Kleinen ein Zeichen.

Der Kleine haut ab. Folgt dem Breiten, der weggelaufen ist. Biegt um die Ecke des Schuppens. Bleibt wie angewurzelt stehen. Sieht den Breiten ausgestreckt in seinem Blut liegen. Sieht die Blutlache vor ihm. Sieht einen rechteckigen Abdruck in der Blutlache.

Der Abdruck eines Aktenkoffers.

Und von dem Abdruck weg ein paar Blutspuren, die nach und nach verschwinden und von der Nacht verschluckt werden.

Der Kleine flucht. Er folgt den Spuren, bis sie verschwinden. Er blickt in die Nacht. Nichts, nirgendwo. Nur das helle Sommernachtsdunkel. Er stürmt mit der Maschinenpistole im Anschlag eine Weile umher. Es hilft nichts. Der Aktenkoffer ist weg.

Neben dem Wagen schreit der Verwundete. Sein Hemd ist schon ganz rot. Der Goldgekrönte sieht auf ihn nieder, schließt die Augen und drückt ihm einen breiten Streifen Klebeband über den Mund. Die Augen weiten sich heftig. Es sieht aus, als wollten sie aus den Höhlen treten.

Dann steht der Kleine neben dem Goldgekrönten. Er hat seine schwarze Maske abgezogen. Sein Gesicht ist bleich. Er schüttelt den Kopf. »Er ist weg«, sagt er.

»Was sagst du, verdammt?«

»Esse ist tot, und der Koffer ist weg. Jemand hat ihn geklaut.«

»Was denn, jemand? Scheiße, verdammte! Verteilt euch. Sucht!«

Sie sind nur noch drei Mann. Drei verteilen sich nicht so gut. In der Entfernung hören sie einen Wagen starten. Sie begreifen, daß es zu spät ist.

Der Goldgekrönte bleibt stehen. Erstarrt. Es konnte nicht schiefgehen.

Es ist an mehreren Punkten schiefgegangen. Wie zum Teufel war das möglich?

Der Kleine geht an ihm vorbei. Er bewegt sich zielbewußt auf das noch rauchende Auto zu. Als er an dem Goldgekrönten vorbeigeht, sagt er: »Vielleicht gibt es noch eine Chance.«

Der Kleine beugt sich zu dem Mann auf der Beifahrerseite hinunter. Der Mann hustet Blut. Unbekannte Worte in einer unbekannten Sprache werden ausgestoßen.

»Frequenz?« sagt der Kleine und drückt ihm den Lauf der Maschinenpistole an die Stirn.

Der Mann lacht. Er lacht Blut. Das letzte, was er sagt, ist: »Fuck you, asshole!«

Dann bekommt er eine Kugelgarbe ins Gesicht.

Der Kleine blickt zu der rauchenden Maschinenpistole des Goldgekrönten auf. Er ist bleich geworden, starrt ihn an, geschockt. Dann erhebt er sich. Faßt sich. Steht still. Denkt. »Das Papier«, sagt er zum Schluß.

Und der Goldgekrönte nickt. Er hatte das Papier vergessen, das in dem Aktenkoffer war. Noch ein Minus im Protokoll.

Der Goldgekrönte faltet das Papier auseinander. Da steht eine Reihe von Ziffern.

Der Kleine nickt eifrig. »Ja«, sagt er. »Ganz verratzt sind wir nicht.«

Der Goldgekrönte sieht sich um. Nickt kurz. Er und der Kleine laden den Verwundeten in den Van.

Der Goldgekrönte denkt an ein Gespräch, das er kürzlich geführt hat – im Gefängnis, mit einem Mörder, der Kunst studierte. Über den fabelhaften Unterschied zwischen Theorie und Praxis. Er hat das Gefühl, gescheitert zu sein. Bleibt ein paar Sekunden unnötig stehen. Dann zieht er seinen goldenen Vorhang hoch und springt in den Wagen.

Sie waren sechs, als sie kamen. Jetzt sind sie drei und ein halber.

Allerdings – die anderen sind keine mehr, denkt der Goldgekrönte und faßt sich.

Das ist, was zählt.

Ein alter rostiger Datsun rollt bereits auf Värmdöleden. Der Junge ist von einem atemlosen, mit Grauen gemischten, überbordenden Glück durchströmt. Er fährt wie der Teufel. Nur gut, daß keine anderen Wagen auf der Straße sind. Es ist die Nacht vor dem Mittsommerfest, vielleicht die ruhigste Nacht des Jahres. Normalerweise.

Dieses Jahr war sie nicht so ruhig.

Er ist hell, sie ist dunkel, und er dreht sich zu ihr hin. Er sieht, wie ihre wunderbaren Beine zittern. Er legt ihr die Hand aufs Knie. Jetzt zittert auch die Hand.

»Geil«, sagt sie. »Geil, geil, geil! Hast du gesehen? Verflucht, hast du gesehen?«

Er nickt und sieht an ihren Beinen hinab zum Boden. Da liegt eine Schultertasche. Zwei Gesichtsmasken und zwei Pistolen kann man erkennen.

Unbenutzt.

»Wir haben nichts getan«, sagt er. »Sie haben es selbst getan.«

»Geil«, sagt sie.

Dann ist es eine Weile still. Atemschöpfen. Der Blick wandert von der Tasche zurück zu ihren Knien und weiter. Zu ihrem Schoß.

Zu einem bluttriefenden Aktenkoffer.

Da kann er sich nicht mehr halten. Er läßt das Lenkrad los. Der Wagen schlingert Värmdöleden entlang. »Wir haben es geschafft, verdammt!« brüllt er, legt den Arm um sie und gibt ihr einen langen Kuß.

»Geil!« brüllt sie und hebt die Arme zum Wagendach.

12

Die Pornopolizisten schlenderten in dem glasklaren Morgenlicht einher. Duftender Tau bedeckte den Asphalt. Es ist nicht gerade häufig, daß Tau wirklich duftet, doch am Morgen dieses Mittsommerabends duftete er wirklich. Sogar die Pornopolizisten spürten das. Obwohl sie auf anderes aus waren.

Der Nachtdienst bewirkte, daß die Uniformen sich wie wochenalte Unterhosen anfühlten. All diese Mühe, statt im Personalraum zu sitzen und Qualitätsvideos anzuschauen.

Die Pornopolizisten schauten sich gern Qualitätsvideos im Personalraum an. So gern, daß Außenstehende davon Wind bekommen hatten. Und diese Außenstehenden hatten es der Boulevardpresse mitgeteilt. Und so kamen die Pornopolizisten zu ihrer wenig schmeichelhaften Bezeichnung.

Vielleicht konnten die Ereignisse der Nacht sie reinwaschen. Auf jeden Fall hofften sie das, während sie in dem glasklaren Morgenlicht einherschlenderten und sich an den ungewohnten Anblick gewöhnten.

Dies hier sollte den hartnäckigsten Flecken fortwaschen können.

Es war gerade erst fünf Uhr, aber sie hatten bereits an die fünf, sechs Wagenladungen mit Freunden von der Boulevardpresse abgewimmelt. Nicht ohne Schadenfreude.

Sie traten zu den rot-weißen Plastikbändern, die ein Quadrat im Gewerbegebiet Sickla einfaßten, denn ein weiterer Wagen näherte sich, ein roter, an dessen Seite das farbenfrohe Logo von TV 4 prangte. Und dahinter knatterte ein alter roter BMW-Sportwagen.

Die Pornopolizisten traten zu dem TV-4-Wagen und zeigten mit der ganzen Hand. Die Fernsehleute gaben sich aber nicht so leicht geschlagen. Es kam zu einem längeren Wortwechsel, der damit endete, daß einer aus dem Wagen ihnen eine triste, doch wohlbekannte Bezeichnung an den Kopf warf, woraufhin die Pornopolizisten das Auto mit den Füßen zu bearbeiten begannen. Schließlich rollte es davon und parkte ein wenig ramponiert neben den Kollegen an einem angewiesenen Platz zehn Meter entfernt. Immer noch äußerst empört, wandten sich die Pornopolizisten dem dahinterstehenden BMW zu. Und als jetzt noch eine kleine, dunkle Figur ohne Umschweife aus dem Wagen stieg und das rot-weiße Absperrband anhob, brannte bei den Pornopolizisten eine Sicherung durch.

Sie traten hinzu und nahmen den dunklen Jüngling in einen eisenharten Griff. »Was zum Teufel bildest du dir ein, du kleine miese Mittelmeerkrabbe!«

»Wenn man einen schicken Wagen sieht, kann man seinen Arsch darauf verwetten, daß ein Kanake drinsitzt. Verschwinde, aber schnell!«

Sie sahen schon im voraus, daß der Mund des dunklen Jünglings im Begriff war, das unheilverheißende Wort zu formen.

»Die Pornopolizisten, wenn ich mich nicht irre«, sagte er.

»Schweinepimmel!« fauchten die beiden und drückten noch fester zu.

»Seid ihr noch ganz bei Trost!« schrie ein Mann in einem Jeansanzug, der aus dem Innern des abgesperrten Geländes herbeilief. »Das ist Kommissar Chavez vom Reichskriminalamt. Laßt ihn auf der Stelle los.«

Die Pornopolizisten ließen los und zogen bedröppelt ab. Ohne ein Wort.

»Es ist kein besonders feines Auto«, sagte Jorge Chavez und rieb sich die Oberarme. »Es ist Baujahr achtundsiebzig. Und Kommissar bin ich auch nicht.«

Noch nicht, fügte er in Gedanken hinzu. Aber dann wird es bestimmt keine Pornopolizisten mehr geben.

Der Jeansbekleidete streckte ihm die Hand hin und sagte: »Tut mir leid, die Sache. Sie haben eine anstrengende Nacht hinter sich. Ich bin Bengt Åkesson, Länskrim, Nachtschicht.«

Es gelang Chavez, seinen schmerzenden rechten Arm vorzuschieben und die Begrüßung durchzuführen. »Sind wir uns nicht schon einmal begegnet?« fragte er.

»Wir sind uns ganz kurz im Zusammenhang mit den Machtmorden begegnet. Ich hatte damals einen Russen namens Alexander Brjusov gefunden, als wir einen illegalen Spielclub aushoben.«

»Richtig«, nickte Chavez. »Åkesson.«

Er pflegte Menschen nicht zu vergessen.

Anderseits hatte er in letzter Zeit nicht soviel mit Menschen zu tun gehabt. Hauptsächlich mit Lehrbüchern. Nach der eigentümlichen Auflösung der A-Gruppe wegen des Kentuckymörders hatte er sich fortgebildet und weiter fortgebildet und war vermutlich der zur Zeit in Theoriefragen höchstqualifizierte Polizeibeamte Schwedens. Doch auch in der Praxis fand sich wohl das eine oder andere auf dem Pluskonto, trotz allem. Das einzige, was ihm für eine Beförderung zum Kommissar fehlte, waren Dienstjahre. Dienstjahre *en masse*.

Er war noch nicht viel älter als dreißig.

»Jaha, Åkesson«, sagte er. »Das einzige, was ich weiß, ist, daß ich mitten in der Nacht einen verwirrenden Anruf von einem mir wohlbekannten Abteilungsleiter bei der Reichspolizeibehörde mit Namen Waldemar Mörner bekam, der mir sagte, ich sollte die Ermittlung eines, Zitat, ›unglaublich grausamen Massenmords‹ leiten. Kann ich ein paar mehr Details erfahren?«

»Wir können ja einen Rundgang zu den Sehenswürdigkeiten machen«, sagte Åkesson und fuhr fort, während sie ihre Wanderung antraten: »Vor ein paar Stunden, genauer gesagt um drei Uhr acht, erhielten wir den Anruf einer älteren Dame, die mitten in der Nacht mit Hund und Handy einen Spaziergang machte. Sie sagte, sie stände mitten auf einem Schlachtplatz. Es lägen überall Leichen. Als wir herkamen, war es schon hell. Und wir fanden das hier vor. Fünf Tote. Alle erschossen, bis auf einen, der durch eine Explosion getötet wurde. Er sitzt hier in dem Wagen.«

Chavez blickte in einen ausgebrannten schwarzen Mercedes und bereute sofort, auf dem Hinweg schnell noch ein Sandwich in sich hineingestopft zu haben. Er hatte das Gefühl, daß es nur eine Stippvisite in seinem Magen machen wollte. Ein paar Sekunden brauchte er, um zu verhindern, daß es wieder zum Vorschein kam. Dann gewann seine Professionalität die Oberhand.

Der Mann auf dem Rücksitz war in der Tat durch eine Explosion getötet worden. Chavez wollte die Beobachtung nicht ausweiten. Das sollten die Gerichtsmediziner tun. Am Handgelenk des Mannes hing eine abgeknipste Kette.

Der Anblick genügte Chavez. Er hob den Blick und sah sich um. Das Gewerbegebiet Sickla. Eine holperige Asphaltstraße. Ein schwarzer Mercedes zwischen zwei Industriehallen. Schilder: ›Sickla bilverkstad‹ auf dem einen, ›Berras båt och bygg‹ auf dem anderen.

Er blickte auf die linke Seite des Mercedes. Ein Mann lag mit dem Gesicht in einer Blutlache neben dem Fahrerplatz. Ein Stück davon entfernt war eine etwas kleinere Blutlache, doch ohne Leiche. Er ging um den Wagen herum. Dort lagen dafür zwei Körper. Der neben dem Beifahrerplatz war von Kugeln durchsiebt. Der etwas weiter weg Liegende trug eine schwarze Gesichtsmaske. Statt Augen war durch die Öffnungen eine fleischige Masse zu sehen.

Pfui Teufel, dachte Jorge Chavez und brauchte wieder ein paar Sekunden, damit das Sandwich an seinem Platz blieb. »Du hast fünf gesagt?« wandte er sich an Åkesson.

Åkesson rieb sich langsam und fest mit der Hand über die Stirn. Erst jetzt sah Chavez, wie bleich er war.

»Der Letzte liegt dort drüben«, sagte Åkesson und zeigte in die andere Richtung. »Bei Berras Boots- und Baumarkt.«

»Alliteration kann nie schaden«, sagte Chavez und folgte ihm. Åkesson ignorierte seine Bemerkung.

Sie bogen vor dem Mercedes um die Ecke der Werkstatthalle. Da lag ein breiter Mann mit Gesichtsmaske. Er war in den Rücken geschossen worden. Vor ihm breitete sich eine noch nicht getrocknete Blutlache aus. Wie ein unregelmäßiger Rahmen um ein vollkommen regelmäßiges Rechteck. Ungefähr zehn immer schwächer werdende Blutspuren führten davon weg.

»Hmm«, sagte Chavez in Sherlock-Holmes-Manier. Es fehlte nur noch, daß er ein Vergrößerungsglas aus der Innentasche seines abgetragenen Leinenjacketts hervorholte.

Chavez und Åkesson tauschten einen langen Blick aus.

»Ja, du«, sagte der erste. »Hast du schon deine Schlüsse gezogen?«

»Ja«, antwortete der zweite. »Die sind ziemlich klar. Nehmen wir zuerst deine, dann vergleichen wir. Intuitiv gegen reflektiert.«

Chavez gab Åkesson einen anerkennenden Blick und sagte: »Zwei Banden. Die mit den Gesichtsmasken überfallen die ohne. Die letzteren kommen in dem Mercedes. Sie haben etwas an einer Kette bei sich. Vermutlich einen Aktenkoffer. Sie sind unterwegs zu einem Treffpunkt, um ihn im Austausch gegen etwas anderes zu übergeben. Die Räuber lassen auf die eine oder andere Weise den Wagen hochgehen und nehmen den Koffer. Der mit der Kette ist schon tot. Sie kneifen die Kette durch. Die anderen klettern aus dem Wagen. Aus ihrer Position zum Wagen könnte man den Schluß ableiten, daß sie gefilzt werden. Dann wird es schwierig. Irgendwas passiert. Der, dem das Gesicht aus der Maske quillt, wird von einem der beiden, die am Wagen stehen, erschossen. Sie werden danach beide erschossen. Die Blutlache hier deutet darauf hin, daß noch einer von den Räubern getroffen wird, aber nur verletzt, weil er nicht mehr da ist. Daß sie ihre Leichen zurücklassen, besagt, daß es ihnen scheißegal ist, ob sie identifiziert werden, und das gibt mir eine unangenehme Vorahnung. Es ist sicher noch nicht zu Ende. Und weiter? Was macht der Räuber so weit weg hinter der Kfz-Werkstatt? In den Rücken geschossen. Er flieht also. Wird aber von hinten getroffen. Wahrscheinlich ein Schuß direkt durchs Herz. Das Blut tritt nach vorn aus, auf der Brust. Okay. Soll man annehmen, daß diese Blutkonstellation vor ihm uns sagt, daß er den Koffer hat? Er haut ab, als die Schießerei ausbricht, um den Koffer in Sicherheit zu bringen. Als die vorüber ist, heben die Räuber den Koffer aus der Blutlache, machen ein paar nachlässige Schritte im Blut und verziehen sich.

Åkesson sah Chavez an, zog überrascht die Augenbrauen hoch und sagte: »Totale Übereinstimmung, fürchte ich. Ich habe nichts hinzuzufügen. Außer daß wir Abdrücke eines Vans gesichert haben, der neben ›Berras båt och bygg‹ stand. Und«, fügte er hinzu und gab Chavez einen verstohlenen Seitenblick, »daß die Mercedesbesatzung auffallend ausländisches Aussehen hat.«

»Und was ist mit den Räubern?« fragte Chavez unberührt. »Habt ihr gewagt, unter die Masken zu gucken?«

Åkesson verzog das Gesicht zu einer kleinen Grimasse. »Das war nicht so lustig«, sagte er. »Aber ja, die wirken etwas schwedischer …«

Chavez betrachtete ihn. Es sah aus, als wäre er noch nicht fertig. »Und …?« fragte er.

»Ich bin nicht ganz zufrieden mit den ›nachlässigen Fußspuren im Blut‹«, sagte Åkesson schließlich. »Sie scheinen nicht zu denen zu gehören, die leichtfertig Spuren im Blut hinterlassen.«

Chavez nickte eine ganze Weile. Das schwache Glied in der Kette seiner Erzählung. Unmittelbar bloßgelegt. Er versuchte sich zu überzeugen: »Man muß vielleicht berücksichtigen, daß sie geschockt waren. Schlachtplatz. Fünf Leichen. Einer verwundet. Drei von ihnen Kumpels.«

Er blickte über das grausige Szenario. Die Dame mit dem Hund und dem Handy hatte gesagt, sie riefe von einem Schlachtplatz an. Das stimmte. Aber etwas anderes stimmte nicht. Hier und da ging ein vereinzelter Polizist herum und schaute. Ansonsten war niemand da. »Wo zum Teufel ist die Spurensicherung?« platzte er heraus.

»Die sind auf dem Weg von Närke«, sagte Åkesson mit einem Schulterzucken.

»Von wo?«

»Von Närke. Das ist eine Landschaft.«

»Danke«, sagte Chavez.

»Sie haben bestimmt alle Hände voll zu tun gehabt mit der Explosion in Kumla. Die ganze Gang war da. Und deine Kumpels.«

»Meine Kumpels?«

»Söderstedt und Norlander. Wir waren eine Zeitlang Kollegen beim Länskrim.«

Chavez konnte sich ein Lächeln nicht verkneifen. Er stand auf einem Schlachtplatz und lächelte. »Die weißen Männer mittleren Alters«, sagte er.

Aber er dachte etwas anderes.

Hmm, ging es ihm durch den Kopf.

Die Explosion von Kumla.

13

Wir sehen ein Haus, das nur sehr wenige Polizisten gesehen haben. Es liegt ein wenig abseits an einem See mit dem ungewöhnlichen Namen Råvalen. Dieser See liegt in der Gemeinde Sollentuna, fünfzehn Kilometer nördlich von Stockholm.

Fakt ist, daß nur ein einziger Polizist jemals dieses einfache Haus am Rand des schattigen Mischwalds gesehen hat. Und der ist nicht mehr Polizist.

Er ist der Besitzer des Hauses. Jetzt kann er das wirklich im Ernst behaupten. Die letzte Rate wurde am selben Tag bei der Bank eingezahlt, an dem er in Pension ging. Es war ein Ereignis sondergleichen.

Und sehen wir ihn nicht gerade dort drüben? Ist das nicht dieser Zweiundsechzigjährige, den wir dort auf dem hügeligen kleinen Grundstück sehen, das nicht mehr ist als ein unbedeutender Einschub zwischen See und Wald? Ist er das nicht, der da im Hawaiihemd und in zu kleinen Shorts den Handrasenmäher den Hang hinaufrollt und wieder hinunter wie ein Sisyphus?

Rasenmähen ist eine endlose Arbeit.

Gras hat ja die Tendenz, nachzuwachsen.

Dafür, daß er Polizist war, hatte dieser Mann einen Defekt. Ehemaliger Polizist also. Nicht Polizist, *ehemaliger Polizist*. Dieser Defekt bestand darin, daß er Kraut und Unkraut nicht voneinander unterscheiden konnte. Natürlich konnte er lernen, daß *dieses* kleine grüne Büschel hier Kraut ist, während *jenes* kleine grüne Büschel dort Unkraut ist, aber den tieferen Sinn der Unterscheidung von Kraut und Unkraut hatte er nie verstanden.

Polizisten sollten definitiv Kraut von Unkraut unterscheiden können.

Nicht indem sie im Handbuch nachschlagen, das einem sagt, welches Grün Kraut und welches Unkraut ist, sondern indem sie instinktiv sagen können, was Kraut gegenüber Unkraut auszeichnet.

Das fehlte ihm.

Er hielt in seiner Sisyphusarbeit inne und beugte sich zu einem kleinen Büschel hinab. Er seufzte tief und strich mit der Hand über die grünen Halme.

Kraut oder Unkraut?

Er richtete sich wieder auf und machte mit dem Rasenmäher einen Bogen um das Büschel. Seit seiner Pensionierung praktizierte er regelmäßig die Maxime *live and let live*. Wer war er, um zu entscheiden, was Kraut und was Unkraut war?

Kein Kollege hatte ihn je zu Hause besucht. Er war allgemein als ›der Mann ohne Privatleben‹ bekannt gewesen und hatte nie jemanden an sich herangelassen. Nach der Pensionierung hatte er seine Prinzipien ein wenig gelockert und verkehrte tatsächlich – wenngleich nie zu Hause – mit einem alten Kollegen, seinem früheren Chef Erik Bruun von der Polizei Huddinge, ebenfalls vorzeitig pensioniert, jedoch nach einem Herzinfarkt, nicht aus – Notwendigkeit. Sie trafen sich einmal alle zwei Wochen im Kulturhaus, aßen zusammen und spielten ein, zwei Stunden Schach. Es war Bruun gewesen, der einst Hjelm aus Huddinge für die A-Gruppe ausgesucht hatte.

Die pensionierte Ehefrau des Rentners kam heraus und setzte sich mit Kaffeetasse und Morgenzeitung, Lockenwickler im Haar, auf die Terrasse. Sie winkte ihm zu. Er winkte zurück. Hinter ihr glitzerte der See Råvalen einladend in der Morgensonne.

Alles war eitel Freude, Sonnenschein. Es galt nur, das Dasein zu genießen. Ein Minimum an regelmäßigen Ausgaben. Der volle Satz in der Zusatzpension. Jeden Monat ein deutlicher Überschuß in der Kasse. Ein Grundstück, dessen attraktive Seiten ihm erst nach fünfunddreißig Jahren aufzugehen begannen. Er konnte sogar seinen beiden erwachsenen Söhnen ein ansehnliches Erbe hinterlassen.

Ruderboot und Angelrute unten am See. Sauna am Strand. Das Ornithologenfernglas am Nagel in einer Tanne am Waldrand. Zwei ordentliche Auslandsreisen im Jahr. Ein kerngesundes, frühpensioniertes Paar, das sich ruhig noch zwanzig Jahre in guter Verfassung halten konnte.

Kerngesund bis auf die Inkontinenz.

Doch mit der konnte man leben. Die Zukunft gehörte ihnen.

Der ehemalige Chef der ehemaligen A-Gruppe, der ehemalige Kommissar Jan-Olov Hultin, hatte also jeden Grund, mit dem Leben zufrieden zu sein. Er hatte keinerlei Grund, sich über das zu grämen, was gegen Ende seiner Karriere geschehen war. Er bereute nichts. Natürlich gab es die eine oder andere weniger glückliche Entscheidung im Zusammenhang mit dem Kentuckymörder, wenn er zurückblickte, aber absolut keine Dienstverfehlung, nichts, was ihn zur frühzeitigen Pensionierung hätte zwingen können. Nichts dergleichen.

Er brauchte sich für nichts zu grämen.

Es gab nichts, worüber er sich grämen müßte.

Er hatte keinerlei Veranlassung, sich zu grämen. Und so weiter.

Tag auf Tag.

Er hielt in seiner doppelten Sisyphusarbeit inne. Es knirschte auf dem Kies oben bei der Garage. Nicht noch ein schwerkrimineller Grundstücksmakler, der, Zitat: ›ein phantastisches Angebot‹ für das Grundstück auf den Tisch legen wollte. Er schleuderte den Rasenmäher geräuschvoll von sich und ging mit energischen Schritten den steilen Grashang hinauf.

Der Mann, der aus dem glänzenden neuen Saab stieg, sah unzweifelhaft wie ein schwerkrimineller Grundstücksmakler aus. Elegantes blondes Haar in einer sturmsicheren Frisur, die einem Toupet zum Verwechseln ähnlich sah, bronzebraunes Bräunungscremegesicht, gutgetrimmter Körper, sogar eine grobe Goldkette ums Handgelenk zu dem galanten leichten Sommeranzug.

Dennoch fiel Jan-Olov Hultin die Kinnlade herunter.

»Zum Teufel, JO«, keuchte der Mann, als sei er wie ein Elch den ganzen Weg gelaufen und nicht in einem Luxuswagen mit Klimaanlage gefahren. »Mit deinem Telefon stimmt was nicht. Eine meckerige Alte erzählt mir was davon, daß es abgeschaltet sei. Hast du deine Rechnung nicht bezahlt?«

»Ich heiße nicht JO«, sagte Hultin ausdruckslos. »Ich heiße Jan-Olov. Und das Telefon *ist* abgeschaltet. Wir brauchen kein Telefon.«

»Dann schalte es wieder ein, verdammt«, sagte der hellblondierte Mann, der *kein* schwerkrimineller Grundstücksmakler war, sondern Abteilungsleiter im Reichskriminalamt und gegenwärtig die rechte Hand des Reichspolizeichefs. Er hieß Waldemar Mörner, ein Mann mit legendären Peinlichkeiten als Spezialität.

Waldemar Mörner rutschte ein wenig im Kies, machte einen grazilen Satz über die Planke, die den Übergang von Grus zu Gras markierte, und mußte erkennen, daß seine erlesenen italienischen Schuhe nicht mit einem erlesenen Anti-Rutsch-System ausgestattet waren. Er rutschte im taufeuchten Gras aus, und zwar so, daß seine Füße in einer umgekehrten Pirouette in die Luft zeigten, er kullerte immer schneller werdend den ganzen Grashang hinunter bis zur Veranda, wo sein Körper mit einem dumpfen Bums an die Treppe schlug, so daß sein Handy ihm aus der Tasche flog und in der Kaffeetasse der Hausfrau auf der Veranda landete. Mörner erhob sich leicht schwindelig, streckte der Hausfrau die Hand hin, verfehlte sie um einen guten Meter, taumelte seitwärts den ganzen Weg über die Veranda, schlug über das Geländer und platschte direkt in den Råvalen.

Da dudelte sein Handy. Frau Hultin fischte es aus der Kaffeetasse und meldete sich: »Waldemar Mörners Apparat. Ja, er taucht gleich wieder auf.«

Nein.

Nein, so war es nicht.

So spielte es sich nur in Jan-Olov Hultins rachsüchtiger Phantasie ab. Aber Mörner glitt tatsächlich aus, als er den Schritt hinüber aufs Gras ausführte. Er griff nach Hultins kräftiger Schulter und konnte sich aufrecht halten.

»Hoppla«, sagte er neckisch und klopfte Hultin leicht auf die Schulter. »Gut, daß es noch Stützpfeiler bei der Polizei gibt.«

»Eben das tut es nicht«, sagte Hultin neutral.

Er hoffte, daß man ihm nicht ansah, wie sein Herz pochte. Gleichzeitig wußte er, daß er sich deswegen nicht zu beunruhigen brauchte. Niemand hatte je in Kriminalkommissar Jan-Olov Hultins Seele geblickt. Sie war hinter einer Mauer aus Neutralität so gut verborgen, daß er sich manchmal fragte, ob sie vielleicht dahinter verschwunden war.

War sie nicht.

»Doch«, sagte Waldemar Mörner.

The magic word.

»Doch«, fuhr er fort, ohne mit dem Keuchen aufzuhören. »Das tut es. Wenn du willst. Wir brauchen dich. Ich habe den

RP überredet, daß wir wieder anfangen. Wir haben einen richtig scheußlichen Massenmord am Hals.«

RP, dachte Hultin. Wer zum Teufel sagte RP, wenn er den Reichspolizeichef meinte? Es klang wie ein alter Krimi aus den Siebzigern. Statt dessen sagte er mit Betonung auf jeder Silbe: »Wieder anfangen?«

»Wiederaufguß«, verdeutlichte Mörner. »Das Netz einholen. Die Asse aus dem Ärmel schütteln. Die Spikesreifen aufziehen. Das Potential reaktivieren. Die Geheimwaffen entsichern.«

Hultin ließ den Metaphernschwarm an sich abprallen. Er erwiderte nüchtern: »Die A-Gruppe?«

»Ja, aber hallo«, sagte Mörner und sang: »Born to be wild.«

Es war ein bißchen viel. Hultin starrte ihn entgeistert an. »In welcher Form?« bekam er heraus. Vollkommen neutral.

»In *guter* Form«, sagte Mörner und boxte ihn freundschaftlich gegen den Oberarm; Hultin gelang es gegen jegliche Wahrscheinlichkeit, das zu ignorieren. »In *alter* guter Form.«

»In der ursprünglichen Form also?«

»Jepp. Wer würde es wagen, die Kreise eines alten Mannes zu stören?«

»Alle sind dabei?«

»Sogar Chavez hat locker akzeptiert, die Leitung der Ermittlung abzutreten. Allerdings nur an dich. Norlander verlangt, Mittsommerabend mit seiner neugeborenen Tochter verbringen zu können. Und ein kleines Fragezeichen, was Gunnar Nyberg betrifft. Er ist ja gut in Fahrt da bei den Pädophilen. Aber auch er kommt um zehn Uhr zur Sitzung.«

Neugeborene Tochter? Dachte Jan-Olov Hultin. Das Wortpaar schien ihm so gar nicht mit dem Wortpaar Viggo Norlander zusammenzupassen. Aber er sagte nichts. Statt dessen sah er auf die Uhr. Zehn nach neun. Nicht viel Zeit für einen Entschluß, der sein Leben verändern würde. »Ich muß mit meiner Frau reden«, sagte er.

»Tu das«, sagte Mörner. »Aber nicht zu lange.«

»Kann ich mir auch mal dein Handy leihen?« fragte Hultin, nahm es entgegen und glitt den Grashang zur Veranda hinunter.

Er ging zu seiner Frau, die ausdruckslos zuhörte – es war offenbar ein Familienleiden –, um schließlich kurz zu nicken und ein paar Worte hinzuzufügen. Er begab sich ins Haus, um das Hawaiihemd und die viel zu kleinen Shorts gegen etwas Respektableres auszutauschen, was bedeutete: einen sackartigen Lumberjack, ein etwas ausgefranstes lilafarbenes Hemd und ein Paar uralte dunkelblaue Gabardinehosen – tatsächlich waren es seine alten Uniformhosen. Währenddessen rief er Erik Bruun an, der geduldig, doch keineswegs neutral zuhörte. Das war nicht sein Stil. Als er schließlich antwortete, glaubte Hultin, den rotgrauen Bart um die ewige schwarze Zigarre auf und ab hüpfen zu sehen, die kein Herzinfarkt der Welt ihm aus der Schnauze würde reißen können.

»Aber verflucht noch mal, Jan-Olov. Davon hast du doch insgeheim zehn Monate lang geträumt.«

»Wirklich?« fragte Hultin aufrichtig.

»Aber ja doch. Wie die Katze um den heißen Brei.«

»Forgive and forget also?«

»Weder forgive noch forget. Ignore. Scheiß auf sie. Es geht nicht um sie. Es geht um dich. Du hast noch viel zu geben. Und außerdem kannst du wieder kicken bei den Veteranen. Stell dir vor, wie viele gealterte Angreifer danach lechzen, es wieder mit einem gestandenen Stopper à la Holzbein-Hultin zu tun zu bekommen. Du kannst beim Köpfen wieder Augenbrauen platzen lassen. Du wirst dich wie neugeboren fühlen.«

Hultin lief das Wasser im Mund zusammen. Er bedankte sich und legte auf.

Er gab seiner Frau einen Kuß auf die Stirn; ein Lockenwickler blieb am Kragen des Lumberjacks hängen.

Waldemar Mörner nahm ihn ihm ab. »Das macht keinen guten Eindruck«, sagte er.

»Wir haben für Ende September eine Griechenlandreise gebucht«, sagte Hultin und betrachtete nicht ohne Verwunderung den Lockenwickler in Mörners Hand.

»Das wird kein Problem«, sagte Mörner, warf den Lockenwickler wie ein Champagnerglas über die Schulter, öffnete die Tür des Saab mit einer gentilen Geste und fügte hinzu: »Bis dahin ist dieses kleine Debakel aus der Welt.«

Als Kriminalkommissar Jan-Olov Hultin in den Wagen stieg, folgte ihm eine selbstleuchtende Aura.

Eine Polizistenaura.

14

Erst war es Französisch, ein langes, kompliziertes Gespräch auf französisch. Viel Lächeln, viele kurze Lacher ins Mobiltelefon. Der Mann, der unbeweglich an der geschlossenen Tür stand und quer durch den großen Arbeitsraum blickte, hatte sogar den Eindruck, daß die Gesten französisch geworden waren. Er, der selbst höchstens zwei Sprachen sprach, hatte gelernt, die Sprachen an den Veränderungen der Körperhaltung seines Chefs zu unterscheiden. Lange bevor ein neues Gespräch in Gang kam, hatte die Gestik es ihm schon verraten. Jetzt hatten die Bewegungen ein anderes Tempo bekommen, sie waren langsamer, aber distinkter, vielleicht ein wenig kantig. Es wurde augenscheinlich ein deutsches Gespräch geführt. Nach einigen kargen, tiefernsten Phrasen nahm das Gespräch eine neue Wendung, was er daran erkannte, daß sich die Brust weitete, der Rücken gestreckt wurde und die Kiefer angespannt wurden. Weil ihm klar war, daß gerade spanisch gesprochen wurde, konnte der Mann seinen Blick durch den großen Arbeitsraum schweifen lassen. Die spanischen Gespräche zogen sich immer lange hin.

Alle in der Branche kannten diesen Raum. Hier wurden die großen Beschlüsse gefaßt, hier wurden die großen Transaktionen getätigt. Das Panoramafenster zur Meeresbucht hinaus, der computergesteuerte Globus auf seinem Gestell neben dem L-förmigen Eichenschreibtisch, die Wände mit den Mirós oberhalb der brusthohen Holztäfelung, die dicken persischen Teppiche auf dem glänzenden mosaikartigen Parkett.

Alles war wohlbekannt, legendär.

Der Mann an der Tür wußte, daß er sich nicht in diesem mythenumwobenen Raum befände, ja, nicht einmal Zutritt zum Haus bekommen hätte, wenn nicht die Umstände extrem wären. Der Personalmangel begann akut zu werden.

Sie kannten sich seit dreißig Jahren, kamen aus demselben kleinen Bergdorf und waren in ihrer Kindheit Freunde gewesen. Dennoch hatte er nie das Vertrauen des ›Großen‹ gefunden, außer als Freund, als ein Verbindungsglied mit der Vergangenheit. Dennoch akzeptierte er ohne Umstände seine Rolle als Reservist, als Substitut, als Surrogat. Auch das war eine Ehre.

Er nannte ihn ›der Große‹. Es ergab sich sozusagen von selbst. Doch er sagte es nie laut. Laut hörte es sich pathetisch an, peinlich. Doch in seinem Innern hieß der Chef nie anders als der Große. Da war es alles andere als pathetisch.

Als die Sprache von neuem wechselte, stellte er fest, daß es vor allem die Vielsprachigkeit war, die er an seinem Arbeitgeber bewunderte – darin war er ›der Große‹. Die Vielsprachigkeit war eine Voraussetzung für die weitverzweigte internationale Wirksamkeit.

Anderseits gab es Teile dieser Wirksamkeit, mit denen er sich ganz einfach nicht einverstanden erklären konnte. Daß der Große seine Einstellung zu diesen Teilen kannte, war vermutlich der Hauptgrund dafür, daß er nie zum innersten Kreis gehört hatte. Bis jetzt. Wo es keine andere Wahl gab. Wo es außerdem gerade diese Teile der Wirksamkeit waren, die das Problem verursacht hatten.

Die Sprache, in der er jetzt ins Handy redete, war ihm einigermaßen geläufig. Und die Gestik war auf eine protzige Weise selbstverständlich. Als sei es die Muttersprache.

Es war Schwedisch.

Er verstand, daß die ›Sicherheitsberater‹ am anderen Ende waren.

»Ja«, sagte der Große hinter dem Schreibtisch, drehte sich mit dem Ledersessel und schaute durchs Panoramafenster. »Ich verstehe. Und ihr habt keine Ahnung, wer er ist? Nein. Okay. Das macht ja die Situation instabil, gelinde gesagt. Ja, das Material kann sehr wohl unterwegs sein. Und dann ist die Katastrophe ein Faktum. Wir müssen uns also trotz allem auf seine Gier verlassen. Das ist das Verläßlichste, was wir haben. Wir müssen darauf vertrauen, daß er wartet, bis wir selbst die Lage normalisiert haben. Und das bedeutet, daß wir schleunigst den Koffer finden müssen. Erste Priorität also. Jaja, volle Kanne. Bis bald.«

Der drehbare Ledersessel machte eine halbe Drehung. Zum ersten Mal wurde ein Blick zur Tür geschickt. Und als der nächste Sprachwechsel stattfand, galten die Worte endlich dem Mann an der Tür. Und es war endlich die Sprache, die einmal den Mut gehabt hatte, sich serbokroatisch zu nennen.

»Ljubomir«, sagte der Große und winkte ihn zu sich. »Keine Spur?«

Ljubomir schritt quer durch den großen Arbeitsraum, begegnete dem scharfen Blick und schüttelte nur den Kopf.

»Und das Geld ist wirklich eingeschlossen?«

»Ja. Wahrscheinlich war es ein Fehler, Jovan das Bankfach einrichten zu lassen. Jetzt, wo er tot ist, haben wir weder einen Schlüssel noch die Unterlagen. Das Geld ist eingeschlossen. Es sei denn, wir rauben die Bank aus.«

Der Große zog leicht die Augenbrauen in die Höhe; das verhieß nichts Gutes. »Wir mögen seit unserer Kindheit befreundet sein, Ljubomir«, sagte er sanft, »aber denk daran, dich niemals, ich wiederhole: *niemals* darüber zu äußern, was deiner Meinung nach ein Fehler war oder nicht. Das liegt weit jenseits deiner Befugnisse. Du sollst nur das veranlassen, was ich dir sage. Das ist deine einzige Aufgabe.«

Ljubomir blickte hinunter auf den Schreibtisch.

»Hast du es?« fragte der Große.

Ljubomir nickte und legte eine Schultertasche auf den Schreibtisch. Er öffnete den Reißverschluß und holte ein Funkgerät heraus.

Der Große betrachtete es und sagte: »Die Frequenz?«

»Ist eingestellt. Du kannst gleich anfangen. Drück einfach auf den Knopf am Mikrophon.«

Wieder dieser Blick. Und dann eiskalt: »Ich weiß, wie ein Funkgerät funktioniert.«

Der Große saß einen Moment still mit erhobenem Mikrophon da. In diesen wenigen Sekunden glaubte Ljubomir, das wahre Wesen des Großen zu sehen; es zog wie ein eiskalter Nordwind über sein Gesicht und spannte die Gesichtszüge. Der jetzt sprechen würde, war ein anderer. Ein Herrscher. Ein Beherrscher. Der fürchterlichste Widersacher, den man sich vorstellen konnte.

Dann drückte er auf den Knopf und wechselte erneut die Sprache. Mit deutlichem, fast pädagogischem Nachdruck sagte der Große auf schwedisch: »Dies ist eine Mitteilung an dich, der du meinen Aktenkoffer gestohlen hast. Du weißt, daß ich dich fassen werde. Und du weißt auch, was dann passiert. Um *ungefähr* zu verstehen, bedarf es nur eines Minimums an Phantasie. Doch nicht einmal die bestentwickelte Phantasie reicht aus, es *genau* zu verstehen. Also gib den Koffer jetzt zurück. Wenn du nachdenkst, siehst du ein, daß das in aller Interesse liegt.«

Dann wechselte er von neuem die Sprache und wiederholte die Mitteilung auf englisch. Wort für Wort.

Ljubomir schauderte es.

Er hoffte, daß man es ihm nicht ansah.

Sie lagen wieder im Bett. Er war hell, sie war dunkel, und endlich schliefen sie.

Nach der längsten Nacht ihres kurzen Lebens waren sie ineinander verschlungen eingeschlafen, immer noch miteinander verbunden, ineinander. Die Vormittagssonne schien auf das heruntergezogene Rollo, und obwohl es in dem kleinen Appartement um die dreißig Grad war, hatte keiner von ihnen sich vom anderen wegbewegt. Sie weigerten sich, auseinanderzugehen.

Doch bald würde es notwendig werden.

Das war nicht das, was sie sich gedacht hatten.

Als sie übermütig durch die Tür hereingetanzt waren, hatte er den Champagner ausgepackt, die Folie abgezogen, das Drahtgeflecht um den Korken gelöst und sich bereit gemacht. Sie war auf die Toilette gegangen und hatte sorgfältig den Koffer abgewischt. Es durfte keine Spur von Blut daran sein, wenn sie ihn öffnete. Dann kam sie heraus, sie küßten sich kurz, bevor sie den Aktenkoffer auf den Tisch legte, neben die Champagnergläser. Er hielt die rechte Hand in einem festen Griff um den Champagnerkorken und war bereit.

Sie schlug den Kofferdeckel zurück.

Keine Geldscheinbündel. Nicht eine Münze.

Nur ein Schlüssel und ein Funkgerät in je einem Halter.

Der Champagnerkorken knallte von selbst. Er traf den Flurspiegel, der zersplitterte. Sieben Jahre Unglück. Wie um den Job zu Ende zu bringen, warf er die Flasche in den Spiegel. Die Nachbarn klopften an die Decke.

Er weinte.

Aber sie dachte.

Sie war schon dabei, weiterzudenken. Das war immer ihr einziger Verteidigungsmechanismus gewesen.

Sie hob den Schlüssel aus dem kleinen Halter, drehte und wendete ihn. Er hatte eine eingravierte Nummer. 401.

»Bankfach«, sagte sie. »Fach vierhunderteins.«

»Bankfach, Scheiße«, jaulte er. »Wo denn, verdammt noch mal? Kiruna, Paris, Guatemala?«

»Kannst du eine Kopie davon machen?« fragte sie, streckte sich nach Papier und Bleistift und warf sich auf das Bett.

Seine Verzweiflung verflog. Er sah diese Zielbewußtheit bei ihr, die sie auch hierher geführt hatte. Und die bremste seinen Hang zur Selbstzerstörung. Lenkte sie um. Auf das Konstruktive. Wie schon so oft zuvor.

»Du weißt, daß ich das kann«, sagte er, wiederaufgerichtet.

»Kannst du es jetzt tun?« fragte sie, während sie begann, auf dem Papier eine Liste zusammenzustellen.

»Ja, das kann ich.«

»Dann fang an«, sagte sie.

Er nahm den Schlüssel und ging zu der Kleiderkammer, in der er seine Werkstatt eingerichtet hatte. Bevor er die Tür öffnete, sagte er: »Und was tust du da?«

»Ich versuche, auf all die Städte zu kommen, in denen er seine Geschäfte tätigt. Das ist die einzige Chance.«

Er nickte und ging in seine kompakte kleine Werkstatt. Sie blieb auf dem Bett liegen und schrieb. So arbeiteten sie die Nacht durch, jeder für sich. Schließlich war beides fertig, der Schlüssel und die Liste. Da endlich konnten sie sich vereinigen. Und wie sie sich vereinigten. Es war, als begegneten ihre Körper sich zum ersten Mal. Alles, was sie in dieser längsten Nacht ihres Lebens mitgemacht hatten, nahm die Form des Begehrens an, die Form der Liebe. Und die Liebe und das Begehren waren identisch.

Ineinander schliefen sie ein. Vor dem inneren Auge der Frau lief die Liste ab, während sie einschlief. Alle diese Orte mit leicht zugänglicher Wirklichkeitsflucht. Diese endlose Kette von Bedürfnis nach Linderung, nach Ekstase, nach Ausweitung der Sinne. Als reichten die Sinne, die uns geschenkt sind, nicht aus. Als sei ihre Unbegrenztheit nicht unbegrenzt genug. Aber die Nachfrage nach Zustandsveränderung war auch unbegrenzt, und sie machte das Angebot unbegrenzt, und damit war der Kreis geschlossen. Der Kreis des Bösen. Und derjenige, der für das Angebot sorgte, der dafür sorgte, daß der Kreis böse blieb, das war *er*. Der Kernpunkt. Die Natter. Und sie ist wieder klein. Es ist ein Traum, der immer wiederkommt. Sie kennt ihn auswendig, kennt jedes Detail, jede Nuance, doch sie ist nicht in der Lage, ihn aufzuhalten. Es ist, als müsse der Traum *seinen Lauf nehmen*. Als müsse er *aus irgendeinem Grund* seinen Lauf nehmen. Dieses kleine Erwachen mitten im Schlaf. Ein alter, *unschuldiger* Traum, der unterbrochen wird, der nie mehr wiederkommt. An den sie sich nicht mehr erinnert. An den sie sich nie mehr erinnern wird. Anfangs ist es nur ein Flattern zwischen den Laken. Aber dann sind es die Augen, der Blick, der einem anderen gehört, oder eher keinem, keinem Menschen. Und ihre Beine werden auseinander gezwungen, und sie weiß nicht, was es ist, was da geschieht, versteht nicht, kann nicht verstehen, hat keine Voraussetzungen, um zu verstehen, was es ist, das in sie eindringt, kann nur das Fundamentalste verstehen, und das ist, daß das Vertrauen gebrochen worden ist, daß das Grundvertrauen zerstört worden ist, daß der Mensch, dem sie am meisten in der Welt hätte vertrauen sollen, sie am schlimmsten in der Welt behandelt hat. Und es ist nur der Anfang.

Es ist nur der Anfang, an den sie sich erinnert. Nur der Anfang ist ein Traum geworden. Der Rest lief wie von selbst. Wurde der tägliche Trott. Der Normalzustand. Ein Zustand, der es mit sich brachte, daß sie sich als erste von den Mädchen löste und zu dem liegenden Jungen ging und auf ihn pinkelte.

Und alles wegen *ihm*. Der Natter.

Und da, mitten im Traum, kommt die *Stimme*. *Die* Stimme. Sie wundert sich, daß plötzlich geredet wird in dem Traum, der immer so schrecklich lautlos gewesen ist, aber die Rede drang durch den Traum hindurch, von einem anderen Ort, einem dunklen, dunklen Ort, und es war wahnsinnig, vollständig wahnsinnig, denn als sie die Augen aufschlug und sich endlich im Raum orientiert hatte, hörte sie, daß die Stimme aus dem Aktenkoffer kam.

Und sie hatte geglaubt, alle Blutspuren seien fortgewischt.

Die Stimme sagte: »Dies ist eine Mitteilung an dich, der du meinen Aktenkoffer gestohlen hast. Du weißt, daß ich dich fassen werde. Und du weißt auch, was dann passiert. Um *ungefähr* zu verstehen, bedarf es nur eines Minimums an Phantasie. Doch nicht einmal die bestentwickelte Phantasie reicht aus, es *genau* zu verstehen. Also gib den Koffer jetzt zurück. Wenn du nachdenkst, siehst du ein, daß das in aller Interesse liegt.«

Und erst als die Stimme begann, die Mitteilung auf englisch zu wiederholen, gelang es ihr, aufzustehen und zum Tisch zu taumeln.

Sie verstand *genau*. Doch als sie den Koffer über den Kopf hob, um ihn in den schon zersplitterten Spiegel zu werfen, begann sie zu denken. Ihr einziger Verteidigungsmechanismus erwachte.

Er betrachtete sie vom Bett aus. Seine Augen waren weit offen, das Laken hatte er instinktiv zum Kinn hochgezogen. Wie einen vergeblichen Schutz. Der instinktive Schutz eines kleinen Jungen.

»War *er* das?« fragte er nach einer Weile. »Die Natter?«

Sie stand mit dem über ihren Kopf erhobenen Koffer da. Die Überlegung kämpfte mit dem Instinkt. Und gewann. Am Ende gewann das Denken über das Gefühl. »Ja«, sagte sie und legte den Koffer zurück auf den Tisch. »Ich glaube, wir müssen uns beeilen.«

Er setzte sich auf die Bettkante und begann sich anzuziehen. »Warum hast du ihn nicht zertrümmert?« fragte er. »Brauchen wir nicht nur die Schlüssel?«

»Wir dürfen die Auswege nicht verbauen«, sagte sie. »Damit können wir Direktkontakt mit ihm aufnehmen. Falls es nötig werden sollte.«

Er nickte und versuchte zu verstehen. Sie ging zurück zum Bett und zog sich an. Dann nahm sie die Liste vom Nachttisch und riß sie in der Mitte durch. Sie hielt ihm die eine Hälfte hin. Er nahm sie und betrachtete sie.

»Weißt du noch, wie wir Kontakt halten wollten?« fragte sie.

Er nickte. »Keinen Direktkontakt«, sagte er und zog sie an sich. Sie begegneten sich ein letztes Mal in der Mitte des Bet-

tes. Ein langer, furchtbarer Abschiedskuß. Ein letzter Direktkontakt.

Alles, was sie füreinander waren, durchströmte sie.

Und alles tat weh.

»Denk daran, wofür wir dies hier tun«, flüsterte er. »Für
den Gesang der Delphine.«

Sie lächelte und drückte ihn fester. »Und für den Dunst, der
zwischen den fallenden Regentropfen aufsteigt«, sagte sie und
spürte, wie Tränen in ihr aufstiegen.

Dann standen sie im Flur. Es war Zeit. Sie wollten nicht. Es
war falsch. Dennoch mußten sie.

»Vierhunderteins«, sagte sie beherrscht. »Wenn es kein
Bankfach 401 gibt, ist es die falsche Bank. Dann brauchst du
es gar nicht zu versuchen.«

»Und du nimmst den Koffer?« sagte er.

Sie nickte. »Die Büchse der Pandora«, sagte sie und lächelte
schief.

Dann gingen sie allein in die Welt hinaus. Genauso einsam,
wie sie sich geschworen hatten nie wieder zu sein.

Sie waren weniger, als sie hätten sein sollen. So etwas kommt
vor, dachte er und blickte sich in dem dunklen Kellerraum
um. Das ist nicht die Welt, dachte er. Mit so was mußte man
rechnen. Verluste, dachte er, nahm sich die goldfarbene Mütze
ab und betrachtete sie. Bauernopfer, dachte er. Um die großen
Partien zu gewinnen, mußten stets Opfer gebracht werden.
Scheinbare Verluste.

Doch war Jocke wirklich ein *scheinbarer* Verlust?

Esse war *eine* Sache – aber *Jocke*?

Dann setzte er die Mütze auf und war wieder goldgekrönt.

Er wußte, daß vor der Tür schon die Mittsommersonne
schien. Doch hier drinnen herrschte ein kühles, nach Keller
riechendes Dunkel. Keine Fenster, nicht einmal eine Luke.
Nur eine nackte Glühlampe dicht über der Tischlerbank, wo
die einzige Aktivität stattfand. In einem Sessel in der Ecke saß

ein großer Mann mit kurzgeschorenem Haar und putzte eine Maschinenpistole. Der Goldgekrönte dachte: Rogge putzt immer eine Maschinenpistole. Wenn es weitere Schießereien geben sollte, wußte er, daß er sich auf Rogge verlassen konnte. Allzeit bereit. Und auf der Bank daneben: Danne. Auf den im Normalfall auch immer Verlaß war. Danne Blutwurst. Knastname. Dunkel wie eine Blutwurst. Lila Gesicht. Wie lange würden sie ihn noch mitschleppen können? Die Kugel war zwar glatt durchgegangen und hatte weder einen Knochen noch ein lebenswichtiges Organ getroffen, aber er blutete immer noch. Die linke Schulter außer Funktion. Vielleicht würde er wieder in der Lage sein, Waffen zu tragen. Wackelkandidat.

Und dann ›Kulan‹ an der Tischlerbank. Das technische Genie. Klein und kompakt. Waffenversiert und cool. My man, dachte er, ging zu ihm hinüber und legte ihm eine Hand auf die Achsel.

›Kulan‹ saß über ein Funkgerät gebeugt. Es war eingeschaltet. Daneben stand ein Oszilloskop. Wellen von unterschiedlicher Form liefen über den Bildschirm. Er lötete an der Seite eine Leiterplatte an, drehte ein wenig an einem Rädchen, die Wellenform nahm ein anderes Aussehen an.

»Wir sind also nicht völlig verratzt?« sagte er zu ›Kulan‹.

›Kulan‹ sagte gar nichts, drehte nur weiter am Rad und erhielt eine Wellenform, mit der er zufrieden war.

»Nein, verdammt«, sagte er schließlich. »Das kriegen wir schon hin. Allerdings unter einer Voraussetzung.«

»Erklär jetzt mal das Ganze.«

»Okay. Soll Rogge nicht dabeisein?«

»Der versteht eh nur Bahnhof.«

»Jetzt paß auf«, sagte ›Kulan‹ und lehnte sich zurück. »Vermutlich ist es folgendermaßen. Sie hatten jeder einen Koffer – jeder sein Polizeifunkgerät. Sie haben einander nicht genügend vertraut, um Bares zu überreichen. Die Kohle liegt irgendwo in einem Bankfach, wir haben ja den Schlüssel gesehen. Es war wohl geplant, daß sie auf der Frequenz miteinander Kontakt aufnehmen, die auf dem Zettel stand. Den haben wir behalten. Wenn alles in Ordnung wäre, sollte die andere Figur die Mitteilung bekommen, in welcher Bank die Kohle liegt. Das Funkgerät in dem Koffer, war ein Polizeifunkgerät, ich habe schon einmal so eins gesehen. Wir kennen die Frequenz und können das Gerät finden, denn es ist eine Frequenz, die sonst nicht benutzt wird; schließlich wollen sie ja nicht abgehört werden. Dieser Funkgerättyp sendet immer ein schwaches Steuersignal aus. Mit Hilfe dieses kleinen Abhörmechanismus können wir das Signal lokalisieren – und damit den Koffer. Aber das Signal ist so schwach, daß wir es nur auffangen können, wenn es nicht weiter entfernt ist als rund zwanzig Kilometer. Ich muß es nur fertig kalibrieren, dann können wir anfangen.«

»Und welches ist die *eine* Voraussetzung?«

›Kulan‹ äugte zu ihm hoch. »Daß sie das Funkgerät nicht weggeworfen haben«, sagte er bedächtig.

Der Goldgekrönte spürte, daß er eine Grimasse schnitt. »Und warum zum Teufel sollten sie es behalten? Sie interessieren sich ja wohl nur für den Schlüssel.«

»Ich glaube«, sagte ›Kulan‹ mit Nachdruck, »daß sie genauso überrascht waren wie wir, wer immer sie sein mögen. Ich glaube, sie müssen nach dem Bankfach *suchen*. Und ich glaube, daß sie das Gerät behalten haben, um sich keine Chancen zu vermasseln. Aber wie gesagt«, fügte er hinzu, »das ist nur, was ich glaube.«

»Das reicht mir«, sagte der Goldgekrönte. »Das hat noch immer gereicht.«

Da fingen die Wellen auf dem Oszilloskop an sich zu bewegen. ›Kulan‹ fuhr hoch und rief: »verdammt, hier kommt was.«

Und dann klang es aus dem Funkgerät auf der Tischlerbank: »Dies ist eine Mitteilung an dich, der du meinen Aktenkoffer gestohlen hast. Du weißt, daß ich dich fassen werde. Und du weißt auch, was dann passiert. Um *ungefähr* zu verstehen, bedarf es nur eines Minimums an Phantasie. Doch nicht einmal die bestentwickelte Phantasie reicht aus, es *genau* zu verstehen. Also gib den Koffer jetzt zurück. Wenn du nachdenkst, siehst du ein, daß das in aller Interesse liegt.«

Dann wurde das Gesagte auf englisch wiederholt.

Der Goldgekrönte fing auf einmal an zu lachen. Er lachte laut und lange. Dann sagte er: »Das ist mir ein heuchelnder Scheißkerl. Ich werde ihm diese verdammte heuchelnde Zunge wegsprengen. Das verspreche ich.«

›Kulan‹ betrachtete ihn skeptisch.

Der Mann saß vollkommen still. Alles war schiefgelaufen. Er saß da und versuchte, sein Leben wieder aus der Schieflage zu holen. Es ging nicht. Es gab keinen Ausweg. Es sollte elegant, unsichtbar und lautlos geschehen. Statt dessen ging eine Bombe hoch. Eine höchst physische, unelegante, in höchstem Maße sichtbare und geräuschvolle Bombe. Fünf Tote. Er wollte es nicht wahrhaben.

Alles, was er wollte, war an einen Ort zu kommen, wo der Winter kürzer war. Naja, ganz ehrlich war das nicht. Er wollte auch einen Mann zur Strecke bringen, der nicht zur Strecke zu bringen war. Das fangen, was sich nie fangen ließ. Er sah sich im Raum um. Ein anonymer Raum. Jetzt gänzlich anonym. Er dachte das Wort: anonym. *Ich bin anonym*, dachte er. Alle Spuren der Vergangenheit waren ausgewischt. Was er jetzt tat, hatte *nichts* mit der Vergangenheit zu tun. Es war reine Zukunft.

Und die war schon im Eimer.

Der Küchentisch war weiß und trist. Kunststoff. Das wäre früher unmöglich gewesen. Jetzt war alles möglich. Eine furchtbare Freiheit. Sogar dies hier war möglich.

Der Mann stand auf, um eine Tasse Kaffee zu holen. Die Kaffeemaschine blubberte so chaotisch, wie sie es jedesmal tat, wenn ihr Werk vollbracht war. Zuerst Chaos, dann der große Frieden.

Und der Frieden war der Tod.

Er goß sich Kaffee ein, blickte tief hinein in das nachtschwarze Gebräu, wie ins Totenreich, und hörte ein Knistern vom Küchentisch. Er stürzte hin, so daß der Kaffee spritzte, und öffnete den Aktenkoffer.

Aus dem Funkgerät kam eine Mitteilung: »Dies ist eine Mitteilung an dich, der du meinen Aktenkoffer gestohlen hast. Du weißt, daß ich dich fassen werde. Und du weißt auch, was dann passiert. Um *ungefähr* zu verstehen, bedarf es nur eines Minimums an Phantasie. Doch nicht einmal die bestentwickelte Phantasie reicht aus, es *genau* zu verstehen. Also gib den Koffer jetzt zurück. Wenn du nachdenkst, siehst du ein, daß das in aller Interesse liegt.«

Die zivilisierte Brutalität der Stimme. Die gleichsam verfeinerte, raffinierte Grausamkeit.

Und zwei Dinge wurden ihm klar. Sie hingen zusammen, und doch nicht richtig.

Erstens, daß sie hinter dem Geld herwaren. Das bedeutete, daß sie selbst nicht rankamen. Aber wahrscheinlich würden sie es zurückbekommen, auf eine Art und Weise, die vermutlich weitere Todesopfer forderte. Und dann würde vielleicht alles möglich sein. Dies hier ist eine Mitteilung auch *an mich*, dachte er. Sie besagte: ›Halte aus, tu nichts Übereiltes, warte, dann kommt die Knete. Was du auch tust: Tu nichts Übereiltes.‹

Was zum Teufel hatte er da in Gang gesetzt? Eine fürchterliche Lawine war losgetreten, und er würde keine Chance haben, sie aufzuhalten. Sie würde über Stockholm hereinbrechen und alles mit sich ziehen.

Alles.

Und er und kein anderer hatte sie losgetreten.

Zweitens, die Gefahr. Bisher hatte er sein persönliches Risiko völlig ignoriert. Doch wenn der Zustand chaotisch geworden war, wenn die Kollegen auf der Bildfläche erschienen, wenn alles auseinanderzufallen begann, dann wurde der Zustand auch für ihn selbst instabil. Vielleicht würden sie sich ihn jetzt persönlich vornehmen.

Die Zusicherungen hatten gleichsam keine Gültigkeit mehr. Er fürchtete den Schmerz. Das war alles.

Als er endlich die Kaffeetasse an den Mund hob, war nichts mehr darin. Das nachtschwarze Gebräu war über den Tisch und den Fußboden verteilt.

Es war noch nicht der Zeitpunkt, den Becher richtig zu leeren.

Es gab noch Dinge zu tun.

15

Die Kampfleitzentrale. Eine Bezeichnung mit Vergangenheit.

Alles war unverändert in dem alten, tristen Minivortragssaal, der einst, höchst provisorisch, als Sitzungsraum für die A-Gruppe der Reichskriminalpolizei hatte dienen müssen, die spätere ›Spezialeinheit für Gewaltverbrechen von internationalem Charakter‹, die anschließend selig entschlafen war.

Und jetzt wiederauferstanden von den Toten.

Vielleicht ebenfalls höchst provisorisch.

Die schmutzgelben, fensterlosen Betonwände, die Reihe der am Fußboden befestigten Stühle, die man herunterklappen mußte, um sich zu setzen, wie eine Serie Toilettensitze, der Tisch vorne auf dem Podium wie ein Pult im Gymnasium, von einem inzwischen reichlich überholten Computer gekrönt, die Uhr an der Wand, die gerade zehn zeigte. Und die beiden Türen.

Durch die eine tröpfelten Reste der alten A-Gruppe herein. Einer nach dem anderen. Mit gleichsam prüfenden Schritten.

Paul Hjelm traf als erster ein, ein erwartungsvoller Erstbetrachter. Er saß da und sah sie kommen. Versuchte, die äußeren Bilder mit seinen inneren in Übereinstimmung zu bringen. Sie stimmten nie ganz überein.

Sie stimmten nicht einmal bei Kerstin Holm überein, die als nächste kam. Obwohl sie den gesamten vergangenen Tag zusammengearbeitet hatten, kam ihre Erscheinung für ihn wie eine Überraschung. Er betrachtete sie verstohlen, während sie zu ihm hinüberglitt. Diese fabelhafte Frau. Immer die denkbar einfachste Kleiderwahl, und immer saß alles perfekt. Eine lockere, gerade geschnittene ungebleichte Leinenhose. Eine sommerlich leichte weiße Bluse. Das war alles. Und darüber: dieses leuchtende Gesicht, das besser alterte als jeder Bourgogne. Jede Andeutung einer Falte war eine Verbesserung.

Doch sein Blick war wohl ein wenig gefärbt.

Sie setzte sich und wandte sich ihm mit einem Lächeln zu, das er nur als *frisch* bezeichnen konnte, ein Wort, dem er immer mißtraut hatte, das jetzt jedoch eine Metamorphose durchmachte.

»Hast du es?« fragte sie nur.

Hjelm nickte und zog ein kleines Mikrophon aus der Brusttasche seines kurzärmeligen klarblauen Hemds. Er ließ es vor ihrem Gesicht pendeln. Sie nickte. Er machte weiter. Sie nickte weiter. Er machte weiter.

»Jajaja«, sagte sie schließlich und lachte nachsichtig.

Da ging die Tür wieder auf. Ein magerer, extrem weißhäutiger Mann mit einem gestreiften T-Shirt unter einem schlechtsitzenden hellen Anzug trat ein.

Er erblickte sie und breitete die Arme aus. »Meine Favoriten«, stieß er in klingendem Finnlandschwedisch aus.

Sie mußten aufstehen und Arto Söderstedt umarmen.

Er kicherte unentwegt. »Wir hatten ja gestern jeder unseren Goldjungen zu fassen«, sagte er. »Die Mediennamen rollen schon übers Land. Der Kumlabomber und der Kvarnenmörder. Es wurden kurze Fälle.«

»Und jetzt landen sie im Schatten der Sicklaschlacht«, sagte Kerstin Holm mit einem breiten Grinsen.

Die Tür ging erneut. Viggo Norlander trat mit blauen Ringen unter den Augen in den Raum. Sie paßten stilvoll zum Rosa der Stigmata an seinen Händen. Er winkte ihnen zu, setzte sich in die Nähe der Tür und schlief auf der Stelle ein. Absteigender Ast, dachte Hjelm.

Dann kam Schwedens größter Polizist. Gunnar Nyberg erhob einen einfachen Kaffeebecher zur Begrüßung. »Sie haben mir Asketennahrung mitgegeben«, röhrte er unbegreiflicherweise und ließ sich neben dem vernehmlich schnarchenden Norlander nieder. »Hej, Kerstin«, fügte er mit einem kleinen Winken hinzu. »Willkommen auf der Vorderseite.«

»Schwedens Scheißloch«, rief Kerstin zurück.

Nyberg lachte verwundert und stellte den Kaffeebecher auf dem kleinen Klapptisch vor sich ab. Dort konnte er stehen, bis er kalt war. Er hatte nicht die Absicht, ihn anzurühren.

Eine Toilettenspülung ging. Viggo Norlander erwachte mit einem Ruck; das waren wohlbekannte Töne. Sie warteten, während die Wasserhähne liefen. Schließlich öffnete sich die andere Tür, und Kriminalkommissar Jan-Olov Hultin trat mit angelegter Inkontinenzwindel aus seiner privaten Toilette.

Er nickte ihnen neutral zu und ließ sich am Pult nieder, vor sich einen dicken Haufen Papier.

Kerstin Holm ging nach vorn und stellte einen großen Strauß rote Rosen vor ihn. Er starrte ihn nur an. Eine ganze Weile. Dann grub er aus der dornigen Tiefe eine Karte hervor. Und es war still. Vollkommen still. Sie beobachteten ihn. Sein Gesichtsausdruck war völlig neutral. Aber die Augen waren auf den Tisch gerichtet. Ein bißchen zu lange.

Als er aufblickte, glitten zwei Tränen an seiner Riesennase abwärts. »Danke«, sagte er nur.

»Kleine Sammelaktion«, sagte Kerstin Holm. »Willkommen an alter Wirkungsstätte.«

»Danke«, sagte Hultin von neuem, fast autistisch. Dann gab er sich einen Ruck und machte eine Kehrtwendung: »Aber jetzt haben wir einen Job zu erledigen. Fehlt nicht einer?« Sie blickten sich in der ›Kampfleitzentrale‹ um. Der Joker fehlte. Die eigentliche Energiequelle.

Und wie auf Bestellung wurde die Tür aufgestoßen. Energisch.

Daß es sogar möglich ist, eine Tür energisch zu öffnen, dachte Paul Hjelm und betrachtete Jorge Chavez' zielbewußte Schritte den Gang hinab.

Er setzte sich allein in die Stuhlreihe, die Hultin am nächsten war, drehte sich um und winkte fröhlich allen Anwesenden zu, stand noch einmal auf und begrüßte etwas förmlicher den strategischen Chef der A-Gruppe. »Willkommen, Jan-Olov«, sagte er und schüttelte dem Chef die Hand. Danach setzte er sich und wartete.

Hultin zog für eine kurze Sekunde die Stirn kraus. Dann wurde er wieder der alte und kam zur Sache: »Vor fünfzig Minuten fuhr Waldemar Mörner in seinem Saab auf meinem Kiesweg vor. Ich wollte den Rasen fertig mähen und anschließend den ersten Sprung des Tages in den Råvalen machen, als ich erfuhr, worum es ging. Ich habe versucht, meine leere Wissensbank während der Fahrt mit dem Saab in die Stadt aufzuladen, aber im großen und ganzen weiß ich nichts über diese verfluchte Sicklaschlacht. Aber Jorge weiß einiges. Also übergebe ich das Wort sogleich an ihn. Bitte.«

Chavez war bereit. Er stieg auf das Podium und begann, mit Hilfe mitgebrachter Magneten in Form niedlicher Marienkäfer Fotos an der Flipchart zu befestigen. »Ihr müßt die Insekten entschuldigen«, sagte er. »Jemand unten im Lager hat eine falsche Bestellung aufgegeben. Dies hier sind jedenfalls Bilder aus allen erdenklichen Winkeln vom Gewerbegebiet Sickla unten am Södra Hammarby-Hafen. Sogar eine Totale, aus einem Hubschrauber aufgenommen. Hier. Fünf Tote bei einer Schießerei, die eindeutig nach einer Abrechnung in der Unterwelt aussieht. Ungewöhnlich roh, kann man noch hinzufügen. Eins der Opfer hatte vierundzwanzig Kugeln im Körper. Ein anderer wurde durch eine Sprengladung getötet, so daß die Eingeweide am Wagendach klebten. Hier.

Aber der Reihe nach. Es handelt sich um zwei Gangs. Gang 1: drei mit Pistolen bewaffnete Männer (die Personen 1 A bis 1 C auf dieser Skizze); Gang 2: sechs mit Maschinenpistolen bewaffnete Männer (die Personen 2 A bis 2 F). Gang 2 überfällt Gang 1, offenbar in der Absicht, einen Aktenkoffer zu stehlen.

Dieser schwarze Mercedes, der einer Autovermietung in Örnsköldsvik gehört und vor zwei Wochen von einem nicht existierenden Anders Bengtsson aus Stockholm gemietet wurde, kam gegen zwei Uhr in der Nacht auf dieser Nebenstraße im Gewerbegebiet Sickla gefahren. Im Wagen saßen die drei von Gang 1. Eine gutplazierte Sprengladung detonierte unter dem Wagen und tötete den Mann auf dem Rücksitz. Der Wagen rollte noch ein paar Meter und blieb dann stehen. Die Männer auf den vorderen Sitzen wurden bei der Explosion verletzt, aber nicht tödlich. Sie wurden von Gang 2, die in einem Van mit neuen Continentalreifen am Ort erschienen war – mehr kann über den Wagen noch nicht gesagt werden –, zum Aussteigen gezwungen.

Höchstwahrscheinlich wurden beide von Gang 2 gefilzt, allerdings offenbar ziemlich schlecht, weil es beiden anschließend gelingt, Pistolen zu ziehen und zwei in Gang 2 zu töten sowie einen zu verletzen.

Patronen, Schußwinkel und die Positionen der Körper zeigen, daß aus sechs der neun vorhandenen Waffen geschossen wurde. Nicht abgefeuert wurden die Pistole des Mannes auf dem Rücksitz und die Maschinenpistolen der toten Räuber. Keiner konnte schießen, bevor er starb; sonst hätten sie es sicher getan. Keiner der Beteiligten scheint vor dem Gebrauch von Schußwaffen zurückgeschreckt zu sein.

Seht jetzt auf die Skizze. Das Ganze dürfte in *dieser* Reihenfolge abgelaufen sein. Eins: Der Wagen wird gesprengt, Person 1 A wird getötet; zwei: Person 1 B und 1 C werden gezwungen auszusteigen und werden gefilzt; drei: 1 A wird nachträglich von dem Aktenkoffer befreit, wahrscheinlich von Person 2 A; vier: 1 B und 1 C ziehen ihre Waffen; fünf: 1 B schießt 2 B über die Schulter direkt ins Auge, tödlich; sechs: 2 A läuft mit dem Aktenkoffer zum nächsten Schuppen, möglicherweise weil der Koffer ihn daran hindert, seine Maschinenpistole in Anschlag zu bringen; sieben: 1 C schießt 2 A in den Rücken, tödlich; acht: 1 B schießt 2 C an; neun: 1 C wird mit fünf Schuß von 2 D, 2 E und 2 F getötet; zehn: 1 B wird mit sechs Schuß von 2 C, 2 D und 2 F verwundet; elf: 1 B wird aus nächster Nähe von 2 D mit achtzehn Schuß getötet; zwölf: der Aktenkoffer wird aus der Blutlache vor 2 A geholt und zusammen mit dem angeschossenen 2 C in den Van gepackt; dreizehn: der Van fährt weg. Zurückbleiben 1 A, 1 B, 1 C, 2 A und 2 B. Der verwundete 2 C hat Blutgruppe AB negativ. Die überlebenden Passagiere des Vans haben also jetzt den Aktenkoffer: 2 D, 2 E, 2 F, dazu ein angeschossener 2 C.

Jetzt kommt das Interessante. Wir sind uns ziemlich einig, daß es sich um eine Auseinandersetzung in der Unterwelt handelt, nicht wahr? Also müßte es in unseren Fingerabdruck-Computern nur so klingeln. Das ist jedoch nicht der Fall. Von den fünf Leichen – und andere Fingerabdrücke haben wir natürlich nicht – findet sich nur einer in unserer Verbrecherkartei. Es ist einer der Räuber, Gang 2, der, der den Schuß ins Auge bekommen hat. Er heißt Sven Joakim Bergwall und hat zweimal eingesessen, das erstemal in Tidaholm, das zweitemal in Kumla. Eindeutig ein Krimineller der Klasse 1. Bankraub, Totschlag, Mordversuch, schwere Körperverletzung sowie Volksverhetzung.«

»Volksverhetzung?« sagte Hultin, als er endlich zu Worte kam.

»Organisierter Nazi«, sagte Jorge Chavez und ließ die Worte einsinken. »Gehörte zum ›Weißen arischen Widerstand‹, war auch bei der ›Nordischen Reichspartei‹ dabei, als es diese Gruppierungen gab. War als Randfigur bei der Maskenbande beteiligt, wenn ihr euch an die erinnert. Raubüberfälle im ganzen Land, militärischer Anstrich. Aber die übrigen vier sind nicht in der Kartei. Keiner aus Gang 1. Weder 1 A, 1 B, 1 C – oder, auf der anderen Seite, 2 A.«

»Ich finde diese Codes ein wenig verwirrend«, sagte Gunnar Nyberg aufrichtig. »2 A war also der, der mit dem Aktenkoffer weglief und in den Rücken geschossen wurde? Der Riese?«

»Ja. Allerdings bist du noch etwas riesiger, um genau zu sein. Der Witz mit diesen Codes ist, daß wir die Anwesenden und ihre Bewegungen lokalisiert haben. Es gibt vier verschiedene Maschinenpistolenpatronen mit vier verschiedenen Schlagbolzenabdrücken. Vier Maschinenpistolenschützen. Plus die zwei, die nicht geschossen haben, deren Maschinenpistolen aber zurückblieben: 2 A, der in den Rücken geschossen wurde, und 2 B, der ins Gesicht geschossen wurde, 2 B war also Sven Joakim Bergwall. 2 B stand allein rechts von dem Wagen. 2 A griff den Aktenkoffer und stand dann vor dem Wagen, von wo er weglief. Vor dem Wagen standen auch 2 D und 2 E. Links standen 2 C und 2 F, von den beiden wurde 2 C angeschossen. 2 D und 2 F trafen beide 1 B und 1 C. Was kann man außerdem noch sagen? Wer von ihnen geht zu einem angeschossenen Mann am Boden und jagt ihm achtzehn Kugeln in den Körper? Der Wahnsinnige der Gruppe, der Führer der Gruppe? Intuitiv würde ich sagen: ja. Der Wahnsinnige *und* Führer. Ich tippe, daß 2 D der Führer ist. Und von ihm wissen wir nichts.«

»Und die Bombe?« sagte Söderstedt.

»Ja, da haben wir wohl unseren Anknüpfungspunkt, außer Sven Joakim Bergwall. Einige weiße Männer mittleren Alters hatten ja das verdammte Staatliche Kriminaltechnische Laboratorium komplett nach Närke verschleppt. Jeder im Dienst befindliche Kriminaltechniker hat im Kumlabunker Wände abgeschabt.«

»Komm zur Sache«, sagte der weiße Mann mittleren Alters Norlander schroff.

»Es ist der gleiche Sprengstoff und der gleiche Zündmechanismus. Beide unbekannt. Aber gleich. Und es ist klar, daß, wenn wir das, was wir bisher über die Kumla-Explosion wissen, mit dem vergleichen, was wir bisher über die Sicklaschlacht wissen, daß dann etwas nicht besonders Angenehmes zutage tritt.«

Söderstedt und Norlander betrachteten einander eingehend.

Muster, dachten sie gleichzeitig.

Wann beginnt sich ein Muster abzuzeichnen?

Arto Söderstedt fühlte plötzlich, daß er lebte. Zum ersten Mal, seit er Norlanders Dienstvolvo nach Kumla gefahren hatte. Der wurde vom Fußvolk zurückgebracht, während sie von Örebro aus geflogen waren, um rechtzeitig um zehn Uhr hier zu sein.

Plötzlich stimmte alles. »Wir sollten einen Gruß ausrichten«, sagte er. »An euch alle, aber besonders an Paul und Jorge. Von einem Zweijährigen mit Namen Paul Jorge Andersson, genannt Jojje.«

Für einen kurzen Augenblick breitete sich in der ›Kampfleitzentrale‹ Verwirrung aus.

Söderstedt lachte sich ins Fäustchen. Er liebte Einleitungen, die Verwirrung stifteten. »Es ist Göran Anderssons Sohn«, fuhr er mit dramaturgischer Präzision fort.

Paul Hjelm und Jorge Chavez tauschten zum ersten Mal seit fast einem Jahr Blicke aus. Klappte das alte Zusammenspiel noch? Sie lasen einander auf jeden Fall wie offene Bücher. Der Serienmörder Göran Andersson hatte seinen Sohn auf die Namen der Polizisten getauft, die ihn festgenommen hatten. Es war ein merkwürdiges Gefühl.

Arto Söderstedt fuhr fort: »Anderssons Trommelfelle sind bei der Kumla-Explosion draufgegangen. Er saß gestern morgen um acht Uhr sechsunddreißig in seiner Zelle unmittelbar neben der von Lordan Vukotic und büffelte Kunstgeschichte. Am Abend zuvor hatte er Vukotic in seine Zelle taumeln sehen, mit – wie das Obduktionspuzzle später ergab – gerissener Milz, gebrochenem Schienbein und ausgekugelten Schultergelenken. Am Morgen darauf wurde er in die Luft gesprengt, und übrig blieb nur eine Masse, die an den Wänden klebte, möglicherweise also von demselben Mann, der rund achtzehn Stunden später den Daimler unten im Gewerbegebiet Sickla sprengte. Was bedeutet, daß wir richtig und trotzdem falsch gedacht haben. Vier Polizisten – zwei vom Reichskrim, einer vom Närkekrim und ein Säpomann – zogen gestern außerordentliche Schlußfolgerungen, verbrachten den gestrigen Abend aber auf völlig falsche Weise. Wir nahmen folgendes an: Vukotic wurde gefoltert und plauderte; deshalb wollte er nicht verraten, daß er gefoltert worden war, am wenigsten den Heiducken da in Kumla. Vielleicht lag er die ganze Nacht in der Zelle und versuchte, sich die Schultern wieder einzurenken. Zu welchem Nutzen, kann man sich fragen, wenn man sowieso am nächsten Tag in die Luft gesprengt wird. Warum wurde er am nächsten Tag in die Luft gesprengt? Das war die nächste Frage. Unsere Schlußfolgerung: Der Täter wollte verhindern, daß seine Tat entdeckt würde, und wollte deshalb, wenn auch spät, die Spuren seines Handelns beseitigen. Also suchten wir den Schuldigen unter Insassen, die sich mit Sprengstoff auskannten. Wir verbrachten die Nacht damit, eine Ansammlung von Figuren zu verhören, die irgendwann einmal in Zusammenhang mit Sprengstoff in Erscheinung getreten waren. Erst jetzt, hier in diesem Augenblick, geht mir auf, wie falsch wir argumentiert haben. Wenn der Täter wirklich ›die Spuren seines Wütens beseitigen‹ wollte, um Göran Andersson zu zitieren, bedeutet das, daß er die Konsequenzen, als er Vukotic folterte, nicht richtig einschätzte. Natürlich schätzte er sie richtig ein. Er wußte, daß Vukotic die rechte Hand des Drogenhändlers Rajko Nedic war. Unantastbar. Stand dem vielleicht gefährlichsten Mann in ganz Schweden am nächsten. Natürlich wußte man, worauf man sich einließ, als man Vukotic aus dem Weg räumte. Die Sprengung war kaum das Ergebnis einer nachträglichen Überlegung oder einer Art von Furcht, entdeckt zu werden. Sie war eher eine Herausforderung. Eine Mitteilung. Und diese Mitteilung besagt: Sieh dich vor, Scheißkanake, jetzt kommen wir! Doch nicht nur. Sie besagt auch: Scheißbullen, es ist mir schnuppe, wenn ihr mich identifiziert, ihr kriegt mich eh nicht zu fassen!«

Es herrschte völlige Stille in der Kampfleitzentrale. Wieder schien sie auf einen Schlag ihre Anführungszeichen verloren zu haben. Etwas unangenehm – doch zugleich faszinierend – *Großes* warf seine Schatten voraus.

»Ja«, sagte Arto Söderstedt. »Ihr seht alle, worauf ich hinauswill. Zwei Dinge. Erstens: Der Kumlabomber war keiner, der im Knast saß und verfaulte und Angst hatte, sondern er war ein Mann, der Kumla *verließ* – mit Schwung. Zweitens: Was wir hier vor uns haben, ist eine Konfrontation zwischen nazi-gefärbten, professionellen, vielleicht, ja, paramilitärischen Angreifern auf der einen Seite und einem von Schwedens führenden Drogenhändlern, Rajko Nedic, und seinem Anhang von Kriegsverbrechern aus dem ehemaligen Jugoslawien auf der anderen Seite. Das hört sich doch prima an. Und es erklärt vielleicht, warum keiner in Gang 1 – weder 1 A, 1 B oder 1 C – identifizierbare Fingerabdrücke hinterlassen hat. Sie sind direktimportiert aus, ja, vielleicht sogar aus dem Kosovo. Auf jeden Fall vom Kriegsherd auf dem Balkan.«

»Und alle drei sterben«, sagte Jorge Chavez, dem fast der Atem stockte. Ganz soweit hatte er noch nicht gedacht. Er betrachtete Arto Söderstedt, wie er, scheinbar träge, dasaß, schlaksig und kreideweiß, und diese gräßlichen Wahrheiten gleichsam beiläufig von sich gab.

Und er fuhr noch fort, mit einem Schreiben wedelnd: »Ich sitze hier mit dem Fax in der Hand. Es kommt vom Anstaltschef in Kumla. Gestern morgen um halb neun wurde ein Insasse aus dem Kumlabunker entlassen. Sechs Minuten vor der Explosion. Er hatte drei Jahre abgesessen, war verurteilt zu sechs wegen schwerer Körperverletzung, kam aber wegen guter Führung nach der Hälfte der Zeit frei. Auch er war einschlägig bekannt, wie man so schön sagt, und gehörte zum Umfeld nazistischer und rassistischer Organisationen. Er schlug vor drei Jahren zwei kurdische Bürgerrechtler zusammen, die im Solna Centrum demonstrierten. Auch da spielt eine Sprengladung eine Rolle, und zwar in einem kurdischen Kulturzentrum, doch ihm war nichts nachzuweisen. Er trägt den harmlosen Namen Niklas Lindberg, ist fünfunddreißig Jahre alt und kommt aus Trollhättan. Ausbildung zum Berufsoffizier, rasche Beförderung, war ein paar Wochen bei der UN-Truppe in Zypern – und schloß sich dann der französischen Fremdenlegion an. Er soll – doch das ist unbestätigt – über gute Kontakte zu fremdenfeindlichen Organisationen in aller Welt verfügen. Nicht zuletzt in den USA. Mein Tip, wenn ein solcher gestattet ist: Niklas Lindberg ist 2 D. Der Führer *und* der Wahnsinnige. Der Mann, der aus nächster Nähe achtzehn Schuß auf einen verletzten Menschen abgab.«

»Der mit gewisser Wahrscheinlichkeit ein Kriegsverbrecher aus dem ehemaligen Jugoslawien war«, nickte Jan-Olov Hultin. »Jetzt beginnt es auch einem alten Pensionär zu dämmern. Jorge, Sven Joakim Bergwall hat seine letzte Gefängnisstrafe in Kumla abgesessen. Stimmen die Zeiten mit Niklas Lindbergs überein?«

»Lindbergs Name ist mir neu«, räumte Chavez ohne Umschweife ein, während er in einigen Papieren blätterte. »Aber Bergwall wurde vor einem Monat aus Kumla entlassen. Es ist wohl nicht ganz unwahrscheinlich, daß zwei gewaltbereite Nazis wie diese beiden in Kumla zusammengekommen sind. Bergwall hat das Ganze von außen organisiert, Lindberg von innen. So kann man es wohl sehen.«

»Was treiben sie da eigentlich«, fuhr Hultin fort. »Am Abend vor seiner Freilassung foltert Niklas Lindberg Lordan Vukotic. Aber das wirkt doch wie besser geplant. Am Abend zuvor? Es muß doch von langer Hand vorbereitet gewesen sein. Sechs Mann bei einem gutgeplanten Überfall – das haben sie doch nicht erst achtzehn Stunden zuvor beschlossen.«

»Ich glaube«, sagte Kerstin Holm plötzlich mit dem geballten Stimmvolumen der Chorsängerin, »daß es sich um einen Doppelcheck gehandelt hat.«

Wieder verbreitete sich eine gewisse Verwirrung in der konzentrierten Kampfleitzentrale. Wieder fiel eine neue Stimme in den Gesang ein und verschob die Harmonien. Alle starrten auf sie. Sie streckte Paul Hjelm die Hand hin, und er legte ohne zu zögern das kleine Mikrophon hinein.

Sie hielt es vor den versammelten Augen der Kampfleitzentrale in die Höhe. »Dies hier wurde gestern abend von der Unterseite eines Tischs im Restaurant *Kvarnen* in der Tjärhovsgata entfernt. Es ist ein subtiles Abhörgerät.«

»Der Kvarnenmörder«, platzte Gunnar Nyberg heraus, der allzulange still dagessen hatte und sich außen vor fühlte.

»Mitnichten«, sagte Kerstin Holm. »Eher seine Konsequenzen. Bei unseren Verhören mit Zeugen aus dem *Kvarnen* zeichnete sich etwas ganz anderes ab. Leute verdrückten sich en gros und en detail, sobald der Totschlag ein Faktum war. Im Hintergrund der alltäglichen Gewalt lief etwas völlig anderes ab. Oder möglicherweise im Vordergrund.«

»Doppelcheck?« sagte Jan-Olov Hultin in dem vergeblichen Versuch, in etwas, das keine klaren Linien hatte, klare Linien einzuhalten.

»Ja«, sagte Kerstin Holm und sammelte Kraft. Dann fuhr sie fort: »Der eigentliche Check, der wirkliche Check, fand am Mittwochabend im Restaurant *Kvarnen* statt. Ich glaube, daß sämtliche fünf Leichen dort am Mittwochabend anwesend waren. Allerdings lebendig.«

Sie starrten sie an. Es war mucksmäuschenstill.

»Ich weiß nicht«, fuhr sie fort, »wann Muster anfangen, sichtbar zu werden. Für Paul und mich wurden sie ziemlich früh sichtbar. Wir hatten keinerlei Anhaltspunkt, genaugenommen, außer dem, was wir *Witterung* nennen könnten. Etwas zeichnete sich ab. Wir wußten nicht, was es war, aber es war da, inmitten der Hammarbyfans. Um es ein wenig zu vereinfachen: Gang 2 saß da und belauschte Gang 1 mit dieser Abhörvorrichtung.«

Erst jetzt fiel der Groschen.

»Aber Niklas Lindberg wurde erst am nächsten Morgen entlassen«, sagte Hultin und versuchte zu folgen. Er spürte, daß er Rost angesetzt hatte – aber er spürte zugleich, wie der Rost in großen Placken abblätterte und um das Pult herum zu

Boden fiel. Er war zu Hause. Endlich war er wieder zu Hause.

»Das stimmt«, sagte Kerstin Holm. »Wenn wir versuchen, Söderstedts Annahme zu folgen, dann waren dies hier seine Mannen, die ihn später aus Kumla abholten, möglicherweise unter der Führung des jetzt dahingeschiedenen Sven Joakim Bergwall. Möglicherweise war es ebenfalls Bergwall, der die Geistesgegenwart besaß, einen Mann im Lokal zurückzulassen, um unsere Aufmerksamkeit von der Gang abzulenken.«

»Was kannst du über die nichtidentifizierten Opfer in der Sicklaschlacht sagen, Jorge?« fragte Paul Hjelm.

»›Übel zugerichtet‹ ist wohl die treffendste Bezeichnung«, sagte Chavez. »Bergwall, 2 B, hatte einen Schuß ins Auge bekommen, kein schöner Anblick. Ohne die Fingerabdrücke hätten wir da nichts gehabt. Das gleiche gilt für den Mann im Wagen. 1 A. Dunkles Haar, das ist das einzige, was wir definitiv sagen können. 1 B war völlig zerschossen. Vierundzwanzig Schüsse. Achtzehn aus nächster Nähe. Das Gesicht rekonstruieren zu wollen ist sinnlos. 1 C sieht am besten aus, und sicher ist es ein Balkangesicht. 2 A stürzte wie eine gefällte Kiefer mit dem Gesicht direkt auf den Asphalt. Davon ist nicht mehr viel da. Also insgesamt nur geringe Möglichkeiten, mit Rekonstruktionen in die Medien zu gehen.«

»Uns interessiert 2 A«, sagte Hjelm. »Der Große, der mit dem Koffer fortlief, in den Rücken geschossen wurde und keine Vorstrafen hatte. Kräftiger Körperbau?«

»Zweifellos.«

»Dünner Schnauzbart?«

»Ja.«

»Rasierter Schädel?«

»Ja.«

Paul Hjelm schwieg.

Den Rest überließ er Kerstin. Sie war startklar: »Er heißt aller Wahrscheinlichkeit nach Eskil Carlstedt. Verkäufer, wohnt auf Kungsholmen. Wir haben gestern morgen mit ihm geredet. Und ihm seine ganze Geschichte abgenommen. Er konnte gehen, ohne daß wir den geringsten Verdacht schöpften. Scheiße, wie schlampig.«

»Nun hör aber auf«, sagte Hultin etwas unerwartet. »Ihr hattet keinen Anhaltspunkt. Ihr habt einen Mann gesucht, der mit dem Bierkrug einen Schädel zerschmettert hat. Ihr seid verdammt weit gekommen mit dem wenigen, was ihr hattet. Falls es stimmt. Und sich nicht um freie Phantasien von guter alter Hjelmholm-Qualität handelt.«

»Fünf Mann«, fuhr Holm fort, anscheinend ohne ihn gehört zu haben, »an einem Tisch neben der Tür. ›Keine Skinheads, aber fast‹. ›Skinheads, die die Altersgrenze überschritten haben.‹ Sie verschwinden sofort, lassen aber Carlstedt zurück, weil er der einzige ohne Vorstrafe ist. Geistesgegenwärtig. Carlstedt wird von den Kollegen der Nachtschicht kurz verhört, kann sich aber ausweisen und wird aufgefordert, sich am folgenden Vormittag zu einem ausführlichen Verhör im Polizeipräsidium einzufinden. Danach trifft er sich mit den vieren, die abgehauen sind, und alle fünf verbringen die Nacht damit, die bestmögliche Erklärung zu finden, um die Polizei von sich abzulenken. Carlstedt soll sagen, daß er den Kvarnenmörder gesehen hat. Das lenkt tatsächlich unsere Aufmerksamkeit soweit ab, daß wir ihn ohne Umstände laufen lassen, nicht zu seinen vier Kumpels, sondern jetzt zu seinen fünf, denn die übrigen vier sind gerade in Närke gewesen und haben ihren Boß Niklas Lindberg abgeholt. Jetzt sind die sechs vereint. Es heißt nur noch, die kommende Nacht abzuwarten. Nicht nur aus einer, sondern aus zwei Quellen kennen sie jetzt Zeitpunkt und Treffpunkt. Von Lordan Vukotic im Gefängnis und von der Gang im *Kvarnen*, die weitgehend mit Jorges Gang 1 identisch ist: 1 A, 1 B, 1 C.«

»Warum zum Teufel sollten sie im *Kvarnen* sitzen und den Treffpunkt diskutieren?« unterbrach Hultin und spürte, wie die Mauern der Neutralität zu zerbröckeln begannen. »Das ist doch total irrwitzig.«

»Zwei Parteien sind beteiligt, was den Treffpunkt angeht. Diese beiden Parteien kommen im *Kvarnen* zusammen. Der

Aktenkoffer, der später übergeben werden soll, enthält entweder Geld oder Drogen. Die beiden Parteien trauen einander nicht. Sie begegnen sich an einem neutralen Ort, an einem *öffentlichen* Ort, um den Treffpunkt auszuhandeln. Sie sprechen englisch, weil es sich, wie gesagt, um erst vor kurzem eingetroffene Kriegsverbrecher aus Jugoslawien handelt. Das ist wahrscheinlich auch der Grund dafür, daß man einen derart öffentlichen Treffpunkt wählt. Die andere Partei hat vermutlich keine Lust, in irgendeiner dunklen Gasse eine Gang total unberechenbarer Kriegsverbrecher zu treffen. Zurück zum Knast: Vukotic weiß bereits von dem provisorischen Treffpunkt für die kommende Nacht. Oder zumindest geht Niklas Lindberg davon aus. Er geht ein großes Risiko ein, als er – am Vorabend seiner Entlassung – Vukotic innerhalb der Gefängnismauern schwer mißhandelt. Vielleicht, um *noch einmal abzuchecken*, was seine Kollegen kurz darauf im *Kvarnen* in Erfahrung bringen werden. Vielleicht, weil es ihm ganz einfach Spaß macht. Weil es Spaß macht, einen Kanaken zu foltern. Eine schöne Welt!«

»Es gibt also eine Partei, die in unseren Überlegungen fehlt«, sagte die Polizistenaura, die Jan-Olov Hultin noch umgab. »Der Mann, der mit Gang 1 im *Kvarnen* englisch geredet hat. Der den später geklauten Aktenkoffer in Empfang nehmen sollte. Wo zum Teufel kommt übrigens dieser Aktenkoffer her? Woher wissen wir, daß es sich um einen Aktenkoffer handelt?«

»Von dem Abdruck in 2 As Blut«, sagte Chavez. »Eskil Carlströms, wenn er es denn ist.«

»Carlstedt«, sagte Hjelm.

»Der paßte zu einer Tasche, Modell Aktenkoffer. Das war das wahrscheinlichste.«

»Okay«, sagte Hultin. »Nehmen wir das bis auf weiteres an. Zurück zu der anderen Partei in dem englischen Gespräch im *Kvarnen*.«

»Das habe ich bis zum Schluß aufgehoben«, sagte Kerstin Holm. »Das ist nicht so witzig. Wahrscheinlich handelt es sich um einen schwedischen Polizeibeamten.«

Es wurde ein wenig geseufzt in der Kampfleitzentrale. Nicht erstaunt, nicht empört, eher ein wenig desillusioniert. Im vorangegangenen Jahr hatte PAN, der Disziplinarausschuß der Reichspolizeibehörde, vier Beamte wegen krimineller Aktivitäten entlassen. Vier weitere kündigten selbst, um einer drohenden Entlassung zuvorzukommen. Einundzwanzig Kollegen waren disziplinarisch belangt worden, siebzehn von ihnen erhielten eine Abmahnung.

Holm fuhr fort: »Ein schwedischer Polizist. Er zeigte im *Kvarnen* seinen Polizeiausweis, um rauszukommen, als die Türwachen die Tür blockierten.«

»Könnte es nicht ein gefälschter Polizeiausweis gewesen sein?« fragte Hultin.

»Natürlich könnte es das. Aber er war der einzige Schwede in der Gruppe. Und der einzige Schwede wedelt mit einem Polizeiausweis. Außerdem hat es den Anschein, als sei er mit polizeilichen Prozeduren ziemlich vertraut. Er wollte nicht im *Kvarnen* zurückbleiben, als die Verhöre wegen des Totschlags begannen.«

»Dann ist es wohl an der Zeit, sich zu fragen, worum sich das Ganze dreht«, sagte Hultin. »Also wenn wir alle waghalsigen Hypothesen akzeptieren, die dem leicht eingerosteten Kommissar in der letzten halben Stunde um die Ohren geschwirrt sind. Worum geht es? Es muß wohl der Drogenhändler Rajko Nedic sein, der im Zentrum steht. Er soll also etwas in einem Aktenkoffer liefern, und zwar an einen Mann, der möglicherweise schwedischer Polizeibeamter ist. Was von großem Wert kann sich in einem Aktenkoffer befinden? Wahrscheinlich Geld, weil jeder Polizist weiß, wie schwer es ist, Drogen abzusetzen, ohne daß man zum einen oder anderen Zeitpunkt auffliegt. Offenbar handelt es sich auch nicht um eine Routinezahlung, sondern es muß über die Übergabe verhandelt werden. Also hat der Polizist ›Angst‹. Also ist es eine einmalige Zahlung. Warum? Ist ein schwedischer Polizist im Begriff, sich in die Drogenbranche hineinzudrängen? Das hört sich nicht gut an. Erpressung? Tja, warum nicht? Aber mit welchem Ziel? Und wie kommt es, daß die kriminelle, vermutlich nazistisch gefärbte Gang 2 davon erfährt, daß die Übergabe stattfinden soll? Sie wissen seit einiger Zeit, daß sie stattfinden wird, die sechs sind bereit, sobald Niklas Lindberg aus dem Knast kommt. Doch sie wissen nicht exakt, wann und wo sie stattfinden soll. Das bringen sie am Vorabend in Erfahrung, und zwar auf zwei verschiedene Weisen. Aber woher wußten sie ursprünglich davon?«

»Es ist wohl nicht unwahrscheinlich, daß es schon vorher via Vukotic gelaufen ist«, warf Söderstedt ein. »Lindberg und Bergwall sitzen in Kumla und belauschen ein heimliches Gespräch. Sie wissen, daß eine Lieferung stattfinden soll, aber wann, wo und wie? Vielleicht erfährt Lindberg, der noch länger einsitzt, später von dem Treffen im *Kvarnen*.«

»Viele Fragen«, sagte Paul Hjelm.

»Ja«, stimmte Hultin ein und sah auf. »Aber auch eine Reihe von Antworten, und zwar bedeutend mehr, als ich mir hätte träumen lassen, als ich in Waldemar Mörners vollklimatisiertem Saab die noch etwas farblosen Informationen überflog.«

»Was haben wir denn dann?« fragte Chavez, der noch vorn an der Flipchart stand und ein wenig überwältigt wirkte. »Wahrscheinlich drei Mann von sechs in Gang 2. 2 A ist Eskil Carlstedt. 2 B ist der Nazi Sven Joakim Bergwall. Die beiden sind tot. 2 D ist der Führer Niklas Lindberg. Uns fehlen der angeschossene 2 C sowie 2 E und 2 F. Was Gang 1 angeht, schicken wir die Fingerabdrücke von 1 A, 1 B und 1 C an Interpol – und vielleicht an exjugoslawische Behörden, falls das möglich ist.«

»Und dann der Sprengstoff«, sagte Norlander. »Was ist das für ein hyperaktiver flüssiger Sprengstoff, der durch eine elektronische Mikrovorrichtung gezündet wird? Niemand scheint eine Antwort zu wissen. Aber wahrscheinlich ist es wichtig.«

»Wahrscheinlich«, sagte Hultin. »Wir müssen weiter daran arbeiten. Interpol auch. Und eine ganze Reihe Dinge müssen bestätigt werden. Wir müssen in Eskil Carlstedts Wohnung ein paar Fingerabdrücke nehmen und sie mit 2 A vergleichen. Beispielsweise. Und dann kann man sich ja fragen, wie wir uns Rajko Nedic gegenüber verhalten wollen. Er hat ja immer viel Wert darauf gelegt, in aller Öffentlichkeit zu agieren. Ehrenwerter Geschäftsmann. Restaurantbesitzer.«

»Wir sollten schon mit ihm reden«, sagte Hjelm, »fragt sich nur, wann. Wann sollen wir offenlegen, was wir wissen? Was verlieren, beziehungsweise gewinnen wir dabei, daß wir mit ihm reden? Etcetera.«

Hultin nickte und blickte über das Auditorium. »Und jetzt wollt ihr wissen, was Sache ist, nicht wahr? Personalfragen. Ihr wißt, was sie gestern im Fernsehen gesagt haben. Die Personalknappheit bei der Polizei in diesem Sommer ist akut. Der Justizminister spricht offen von der schlechten Urlaubsplanung der Polizei. Mancherorts sind schon Bürgergarden gebildet worden, die sich um Angelegenheiten kümmern, um die wir uns nicht mehr kümmern können. Auch wenn wir zu einem Spezialeinsatz einberufen worden sind, müssen wir mit mehr als guten Gründen erklären können, warum wir hier sitzen, sieben Polizeibeamte verschiedener höherer Ränge, und uns mit dieser Sache beschäftigen. Heute ist Mittsommerabend. Es ist bald zwölf. Die meisten Polizisten haben jetzt frei und werden in Kürze auf unsicheren Beinen mit ihren Kindern um den Maibaum hüpfen. Aber ihr nicht. Im Gegenteil, ihr werdet wie gewöhnlich die Reichspolizeibehörde extraviel Geld kosten wegen all der vermutlich anfallenden Überstunden. Ist einer unter euch, der damit ein Problem hat?«

»Ich würde gern wenigstens einmal draußen auf Dalarö vorbeischauen«, sagte Hjelm.

»Meine Kinder warten um drei Uhr vor dem Skansen auf mich«, sagte Söderstedt.

»Ich möchte gern den Abend mit meiner neugeborenen Tochter verbringen«, sagte Norlander.

»Mein Sohn hat für meinen Enkel in Östhammar einen Maibaum aufgestellt«, sagte Nyberg.

Chavez und Holm sagten nichts.

»Vergeßt es«, sagte Hultin brutal. »Wir stellen jetzt eine neue Einheit auf. Sie ist seit fast einem Jahr nicht existent gewesen. Keiner quatscht von Urlaub, bevor dieser Fall hier gelöst ist. Ihr habt *genau jetzt* die volle Freiheit, zu eurem bisherigen Dienst zurückzukehren, aber nicht mehr in drei Stunden, nicht morgen. Ihr müßt das hier wirklich wollen. Soweit ich verstanden habe, ist dies auch die Chance, die A-Gruppe dauerhaft zu etablieren. Die letzte Chance. Es hat leider den Anschein, als würden wir gebraucht. Also: Falls einer von euch genügend Geschmack am normaleren Bullendienst gefunden hat, um dies hier sausen zu lassen, kein Problem, ihr seid frei. Aber nur genau jetzt. Also?«

Gunnar Nyberg blickte auf. In seiner Zerstreutheit nahm er einen Schluck von dem eiskalten schwarzen Kaffee. Beinah hätte er sich erbrechen müssen. Die Eßbewegung war ein Reflex geworden. »Es geht mir nicht um das normalere Bullendasein, an dem ich Geschmack gefunden habe«, sagte er mitten in einem Anfall von Übelkeit. »Es ist das noch abnormere. Ich stecke mitten in mehreren laufenden Kinderschändungsermittlungen. Ich kann das nicht einfach stehen- und liegenlassen.«

»Ich weiß«, sagte Hultin. »Ich habe eure Wege insgeheim ein bißchen verfolgt. Jorge will nichts lieber, als von der Theorie zur Praxis zurückkehren. Kerstin ist gerade aus Göteborg wiedergekommen. Zusammen mit Paul hat sie ihren Teil des Kvarnenmordes abgeschlossen. Artos und Viggos Explosion in Kumla kann allem Anschein nach problemlos in die Sicklaschlacht einbezogen werden. Für euch fünf scheint wie für mich grünes Licht zu sein. Du, Gunnar, bist das fehlende Glied. Du steckst tief in wirklich wichtiger Arbeit. Wie stellst du dich dazu?«

Nyberg seufzte laut. »Ihr geht nicht so oft was essen«, sagte er. Keiner von ihnen begriff, daß dies das denkbar höchste Lob war. Er verdeutlichte: »Es ist definitiv verlockend, wieder einmal einen richtigen A-Gruppen-Fall in Angriff zu nehmen.

Dieses Gefühl von freiem Fall. Aber für mich wäre es am besten, wenn ich, ja, ich weiß nicht, eine Zeitlang halbtags arbeiten könnte, während ich sehe, was ich bei den Pädophilenermittlungen tun kann. Damit nichts verzögert wird. Damit kein einziges kleines Leiden verlängert wird. Wenn ihr versteht.«

»Ich glaube, wir verstehen«, sagte Hultin. »Und wenn du mich fragst, ist das ganz okay. Ich habe nicht vergessen, daß du recht hattest, was den Kentuckymörder anbetraf, und wir anderen alle unrecht. Noch jemand?«

Keiner.

Hultin nickte und fuhr fort. »Also dann. Bevor ich anfange, präzisere Aufgaben zu verteilen, sollten wir, jeder für sich, ein bißchen darüber nachdenken, was wir als nächstes tun müssen. Und worauf wir uns einstellen müssen. Wir nehmen an, daß Gang 2 jetzt den Aktenkoffer hat. Alles könnte damit aus der Welt sein. Nedic könnte im unklaren darüber sein, wer den Koffer geklaut hat. Wenn da nicht die Vukotic-Bombe wäre. Wie lange braucht er, bevor er den Namen Niklas Lindberg herauskriegt? Und was passiert dann? Großkonfrontation? Und können wir davon ausgehen, daß Lindbergs Gang sich mit dem Koffer begnügt? Oder wollen sie mehr? Könnten die Nazi-Indikationen darauf hindeuten? Sind sie auf eine ethnische Säuberung des schwedischen Drogenmarkts aus? Und warum sollte dieser Koffer einem eventuellen schwedischen Polizeibeamten ausgehändigt werden? Wenn Geld in dem Aktenkoffer war: Warum bezahlt der Drogenhändler Rajko Nedic, der nie von der Polizei geschnappt worden ist, der Polizei Geld? Ist das der Grund, warum er nie geschnappt worden ist? Und so weiter. Wir brauchen folgendes. Erstens: mehr Information über den rätselhaften Sprengstoff; zweitens: die Identitäten von 2 C, 2 E und 2 F; drittens: den eventuellen Polizisten; viertens: eine Erklärung, warum Nedic der schwedischen Polizei Geld zahlt (falls es so ist). Wenn euch noch etwas einfällt, sagt es mir schnell. Also dann. Wir hören nicht eher auf, als bis der Mittsommerabend in Nacht übergeht. Keine

149

Blumen unterm Kissen. Kein selbstgewürzter Kräuterschnaps, keine Mittsommerkinder werden gemacht. Nur Arbeit, Arbeit, Arbeit.«

16

Nur Arbeit, Arbeit, Arbeit. Wenn auch von zu Hause aus. Sie blickte auf die Surbrunnsgata hinaus. Nie war ihr ihre kleine Ecke der Welt so verlassen vorgekommen. Das Mittsommerwetter war unentschlossen, mal Wein, mal Wasser, und zeitweise ziemlich viel Wasser. Und sie surfte. Allerdings im Cyberspace. Sie surfte im Internet.

Und gerade jetzt schüttete es nur so vor ihrem Fenster. Einer dieser prachtvollen kleinen Schauer. Kurz, intensiv, vorübergehend.

Sara Svenhagen hatte die Feiertagsangst fast vergessen. Die die Selbstmordrate gerade an jenen Tagen in die Höhe treibt, an denen das Pflegepersonal Feiertagszuschlag erhält. Dieser berüchtigte Klumpen in der Herzgegend. Der einem sagt: Du bist wirklich einsam, richtig einsam.

Niemand will dich.

Sie wußte nicht, daß sie diese Angst hätte spüren müssen. Sie war es, die niemanden haben wollte, nicht umgekehrt, doch die Feiertagsangst machte da keinen Unterschied. Sie biß sich fest. Sie sagte einem unwillkommene Wahrheiten.

In den Fenstern auf der anderen Straßenseite wurde kein Licht angeknipst. Auf dem Bürgersteig ging kein Mensch vorbei. Den ganzen Tag lang startete kein Wagenmotor. Die Stadt war verödet. Ausnahmsweise würde einmal nicht Stockholm an der Spitze der Gewaltstatistik stehen. Es fehlten ganz einfach die Gewalttäter, ebenso wie die potentiellen Opfer.

Sie waren auf dem Land.

Sie hätte im Haus ihrer Eltern auf Tyresö Mittsommer feiern können. Die Familie wäre jedoch nicht vollzählig gewesen. Es gab nämlich einen Trost im Ungemach. Sie wußte, daß auch ihr Vater nichts als Arbeit, Arbeit und noch einmal Arbeit hatte. Der Unterschied war der, daß der Chef der Spurensicherung Brynolf Svenhagen im siebenten Himmel war. Zwei großartige Nüsse zu knacken. Zuerst die Explosion in Kumla. Dann die Sicklaschlacht. Sie sah es vor sich, wie der strenge graue Mann gleichsam koloriert wurde und karnevalistischen Glanz bekam. Ein Mann in farbenfrohem Baströckchen und mit lila Troddeln, die an den Brustwarzen baumelten. Sie lächelte. Der Klumpen verschwand.

Sie blickte sich in ihrer kleinen Wohnung um. Eigentlich gar nicht so schlecht. Ihre inneren Räume.

Sie kehrte an den Computer zurück.

Seit neunzehn Uhr, sechsunddreißig Minuten und sieben Sekunden am Donnerstag, dem vierundzwanzigsten Juni, hatte sie sich nur den einen und anderen Minischlaf erlaubt. Das war achtzehn Stunden her. Da hatte sie die Adressenliste von der seltsamen, flüchtigen Internetseite abgespeichert.

Es war tatsächlich eine Adressenliste. Eine Adressenliste für Pädophile. Ein Netzwerk, das sich zwar größtenteils mit bereits bekannten Netzwerken zu berühren schien, aber dennoch eine ganz neue Liste. Keine Namen, natürlich, keine richtigen realen Adressen, aber gleichwohl eine ganze Serie von E-Mail-Adressen, darunter mehrere, auf die sie zuvor noch nicht gestoßen war. Und sie hatte sie alle im Kopf. Tatsache war, daß ihr Kopf voll davon war, vielleicht übervoll, vielleicht auf dem besten Weg, zu platzen.

Die Augenblicke von Minischlaf waren sofort von dem grauenhaften Traum okkupiert worden. Der selbstleuchtende Bauch, der Schatten, das Glied, das durch sie hindurch- und

151

zu dem Kind vordrang. Sie war überzeugt davon, daß der Traum ihr etwas zu sagen versuchte. Etwas Lebenswichtiges. Aber sie verstand nicht, was. Sie fühlte nur die Angst, als sie im Todesaugenblick erwachte. Sie fand, daß der Traum viel zu aufdringlich war, um eine Botschaft zum Ausdruck zu bringen. Die Botschaft ertrank in Grauen.

Jedermann kann völlig anonym eine E-Mail-Adresse im Internet beschaffen. Hotmail, Microsofts eigener Server, war der Favorit. Es gab Millionen von Adressen, die mit @hotmail.com endeten. Das Reservoir war unerschöpflich. Aber – man hinterließ Spuren, hinter allen Maskierungen stand immer eine Telefonnummer. Diese Telefonnummer mit Hilfe der E-Mail-Adresse zu finden war manchmal unmöglich – wenn die betreffende Person einigermaßen versiert im Umgang mit Daten war –, manchmal aber zwar kompliziert, aber dennoch möglich. Und selbst wenn es einem gelang, die Telefonnummer zu finden, war es noch lange nicht sicher, daß man dahinter eine existente Person entdeckte. Die meisten Pädophilen waren clever genug, nicht von ihrem Computer zu Hause, sondern von einem öffentlichen Computer mit Internetanschluß, Typ Kulturhaus oder Königliche Bibliothek, ihre E-Mail-Adresse zu besorgen. Dagegen war es etwas problematischer, die verbotenen Früchte im Kulturhaus oder in der Königlichen Bibliothek zu genießen. Zu den Bildern vergewaltigter Kleinkinder zu onanieren war in den Salons des Kulturhauses nicht richtig angebracht. Die übliche Vorgehensweise war die, daß man seine Mail auf einem öffentlichen Computer abholte, die Bilder auf einer Diskette speicherte und sie dann am eigenen Computer im trauten Heim genoß. Da war man abgesichert. Keine Spuren, außer den physischen. Zu dieser und jener Zeit wurde dieses und jenes Kinderpornomaterial von diesem und jenem Computer heruntergeladen. Es kam dann darauf an, eine existente Person mit diesem Zeitpunkt und diesem Computer zu verbinden, und das war nicht einfach. Am einfachsten war es also, die *Trottel* zu fangen, die ein einziges Mal ihrem Begehren erlaubten, die Oberhand zu gewinnen, und es riskierten, das Material über den Computer zu Hause herunterzuladen – und damit über die eigene Telefonnummer. In dem Augenblick war die Spur etabliert.

Sara zählte bisher drei Trottel auf der letzten Liste. Das Aufspüren war ein komplizierter Prozeß, der indessen eine Reihe mechanischer Momente beinhaltete, die sie im Schlaf hätte ausführen können. Wenn sie jemals schlief. Mittels eines komplexen Zusammenspiels zwischen dem Zentralrechner der Polizei, Interpol, Internet und Intranet hatte sie bisher, nach ungefähr einem Drittel der Liste, achtzehn Telefonnummern offengelegt. Acht waren schwedisch. Fünf gingen zu öffentlichen Institutionen. Die anderen gingen zu Privatpersonen in Boden, Lund und Borås.

Sie bekam allmählich genug vom Cyberspace. Dann und wann sah sie das Spiegelbild des kurzgeschorenen kleinen Wesens auf dem Bildschirm. Inzwischen hielt sie es nicht mehr für einen kleinen Jungen. Sie war es selbst. Die echte Sara Svenhagen. So sah sie aus. Und sie war kein virtuelles Opfer von Kinderschändern, sondern eine reale Polizistin. Sie mußte sich bald praktischer Polizeiarbeit widmen können. Also suchte sie fieberhaft nach einer Stockholmer Nummer auf der Adressenliste. Bisher war keine aufgetaucht, und danach suchte sie weiter. Um direkt zuschlagen zu können. Physisch.

Um dem Mann real in die Augen sehen zu können.

Und wieder nur das Übliche zu erkennen: daß der Pädophile sich nicht als böse sah. Im Gegenteil, er war gut, er nahm die angeborene Sexualität des Kindes ernst, während der Rest der Welt das Wesen des Kindes mißverstand und es asexuell gemacht hatte. Der Pädophile machte dem Kind das wichtigste Geschenk seines Lebens: Es bekam die Sexualität zurück, deren es beraubt worden war.

Sie hatte das alles schon gehört. Aber sie würde es niemals verstehen können.

Sie fragte sich, ob die Liste ein so bedeutender Fang war, daß sie eine großangelegte internationale Aktion rechtfertigte.

Mit anderen Worten: Würde sie gezwungen sein, vielleicht bis zu einem halben Jahr zu warten, um zuschlagen zu können, zusammen mit Amerikanern und Briten und Deutschen und Franzosen, von Belgiern ganz zu schweigen? Und was würde während dieses halben Jahres geschehen können?

Es war eine Gewissensfrage, schon bevor sie in der Sinnenwelt auftauchte, ein klassisches moralisches Dilemma, wenn auch virtuell. Falls sich eine existierende Stockholmer Adresse offenbaren sollte, gegen die Sara Svenhagen auf der Stelle zuschlagen könnte – sollte sie es dann tun? Sie mußte die Risiken und Chancen gegeneinander abwägen. Auf der Goldwaage. Das Risiko, daß der virtuelle Stockholmer Pädophile sich an weiteren Kindern vergriff, gegen das Risiko, daß er das übrige Netzwerk warnen und damit bedeutend mehr Kindern schaden würde. Die Chance, einen Mann mit weiteren Informationen über die Pädophilenszene zu fangen, gegen die Chance, ein ganzes Netzwerk zu fangen.

Irgendwo im Verlauf dieses Rechenexempels begann Sara Svenhagen auf einmal den innersten Kern der Marktwirtschaft zu verstehen. Alles hatte seinen Preis. Oder eher: Man konnte alles mit einem Preis versehen. Wirklich alles. Jede Beziehung, jede Lebensäußerung. Das, womit sie sich gerade beschäftigte, waren ökonomische Berechnungen. Es war ganz einfach: plus und minus. Verlustminimierung. Geringstmöglicher Schaden. Die geringste Anzahl sexueller Übergriffe gegen Minderjährige.

Es kam ihr geschmacklos vor.

Notwendig, aber geschmacklos.

Alles konnte man mit einem Preis versehen. Die Vergesellschaftung der Intimsphäre. Die Verwandlung des Menschen von einer physischen in eine juristische in eine virtuelle Person. Es blieb eine Ziffer, ein Wert, ein Aktienkurs.

Plötzlich verstand sie vollkommen, warum sie sich das Haar abgeschnitten hatte.

Und genau da bekam sie die Telefonnummer. Sie fing mit 08 an. Stockholm.

Das Telefonregister gab ihr eine Adresse, eine reale Adresse, die ihr eigenartig vorkam. Fatburstrappan 18. Irgendwo in der Nähe der Söderhallen.

Und dann schoß die Wirklichkeit wie ein Habicht auf sie herab. Das moralische Dilemma war bei näherer Betrachtung fiktiv, oder zumindest nicht ihres. Sie hatte eine nicht ganz unwichtige Sache vergessen.

Dienstgrade.

Es war gegen zwei Uhr am Mittsommerabend. Der Tanz um den Maibaum war vielerorts schon in vollem Gang. Freitag. Danach der Mittsommertag und der Sonntag. Zwei Feiertage mit minimalem Personalaufgebot in der Stadt. Desto mehr auf dem Lande. Die Vorgesetzten tanzten um den Maibaum. Mit Sicherheit auch Ragnar Hellberg, der Komiker-Kommissar Party-Ragge. Aber sie hatte eine Nummer für den Notfall. Eine Handynummer.

Es fragte sich nur, ob sie Hellberg kontaktieren sollte. Es bestand keine richtige Eile. Der Pädophile in der Fatburstrappan 18 würde sich während des Mittsommerfestes vielleicht keinen schweren Übergriff zuschulden kommen lassen. Obwohl *vielleicht* für Sara Svenhagen nicht ausreichte. *Vielleicht* war nicht zufriedenstellend. *Vielleicht* würde er im Gegenteil Mittsommer mit einer richtigen Orgie von sexuellen Vergehen gegenüber Minderjährigen feiern.

Was würde Hellberg sagen? Er hatte möglicherweise schon die ersten Schnäpse intus und saß mit einem Partyhut schief auf dem Kopf da und lallte. Sie hätte nicht richtig sagen können, wie gut sie Hellberg wirklich kannte. Der jüngste und hipste Kommissar des Polizeikorps, allerdings hip auf diese eher gezwungene Unternehmermasche. Alle sollten Spaß haben. Das ist ein Befehl. Wir tragen Blaulicht auf dem Kopf beim Stockholm-Marathon. Oder? Aber okay, wenn es darauf ankam, war er wirklich kompetent. Sie konnte allerdings nicht ganz davon absehen, wie er Ludvig Johnsson ausmanövriert hatte, der praktisch die ganze Kinderporno-Abteilung schon aufgebaut hatte, als die Reichspolizeiführung den medienwirksamen Karrieristen Ragnar Hellberg berief und ihn im Schnellverfahren beförderte. Und Hellberg machte sich wirklich gut im Fernsehen. Party-Ragge, der die Reporter beim Vornamen nannte und stets einen Scherz auf Lager hatte.

Aber sie wußte eigentlich nichts von ihm. Weder ob er eine Familie hatte, noch wo er wohnte, und auch nicht, ob er ein Haus auf dem Lande hatte, wo er bei abgeschaltetem Handy saß und sich klein machte. Sollte die bloße Tatsache, daß sie sich unterstand, am heiligen Mittsommerabend bei ihm anzurufen, alle Türen verschließen? Würde sie sich eine Schimpfkanonade von einem Sill kauenden losen Mundwerk mitten in Saufliedern einhandeln?

Es war entweder – oder. Entweder würde sie grünes Licht bekommen, oder sie würde rotes bekommen. Im Augenblick war es gelb. Geändert nach der EU-Norm.

Sie rief an. Hellberg meldete sich fast sofort, als habe er auf ihren Anruf gewartet. Und er schien sich nicht im Paradies der Sauflieder zu befinden. In seiner Stimme erkannte sie zu Ihrer Verwunderung den Tonfall der Feiertagsangst.

Saß Party-Ragge dort wirklich ebenso einsam und verlassen wie sie selbst? War seine ganze Partylöwen-Attidüde nur eine professionelle Maske?

Sie war tief verwundert, als sie sagte: »Ich habe da was gefunden.«

»Sitzt du *jetzt* bei der Arbeit?« sagte Hellberg, allerdings ohne den erwarteten jovialen Tonfall, der andeutete, daß sie sich statt dessen im Mittsommerheu wälzen sollte.

»Ja.«

»Ich auch.«

»Woran denn?« platzte sie ungeschickt heraus.

Ragnar Hellberg schien nicht der Typ zu sein, der auch nur an gewöhnlichen Werktagen Arbeit mit nach Hause nahm.

»Tja«, sagte er und schien zu kichern. »Verwaltungskram, kann man wohl sagen. Was hast du gefunden, Sara?«

»Ein neues Netzwerk.«

»Was? Ist es der Nässjö-Code? Der schien doch unknackbar zu sein.«

»Der Nässjö-Code, ja. Ein Trottel in Stockholm. Fatburstrappan 18. Aber auch einige andere. Die Frage ist, ob wir ihn sofort aus dem Verkehr ziehen sollen oder ob wir auf den Rest warten und sie uns gleichzeitig vornehmen.«

»Hast du internationale Nummern dabei?«

»Hauptsächlich, ja. Aber auch Boden, Lund, Borås. Bisher. Es sind noch viele übrig.«

»Wie viele Länder?«

»Drei bisher. USA, Deutschland, Frankreich. Es wird Zeit kosten, das international zu koordinieren.«

»Ja«, sagte Hellberg und schien nachzudenken. »Du willst ihnen also mit sofortiger Wirkung die Flügel stutzen, wenn ich dich recht verstehe? Damit sie nicht ihren Schatten über die Mittsommerblumen legen?«

»Ja, das möchte ich«, gestand Sara Svenhagen, ohne Hellbergs Blumensprache richtig zu verstehen.

»Ächz, Stöhn«, artikulierte Hellberg. »Wir haben keine Chance, Boden, Lund und Borås jetzt hopszunehmen. Aber hier haben wir eine Chance, da bin ich deiner Meinung. Okay. Zwei Dinge. Zum ersten mußt du genügend finden, um ihn festnehmen und dabehalten zu können. Er darf unter gar keinen Umständen Gelegenheit bekommen, mit jemandem Kontakt aufzunehmen, der das Netzwerk warnen kann. Keine Gespräche, kein Anwalt. Weise auf die neuen Regeln hin. Aber – wie gesagt – du mußt in der Wohnung etwas finden.«

»Willst du damit sagen, daß ich …«

»Nein, das tu ich nicht. Sieh nur zu, daß du etwas findest.«

»Und zum zweiten?«

»Dies hier bleibt unter uns. Ausschließlich.«

»Was? Warum das?«

»Das ist ein Befehl. Okay?«

»Ich verstehe nicht …«

»Okay?«

»Okay.«

»Zwei Streifenbeamte aus dem Viertel, um die Tür einzuschlagen. Halte die Information ihnen gegenüber auf Minimalniveau. Den Durchsuchungsbefehl besorge ich. Fahr direkt zur Södra Station und nimm dir ein paar Assistenten mit. Ruf nicht vorher an.«

»Ich versteh nicht ganz, glaube ich...«

»Du verstehst genau das, was du verstehen sollst. Okay?«

»Okay«, sagte Sara Svenhagen verwirrt und legte auf.

Sie betrachtete den Hörer.

Hatte sie wirklich grünes Licht bekommen?

17

Gewisse Spuren waren noch nicht beseitigt. Der eine oder andere Ordner mit Rechnungen, Auftragsbestätigungen und Bestellformularen stand noch da und sah verloren aus. Poster oder auch nur abgerissene Ecken von Postern, komplett mit Heftzwecken, hingen noch an den Wänden. Sie waren fast ausschließlich von der eskapistischen Sorte. Visionen von Paradiesinseln, märchenhafte Szenerien aus der unberührten schwedischen Natur, unerreichbare Schärenidylle, kilometerlange türkische Sandstrände mit Strandbars an jeder Ecke.

Das Verwaltungspersonal hatte seine Räume in aller Eile der A-Gruppe wieder zur Verfügung stellen müssen, und deren Mitglieder saßen an ihren Plätzen in ihren alten Zimmern, ohne sie richtig wiederzuerkennen. Paul Hjelm zog eine gewagte und nicht ganz vorurteilsfreie Schlußfolgerung: Verwaltungsarbeit erforderte eine hohe Dosis Eskapismus.

Das tat wohl an und für sich Polizeiarbeit auch, allerdings aus ganz anderen Gründen. Er wußte nicht richtig, ob das, womit er selbst zur Zeit seine Freizeit ausfüllte, als Eskapismus bezeichnet werden konnte. Er las, hörte Jazz und ›spielte Klavier‹; er achtete immer darauf, letzteres in Anführungszeichen zu setzen. Er hatte nämlich ein altes Versprechen eingelöst und ein Klavier angeschafft. Er paßte immer auf, daß das Haus – und am besten gleich das ganze Viertel – gründlich verlassen war, bevor er in die Tasten griff. Aber dann nahm er sich gern Freiheiten, experimentierte mit gewagten Harmonien, erprobte Grenzen, imitierte, spielte einfache Begleitungen und ertappte sich sogar dabei, daß er mitsummte, ungefähr wie Glenn Gould. Denn singen, nein, soweit ging Paul Hjelm nie. Er verstand nicht ganz, warum, aber er konnte sich nicht überwinden zu singen. Da verlief seine Grenze.

Was sein Lesen anging, benutzte er allerdings keine Anführungszeichen. Er wagte ohne Umschweife zu erklären, daß er das tat. *Er las.* Und er versuchte wirklich, sich von Schwierigkeiten nicht abschrecken zu lassen, nicht aufzugeben, wo er instinktiv das Gefühl hatte, aufhören zu wollen, sondern weiterzugehen, auch auf unbekanntem Territorium. Vielleicht war das Lesen tatsächlich Ausdruck einer Art Krise um die Vierzig. Er wollte verdammt nicht sterben, ohne soviel von den Möglichkeiten des Lebens erforscht zu haben wie möglich.

Zuletzt war es Rilke. Lyrik war immer noch nicht ganz einfach. Er arbeitete sich durch die *Duineser Elegien* hindurch und *spürte*, daß da etwas war, etwas absolut Grundlegendes, Wichtiges, Zentrales, ein Kontakt mit etwas, mit dem er selbst nicht in Kontakt zu kommen vermochte – aber er kam dennoch nicht richtig ans Ziel.

»Denn das Schöne ist nichts als des Schrecklichen Anfang, den wir noch grade ertragen.«

Er legte die *Duineser Elegien* zur Seite und versprach sich selbst, noch einmal zu ihnen zurückzukehren. Statt dessen nahm er sich Rilkes Jugendroman *Die Aufzeichnungen des Malte Laurids Brigge* vor und war verzaubert. Er fand kein anderes Wort. Verzaubert. Er konnte das Buch nicht weglegen. Die wunderbare Kindheitsschilderung war in dem geliehenen Büro bei der Stadtteilpolizei dabei, sie war dabei, wenn er sich mit »Apparat Gunnar Löv« meldete und diese merkwürdige Pause zur Antwort bekam, sie war dabei, wenn er im Bezirk City durch Blutlachen watete und versuchte, sich einen Reim darauf zu machen, warum in Dreiteufelsnamen dieses Messer zum Vorschein kommen und sich zwischen jene Rippen bohren mußte. Erst in dem Augenblick, als die ersten Hintergründe des Totschlags im *Kvarnen* zu erkennen waren, hatte er das Gefühl, das Buch ausgelesen zu haben. Er meinte, etwas merkwürdig *Dahinterliegendes* zu erkennen, das er normalerweise nicht entdeckt hätte. Er erlaubte sich, der Literatur für diese Entdeckung zu danken. Obwohl sich das ein wenig nach Idealisierung anhörte.

Seine Familienverhältnisse waren allerdings nicht idealisiert. Danne hatte die Pubertätsmuffeligkeit hinter sich gelassen. Statt dessen war Tova vom Pubertätswahnsinn befallen. Von allen guten Geistern verlassen. Er vermochte nicht einmal daran zu denken. Aber Cilla, die mit ihrer Tochter immer guten Kontakt gehabt hatte, setzte es hart zu. Jetzt war Tovas Mutter die antiquierteste, altmodischste Person, die überhaupt existierte, und zum erstenmal spürte Cilla wirklich ihr Alter. Das nicht besonders hoch war, jetzt aber abrupt mit ungefähr einem Jahr pro Tag zunahm. Demnach war sie jetzt dreiundneunzig, also nicht übermäßig aufgelegt für ehelichen Umgang.

Hinter dem Kopf von Jorge Chavez war Delphi zu sehen. Eine idealisierte griechische Urlandschaft mit goldglänzenden Heftzwecken. Chavez' Kopf steckte indessen im Computer. Sozusagen vernetzt.

»Das kleidet dich«, sagte Paul Hjelm.

»Was?« sagte Chavez und tippte weiter auf seinen Tasten.

»Delphi kleidet dich.«

Chavez hörte auf zu tippen und blickte über die Schulter. Er schnitt eine kurze Grimasse und tippte weiter.

»Wie geht's dir eigentlich?« fragte Hjelm abrupt.

Chavez seufzte und schaute auf. »Wollen wir arbeiten oder sozialen Umgang pflegen?« sagte er brutal.

»Wir wollen sozialen Umgang pflegen«, sagte Hjelm unberührt. »Wenigstens ein paar Minuten. Möchtest du Kaffee?«

»Nein, ich möchte keinen ungekochten Kungskaffee mit Kalkflocken drin.«

»Rassist«, sagte Paul Hjelm und goß aus der alten Kaffeemaschine auf ihrem gemeinsamen Schreibtisch zwei Becher ein. »Du mußt dich integrieren lassen. Sonst wirst du dich nie an die schwedische Gesellschaft anpassen. Und wirst nie in die Kneipen gelassen.«

»Das ist ein kleines Paradox in der schwedischen Gesellschaft«, sagte Chavez und nahm den Kaffeebecher. »Nur Menschen, die nie in die Kneipe gehen, werden in die Kneipe gelassen.«

Sie hoben gemeinsam die Becher. Es war lange her.

»Doch, mir geht's nicht schlecht«, fuhr Chavez fort und verzog das Gesicht; man sah die Kalkflocken förmlich in seiner Mundhöhle herumsegeln. »Ich hab so verdammt viele Kurse absolviert, daß ich sie schon nicht mehr richtig auseinanderhalten kann.«

»Chilenisch für Muttersprachler?« stichelte Hjelm und lächelte charmant.

»Wenn ich *binnen kurzem* Kommissar werde«, sagte Chavez mit dem gleichen charmanten Lächeln, »dann werden solche Tendenzen bei der Polizei ausgemerzt. Und du fliegst als erster.«

Doch, sie waren wieder angekommen. Alles war wie immer.

»Keine Frauen?« sagte Hjelm.

»Wie heißt der Mann, der den Film *Änglagård* gemacht hat?«

»Colin Nutley. Immigrant. Seid ihr zusammen?«

»Colin Nutley. Als er nach Schweden gekommen ist, sind ihm zwei Dinge aufgefallen. Die Frauen waren vollkommen phantastisch.«

»Und das zweite?«

»Aber die Männer ...« Ich finde, das ist eine prima Formulierung.«

»Und das ist also die Antwort auf meine Frage?« meinte Hjelm ruhig.

»Jaja, du. Doch: Frauen. Mehrere Frauen. Aber keine spezielle.«

»Wird es nicht langsam Zeit, ein bißchen gesetzter zu werden?«

»Wie Viggo?« platzte Chavez heraus. »Hast du das gehört mit dem Baby? Was für eine wahnsinnige Geschichte.«

»Je mehr Schüsse, desto größer die Chance zu treffen. Auch wenn der eine oder andere ungewollte Treffer dabei ist.«

»Er lebt offenbar mit dieser Frau zusammen. Eines Tages steht sie einfach vor der Tür und sagt: Hier ist deine Tochter. Und jetzt lebt er mit Frau und Kind. Eine glückliche, normale Familie.«

»Jedenfalls sind ihm die ganzen Schwangerschaftsmacken erspart geblieben«, sagte Hjelm neidisch. »Glückspilz.«

»Ich weiß, daß dies hier Wasser auf die Mühle deiner Vorurteile ist, aber ich komme bei Frauen einfach gut an. So simpel ist das. Doch die ganz große Liebe glänzt noch durch Abwesenheit. Also ersetze ich Qualität durch Quantität. Du kennst ja wohl deinen Marx?«

»Nix«, sagte Hjelm und zeigte auf Chavez' Computer. »Hast du etwas gefunden?«

»Nur Gedanken. Und du?«

»*Wenn* dieser Mann im *Kvarnen*, der abgehört wurde, als er mit den drei toten Jugoslawen – wenn es denn die waren – englisch redete, wirklich Polizist ist, dann ist er die Schlüsselfigur. Er hat die ganze Scheiße ins Rollen gebracht. Drei Möglichkeiten: Bestechungsgeld, Erpressungsgeld, Bezahlung für etwas. Das erste fällt flach, weil es sich wohl um eine einmalige, anscheinend richtig große Bezahlung handelt. Nichts Regelmäßiges. Aber es kann natürlich eine erste große Anzahlung sein, etwas in der Art, so ganz undenkbar ist es nicht. Das zweite ist möglich, doch was sollte ein Polizeibeamter gegen Rajko Nedic in der Hand haben, was kein anderer Polizist hat? Das dritte wirkt am plausibelsten. Sie können Informationen kaufen, doch am wahrscheinlichsten ist, daß sie Drogen von ihm kaufen, ganz einfach. Aber dann müssen wir nach einem Polizisten suchen, der Zugang zu Drogen hat. Eine Beschlagnahme vielleicht, über die nicht Buch geführt worden ist? Ich meine jedenfalls, wir sollten uns ein bißchen unter den Drogenfahndern umschauen.«

»Sollte nicht in einem solchen Fall die Internermittlung eingeschaltet werden?« fragte Chavez.

»Es ist noch nicht bewiesen, daß er wirklich Polizist ist. Der Mann, der den Polizeiausweis im *Kvarnen* vorzeigte, braucht nicht einmal derjenige gewesen zu sein, der mit den Jugos zusammensaß und redete. Aber kein anderer scheint zu fehlen. Kerstin und ich müssen uns die ganze Belegschaft des *Kvarnen* noch einmal vorknöpfen, um nähere Beschreibungen des Polizisten wie auch der Räubergang zu bekommen.«

»2 C, 2 E, 2 F.«

Hjelm schnitt eine kleine Grimasse und sagte: »Wenn du auf diesen Bezeichnungen bestehen willst, ja. 2 A: Eskil Carlstedt, tot; 2 B: Sven Joakim Bergwall, tot; 2 D: Niklas Lindberg, unangenehm lebendig. Wenn wir die Blutgruppe von 2 C erfahren, kommen wir vielleicht ein Stück weiter, vor allem, wenn wir via Kumla gehen, wo er höchstwahrscheinlich der Nazigang angehört hat. AB negativ ist wohl nicht so häufig. Söderstedt und Norlander verfolgen die Kumla-Spur. Sie wollen auch die restlichen Jugos da verhören, und die restlichen Nazis. Klingt das nicht beneidenswert?«

»Kein bißchen«, sagte Chavez und riß sich mit gleichgültiger Miene einen Hautfetzen vom Nagelbett. »Sie werden sich an der Zellenwand die Köpfe einrennen.«

»Dann können sie sich gegenseitig von den Wänden schaben. Na gut. Also dann Eskil Carlstedt. Ich habe seinen Hintergrund nachgeprüft und bin seine Wohnung durchgegangen. Weil er wußte, daß die Wohnung durchsucht werden würde, hat er sie aufs penibelste gesaugt. Keine Spur. Die Nachbarn haben früh am Morgen des Vierundzwanzigsten gehört, wie staubgesaugt wurde. Bevor er hierherkam und sich von ein paar Stümpern verhören ließ. Die Festplatte seines PC: leer, alles gelöscht. Die Techniker sind gerade dabei, vielleicht können sie noch etwas wiederherstellen. Noch ein Leckerbissen für Svenhagen. Hast du übrigens seine Tochter gesehen, das ist was für dich, Jorge. Gunnar arbeitet mit ihr zusammen. Eine unglaubliche Frau. Ein bißchen kurzhaarig vielleicht.«

»Ich glaube nicht an Inzucht«, sagte Chavez finster.

»Es geht nicht ums Glauben. Es geht um die Leidenschaft, die alle vernünftigen Prinzipien über den Haufen wirft.«

»Halt die Schnauze und mach weiter.«

»Carlstedts Vergangenheit ist ebenso leer wie seine Festplatte. Kerstin ist gerade bei Kindwalls im Hammarbyhafen, wo er Fords verkauft hat, und redet mit seinen Kollegen. Gebrauchtwagenhändler. Inzwischen etwas gebrauchter als gebraucht.«

Chavez kicherte und sagte mit alberner Stimme: »›Würden Sie von diesem Mann einen Gebrauchtwagen kaufen?‹ Ich selbst denke fast nur über Nedic nach. Wie zum Teufel ist es möglich, daß er als ehrbarer Geschäftsmann lebt und tätig ist, wo jeder Polizeibeamte im Land weiß, daß er einer der führenden Drogenhändler ist? Die meisten bleiben ja unterirdisch, aber er spielt ein merkwürdig präzises doppeltes Spiel. Es scheint auf extremer Loyalität von nahezu mafiaähnlichem Zuschnitt aufzubauen. Niemand schwärzt Rajko Nedic an. So ist es einfach.«

»Und was sind das für legale Geschäfte?«

»Tja«, meinte Chavez vielsagend. »Restaurantbranche, zur Abwechslung. Drei Restaurants. Erlesene Küche, heißt es. Eins war kurz davor, einen Stern im Guide Michelin zu bekommen. Sie haben es auf dem Al-Capone-Weg versucht, also hintenherum, und wollten ihn wegen Steuerbetrugs festsetzen. Das klappte nicht. Den Teil seiner Geschäfte führt er tadellos. In der Restaurantbranche vorbildlich, sagt die Finanzpolizei.«

»Kann es darum gehen?« sagte Hjelm und rieb sich die eingebildete beginnende Glatze.

»Du meinst, daß ein Polizist den Hintereingang gefunden hat und jetzt versucht, einen kleinen Zuschuß zum Gehalt herauszuhandeln? Ja. Schon. Nur daß es keinen Hintereingang zu geben scheint. Und du hast es doch selbst gesagt: Was sollte ein einzelner Polizist gegen Rajko Nedic in der Hand haben, das nicht sämtliche Kollegen ebenso wissen?«

»Was sagt uns, daß es sich um einen einzelnen Polizisten handelt?«

»Die Tatsache, daß eine ganze Gang krimineller Polizisten unwahrscheinlich klingt«, sagte Chavez. »Nur das. Es funktioniert nicht mit dem Zusammenhalten. Aber vielleicht sind es die Pornopolizisten. *Das* klingt nicht unwahrscheinlich. Das mit der Mittelmeerkrabbe war ziemlich pfiffig. Ein eindeutiger Anhaltspunkt.«

»Was machen deine Arme?« grinste Hjelm boshaft.

»Beide Schultern ausgekugelt, Schienbein kaputt, Milz gerissen. Morgen früh sprengen sie mich in die Luft. Du sollst die Ehre haben, mich persönlich von den Wänden des Polizeipräsidiums zu kratzen.«

»Ich fühle mich geehrt. Aber muß es wirklich ein einzelner Polizist sein?«

»Muß es ein Polizist sein?« sagte Chavez, stand auf, streckte sich und trat ans Fenster, das auf den tristen Innenhof des Polizeipräsidiums hinausging. »Vielleicht hängen wir uns ein bißchen zu sehr daran auf. Es darf uns nicht blind machen.«

»Nein«, nickte Hjelm. »Nein. Klar. Und sonst? Die Waffen?«

»Gang 1 hatte russische Izh-70-300. Willst du mehr über diese Pistole hören?«

»Nein.«

»Nach dem Zweiten Weltkrieg«, begann Chavez wie ein Märchenerzähler vor dem Kaminfeuer, »mußte die klassische Tokarev-Pistole der Roten Armee ausgetauscht werden. Ein Ingenieur namens Nikolaj Makarov entwarf eine Pistole, die schließlich von Stalin akzeptiert wurde. Die Produktion konnte jedoch erst nach dem Tod des Diktators anlaufen.

1954 begann die Izhevskij Mekhanikeskij Zavod mit der Herstellung der, wie es heißt, außergewöhnlich guten Makarov-Pistole, die noch heute produziert wird. Nach dem Fall der Mauer öffnete sich plötzlich der goldene Markt für die staatliche Izhevskij-Fabrik, und russische Pistolen wurden zu harter Währung. Eine Weiterentwicklung der Makarov-Pistole, die Izh-70-Serie, erblickte das Licht der Welt. Die Izh-70 und Izh-70-100 benutzen die traditionelle Makarov-Munition vom Kaliber 9 x 18 mm, mit Magazinen von acht bzw. 12 Patronen, während die Izh-70-200 und Izh-70-300 für die international gängigere Browning-Munition vom Kaliber 9 x 17 mit Magazinen für acht bzw. 12 Patronen entwickelt wurde. Außerdem gibt es jetzt die taufrische Izh-70-400, speziell für die populäre Parabellum-Munition des gigantischen amerikanischen Markts entwickelt.«

»Unglaublich faszinierend«, murmelte Hjelm. »Verbindungen?«

»Die soll tatsächlich in den verschiedenen Kriegen auf dem Balkan benutzt worden sein. Aber sie ist, wie gesagt ... populär.«

»Und die Maschinenpistolen? Militärarsenal?«

»Na, wer sagt's denn«, sagte Chavez und ließ sich mit einem Krachen auf den Stuhl fallen. »Sie stammen aus einem großen Waffenarsenal in Boden, wo vor etwa einem Jahr ein Einbruch stattfand, der sich gewaschen hatte. Dreiundzwanzig Maschinenpistolen verschwanden, und Munition kistenweise. Eine Freude fürs Auge.«

»Boden«, nickte Hjelm. »Ich nehme an, daß Niklas Lindberg dort zu irgendeinem Zeitpunkt seiner militärischen Karriere stationiert war.«

»Tatsächlich nicht nur er, sondern auch Bergwall. Bergwall leistete seine Wehrpflicht dort ab. Lindberg war Kadett. Wenn es so heißt.«

»Frag mich nicht. Mehr mehr mehr.«

»Tja«, seufzte Chavez schwer. »Ich nehme mir die Nazi-Organisationen vor. Mit Gunnar Nyberg als backup, wenn mit ihm alles klargeht. Irgendwo ist diese Operation bekannt, und irgendwo weiß jemand, was als nächstes passiert. Ich glaube nicht, daß dies das Ende ist. Sie haben den Koffer, sie haben das Geld – oder die Drogen, falls es Drogen sind –, aber sie wollen auch was ganz Spezielles damit machen, darauf möchte ich wetten. Dann wird es also wohl folgendermaßen: Gunnar und ich verfolgen die Nazischiene, Arto und Viggo übernehmen Kumla, du und Kerstin, ihr nehmt euch den ›Polizisten‹ vor. Ich glaube kaum, daß es was bringt, direkt an Nedic ranzugehen. Das hat noch nie was gebracht. Außerdem ist es nicht Nedic, der hinter der Sicklaschlacht steckt. Das sind Niklas Lindberg und seine Bande. Auf die müssen wir uns konzentrieren.«

»Klasse«, platzte Hjelm heraus. »Dann hast du ja alles im Griff. Herr Kommissar. Fehlt nur noch eins. Ein Pensionär mit Namen Jan-Olov Hultin.«

»Jaja. Der bekommt eine Therapiearbeit. Körbe flechten, vielleicht.«

18

Jan-Olov Hultin flocht keine Körbe. Er ging direkt auf Nedic los.

Warum nicht? Dachte er, als er den gerade erst ausgehändigten Dienstvolvo im Granitväg parkte und die letzten Meter durch die luxuriösesten Teile des mittsommernachmittagleeren Danderyds spazierte. Das Wetter war unentschlossen. Gerade hatten die bedrohlichen Regenwolken beschlossen, eine Pause zu machen, glitten auseinander und machten einer verwirrten Sonne Platz, die nicht zu wissen schien, wohin mit ihren Strahlen. Sie fielen ein wenig willkürlich über die Bucht Edsviken, die sporadisch glitzerte, mal hier, mal da, und das wunderliche, unentschiedene Glitzern hatte eine hypnotische Wirkung auf den Pensionär a.D. Einen Augenblick lang meinte er, wieder auf der anderen Seite von Edsviken zu sein, und daß es Råvalen war, der glitzerte. Er hatte gerade aufs neue eine Niederlage erlitten bei dem Versuch, Kraut und Unkraut zu unterscheiden, hatte mit dem Rasenmäher den üblichen Bogen um die unschuldige Pflanze gemacht und schob ihn den Hang hinauf. Kein Saab mit Luxusausstattung knirschte auf seinem Kiesweg. Kein Mann mit dem Aussehen eines schwerkriminellen Immobilienmaklers kam ihm entgegen. Das Leben ging seinen geruhsamen Gang. Eine ständige Sisyphusarbeit.

Es ging vorüber.

Nicht jeder konnte sich Pensionär a.D. titulieren. Es mußte, kam ihm in den Sinn, einer der ungewöhnlichsten Titel des Landes sein. Und er wollte diesem Titel Ehre machen.

Warum nicht? Dachte er, doch nicht ganz so leichtsinnig, wie es den Anschein haben kann. Die A-Gruppe hatte die Frage Rajko Nedic ausdrücklich offengelassen. Sollte man ihn in Unwissenheit darüber lassen, daß die Polizei von seiner Beteiligung an der Sicklaschlacht wußte? In welcher Weise würde das die Lage verbessern? War es wirklich nicht richtiger, dafür zu sorgen, daß er auf dem Teppich blieb und nicht eine noch schlimmere Sicklaschlacht anzettelte? War es nicht besser, ihm zu zeigen, daß man Bescheid wußte, damit er nicht glaubte, frei agieren zu können? Nun war aber Rajko Nedic kein Mann, der agierte, ohne den Rücken vollständig frei zu haben; er würde kaum ein enormes Massaker veranstalten und eine Menge Spuren hinterlassen, eher würde er den Koffer mit Hilfe von Drohungen und professioneller Aufklärungsarbeit wieder an sich bringen. Dennoch spürte Hultin – und wieder war es eher eine Art innewohnendes Gefühl als argumentierbare Vernunft, die sein Handeln bestimmte –, daß es gut war, Nedic ein wenig unter Druck zu setzen, einen persönlichen

Kontakt herzustellen, Präsenz zu zeigen und ein persönliches Interesse am Geschehen an den Tag zu legen.

Und schließlich war er derjenige, der bestimmte.

Mit diesem unbestreitbaren Argument auf den Lippen trat er an ein verschlossenes massives Eisentor in einer langen Ziegelsteinmauer. Eine Überwachungskamera zoomte ihn ein, und noch bevor er sich nach einer Klingel umgeschaut hatte, erklang eine Stimme: »Name und Anliegen.«

Jan-Olov Hultin räusperte sich und sagte forsch: »Kriminalkommissar Jan-Olov Hultin von der Reichskriminalpolizei. Ich möchte mit Rajko Nedic sprechen.«

Einen Augenblick lang war es still. Dann glitt die Tür auf, und er trat in ein Gärtnerparadies. Ein Mann im blauen Arbeitsoverall und einer schäbigen Schirmmütze stand an einem selten schönen, prachtvollen Busch und befingerte die Blüten. Überall um ihn herum stand der Boden in vollster Blüte. Hultin, der ja Kraut und Unkraut nicht auseinanderhalten konnte, verspürte einen instinktiven Neid. Er trat zu dem Mann im Arbeitsoverall und sagte: »Ich suche Rajko Nedic.«

»Eine seltene Pflanze«, sagte der Mann und fuhr fort, die schönen lila Blüten zu befühlen. »Aber andererseits gibt es in diesem Garten alles.«

Dann zog er den Arbeitshandschuh aus und streckte Hultin die Hand hin. »Rajko Nedic.«

»Jan-Olov Hultin«, sagte Jan-Olov Hultin und drückte dem Mann überrascht die Hand. Er sah wirklich aus wie ein Gärtner und nicht wie ein führender Drogenboß. Doch wie sehen führende Drogenbosse aus? Vielleicht wie ein leicht zerfurchter, aber durchtrainierter Fünfzigjähriger ohne ein graues Haar, nur mit Blaumann und Schirmmütze.

»Ich glaube, meine ärmliche Jugend in einem sehr kargen Land zwingt diese ganze Blumenpracht hervor«, sagte Rajko Nedic ohne eine Andeutung von Akzent. »Ich stamme aus einem kleinen Gebirgsdorf im östlichen Serbien, wie Sie vielleicht wissen.«

»Ich wünschte mir, ich hätte eine ähnlich glückliche Hand mit meinem Garten«, sagte Hultin und blickte über die Farbenpracht.

»Ich muß vielleicht gestehen, daß es nicht allein mit einer glücklichen Hand zu tun hat«, sagte Nedic und streichelte die Blume, die er in der Hand hielt. »Es hat leider auch mit Geld zu tun. Einige von diesen Pflanzen sind Raritäten. Aber diese hier nicht. Meine Lieblingsblume. Dennoch steht sie in fast jedem schwedischen Garten und blüht, wie es sich gehört. Ganz gewöhnliche Akelei. Herrjemine! Als ich sie zum erstenmal sah, glaubte ich, einen Gottesbeweis zu sehen. Schauen Sie sich die Form der Blüte an. Diese vier phantastischen Glocken, die sich um einen gemeinsamen Haltepunkt wölben. Als hätten sie das Zentrum des Universums gefunden.«

Hultin betrachtete die Akelei. Sie war wirklich einzigartig. »Ein Meisterwerk«, sagte er aufrichtig.

»Ja. Wahrlich. Nun, Kommissar, was kann ich für Sie tun? Geht es um eine weitere unbegründete Anklageschrift? Ich habe mich wirklich angestrengt zu erklären, daß ich nur ein gewöhnlicher Restaurantinhaber bin. Kneipier.«

»Ich bin nicht hier, um Sie anzuklagen«, sagte Hultin und riß seinen Blick von der Akelei los.

»Eher um mein Beileid auszusprechen. Vier so ergebene Mitarbeiter.«

Rajko Nedics Blick änderte sich nicht. Er blieb der gutmütige Gärtner, der das Ergebnis der Geduld seiner grünen Daumen vorführte. »Ich fürchte, ich verstehe nicht, was Sie meinen«, sagte er.

»Vukotic in Kumla und die drei Kriegsverbrecher im Gewerbegebiet Sickla. Wirklich traurig.«

»Nein, jetzt kann ich nicht folgen, Kommissar. Ich weiß wirklich nicht, wovon Sie reden.«

»Haben Sie nichts von der Explosion in Kumla und der Sicklaschlacht gehört?«

»Leider kann ich den Eskapaden der Medien nicht ständig folgen. Ich arbeite ziemlich hart.«

Ein Handy klingelte irgendwo in seinem Overall. Nedic holte es heraus und antwortete in deutscher Sprache: »Hallo. Ja, ja, guten Tag. Leider können wir uns jetzt nicht sprechen. Ich rufe zurück in etwa zehn Minuten. Ja. Tschüß.«

»Zehn Minuten?« sagte Jan-Olov Hultin.

»Eine Schätzung«, sagte Rajko Nedic und zuckte die Schultern. »Vielleicht geht es sogar noch schneller, wenn Sie zur Sache kommen, Kommissar.«

»Deutsche Kontakte?«

»Lieferanten. Der größte Teil meiner Arbeitszeit geht für Verhandlungen mit Lieferanten drauf.«

»Lieferanten?«

»In diesem Fall von Moselwein, ja. Direktimport. Das ist inzwischen legal, wie Sie wohl wissen.«

»Dann will ich die mir zugeteilten zehn Minuten effizient nutzen. Diesmal wissen wir mehr als gewöhnlich, und außerdem ist nicht wie sonst die Drogen- und die Finanzpolizei eingeschaltet, sondern Sie werden es mit mir persönlich und meiner Gruppe zu tun haben, Herr Nedic. Es ist eine tüchtige Gruppe. Spezialisten. Wir wissen, daß Ihnen in Sickla ein Aktenkoffer mit Inhalt geraubt wurde und daß Ihnen vier wichtige Mitarbeiter verlorengegangen sind. Es könnte sein, daß sich der Personalmangel bemerkbar macht, auch wenn Sie jederzeit beliebig viele Kriegsverbrecher aus dem früheren Jugoslawien rekrutieren können. Wir wissen auch, wer Sie beraubt hat, falls es Sie interessiert. Sie sollten in diesem Aktenkoffer Geld oder Drogen an einen Geschäftspartner liefern, der diese Lieferung nicht erhalten hat. Dieser Geschäftspartner ist natürlich aufgebracht. Und vielleicht ein Risikofaktor. Wir wissen, daß Sie alles tun werden, um diesen Aktenkoffer zurückzuerobern, und wir werden die ganze Zeit dabeisein. Ist dies eine Erpressung, die Sie gern der Polizei melden möchten?«

Rajko Nedic betrachtete den älteren Mann mit der Eulenbrille auf der riesigen Nase. »Nein«, antwortete er.

»Ausgezeichnet«, sagte Jan-Olov Hultin und machte auf

dem Absatz kehrt. »Denken Sie daran, daß dies nicht die übliche Situation ist. Von jetzt an wird alles viel schwieriger.«

Er ging auf das Tor zu. Nach einigen Metern drehte er sich noch einmal um. »Nur eine Frage noch«, sagte er. »Was ist eigentlich der Unterschied zwischen Kraut und Unkraut?«

Rajko Nedic kicherte leise. »Ganz einfach, Kommissar«, sagte er. »Unkraut ist das, was man ausreißt.«

19

Als Sara Svenhagen davorstand und nach oben blickte, wurde ihr klar, warum sie die Adresse Fatburstrappan 18 nicht erkannt hatte.

Es war der Söder-Turm.

Im Jahre neunzehnhundertachtzig wurde die Planung des Geländes von Södra Station in Stockholm begonnen. Es sollte praktisch ein ganz neuer Stadtteil entstehen. Ein Architektenwettbewerb wurde ausgeschrieben. Die Wohnungsbaugesellschaft HSB schlug vor, ein ›Manhattan auf Söder‹ zu bauen und das gesamte Gelände von fünfundzwanzig Hektar mit Wolkenkratzern von zwanzig bis vierzig Etagen zu bedecken. Der Vorschlag hatte Anhänger in erstaunlich vielen Lagern, aber es war ja auch zu Beginn der achtziger Jahre. Eine Zeit des galoppierenden Wahnsinns. Natürlich konnte der Vorschlag trotzdem nicht verwirklicht werden. Neunzehnhundertvierundachtzig legte das Städtische Baubüro einen alternativen Vorschlag vor, in dem noch *ein* Hochhaus übrigblieb, ein Kompromiß, der darauf abzielte, die traditionelle Form der Wohnviertel beizubehalten – mit einem hohen Turm, einem Campanile oder einem Kirchturm –, während gleichzeitig die Befürworter der Wolkenkratzer-Idee nicht ganz leer ausgingen. Später im gleichen Jahr wurde erneut ein Architektenwettbewerb ausgeschrieben, und zwar für dieses Hochhaus, das am Medborgarplats errichtet werden sollte. Siebzig Entwürfe gingen ein, die allermeisten schlugen einen gewaltigen pseudoamerikanischen Wolkenkratzer von zirka fünfzig Etagen vor. Eines der Jurymitglieder verhielt sich wenig neutral. Sein Name war Sune Haglund, konservatives Mitglied im städtischen Bauausschuß. Er argumentierte lebhaft für ein extrem hohes und umfangreiches Bürogebäude, am besten mit rotierendem Restaurant auf der Spitze. Der Wettbewerb endete, ohne daß ein Gewinner benannt wurde, doch einige belohnte Teilnehmer durften sich zwei Jahre später an einem neuen Wettbewerb für ein gegenüber dem Vorschlag Haglunds bedeutend schlankeres Bürohaus beteiligen. Der dänische Architekt Henning Larsen gewann mit dem Entwurf eines runden Turms mit dreiundvierzig Etagen. Im Volksmund erhielt er den Namen ›Haglunds Latte‹. Dies war also neunzehnhundertsechsundachtzig. Nach einigen Jahren der Debatten und Ausschußberatungen kam man zu dem Ergebnis, daß dreiundvierzig Stockwerke enorm hoch seien, der Turm würde wie ein verrückter Phallus aus Södermalm aufragen, mit dem Testikel des Globus als trister Ergänzung in Sichtweite. Nein, man reduzierte auf dreiunddreißig Stockwerke, die zu dreiundzwanzig wurden, die schließlich, nach dem Veto der Stockholms-Partei, zu elf wurden. Aus der Latte wurde ein Daumen. Das wenig imponierende Bürohaus von elf Stockwerken wurde neunzehnhundertneunzig rechtskräftig abgesegnet. Inzwischen war das alte Bahnhofsgelände von Söder kurz vor der intensiv betriebenen Fertigstellung. Die Södermalmshallen, Bofills Bogen, die Fatburstreppe, der Fatburspark. Doch jetzt waren die neunziger Jahre, die Wohnungskrise war ein Faktum. Alles weitere Bauen wurde auf Eis gelegt. Bis zweiundneunzig. Da stellte der Liegenschaftsausschuß fest, daß nicht Büros benötigt wurden, sondern Wohnungen. Aus dem Bürohaus von elf Etagen machte Henning Larsen ein Wohnhaus von dreiundzwanzig Etagen, sechsundsechzig Meter hoch und mit ungefähr hundert Wohnungen. Im Frühjahr fünfundneunzig wurde der neue Detailplan angenommen. Der Bau konnte endlich beginnen.

Nach allem Wollen, allen Protesten, allen Kompromißversuchen war ›Haglunds Latte‹ zeitweilig in ›Haglunds Halbständer‹ umgetauft worden, und um – als der Bau beendet war – das Haus von Sune Haglunds leicht kompromittierendem Namen zu reinigen, erhielt es den offiziellen Namen Söder-Turm. Er hatte sich wohl nicht ganz durchgesetzt.

Auf jeden Fall wohnten Leute da. Die Wohnungen waren abnorm teuer, aber es wohnten Leute da.

Es wohnte zum Beispiel ein Mann mit Namen John Andreas Wiréus dort. Er war pädophil.

Sara Svenhagen stand zwischen zwei uniformierten Polizisten und blickte zu dem eigentümlichen enormen Kreis hinauf, der, einer Glorie gleich, über dem Söder-Turm schwebte. In diesem Moment fand sie tatsächlich, daß Haglunds Latte schön war. Vielleicht war ihr Blick ein wenig getrübt, doch so gefährlich war es auch wieder nicht.

Dagegen vermochte sie im Augenblick der Kombination Phallus, Glorie, Halbständer und Pädophiler keine sinnvolle Aussage abzugewinnen. Sie hatte an anderes zu denken.

Ihr Blick ging über Medborgarplatsen. Er lag seltsam verlassen da. Stockholms im Normalfall meistbevölkerter Platz war nahezu menschenleer. Es war bewölkt und ein wenig trist. Und vollkommen mittsommeröde.

Ein Hausmeister ließ das Trio in den Söder-Turm. In dem eleganten Treppenhaus roch es nach Neubau und schwach parfümiert. Sie bedankten sich beim Hausmeister und betraten den Aufzug. Der größere der beiden Polizeiassistenten trug eine kurze schwarze, mit Handgriffen versehene Eisenstange. Er hielt sie ostentativ in einer Hand. Sara dachte, sie sollte ihm vielleicht einen beeindruckten Blick zuwerfen. Nur um sich seines Wohlwollens zu versichern.

Es gelang ihr nicht richtig.

Der Aufzug beförderte sie in den sechzehnten Stock. Sie schritten durch einen exquisit blumengeschmückten Korridor und gelangten zu der Tür mit dem Namensschild Wiréus. Ist das wirklich ein Name? dachte sie und zeigte lautlos auf die Tür. Sicherheitshalber zog sie ihre Pistole. Die Assistenten faßten die Eisenstange an den Handgriffen, zielten auf eine Stelle unmittelbar unter der Türklinke und sahen sie an. Sie nickte. Sie schlugen die Tür ein und stürmten hinein.

Am Fenster in der tortenstückförmigen Dreizimmerwohnung saß ein graumelierter, etwa sechzigjähriger Mann in einem leichten Sommeranzug mit lilafarbenem Schlips. Er ließ eine Kamera mit langem Teleobjektiv sinken und starrte direkt in Sara Svenhagens Pistolenmündung. »Aber, Herrgott«, sagte er tonlos.

Obgleich sie in seinem Blick deutlich sah, daß er wußte, worum es ging.

»John Andreas Wiréus?« sagte sie.

»Ja«, flüsterte der Mann.

»Legen Sie die Kamera ab und heben Sie die Hände hoch.«

John Andreas Wiréus tat, wie ihm gesagt wurde.

»Legen Sie sich flach auf den Fußboden«, fuhr sie fort und nickte den Assistenten zu, die ihn mit einem leichten Touch von Brutalität durchsuchten.

Sie wanderte weiter durch die Wohnung. Sie war phantastisch. Und pedantisch aufgeräumt. Die Zahl der Antiquitäten war beträchtlich. Überall antike und elegante Gegenstände. Die Aussicht über die Stadt war großartig, in verschiedene Richtungen. Und im Schlafzimmer, umgeben von einem Flair von britisch-indischer Kolonialzeit, war der Computer eingeschaltet.

Als sie das sah, stellte sich eine absolut eiskalte Ruhe ein. Sie hatte ihn. Dann kehrte sie ins Wohnzimmer zurück.

Einer der Assistenten hatte sich aus irgendeinem Grund auf Wiréus' Rücken gesetzt. Der knackte und knirschte.

»Ich glaube, es reicht jetzt«, sagte sie und nahm die Kamera, eine Canon in Pressefotografenklasse. Bestimmt zwanzigtausend Kronen.

Der Polizeiassistent kletterte von John Andreas Wiréus herunter.

»Danke«, sagte sie einschmeichelnd und wandte sich dem Liegenden zu: »Was fotografieren Sie?«

»Ich bin passionierter Fotograf«, sagte Wiréus und versuchte, sich auf dem Fußboden aufzusetzen. Das Knacken ging weiter.

»Ich verstehe«, sagte Sara Svenhagen. Den Rest würde sie sich für die Abgeschiedenheit des Vernehmungsraums aufheben. Sie wandte sich an die Assistenten: »Nehmt ihn mit. Setzt ihn in einen Vernehmungsraum. Ich komme gleich.«

Sie packten zusammen und verschwanden. Sie stand am Fenster und wartete, bis der Polizeiwagen abgefahren war. Rechts sah sie den Komplex der Södermalmshallen mit ihrem doppelten Lichtspielpalast und die Ränder des merkwürdigen halbkreisförmigen Riesengebäudes, das den Namen Bofills Bogen trug. Geradeaus lag der expandierende Medborgarplats mit allen leeren Straßencafés und dem alten Medborgarhus mit Bad und Bibliothek. Und auf der linken Seite die Götgata und der rechte Teil des Björnschen Gartens.

Sie wandte sich wieder der wunderbaren Wohnung zu und tat ihr Bestes, um dieses zweifellos geschmackvolle Ambiente mit den schäbigen Praktiken des Pädophilen in Einklang zu bringen.

Aber die Offiziere in Auschwitz waren ja auch ziemlich fein eingerichtet.

Im Videoschrank fand sie auf Anhieb eine ganze Serie Kinderpornofilme. Das Dilemma war damit aus der Welt. Es gab ausgezeichnete Gründe für eine Festnahme. Sie ging weiter die Wohnung durch. Im Schlafzimmer lagen drei umfangreiche Alben mit Kinderpornoaufnahmen.

Die kleinere der Toiletten war als Dunkelkammer eingerichtet. Sie knipste die rote Lampe an und trat in eine eigentümliche Bilderwelt ein. An einer Wäscheleine unter der Decke hingen neue Fotoabzüge. Wahre Berge von Fotos lagen überall verteilt. Sicher fünf-, sechstausend. Und alle hatten mehr oder weniger das gleiche Motiv.

176

Sie hatte einen monströsen Anblick von der Art erwartet, wie er einen Menschen von Grund auf verändert. Fünf-, sechstausend Bilder von sexuellen Übergriffen auf Kinder. Der Söder-Turm als ein Turm zu Babel, die Ursache dafür, daß Gott sich gegen die Menschen wendet. Die Wohnung als das schrecklichste Pädophilennest des Landes. John Andreas Wiréus als Doktor Mengele.

So war es nicht. Zwar waren es Bilder von Kindern, doch sie schienen sämtlich vom Fenster in Haglunds Latte aus aufgenommen zu sein. Sommer, Frühling, Winter, Herbst. Kinder, die auf der Kunsteisbahn auf Medborgarplatsen Schlittschuh liefen. Kinder, die auf dem Weg vom Lichtspielpalast durch den Regen liefen. Kinder, die in der Sommersonne mit Hula-Hoop-Reifen spielten. Kinder, die zwischen schmutzigen Schneehaufen Skateboard fuhren. Kinder mit Fähnchen von McDonald's an der Kreuzung Götgatan–Folkungagatan. Kinder, Kinder, Kinder. Und die meisten Fotos waren ausgezeichnet. Sehr schöne Kinderbilder. Sie strahlten ein spürbares Gefühl für die Existenzform des Kindes aus. Des Kindes an sich. Sie war zutiefst erstaunt.

Es waren Schwarzweißfotos mit aufgedrucktem Datum. Es war wie eine lange Dokumentation eines Platzes, mit Kinderaugen gesehen. Sie dachte an den Film *Smoke*, in dem Paul Auster Harvey Keitel seine kleine Ecke der Welt dokumentieren läßt.

John Andreas Wiréus hatte seine kleine kranke Ecke der Welt dokumentiert. Mit den Augen eines Kindes.

Sie sah auf die Fotos an der Wäscheleine. Das letzte Datum war der siebte Juni. In einem Einmachglas auf dem Toilettendeckel lagen an die zwanzig unentwickelte Filme. Sie nahm das Glas mit, dazu eine zufällige Anzahl Fotos. In der Küche fand sie eine Konsum-Tragetasche und packte alles hinein. Dann kehrte sie ins Schlafzimmer zurück und packte auch die Alben in die Tragetasche, ging wieder ins Wohnzimmer und legte die Kamera sowie ein paar Kinderpornofilme dazu.

Sie setzte sich an den eingeschalteten Laptop und prüfte, ob er paßwortgeschützt war. Das war er. Sie hob die Paßwortsperre auf, schaltete den Laptop aus und packte ihn zusammen. Jede einzelne Diskette wanderte in die Konsumtüte.

Dann zog sie die aufgebrochene Tür zu, klebte eine Polizeiwarnung darauf und wartete auf einen der zurückkehrenden Polizeiassistenten.

»Habt ihr den Schlosser benachrichtigt?« fragte sie.

Er nickte.

Sie nickte.

»Nimm das Laptop mit«, sagte sie und ging.

Sie schlenderte durch den Fatburspark, an Bofills Bogen vorbei, und nahm Kurs auf die enorme Uhr über Södra-Station. Dann war sie bei der Polizeiwache in der Fatbursgata 1. Sie ging ohne weiteres an der Anmeldung vorbei und folgte dem ausgestreckten Zeigefinger des Polizeiassistenten zum Vernehmungsraum. John Andreas Wiréus saß da und sah aus wie ein Bankdirektor in der Sommerfrische. Ohne eine Miene zu verziehen, packte sie das Mitgebrachte auf den Tisch. Den Haufen mit Fotos, das Einmachglas mit Filmrollen, die Alben mit Kinderpornobildern, die Kinderpornovideos, die Kamera. Dann betrachtete sie ihn.

Er wich aus. Ertappt.

Wie ein Kind.

»Ich bitte um Entschuldigung«, sagte er artig.

»Ich glaube nicht, daß Sie ein praktizierender Pädophiler sind«, sagte Sara Svenhagen. »Andererseits wissen Sie aber, daß die Gesetze in bezug auf den Besitz von Kinderpornographie in der letzten Zeit wesentlich verschärft worden sind.«

»Ich weiß«, sagte er tonlos und senkte den Blick auf die Tischplatte. »War es das Internet?«

»Darauf kommen wir später. Sie hatten eine äußerst erfolgreiche Firma in Varberg, die eine Art Filter für Volvo herstellte, nicht wahr? Zulieferer. Sie gründeten die Firma in den sechziger Jahren, und nachdem sie den Volvo-Vertrag unter Dach und Fach hatten, schoß der Wert in die Höhe. Als Sie den Betrieb vor fünf Jahren verkauften, erhielten Sie eine hübsche Anzahl von Millionen. Und jetzt ist der Volvo-Vertrag annulliert worden, und die Firma ist in Konkurs gegangen. Clever gemacht.«

»Geht es hier um meine Geschäfte?« fragte John Andreas Wiréus äußerst verwundert.

»Nein«, sagte Sara Svenhagen. »Ich fasse nur zusammen. Sie verkauften die Firma und wurden finanziell unabhängig. Sie steckten ein paar Millionen in die Wohnung im Söder-Turm, schafften sich eine großartige Möbeleinrichtung an und verbrachten dann Ihre gesamte Zeit damit, im Fenster zu sitzen und aus dem sechzehnten Stockwerk Kinder zu fotografieren. Warum?«

Er schwieg, betrachtete seine weißen Knöchel, schaute auf und sagte: »Ich habe Kinder gern.«

Sie hielt einen Videofilm hoch. Sie öffnete ein Album und hielt ihm eine Seite nur wenige Zentimeter vors Gesicht. »Nein«, sagte sie. »Den Teufel tun Sie. Sie haben Kinder nicht gern. Sie *begehren* Kinder. Das ist ein verdammter Unterschied. Also warum machen Sie diese Bilder?«

Er starrte auf seine Knöchel. Nach ungefähr einer halben Minute zog sie das Album weg und begegnete einem völlig nackten Blick. Einem nackt *fragenden* Blick. Der tatsächlich eine Antwort auf genau die Frage zu suchen schien.

»Ich glaube«, sagte Sara Svenhagen, »daß Sie Ihre Sexualität hassen, daß Sie am liebsten kastriert sein möchten. Sie glauben, Sie haben Kinder gern. Aber in Wirklichkeit möchten Sie Kind sein. Sie wollen Kind sein. Sie sitzen da oben in Haglunds Halbständer und bilden sich ein, die Perspektive eines Kindes einzunehmen, doch eigentlich haben Sie ja eine gewaltige Distanz von sechzehn Stockwerken zwischen sich. Wie um den Abstand zu markieren. Die reale Unerreichbarkeit. Es ist ja ein per definitionem unmögliches Projekt. Sie sitzen da in sicherem Abstand und machen Aufnahmen, vollkommen manisch. Fünf-, sechstausend Stück, seit Sie vor ein paar Jahren eingezogen sind. Sie suchen das perfekte Kindheitsbild, aber das haben Sie selbst unmöglich gemacht. Sie haben sich ganz zielbewußt in eine solche Distanz begeben, daß das per-

179

fekte Bild nie möglich wird, das Sie wieder zu einem Kind machen könnte. Das ganze Projekt dreht sich um Ihr ständiges und grundsätzlich unmögliches Streben danach, ein Kind zu werden. Und wenn das Begehren einsetzt, bestrafen Sie sich, indem Sie das Allerheiligste schänden: das Kind in sich selbst. Wie allen Pädophilen ist Ihnen das physische Kind, das wirkliche Kind, vollständig gleichgültig. Alles dreht sich immer nur um das Kind in Ihnen selbst. Wenn Sie dasitzen und sich zu Bildern von Kindern, die gequält werden, einen runterholen, dann bestrafen Sie das Kind in sich selbst. Das Sie verhöhnt, indem es niemals ans Tageslicht kommen kann. Das da sitzt und Sie um die Testikel gepackt hält und Sie zu zerreißen droht.«

John Andreas Wiréus starrte Sara Svenhagen an. Sie fühlte sich fast ein wenig verschwitzt, wie nach einem Dauerlauf der Sprechorgane.

»Ja«, flüsterte er. »So kann es sein.«

»Aber Sie sind mir scheißegal«, sagte sie roh. »Ich will wissen, wie Sie in einem Pädophilennetzwerk im Internet gelandet sind.«

Wiréus blinzelte. Er konnte sein Ich nicht verlassen. Er saß vollkommen in sich selbst fest. Der ganze Mann schien eine Mauer zu sein, die einschloß und einschloß, bis nichts mehr da war, das einschließbar war. Alles war Mauer. »Ich weiß es tatsächlich nicht«, sagte er schließlich. »Ich war auf einer Seite und habe Bilder angeschaut. Dann begannen die Bilder in den E-Mails nur so hereinzuströmen. Ich weiß nicht, wie. Sie müssen irgendwie an meine Adresse gekommen sein.«

»Lügen Sie mich nicht an.«

»Das tu ich nicht. Ich lüge nie. Aber ich bleibe für mich. Seit fünfzig Jahren trage ich mein Geheimnis mit mir herum. Ich habe meinem Begehren niemals stattgegeben, es existiert nicht, es ist virtuell, und niemals habe ich jemand anderen von … meiner Art getroffen. Das ist das letzte, was ich will. Ich würde sie so unsäglich verachten. Schweine. Lumpen. Die nach Thailand fahren und kleine Kinder kaufen. Niemals. Ich will das nicht. Das ist nicht das, was ich will. Ich schwöre, ich habe keine Ahnung, wie ich in diesem Netzwerk gelandet bin. Meine Mailbox quillt über von Bildern, ohne daß ich eine Ahnung davon habe, warum das so ist.«

Sara Svenhagen hielt inne und überlegte. Wenn dies der Wahrheit entsprach, war es eine neue Strategie. Sie eröffnete bemerkenswerte Möglichkeiten. War es möglich, bei jedem Besucher einer Internetseite eine E-Mail-Adresse abzurufen? Und wenn ja, wie funktionierte es?

Sie betrachtete John Andreas Wiréus gründlich. Er saß erschüttert und gerührt da und dachte nur an eins, an das wirklich einzige, woran er in seinem ganzen langen Leben gedacht hatte. Sich selbst.

Und er sagte die Wahrheit.

Davon war sie jetzt überzeugt.

Aber er konnte ihr nicht leid tun. Soweit war es nicht gekommen.

Redete sie sich ein.

20

»Scheiße, ich hatte es.«

›Kulans‹ Gesicht zog sich zusammen, als habe er Schwefelsäure in die Fresse gekriegt. Er verstellte die Kopfhörer, drehte und lenkte an der Apparatur vor sich. Die Leuchtdioden blieben schwarz.

Er hatte das Signal bisher dreimal aufgefangen.

Und wieder verloren.

Beim ersten Mal waren sie aus dem Keller gestürzt und in den grünmetallicfarbenen Van gesprungen. ›Kulan‹ allen voran, sich wie eine Ballerina mit hoch in die Luft erhobener Antenne drehend, die Apparatur in der Hand, den Blick auf der Apparatur und die Kopfhörer über dem Schädel. Hinter ihm Rogge, der Danne Blutwurst trug. Und dann der Goldgekrönte in höchsteigener Person, immer noch skeptisch.

»Es ist noch da«, brüllte ›Kulan‹ und setzte sich auf den Beifahrersitz. Rogge warf Danne hinten hinein und lief herum zum Fahrersitz. Fuhr mit Vollgas an.

»Versuch die E 4 nach Süden«, fuhr ›Kulan‹ fort. »Da muß es sein.«

Dann war es weg. Der Ton verschwand aus den Kopfhörern, die Leuchtdioden erloschen.

»Satan«, sagte ›Kulan‹. »Aber bleib auf der E 4. Wir müssen es wieder auffangen. Hier ist die Chance am größten.«

Sie hielten sich knapp oberhalb des Tempolimits. Maximal hundertachtzehn. Wegen Geschwindigkeitsübertretung gestoppt zu werden wäre der Todesstoß. Es war nicht undenkbar, daß die Bullen während des Mittsommerfests ein paar Kontrollen extra eingesetzt hatten. Anderseits aber auch wieder nicht besonders wahrscheinlich.

In Södertälje kam das erste Dilemma. Kein Signal, und sie näherten sich der Kreuzung der Europastraßen. E 20 nach Westen oder E 4 nach Süden? ›Kulan‹ hob hilflos die Hände. »Göteborg oder Malmö?« sagte er. »Rechts oder geradeaus?«

Die Alternativen schossen dem Goldgekrönten durch den Kopf, während die verdammte Kreuzung sozusagen auf sie zuraste. Hätten die Diebe die Knete, blieben sie selbstredend auf der E 4. Dann wären sie auf dem Weg nach Europa. Aber jetzt mußten sie vermutlich Schlüssel ausprobieren. Und da gab es wohl absolut keinen Anlaß, Malmö Göteborg vorzuziehen. Göteborg war größer. Aber vielleicht hatten sie gesehen, daß es ein ausländischer Schlüssel war, und war für den Fall nicht Kopenhagen ziemlich wahrscheinlich? Was kam als nächstes, wenn sie geradeaus fuhren? Nyköping? Und nach rechts? Strängnäs, Mariefred, Eskilstuna, Örebro. Nein, verdammt, nicht Kumla. Das gab den Ausschlag. »E 4«, sagte er, und Rogge konnte gerade noch nach links hinüberwechseln und weiterfahren in Richtung Süden.

Der zweite Kontakt kam kurz hinter Norrköping. Sie hatten gerade die zweite Europastraßenkreuzung passiert und sich gegen die E 22 nach Västervik und Kalmar entschieden. Ein kurzes Signal, dessen Richtung jedoch nicht zu bestimmen war. Auf jeden Fall waren sie auf der richtigen Spur. ›Kulan‹ brüllte und schrie.

Rogge sagte: »verdammt, können wir nicht ein bißchen Gas geben?«

»Nein«, sagte der Goldgekrönte.

Auf der Strecke entlang dem Vättern geschah nichts. Sie passierten Gränna und Visingsö. Sie waren kurz davor, aufzugeben. Kein Piep. Hatten sie das Signal jetzt ernstlich verloren? Funktionierte ›Kulans‹ Scheiß-Eigenbau überhaupt? Sie wußten, daß Jönköping die Nagelprobe war. Ein Knotenpunkt mit Straßen in alle Richtungen. Die 33 nach Nässjö, Vimmerby, Västervik, die 30 nach Växjö, Kalmar und ganz Blekinge, die E 4 weiter nach Värnamo, Ljungby und Schonen, die 40 nach Borås und Göteborg. War es trotz allem Göteborg?

»Nichts?« fragte der Goldgekrönte.

›Kulan‹ schüttelte den Kopf. Huskvarna. Die letzten Hügel hinunter nach Jönköping.

»Wir müssen bald tanken, Nicke«, sagte Rogge. »Es leuchtet schon.«

»Ey, Kugelarsch, kannst du deinem Scheißapparat nicht irgendwie ein bißchen Dampf machen?« wimmerte Danne von hinten. »Mal irgendwie volle Pulle geben?«

»Du hast keine verdammte Ahnung, du angeschossener Scheißhering!« schrie ›Kulan‹ zurück.

»Schnauze«, sagte der Goldgekrönte ruhig.

Alle hielten die Schnauze.

Nicht Göteborg, das hatte er ausgeschlossen. Er stand zu seinen Entscheidungen. Nicht Västervik. Auch ausgeschlossen. Växjö? Da lag die ganze Latte von Karls-hamn, Ronneby, Karlskrona, vielleicht Kristianstad. Aber das wäre doch wohl die E 22 gewesen? »Fahr weiter«, sagte er.

Sie fuhren weiter auf der E 4. In Skillingaryd wurde der Benzinmangel akut. Sie hielten an einer Tankstelle. »Bleib hier stehen«, sagte er, bevor sie ins Blickfeld des Tankstellenpersonals kamen.

»Wir müssen tanken«, sagte Rogge.

»Wir müssen Knete haben«, sagte er, zog sich die goldgefärbte Wintermütze über, entsicherte seine Pistole und sprang aus dem Wagen.

»Gehst du selbst?« fragte ›Kulan‹. »Ist das gut?«

»Das ist nicht gut. Das ist *am besten*. Wartet hier.«

Sie warteten. Nach fünf Minuten kam er zurück, in der Hand eine Plastiktüte. »Jetzt kannst du tanken«, sagte er und riß sich die Mütze vom Kopf. »Ich glaube nicht, daß du bezahlen mußt.«

Sie tankten. Als sie wieder auf der E 4 waren, brüllte ›Kulan‹ plötzlich auf. »Ich hab es wieder! verdammt, hier ist es. Sie müssen angehalten haben. Ich hab die Richtung. Sie fahren südwärts auf der E 4. Nicht weit vor uns.«

»Gas?« fragte Rogge.

»Halt dich an die Geschwindigkeitsbegrenzung«, sagte Niklas Lindberg ruhig und warf die Mütze ins Handschuhfach.

›Kulans‹ Gesicht zog sich zusammen, als habe er Schwefelsäure in die Fresse gekriegt. Er schrie: »Scheiße, ich hatte es!«

21

Das trotz allem Undurchdachte ihres Handelns ging ihnen viel zu spät auf. Zwei Autos auf unterschiedlichem Kurs durch Schweden. Ein alter, klapperiger Datsun und ein blendendweißer Ford Focus des prämiierten Vorjahrsmodells. Erst als sechshundert Kilometer sie trennten, ging es ihnen auf, daß Mittsommer war. Keine Bank in ganz Schweden geöffnet. Sie waren ihren jeweiligen Gespenstern ausgeliefert, mit denen sie nie wieder hatten allein sein wollen.

Es wurde ein Mittsommerfest, das keiner von ihnen je vergessen würde. Und das keiner von ihnen je wiederholen wollte.

Er lag in einem tristen Hotelbett kurz vor Orsa und hörte vom Ufer des Siljansees die Mittsommerfeierei herüberschallen. Seine Trommelfelle schickten die Geräusche als äußerst verzerrte elektrische Impulse an sein Gehirn weiter. Es klang schneidend und höhnisch. Ein ätzendes, scharrendes Geräusch. Die Spielleute von Orsa schlugen mit ihren Bogen gegen die straffgespannten Saiten seiner Nervenzellen. Kein gegen die Ohren gepreßtes Kissen half. Die Geräusche wurden von innen heraus verzerrt, das begriff er. Es war wie das Echo von Festlichkeiten für einen Hinausgeworfenen. Und er fragte sich, wie lange der kleine Junge noch an den Baum gebunden würde stehen müssen, während unten am Ufer das Fest weiterging. Mittsommer. Er durfte dabeisein. Zum ersten Mal war er eingeladen. Er war tatsächlich eingeladen. Er zitterte vor Glück, während er durch das Waldstück bei Edsviken wanderte. Es würde der Wendepunkt werden. Er schlug den Weg an der Hütte vorbei ein. Er blieb bei dem kleinen lächerlichen Flickenteppich aus Brettern stehen, der ihn vor der Welt verborgen hatte, wenn die Welt auf ihn einstürzte. Und wann tat sie das nicht? Da hatte er gesessen und Rindenboote geschnitzt, mit einer Besessenheit, die alles andere ausschloß. Er füllte die Hütte mit immer aufwendigeren Rindenbooten, bis er selbst fast keinen Platz mehr fand. Es war wie Michel im Tischlerschuppen. Allerdings bar jeden Humors und jeder Wärme. Und jetzt war er unterwegs zum Mittsommerfest mit der Klasse. Er war eingeladen worden, war endlich, endlich, endlich akzeptiert. Er stand vor der Hütte und wußte, daß sie ihm das Leben gerettet hatte. Dann trat er näher und riß sie ein. Es bedurfte keiner großen Anstrengung. Er brach ein paar Bretter ab, und sie fiel zusammen wie ein Kartenhaus. Ein Strom von Rindenbooten rann heraus. Er nahm Abschied von einem Teil seines Lebens und begrüßte einen neuen. Einen besseren. Denn daß es schlimmer werden könnte, war ja unmöglich. So ging er weiter durch den Wald. Er erkannte die Festgesellschaft unten am Wasser. Sie tranken. Eine Weile stand er still am Waldrand. Dann atmete er ein paarmal tief durch, brachte seine neue Sommerkleidung in Ordnung und näherte sich ihnen. Sie kamen ihm lachend und grölend entgegen. In seinem Innern drehte sich alles vor Freude. Sie griffen seine Arme, bogen sie nach hinten, banden ihn an einen Baum und flößten ihm Schnaps ein, bis er sich erbrach. Er stand da wie ein halb geschmückter Maibaum, seine neuen, feinen Sommersachen vollgekotzt. Schließlich waren sie fast hellgrün. Der Baum war geschmückt.

Er wälzte sich in dem tristen Hotelbett auf die andere Seite und fischte *Expressen* vom Nachttisch. Dieser Artikel, an dem er sich festgebissen hatte, er las ihn noch einmal, zog mit dem Kugelschreiber ein paar große Kreise darum. Die Überschrift leuchtete: ›Die Schwestern, die sich in Luft auflösten‹. Dann griff er zum Handy.

Sie lag in einem tristen Hotelbett in Falkenberg und hörte nicht einen Laut. Die kleine Stadt an der Westküste wirkte völlig ausgestorben. Kein Laut. Sie starrte an die Decke und dann auf den Aktenkoffer, der geöffnet auf dem Fußboden lag. Wenn sie Kontakt aufnähme. Aber es gab keinen Kontakt, den sie hätte aufnehmen können. Es gab nichts außer ihr und dem Bett. Einige Jahre lang hatte sie nicht in Betten schlafen können. Da erschreckten Betten sie zu Tode. Beinah buchstäblich. Sie hörte es noch. Etwas in ihr hörte noch die Schritte auf der Treppe. Aber es war schwach jetzt, fast verschwunden, als sei ihr Gehör das letzte, was sie verließ. Sie hörte nicht die Tür in dieser unverkennbaren Art und Weise aufgleiten, die lautlos sein sollte, aber es nicht war, im Gegenteil, die in ihr widerhallte, und sie wußte, daß sie für den Rest ihres Lebens in ihr widerhallen würde. Deshalb sollte es so kurz werden. Ein kurzes Leben. Deshalb erfuhr sie einen so unermeßlichen Genuß, weil sie die Tür *nicht* aufgleiten hörte. Auch nicht spürte, wie das Laken zur Seite geschoben wurde, auch nicht den ersten Schrei, den dumpfen, gleichsam stummen wahnsinnsschreienden Schrei, auch nicht den anderen, schrilleren, vorbehaltloseren, doch auch selbstanklagenden. Sie hörte überhaupt nichts mehr, bevor sie plötzlich auf ihren fast nackten Körper hinabblickte und ihn in geronnenes Blut eingekapselt fand. Sie sah die Bandagen um die Handgelenke, sah den Beutel mit Blut am Stativ hängen und begriff, daß sie es nicht geschafft hatte. Deshalb hatte sie angefangen zu weinen. Die Familie war um sie versammelt, und man sah, man sah es unmittelbar, daß sie glaubten, es seien Freudentränen. Es waren Tränen der Trauer. Der Trauer darüber, noch zu leben.

Er stand auf und trat ans Hotelfenster. Die Spielleute schienen ihre Dudelhölzer an den Nagel gehängt zu haben. Möglicherweise hatte jemand sie bestochen und mit einem ordentlichen Rachenputzer zum Schweigen gebracht. Er konnte bis zum Ufer des Siljan hinuntersehen. Wenn er sie an seiner Seite gehabt hätte, wäre es ein phantastischer Abendblick gewesen. Jetzt war er ihm ziemlich gleichgültig. Wie alles so lange gleichgültig gewesen war. Wann war die Wende gekommen? War es die einzige Wende, oder gab es kleinere Stationen auf dem Weg zur Endstation? Er hatte sich nach der Grundschule von ihnen abgewandt. Nie wieder Schule. Er hatte seine Tüftelei weiterbetrieben, mit der gleichen, alles andere ausschließenden Intensität wie bei den Rindenbooten. Er begann eine gewisse Genugtuung daraus zu ziehen, alles, wirklich alles hinkriegen zu können, ganz gleich, was auseinanderzunehmen und wieder zusammenzusetzen war. Und er schnitzte weiter, doch keine Rindenboote mehr, sondern abstrakte Holzskulpturen. Er wußte nicht einmal, daß es Skulpturen *waren*, bevor jemand es ihm erzählte. Es wurde auf jeden Fall so eine Art Leben daraus, wenn er nur die anderen auf Distanz hielt. Alle anderen. Und dann tauchte diese komische Einladung auf. Klassentreffen. Die alten Kumpels wiedersehen. Als hätten sie ihn nicht schon einmal zuviel eingeladen. Er war überzeugt, daß sie die Einladung aus Versehen geschickt hatten, daß er nur zufällig noch auf einer alten Liste stand, von der er längst hätte gestrichen sein sollen. Dennoch fühlte er, daß er wirklich *gehen sollte*. Er war fast zwanzig. Es lag lange genug zurück und würde ihn nicht mehr umwerfen. Er würde seine Existenz zeigen, als einen rein physischen Akt der Anklage. Ihr habt es nicht geschafft, mich zu töten. Kein Haß, nur seine bloße Präsenz als Anklage. Er kam hin in der festen Überzeugung, wenn nicht angebunden und mißhandelt und bepinkelt, so auf jeden Fall verspottet oder ausgeschlossen zu werden. Es war nicht so. All die alten Quälgeister waren da. Alle. Und keiner schien die geringste Erinnerung daran zu haben, wie sie ihn gequält hatten. Sie behandelten ihn anständig, lachten sogar über die Erinnerungen. Zusammen. Ausgelassen. Wie ausgelassene Kinder. Und er begriff, daß die Tortur sozusagen beiläufig stattgefunden hatte, ein wenig gedankenlos – ein bißchen Hackordnung muß sein, ein bißchen geduckt zu werden muß man schon abkönnen –, daß sie tatsächlich keine Ahnung davon hatten, was sie ihm angetan hatten. Und am allerschlimmsten würde das Wiedersehen mit dem Mädchen sein, das die treibende Kraft gewesen war. Mit den Jungs konnte er leben, doch die Demütigung, dem Mädchen zu begegnen, das als erstes gekommen war und auf ihn gepinkelt hatte, würde grauenhaft sein, davon war er ebenfalls fest überzeugt. Und auch das kam anders. Total anders. Sie hatte sich zu einer wunderbaren jungen Frau entwickelt. Ihr Blick ließ erkennen, daß sie diejenige war, die Schuld und Scham empfand, nicht er. Sie war die einzige, die überhaupt den verbotenen Teil der Vergangenheit berührte.

»Pfui Teufel, wie haben wir dich gequält«, war das erste, was sie sagte, und er konnte ihrem Blick begegnen, als sie es sagte. Und was er sah, war etwas *noch Schlimmeres*. Es war das erste Mal, daß er etwas Derartiges sah. Sein Blick ließ ihren den ganzen Abend über nicht los. Er saß da und las in der Tiefe der dunklen Augen ein Grauen jenseits allen Begreifens. Und in dem Augenblick wußte er, daß er alles wissen wollte. Wirklich alles.

Sie stand auf und trat ans Hotelfenster. Die Menschen begannen langsam nach Falkenberg zurückzukehren. Die Stadt war nicht mehr völlig verödet. Wenn sie ihn an ihrer Seite gehabt hätte, wäre es verlockend gewesen, in die Stadt zu gehen. Jetzt war es ihr ziemlich gleichgültig. Was war es, das sie so lange daran gehindert hatte, den Schritt zu tun? Zum erstenmal stieg ein Lichtstrahl aus der Vergangenheit auf. Es gab jemanden, zu dem sie ging, dem sie alles erzählen konnte, der zuhörte. Onkel Jubbe. Sie dachte an seine Miene, wie sein Gesicht sich in dieser speziellen Weise verfinsterte, an die Unbeholfenheit, mit der er ihr übers Haar strich, während sie dasaß und vollkommen lautlos schluchzte, wie seine Tränen auf ihr Haar fielen und langsam bis zur Kopfhaut durchsickerten. Aber am Ende genügte nicht einmal Onkel Jubbe. Sie schnitt sich die Pulsadern auf, nicht quer, sondern längs, nicht als Warnung, sondern als endgültige Lösung. Die alles andere als endgültig wurde. Sie bekam eine Einladung zu einem Klassentreffen, während sie im Krankenhaus lag. Es war wie ein Hohn. Als würde ihr die letzte Maske heruntergerissen und entblößte einen angefressenen Schädel. Das härteste Mädchen der Klasse. Ihre Handgelenke waren verheilt, doch sie weigerte sich, das Krankenhaus zu verlassen. Jeden Tag bat sie die Ärztin, eine neue Komplikation zu erfinden, und die Ärztin tat es, von Tag zu Tag mit besorgterer Miene. Schließlich war es nicht länger möglich. Sie ging auf das Klas-

189

senfest. Weit weg an der Bar des unerträglichen Golfclubs sah sie den, den sie am allerwenigsten treffen wollte, über den sie ihre Selbstverachtung ausgegossen hatte. Er sah so anders aus. So lebendig, wie neugeboren, und so furchtbar wunderbar, anders als alle anderen. Die waren alle gleich. Im selben Augenblick, in dem sie ihre ersten Worte äußerte, wußte sie, daß sie zusammengehörten.

Sie sagte: »Pfui Teufel, wie haben wir dich gequält.«

Der Rest ist, wie man sagt, Geschichte.

22

Sie hatten sich in Sundbergs Konditorei unten auf Järntorget verabredet. Sie war geöffnet, trotz des Mittsommertags. Sie nahm an, daß es wegen der Deutschen war. Nicht der Deutschen, die vor rund fünfhundert Jahren die Häuser um Järntorget herum gebaut hatten, sondern der Deutschen, die gerade an diesem Tag die Västerlånggata auf und ab schlenderten und sich fragten, warum alles geschlossen war. Sogar die Restaurants.

Jedoch nicht Sundbergs Konditorei, Schwedens ältestes Eßlokal. Das Lokal war proppevoll mit Deutschen, die Schutz vor dem Regen suchten. Es war nämlich ein reichlich trister Mittsommertag in Stockholm. Der wunderbare Sommer, der praktisch den ganzen Juni über schon angehalten hatte, war anscheinend vorüber. Der Regen fegte kreuz und quer durch Gamla Stan und spülte die Deutschen aus den Gassen. Die Glück hatten, strandeten in Sundbergs Konditorei.

Er saß eingepfercht im hintersten Teil des Lokals. Von Deutschen umzingelt.

Er winkte ihr leicht zu. Normalerweise, wenn man ein Treffen mit Party-Ragge, Kommissar Ragnar Hellberg, verabredet hatte, sprang er heftig auf, breit lächelnd, wild gestikulierend und laut tönend. So war es diesmal nicht. Nur dieses zurückhaltende Winken. Er trug ein verwaschenes grünes T-Shirt, Jeans und kaputte Sandalen; so kannte sie ihn nicht. Und sein dunkles, fast halblanges Haar, das sein Gesicht mit dem schwarzen Leninbärtchen umrahmte, hatte sie noch nie so ungepflegt gesehen. Unter den Augen hingen Andeutungen von Schwärze. Womit hatte er Mittsommer verbracht? Gearbeitet? Mit ›Verwaltungskram, kann man wohl sagen‹?

Sara Svenhagen fand, daß er jünger aussah, wenn er ernst war, knapp dreißig. Mit Männern im allgemeinen war es anders. Die sahen fast immer jünger aus, wenn sie lachten. Anderseits lachten sie ja nur, so richtig, wenn sie jung waren.

Ein kleines Paradoxon im Mittsommerregen.

Er saß ganz hinten neben einer Tür, von der sich rasch herausstellte, daß es die Toilettentür war. Sie schwang ständig hin und her. Sie schüttelte sich die Nässe ab und setzte sich mit einer simplen Tasse Kaffee neben ihn. Kein Kopenhagener. Es war sozusagen nicht angebracht.

»Hej, Sara«, sagte Ragnar Hellberg. »Alles in Ordnung?«

»Doch, alles okay. Ich fühle mich immer ein bißchen durcheinander, wenn ich mit einem von ihnen gesprochen habe. Sie scheinen auf einem anderen Planeten zu leben. In einem anderen Universum.«

»Wie wirkt er denn? Wie hieß er noch? Wirsén?«

»Wiréus«, sagte sie. »John Andreas Wiréus. Und er wirkt, tja, weggetreten. Hier und doch nicht hier. Wie in einer parallelen Existenz. Man redet mit ihm, aber er ist gar nicht da. Nicht richtig. Er wollte mich als Therapeutin. Ziemlich kaputt, aber auch ziemlich ungefährlich. Passiver Pädophiler, sagen wir mal. Hatte einen Haufen Pornokram. Machte aber vor allem Bilder. Massenweise anscheinend harmlose Bilder von seinem Fenster im Söder-Turm aus. Kinder auf Medborgarplatsen und Umgebung. Kaum kriminell.«

»Und hast du in seinen Computer gucken können?«

»Ja. Seine Angaben können wohl stimmen. Er scheint selbst keine Adressenlisten zu haben, und ebensowenig scheint er irgendwelche Bilder verschickt zu haben. Nur empfangen. *En masse.* Ich glaube, allein in seiner Mailbox waren fünfhundert Bilder. Ohne Absender, selbstverständlich, aber die sollten rauszukriegen sein. Wiréus ist unverschuldet auf einer Adressenliste gelandet. Vielleicht ist es kein Netzwerk.«

»Was sollte es denn dann sein?«

»Ich weiß nicht. Ich bin eigentlich keine Computerexpertin. Wir müssen wohl abwarten, was die Spezialisten sagen.«

»Es wäre mir am liebsten, wenn der Computer nicht dort landet.«

»Aber warum nicht?«

Ragnar Hellberg beugte sich vor. Sie sah, daß er seit einigen Tagen die Zähne nicht geputzt hatte.

»Ich könnte dir ganz einfach als dein Vorgesetzter von oben herab kommen und sagen: Das ist ein Befehl, und den hast du zu befolgen, und das war's. Aber das möchte ich nicht. Du sollst mir vertrauen. Laß uns das hier unter vier Augen handhaben. Ohne Außenstehende.«

Sie sah ihn prüfend an. Der junge Blitzkarrierekommissar. Der Partypolizist. So gedämpft. So ernst. Sie verstand nicht.

»Okay«, sagte sie. »Ich werde nicht fragen.«

»Ich weiß, daß du enorm was draufhast in diesen EDV-Dingen, Sara. Du kannst doch allein auch eine ganze Menge rauskriegen?«

»Vermutlich«, antwortete sie aufrichtig.

»Und was? Was ist es, wenn es kein Netzwerk ist?«

»Es ist eine Adressenliste. Sie offenbarte sich auf dieser flüchtigen Homepage am Donnerstag um neunzehn Uhr sechsunddreißig null sieben, für ein paar Sekunden. Die Webadresse habe ich. Aber sie wurde inaktuell in der gleichen Sekunde, in der sie sich offenbarte. Anonyme amerikanische Gratis-Site. Da ich überzeugt bin, daß Wiréus die Wahrheit sagt, glaube ich nicht, daß es ein Netzwerk ist, die Adressen kennen sich untereinander nicht, sie tauschen nicht in der sonst üblichen Weise Bilder aus. Die Liste ist eine Art und Weise, den Kreis zu erweitern, ohne etwas zu riskieren. Alle, die eine bestimmte Site besucht haben – die wir noch nicht kennen – werden mit Kinderpornobildern in Form von E-Mails bombardiert.«

»Ohne ihre E-Mail-Adresse hinterlassen zu haben?«

»Meines Erachtens ja. Man hat offenbar eine Methode gefunden, E-Mail-Adressen schnell zu identifizieren. Eine Methode, die für uns von großem Nutzen wäre. Weil ein sehr großer Teil derer, die eine anonyme E-Mail-Adresse haben möchten, via hotmail geht, glaube ich, daß das der Schlüssel ist. Man identifiziert im Schnellverfahren die Nummer des Anrufers, checkt sie ab gegen die hotmail-Besucher und findet eine Mail-Adresse. Wahrscheinlich geht es in ein paar Millisekunden. Ich bilde mir ein, daß es ein neues Verfahren ist.«

»Das bedeutet jedenfalls, daß die Gefahr einer Warnung nicht besteht? Wenn wir Wiréus freilassen oder ihn mit einem Anwalt sprechen lassen, wird er das Netzwerk nicht warnen?«

»Nein, weil es kein Netzwerk gibt, zu dem er Kontakt aufnehmen könnte. Natürlich kann man sich theoretisch vorstellen, daß er generelle Warnungen über die Kinderporno-Sites im Internet verschickt, doch das halte ich für unwahrscheinlich. Der bleibt in seinem Kleiderschrank. Aber ihn laufenzulassen ist wohl nicht angebracht?«

»Nein«, sagte Hellberg und lehnte sich zurück. »Nein, natürlich nicht. Das Kinderpornomaterial reicht. Und wir beschlagnahmen seinen Computer. Kannst du den mitnehmen zu dir nach Hause und daran arbeiten?«

»Ja. Wenn das denn nötig ist.«

»Ich muß darauf bestehen, daß es nötig ist, ja. Noch was?«

»Wiréus hatte ein Einmachglas mit unentwickelten Filmen. Und einen Film in der Kamera. Ist es okay, wenn ich die mit nach Hause nehme und sie entwickle? Kann ich mir im Lager eine Dunkelkammerausrüstung holen?«

»Kauf eine«, sagte Ragnar Hellberg. »Und gib mir die Quittung.«

»Keine Spuren?« sagte Sara Svenhagen und betrachtete ihren Chef.

»Keine Spuren«, nickte er.

23

Sonntag nachmittag. Zeit, das blutige Mittsommerfest zusammenzufassen. Ungewöhnlich viel Alkohol im Spiel. Ungewöhnlich viele Vergewaltigungen. Ungewöhnlich viele Körperverletzungen. Ungewöhnlich viel Mittsommer.

Aber das war nicht ihre Sache.

Paul Hjelm hoffte, daß das gestrige Treffen sich nicht wiederholen würde. Es war eine peinliche Angelegenheit. Zum einen war die halbe Gruppe abwesend, Söderstedt und Norlander in Kumla, Nyberg damit befaßt, die Reste seiner laufenden Kinderpornofälle zusammenzukratzen. Zum andern war der Ablauf wenig heroisch. Hultin kam durch seine einst so mystische Seitentür herein, knallte ein paar Papiere auf den Tisch, setzte sich und blickte in die Runde. Keiner in dieser wenig imponierenden Versammlung – Hjelm, Holm, Chavez – wollte anfangen. Alle würden trotzdem das gleiche sagen: daß nichts passiert war. Nicht einmal Hultin wollte dies offen sagen. Also gingen sie einfach wieder auseinander, ein wenig verdutzt.

Heute sahen die Voraussetzungen etwas besser aus. Alle waren anwesend, und das Mundwerk schien sich ein wenig gelockert zu haben. Es wurde nämlich geplaudert in der Kampfleitzentrale, ein dumpfes Murmeln.

Jan-Olov Hultin betrachtete sie durch seine Eulenbrille und ließ das Geplauder verstummen, indem er sagte: »Ich muß ein Geständnis ablegen.«

Eine ungewöhnliche Eröffnung. Er fuhr fort: »Ich habe Rajko Nedic gewarnt.«

Sie sahen sich an.

Chavez rümpfte die Nase, im übrigen unterblieben die Aufschreie.

»Ich hielt es für das Beste, ihn an die Kandare zu nehmen. Außerdem wollte ich mich ganz einfach vorstellen. Ich habe ihn in seiner Villa in Danderyd aufgesucht. Er feierte nicht Mittsommer. Dagegen machte er sich in einem Garten zu schaffen, der aussah wie der Garten Eden.«

»Kein Wunder«, sagte Söderstedt, »Eden liegt in Schweden.«

»Schweden liegt jenseits von Eden«, sprang Hjelm ihm literarisch zur Seite.

»Was hat er denn gesagt?« fragte Chavez.

»Nichts eigentlich«, sagte Hultin. »Er hat sich über die Akelei als Beweis für die Existenz Gottes ausgelassen. Und alles abgestritten.«

»Welch Wunder«, nuschelte Nyberg.

»Dann, meine Damen und Herren«, sagte Hultin. »Zeit, die Erfolge des Wochenendes zu präsentieren. Jemand, der sich bemüßigt fühlt?«

»Ich habe über etwas nachgedacht«, sagte Chavez. »Åkesson sagte draußen auf dem Schlachtplatz in Sickla etwas, was diese Blutspuren bei dem Kofferabdruck angeht. Es zeigte sich, daß es acht Spuren waren. Vier Jahre alte Reebok Größe 40.«

»Vier Jahre alt?« fragte Norlander erstaunt.

»Offensichtlich«, sagte Chavez und suchte in einem von Brynolf Svenhagens kriminaltechnischen Protokollen. Es gab inzwischen zahlreiche. Svenhagen befand sich in Ekstase. Die Protokolle überrollten sie. Karnevalsüberschwang.

»Man kann die Jahresmodelle unterscheiden«, sagte Kerstin Holm insider-schlau. »Die Sohlen sehen jedes Jahr anders aus.«

»Kommt zur Sache«, sagte Hultin.

»Erstens führen die Spuren in die falsche Richtung«, sagte Chavez. »Zweitens: Niklas Lindbergs Männer scheinen nicht von der Sorte zu sein, die schlampige Spuren in Blutlachen hinterlassen.«

»Sie waren schlampig genug, sich erschießen zu lassen«, sagte Hultin und zuckte mit den Schultern. »Die Hälfte von ihnen wurden von Männern erschossen, beziehungsweise angeschossen, die, soweit man es beurteilen kann, bereits gefilzt worden waren. Es ist denkbar, daß wir ihre Professionalität überschätzen. Und daß die Spuren in die falsche Richtung führten, besagt wohl nichts anderes, als daß derjenige, der den Koffer holte und ihn vom Blut seines Kumpans bespritzt fand, geschockt war. Er machte ein paar unbedachte Schritte in dem Blut. In die falsche Richtung. Dann hatte er das Blut von den Turnlatschen abgetreten. Er machte kehrt. Und kam zurück. Laßt uns nicht aus der Feder ein Huhn machen.«

»War nur eine Beobachtung«, murmelte Chavez und dachte an Korbflechten und andere anregende Aktivitäten für Pensionäre.

»Größe 40«, sagte Hjelm. »Ist das ein kleiner Mann? Oder eine Frau? Eskil Carlstedt hatte mindestens Größe 47.«

»46«, sagte Chavez, den Blick in Qvarfordts gerichtsmedizinischem Protokoll.

»Es gibt keine richtig regelmäßige Entsprechung von Schuhgröße und Körpergröße«, sagte Kerstin Holm. »Oder irgendeiner anderen anatomischen Größe …«

»Weiter?« sagte Hultin. »Kumla?«

Söderstedt und Norlander sahen sich an. Beide schienen dem anderen das Wort überlassen zu wollen.

Schließlich sagte Norlander: »Alle halten die Schnauze.«

»Nur weil du ständig allen erzählst, sie sollen die Schnauze halten«, sagte Söderstedt. »Ich mache dich persönlich für alle gehaltenen Schnauzen verantwortlich.«

»Schnauze«, sagte Norlander.

Söderstedt fuhr fort, von seiner eigenen Schlagfertigkeit

inspiriert: »Dem Wachpersonal zufolge gab es in Kumla eine Art Nazi-Clique. Nichts Neues unter der Sonne. Organisierte Verbrecher sind heutzutage anscheinend entweder Einwanderer oder Nazis. Vielleicht ist das, was wir in der Unterwelt beobachten, eine Art unschönes Vorspiel einer breiteren gesellschaftlichen Entwicklung. Oder eher eine deutlichere, weniger verdeckte Version der Polarisierung, die in der Gesellschaft immer greifbarer zutage tritt. Wie verhält es sich denn genaugenommen mit dem Rassismus, wenn wir einmal nachfragen. Wenn wir ein wenig an der Oberfläche kratzen. Im Moment brauchen wir nicht sonderlich beunruhigt zu sein, was nazistische Parteibildungen und dergleichen angeht; dagegen sollten wir wachsamer denn je den inneren Feind im Auge behalten. Also den Feind in uns selbst. Da scheinen sich die Haltungen verändert zu haben. Eine Sperre ist gelöst worden. Es ist nicht leicht zu erkennen, doch seit einigen Jahren zeigt sich ein Unterschied. Es scheint plötzlich bedeutend leichter geworden zu sein, andere Menschen als Objekte zu sehen. Als Nicht-Menschen. Als Menschen, die nicht das gleiche rote Blut haben wie wir. Ist die ethnische Säuberung im Kosovo und in Bosnien eine strikt innere, historische Angelegenheit des Balkan, oder hat sie trotz allem mit einer breiteren Veränderung der, tja, aufgeklärten Mentalität zu tun. Wie groß ist eigentlich der Schritt von da, daß man alle Einwanderer nach Rinkeby oder Hammarkullen oder Rosengård schickt, zu dem Punkt, daß man Menschen aus ihrer Heimat vertreibt?«

»Zurück zu Kumla«, sagte Hultin vollkommen neutral.

Söderstedt wechselte ohne größere Probleme die Spur. »Niklas Lindberg und Sven Joakim Bergwall gehörten beide zu dieser nazistischen Clique. Möglicherweise war Lindberg der führende Mann. Im übrigen haben wir so an die zwanzig Namen zusammengekratzt. Acht von diesen sind inzwischen entlassen. Möglicherweise ist unter den Räubern noch der eine oder andere von diesen acht Namen, doch das läßt sich im Moment nicht mit Bestimmtheit sagen. Drei der Entlassenen haben die Blutgruppe AB negativ, Christer Gullbrandsen, Dan Andersson und – echt – Ricky Martin. Andererseits gehörte ja ein junger Aufsteiger wie der Gebrauchtwagenverkäufer Eskil Carlstedt zur Räuberbande. Es allzufest mit dem Kumlabunker zu verknüpfen ist wohl ein Fehler. Ebenso fragt sich, wie zutreffend es ist, die Sache mit Nazis überhaupt zu verknüpfen. Nun gut. Wir haben mit mehreren der noch einsitzenden Mitglieder der Nazi-Clique gesprochen. Für die gilt Viggos lakonischer Kommentar uneingeschränkt: Alle halten die Schnauze. Unsere exjugoslawischen Freunde halten noch mehr die Schnauze. Keiner sagt etwas. Tun so, als könnten sie überhaupt kein Schwedisch. Dagegen lauschten sie sehr intensiv unserem Bericht über die Folterung von Lordan Vukotic. Und Göran Andersson hatte nichts mehr zu sagen. Dagegen erzählte er eine ganze Menge Interessantes über Fra Angelicos Spiel mit blauen Farbnuancen.«

»Weiter«, sagte Hultin.

»Ich habe mit Eskil Carlstedts Arbeitskollegen beim Fordhändler Kindwalls im Hammarbyhafen gesprochen«, sagte Kerstin Holm. »Außerdem mit seiner alten Mutter in Bromma. Dabei ergab sich das Bild eines Mannes mit ziemlich extremen Ansichten in Rassenfragen. Also die Nazi-Verbindung können wir in diesem Fall beibehalten. Auch Gewalttätigkeit ist mit im Bild. Die Kollegen erzählten von einer ziemlich erschreckenden Paintball-Runde, der Einleitung zu einem Betriebsfest, als zwei von ihnen im Schutz der Dunkelheit von Carlstedt verprügelt wurden. Er ist völlig ausgerastet. Ganz allgemein war er bei seinen Kollegen nicht besonders beliebt. Ein Eigenbrötler, sagten mehrere, unmöglich, an ihn ranzukommen. Dagegen war er ein besserer Autoverkäufer als alle anderen. Total souverän. Als Sven Joakim Bergwall Carlstedt dazu brachte, im *Kvarnen* sitzen zu bleiben, verließ er sich auf dessen Autoverkäuferschnauze. Und jetzt sind sie beide tot. Das ganze Vertrauen vergeblich. Außerdem haben wir versucht, die Zeugen aus dem *Kvarnen* noch einmal zu befragen, und zwar um eine genauere Beschreibung des angeblichen Polizisten zu bekommen, der mit der Gang 1 zusammensaß. Die Information über seine Existenz kam ja so spät, daß wir keine Möglichkeit hatten, vorher danach zu fragen. Die meisten Zeugen waren über Mittsommer aus der Stadt geflohen, und diejenigen, die dageblieben waren, hatten nichts Vernünftiges zu sagen. Wir haben also keinerlei Personenbeschreibung des ›Polizisten‹. Das gleiche gilt im großen und ganzen für Gang 2. Alle erinnern sich deutlich an Carlstedt, den breiten Mann mit dem rasierten Kopf und dem Schnauzbart. Als wir ihnen ein Foto von Bergwall zeigten, meinten einige, ihn zu kennen. Jemand redete von einem Mann mit einem lila Gesicht. Der Mann mit dem Ohrstöpsel war weder Carlstedt noch Bergwall. Man kann das so interpretieren, daß der Techniker der Gang noch bei guter Gesundheit ist.«

»Apropos Techniker, so haben unsere eigenen sich Eskil Carlstedts Festplatte vorgenommen«, übernahm Hjelm und schaute in ein weiteres kriminaltechnisches Protokoll. »Das Problem war, sie war leer. Also wirklich leer. Was bedeutet, daß sie neu war. Der Computer war nicht neu, aber die Festplatte war neu. Allem Anschein nach unseretwegen ausgetauscht. Was wieder ein bißchen stärker für eine gewisse Professionalität spricht. Noch in der Nacht, bevor Carlstedt kam und sich von uns vernehmen ließ, derselben Nacht, in der sie die Vernehmung vorbereiteten, dürfte die Festplatte ausgetauscht worden sein. Sie sahen voraus, daß wir zu Besuch kommen würden. Den ganzen Computer zu verschrotten war ihnen zu riskant. Irgend jemand findet immer einen verschrotteten Computer. Also tauschte man die Festplatte aus, um keine Spuren zu hinterlassen. Was heißt, daß es auf der Festplatte Spuren gab, mit gewisser Wahrscheinlichkeit rassistischen Charakters. Wir haben jetzt eine ausgetauschte Festplatte, eine ausgefeilte Abhörvorrichtung im *Kvarnen* und zwei äußerst subtile Bomben. Technologische Kompetenz dürfte vorhanden sein.«

»Kann man heutzutage noch Verbrechen begehen, ohne

über technologische Kompetenz zu verfügen?« fragte der technologisch orientierte Chavez.

»Fleischmesser und Penisse sind immer noch populäre Verbrechenswerkzeuge«, sagte die weniger technologisch orientierte Kerstin Holm. »Besonders letztere haben viele Jahrtausende ausgezeichnet als Verbrechenswerkzeug funktioniert.«

Eine Weile war es still. Alle schienen an ihren Penis als potentielles Verbrechenswerkzeug zu denken. Kerstin Holm lachte sich ins Fäustchen.

»Das ist wohl auch eine Art Technik«, sagte Hultin schließlich.

»Was die beiden subtilen Bomben betrifft«, sagte Norlander und ließ seinen Blick einen Moment auf Kerstin Holms selbigen verweilen. »In einem von Svenhagens Protokollen habe ich endlich ein wenig Information darüber gefunden. Es handelt sich um eine hochexplosive und hochkonzentrierte Flüssigkeit, Typ Nitroglyzerin, aber effektiver und leichter zu handhaben. Sie wird ausschließlich durch Elektrizität gezündet, nicht durch Hitze, nicht durch Stöße, nur durch diesen kleinen Mikroauslöser, der einen kurzen, starken Stromstoß durch die Flüssigkeit schickt und sie zur Explosion bringt. Funktioniert ausgezeichnet mit Fernbedienung, wie wir gesehen haben. Es ist ein Sprengstoff, der in Schweden bisher nicht angewendet worden ist, aber es gibt gewisse Hinweise auf ähnliche Sprengstoffe in den USA. Sie haben bisher jedoch noch keinen Namen für das Zeug gefunden.«

»Möglicherweise können wir annehmen, daß Niklas Lindbergs Lager noch nicht geleert ist«, sagte Chavez. »Wollt ihr übrigens ein bißchen mehr über Lindberg hören? Ich widme ihm im Augenblick mein Leben. Habe in allen denkbaren Registern gesucht und eine ganze Reihe seiner früheren Freunde und Kollegen telefonisch interviewt und sogar eine Spritztour nach Trollhättan gemacht, um mit seinen Eltern und seiner geschiedenen Frau zu sprechen. Er war kurze Zeit dort verheiratet, als er noch in Trollhättan wohnte, obwohl er meistens bei Manövern und im UN-Dienst auf Zypern war.

Etwa zur gleichen Zeit, als die Ehe in die Brüche ging, verließ er die Armee und wurde Fremdenlegionär. Man kann das anscheinend immer noch werden. Seine Exfrau heißt immer noch Lindberg, was vielleicht den Schluß zuläßt, daß es sich nicht um eine Scheidung im Haß handelte. So hat es sich auch nicht angehört. Sie hatte es satt, daß er ständig weg war, sie hatte Liebhaber, er Geliebte unter den Krankenschwestern auf Zypern. Allgemein beliebt bei Frauen. Aber fangen wir von vorn an: Niklas Lindberg wurde im Januar 1965 geboren und machte am naturwissenschaftlichen Zweig des Gymnasiums in Trollhättan 1983 sein Abitur mit sehr guten Noten, trat 1985 seinen Wehrdienst als Gebirgsjäger an, bekam Bestnoten, begann die Offiziersausbildung im Herbst 1986, war 1988 Kadett in Boden, war 1990 und 1992 als Offizier auf Zypern, stieg durch die Dienstgrade aufwärts und war bei seinem Absprung 1994 gerade Major bei den Gebirgsjägern in Arvidsjaur geworden. Major mit neunundzwanzig, ist das nicht ziemlich gut?«

»Doch«, sagte Hultin. »Das ist ziemlich gut.«

»Ein paar Kumpels aus der Zeit am Gymnasium sprechen von einem immer zum Feiern aufgelegten jungen Burschen, bei dem alles glattlief«, fuhr Chavez fort. »Oberwassertyp. Mit Goldkrone, kann man vielleicht sagen. Frauen *en masse.* Das mit den Gebirgsjägern verstanden seine Kumpels hauptsächlich so, daß er unbedingt auch bei der Musterung gut abschneiden wollte. Er mußte immer gute Noten bekommen. Seine Kumpels haben das nicht ernst genommen. Er hatte überhaupt nichts Militärisches an sich. Er scheint seinen Militärdienst nicht mit der Absicht angetreten zu haben, eine Offiziersausbildung zu machen. Und seine Jugend scheint auf eine angenehme Weise kleinstädtisch-kleinbürgerlich gewesen zu sein. Die Eltern machen einen angenehmen Eindruck. Ein prima Paar, kann man wohl sagen. Studienrat und Arbeitstherapeutin. Keine rassistischen Tendenzen, und das spüre ich intuitiv, könnt ihr mir glauben. Sie erzählten von einem kleinen Blondschopf, der immer auf den Füßen landete, immer fröhlich war, sich immer der Schwächeren annahm. Die Kindheitsfotos lassen nichts anderes erkennen. Die Eltern waren wirklich maßlos traurig über seine Entwicklung zum Gewaltverbrecher. Eine tiefe und echte Trauer. Er wohnte noch eine Zeitlang in Trollhättan, nachdem er Offizier geworden war, heiratete eine Flamme aus seiner Kindheit und scheint so ein makelloses Bürschchen gewesen zu sein. Smart, hübsch, nett. Dann war da also eine Krise im Zusammenhang mit der Scheidung vor fünf Jahren. Im Frühjahr 1994. Ein kritischer Punkt. Ich habe mit zwei seiner Vorgesetzten in Arvidsjaur gesprochen, und keiner verstand, warum er aufgehört hat. Es gab keinerlei Klagen, von keiner Seite. Er sagte einfach Stopp und trat sofort in die Fremdenlegion ein. Zwei Wochen nach seinem Absprung. Es muß also gut vorbereitet gewesen sein. Warum? Ich habe keinen Kollegen aus seiner Zeit bei der Fremdenlegion auftreiben können, sie sind ja so ein bißchen geheimnistuerisch, aber ich versuche es weiter. Er hörte auf jeden Fall nach einem Jahr auf, fuhr nach Stockholm und war an einem mißglückten Bombenanschlag auf ein kurdisches Kulturzentrum beteiligt. Es hatte ein Fest stattgefunden, und die Bombe ging hoch, als alle schon gegangen waren. Es zeigte sich, daß der Zeitzündemechanismus nicht richtig funktioniert hatte. Es war also wirklich geplant, die Bombe mitten während des Festes hochgehen zu lassen. Und sie war stark genug, um viele, sehr viele Menschen zu töten. Es wurde allgemein vermutet, daß Lindberg persönlich hinter der Bombe steckte, aber es ließ sich ihm nichts nachweisen. Dagegen bestand kein Zweifel daran, daß er am Tag danach bei einer kurdischen Demonstration im Solna Centrum zwei Kurden schwer mißhandelte. Die Ermittlungen ergaben, daß er gute Kontakte zu Nazi-Organisationen in Schweden und in den USA und wahrscheinlich noch anderswohin hatte. Man kann also vermuten, daß seinem Ausscheiden aus der Armee irgendeine Art von nazistischer Bekehrung zugrunde lag.«

»Trotzdem klingt das mit der Fremdenlegion recht komisch«, meinte Hjelm. »Ist das nicht gerade eine wirklich multikulturelle Armee?«

»Vielleicht entdeckte er das«, sagte Chavez und zuckte die Schultern. »Aber er hatte einen Einjahresvertrag. Alles, was er wollte, war, ernstlich in den Krieg zu ziehen. Und vielleicht hat die Zeit unter all den Kanaken gereicht, um seinen Rassenhaß in ungeahnte Dimensionen zu treiben. Nun denn. Aus den Gesprächen mit beteiligten Polizisten und Juristen geht das Bild eines ungewöhnlich eiskalten Gewalttäters mit einer großen Vorliebe für Bomben hervor. Akuter Empathiemangel, hat selbst sein Verteidiger inoffiziell gesagt.«

»Er will immer der Beste sein«, sagte Kerstin Holm nachdenklich. »Kann es sein, daß er wirklich den Mann *herausfordert*, den er für den besten hält? Schwedens cleversten Drogenhändler Rajko Nedic? Der ja außerdem ein ungewöhnlich gut assimilierter Kanake ist.«

»Es gibt eigentlich nur *einen* besser assimilierten«, sagte Jorge Chavez und warf sich in die Brust. »Schwedens bestausgebildeten Polizisten.«

»Jetzt wollen wir mal hübsch auf dem Teppich bleiben«, sagte Hultin neutral. »Hat sonst noch jemand was?«

»Ein merkwürdiges Detail, das vielleicht nicht so wichtig ist«, sagte Viggo Norlander, begraben unter Protokollen, aus denen er eines heraussuchte. »Der Bericht der Spurensicherung vom Tatort in Sickla. Die Toten, Bergwall und Carlstedt, hatten ja schwarze Gesichtsmasken derselben Marke. Eine ganze Menge schwarzer Fasern von anderen solchen Mützen sind am Ort gefunden worden. Aber auch ein paar goldene.«

»Goldene?« stieß ein unkoordinierter Chor aus.

Chavez lächelte und sagte: »Aha. Der Goldgekrönte …«

»Wovon redest du?« fragte Hultin irritiert.

»Ist es denkbar, daß Niklas Lindberg seine Überlegenheit gegenüber den Kollegen mittels einer Gesichtsmaske aus Gold demonstriert?«

In der Kampfleitzentrale trat eine allgemeine Pause ein. Plötzlich hatten sie das Gefühl, Niklas Lindberg bedeutend besser zu kennen.

»Natürlich ist das denkbar«, nickte Hultin.

Und nach einer weiteren Pause fuhr er fort: »Wie kommst du voran, Gunnar?«

Gunnar Nyberg hatte sich ganz still verhalten. Er saß zwischen den Stühlen. War dies hier seine Gruppe? Oder waren es Sara Svenhagen, Ludvig Johnsson, Ragnar Hellberg und die anderen? Er fühlte sich gespalten. »Ich habe mich im Internet umgesehen«, sagte er. »Bin munter zwischen Pädophilen-Sites und Nazi-Sites hin und her gehüpft und habe mich nicht entscheiden können, wohin ich gehöre. Ich fange auf jeden Fall an, ein Gefühl für den Umfang verschiedener geheimer Netzwerke zu entwickeln. Und dafür, wie sie sich explosionsartig ausgeweitet haben, seit das Wort Internet in aller Munde ist. Aber Lindberg finde ich nicht im Netz. Auch Carlstedt nicht, außer als Verkäufer bei Kindwalls. Bergwalls Name erscheint auf gewissen rassistischen Homepages. Er scheint der Ideologe der Gang gewesen zu sein.«

»Jetzt sind sie ideologisch verwaist«, sagte Söderstedt.

»Aber deswegen nicht weniger gefährlich«, sagte Hultin. »Wir machen weiter wie bisher. Und vergeßt nicht, daß morgen nachmittag ein kleines Fest aus Anlaß der bevorstehenden Polizeiolympiade stattfindet, der World Police and Fire Games, die Mitte Juli vom Stapel läuft. Die haben jede Unterstützung verdient. Um sechzehn Uhr im Festsaal der Reichspolizeibehörde in der Polhemsgata. Ihr seid Ehrengäste. Waldemar Mörner hat in seiner subtilen Weise mitgeteilt, daß ihr dahin abkommandiert seid. Wer fehlt, fliegt, mit – ich zitiere – ›dem Arsch zuerst‹.«

»Ein Glück, daß die Prioritäten glasklar sind«, sagte Hjelm.

24

Vierhunderteins. Eine Eingravierung auf einem kleinen Schild am oberen Ende eines Schlüssels, der leicht zitterte. Das hatte er inzwischen einige Male getan. Bald würde er wahrscheinlich aufhören zu zittern. Es würde Routine werden.

Er hatte sich sogar ein kleines Ritual geschaffen.

Vierhunderteins, leichter geht keins, reimte er, drückte den Schlüssel hinein und drehte ihn um.

Nein. Er drehte ihn nicht um. Es ging nicht. Es war das erste Mal, daß der Schlüssel überhaupt hineinging. Schon ein bißchen komisch, dachte er, als er den Zettel aus der Tasche zog und ein Zeichen darauf machte. Warum ging der Schlüssel hinein? Hieß es, daß das Fach bei der Föreningssparbank war? Vielleicht. Doch das änderte nichts. Es mußte auf jeden Fall alles kontrolliert werden. Jeder Posten auf der Liste mußte abgehakt werden.

Jeder Posten. Jede Bank. Und die Posten waren Banken. Und die Banken waren Posten.

Die Postbank, dachte er zerstreut und ging hinüber zur SE-Bank auf der anderen Straßenseite.

Vierhunderteins, leichter geht keins.

Die Frau war Sommeraushilfe bei Systembolaget, im Moment war sie allein im Laden. Montag. Guter Tag, um anzufangen. Ruhig. Hauptsächlich Bestellnummer eins. Klarer Schnaps. Aber wenn jetzt ein Volltrottel hereinkäme und nach einem französischen Wein mit Namen Château Montpelliermontreusechargot Jahrgang 1991 verlangte, wäre sie aufgeschmissen. Sie war ein bißchen nervös. Der einzige Kunde war gerade auf dem Weg nach draußen. Ein anderer kam herein. Ein junger Mann mit einer kleinen Mütze in der Sommerhitze. Ein gewisses Château Montpelliermontreusechargot-Risiko war nicht auszuschließen. Auf jeden Fall nicht Bestellnummer eins.

Nein, nicht Bestellnummer eins. Aber auch nicht Château Montpelliermontreusechargot, sondern eine Pistole vor ihrer Nase.

Sie leerte die Kassen in einer Minute, und als der Mann den Laden verließ, trug er sechstausendneunhundertvierundzwanzig Kronen in einer System-Tragetüte bei sich.

Sie selbst lag ohnmächtig auf dem Fußboden.

Vierhunderteins. War das nicht ein Dartspiel?

Nein, Fünfhunderteins hieß das. Und es gehörte in ein ganz anderes Buch.

Sie hob den Schlüssel und seufzte. Sie dachte nach. Sie versuchte, die Wahrscheinlichkeit zu berechnen, daß genau dies das richtige Bankfach war. Verschwindend klein, dachte sie. Vernachlässigbar, dachte sie.

Der Schlüssel paßte nicht hinein.

Hoppla, das war unerwartet.

Sie stöhnte und dachte über Methoden nach. War dies wirklich die beste Methode? Und wie zuverlässig war sie?

Also dann. Alle Banken in Kinna abgehakt.

Next stop Borås.

Da würde es wohl Vierhunderteinser geben.

Doch erst der Kontakt. Es hatte gut funktioniert bisher. Er war gewissermaßen die ganze Zeit bei ihr. Der Vorteil des Internets. Aber auch der Nachteil.

Die virtuelle Nähe.

»Nichts?« fragte Niklas Lindberg. Er hatte es langsam satt zu fragen.

›Kulan‹ schüttelte den Kopf.

»Könnte es sein, daß der Apparat ganz einfach den Geist aufgegeben hat?« fuhr Lindberg fort.

»Er lebt«, sagte ›Kulan‹. »Und wir müssen es so verstehen, daß wir weiter in nördlicher Richtung fahren müssen. Der letzte Kontakt war in Skillingaryd. Die Kontakte haben gezeigt, daß wir ungefähr das gleiche Tempo hielten. Dann sind wir etwas schneller geworden. Wenn sie bis Helsingborg weitergefahren wären, hätten wir irgendwo unterwegs ein neues Signal empfangen müssen. Das einzige, was ich mir denken kann, ist, daß sie irgendwo zwischen Värnamo und Örkelljunga abgebogen sind. Also arbeiten wir uns wieder nach Norden.«

»Wo sind wir jetzt?« stöhnte Danne aus dem Laderaum. Er sah blasser und blasser aus. Würde er es wirklich schaffen? War es an der Zeit, sich ein bißchen mehr ins Zeug zu legen und ihn teilnehmen zu lassen? Ein etwas größerer Raub vielleicht?

In diesem Moment kam Rogge zurück und setzte sich auf den Fahrersitz.

»Gutgegangen?«

Rogge nickte, reichte eine Konsumtüte nach hinten und drehte den Zündschlüssel um. Niklas Lindberg schaute in die Tüte, während der Wagen auf die E 6 hinausschoß.

»Gut«, sagte er.

»Gut?« sagte Rogge und trat aufs Gas. »Gut? Da sind mindestens zwanzigtausend drin.«

»Eine leichte Überbewertung der Leistung. Aber okay. Ausgezeichnet.«

»Das hört sich schon besser an«, sagte Rogge.

»Kann denn kein Schwein sagen, wo wir sind?« schrie Danne. Es klang fast wie ein Röcheln. Er verlor die ganze Zeit Blut.

»Ängelholm«, sagte ›Kulan‹ und drehte an seinen Rädchen. Der Große wedelte so verächtlich mit dem Zeigefinger. Er würde nie auf die Idee kommen, so etwas privat zu tun. Es waren zwei verschiedene Rollen, zwei Hauptrollen, und die bargen viele Nebenrollen in sich. Ljubomir fragte sich, wie viele es gab. Der Große war ein Füllhorn von Rollen.

Ljubomir schlenderte auf den Schreibtisch zu. Auf dem Weg dahin versuchte er, den wedelnden Zeigefinger zu übersehen – er konnte nicht behaupten, daß er ihm gefiel. Statt dessen heftete er den Blick auf den großen elektronischen Globus. Er hatte ihn noch nie in Funktion gesehen. Er war bestimmt beeindruckend. Auf den Fluren hieß es, daß der Große ein paar Orte auf dem Computer eingab und daß unmittelbar die besten Transportwege für Drogen zwischen diesen Orten auf dem Globus aufleuchteten. Aber er wußte es nicht. Er hatte es in Wirklichkeit nie gesehen.

Ljubomir hatte den Schreibtisch erreicht. Der Große fixierte ihn. Mehr als gewöhnlich. Jetzt würde etwas kommen. Irgendeine Art von Loyalitätstest. Schon wieder.

»Hast du etwas zustande gebracht?« fragte der Große.

Etwas zustande gebracht, dachte Ljubomir.

»Nicht direkt«, sagte er. »Die Polizei behauptet zu wissen, wer sie sind. Dann sind es wohl Schweden. Irgendeine Bande. Man hat Zoran, Petar und Risto in Kumla verhört. Es war ein weißer Bulle, der von Nazis geredet hat.«

»Ein *weißer* Bulle? Sind sie nicht alle weiß?«

»Weißhaarig. Vollkommen weiße Haut.«

»Genaueres?«

»Ich weiß nicht, wie er heißt. Der andere hatte stigmatisierte Hände. Unheimlich, wie Petar sagte. Seltsame Wiederkunft des Herrn Jesus Christus.«

»*Nazis*, und Genaueres?«

»Weiß nicht. Ich muß noch mal bei Zoran nachfragen.«

»Zum Teufel, ›weiß nicht‹! Es ist dein Job, zu wissen. Es geht um den Mann, der Lordan getötet hat, und du sagst ›weiß nicht‹. Streng dich mal ein bißchen an, Ljubomir, sonst muß ich dich austauschen.«

»Entschuldigung.«

»Sag nicht Entschuldigung. Wie läuft die Beobachtung?«

»Sie haben mitgeteilt, daß alles ruhig ist. Keiner mit unserem Koffer ist in die Bank gegangen. Es ist schwieriger, wenn sie den Koffer haben verschwinden lassen. Aber am Fach ist niemand gewesen. So viel wissen wir.«

»›Sie haben mitgeteilt‹? Bist du nicht dagewesen?«

Ljubomir schwieg.

Es war ein stiller Trotz. Er dachte nicht daran, dorthin zu gehen. Er weigerte sich, zu *diesem Ort* zu gehen. Da ver-

lief seine Grenze. Und die gedachte er nicht zu überschrei-
ten.

Der Große sah es. Er sah es in Ljubomirs Augen. Und er
ließ es dabei bewenden. Fürs erste. »Jaja«, sagte der Große
und wedelte wieder mit dem Zeigefinger. Allerdings in die
andere Richtung.

Das hieß ›verschwinde jetzt‹, das hatte Ljubomir gelernt.

Die Geste machte der Große privat nie.

Aber privat war er nicht der Große.

Privat war er der Jugendfreund Rajko aus dem kleinen
Bergdorf im östlichen Serbien.

Vierhunderteins. Nein, verflucht. Hier hörten die Nummern
bei zweihundert auf. Kleine Scheißbank. Puuh.

Und es wurde ein Trott. Wie ein Job von neun bis fünf.

Oder wie es nun war. Er hatte nie einen gehabt.

Vierhunderteins, leichter geht keins.

Er hörte, wie es hohl zwischen den Reimwörtern hallte.

25

Partytime! Montag, der 28. Juni, vier Uhr, und alle fühlten
sich überhaupt nicht in Stimmung für die obligatorische PR-
Party aus Anlaß der bevorstehenden World Police and Fire
Games. Diese sogenannte Polizeiolympiade sollte vom sechzehnten bis vierundzwanzigsten Juli stattfinden und am Samstag, dem siebzehnten, feierlich in Stockholms Stadion eröffnet
werden. Zwölftausend Polizisten, Feuerwehrleute, Zollbeamte und Strafvollzugsbeamte aus der ganzen Welt sollten in
achtundsechzig Sportarten gegeneinander antreten. Eintau-

sendneunhundert Medaillen sollten vergeben werden. Es sollte Stockholms größtes Sportfest aller Zeiten werden. Die Olympischen Spiele 1912 und die Fußball-Europameisterschaft 1992 eingerechnet.

Paul Hjelm hatte gewisse Probleme damit, den Charme darin zu erkennen, alle diese mehr oder weniger mittelmäßigen Sportler in Aktion zu sehen. Es roch nach dem Club für gegenseitige Bewunderung. Falls man nicht einen Freund oder Verwandten unter den Teilnehmern hatte, konnte es nicht viel interessanter sein, als bei einem Fußballspiel der sechsten Liga zuzuschauen.

Doch das war eine Geschmacksfrage.

Es gab andere Probleme, und das waren keine Geschmacksfragen.

In den letzten Tagen hatten die Medien etwas an die Öffentlichkeit gebracht, was intern alle schon wußten: daß die Finanzen ein einziges Chaos waren. Die finanziell Verantwortlichen für die World Police and Fire Games hatten der Stadt Stockholm die haarsträubendsten Jubelkalkulationen präsentiert – und mit Hilfe schwer erklärbarer PR-Reisen an diverse Ferienorte das Budget weit über den Rand des Konkurses hinausgetrieben. Stockholms Steuerzahler waren gezwungen, mit großen Summen einzuspringen, damit die dreißigtausend ausländischen Besucher nicht lediglich zur Eröffnung des Konkursverfahrens der havarierten Veranstaltungsgesellschaft anreisten.

Und jetzt sollte es ein Fest geben. Ein PR-Fest für diese gloriose Veranstaltung. Während die Schlächter von Sickla noch auf freiem Fuß waren. Es war ein wenig bedrückend.

Hjelm betrachtete die Rückenansicht einer Kellnerin. Sie verschwand soeben durch die Tür des Vernehmungsraums, in dem alle Vernehmungen, die das *Kvarnen* betrafen, stattgefunden hatten. Sie war, wie es so schön hieß, das letzte Vernehmungsobjekt dieses Tages: die chinesische Kellnerin, die am dreiundzwanzigsten Juni im Restaurant *Kvarnen* Gang 1 und den ›Polizisten‹ bedient hatte. Sie konnten ihr keine Fotos von 1 A und 1 B zeigen – das eine Gesicht zersprengt, das andere von Kugeln durchsiebt –, aber 1 C sollte sie sich ansehen. Sie hatten versucht, ihn lebendig aussehen zu lassen. Ohne großen Erfolg. Die Kellnerin schrie geschockt auf.

Als sie sich wieder gefaßt hatte, nickte sie und flüsterte: »Doch. Ich glaube, der war dabei.«

Nach dem ›Polizisten‹ befragt, sagte sie: »An den erinnere ich mich nicht so gut. Verglichen mit den anderen war er ziemlich unansehnlich. Die anderen waren finstere Burschen, so viel kann ich sagen. Ich glaube, er hatte dunkle Haare, war nicht so alt, nicht über vierzig.«

Und jetzt war sie fort. Eine Rückenansicht, die schnell aus dem Bewußtsein verschwand.

Hjelm schaute Holm an. »Na, wollen wir einen auf Party, Party machen?« sagte er und fuchtelte albern mit den Armen herum.

Sie betrachtete ihn nachsichtig. »Polizeiolympiade«, sagte sie und zog die kleine schwarze Lederjacke über ihr schwarzes T-Shirt. Mit ihrem Tonfall war nicht zu spaßen.

»Denk positiv«, sagte Hjelm und zog sein lottriges Leinenjackett über. »Es soll freien Schnaps geben.«

»Und wie jedermann weiß, gehören Sport und Schnaps untrennbar zusammen.«

»Sport, Schnaps, Korruption, Doping, Sauerstoffzelt und Bingo.«

Sie gingen durchs Polizeipräsidium. In den letzten Tagen war es gespenstisch leer gewesen. Und öde. Das öde Haus. Von Gott und den Menschen vergessen. Eine Ruine von Caspar David Friedrich. Heute war ein wenig mehr Leben in der Bude. Doch nur ein wenig. Die erste echte Ferienwoche hatte angefangen.

Ferien, dachte Kerstin Holm. So etwas hatten andere.

Sie selbst hatte eben erst angefangen, sich wieder an Stockholm zu gewöhnen. Die Zeit in Göteborg war nicht so glücklich gewesen. Man hatte sie an ihren alten Polizeibezirk ausgeliehen, wo auch ihr Ex arbeitete. Ihr früherer Mann. Die Kälte zwischen den beiden hatte schließlich die ganze Polizeiwache mit Rauhreif überzogen, so daß sie gehen mußte. Weiter. In einen Vorortbezirk. Angered. Viel Trubel und wenig Stimulanz. Sie schuf Ordnung unter Ganoven, die sie auslachten. Sie Oberklassen-Bullenhure nannten und ihr ähnliche Freundlichkeiten an den Kopf warfen. Sie kam nicht einmal auf die Idee, Kontakt mit ihrem alten Kirchenchor in Haga aufzunehmen. Sie war ja nur *ausgeliehen*. Jeden Augenblick konnte sie nach Stockholm zurückgerufen werden. Sie bekam ein Gefühl dafür, wie es den Sportprofis erging. Vom einen Tag auf den nächsten konnte man vom einen Ende des Kontinents zum anderen geworfen werden. Der Unterschied war – wieder einmal – das Gehalt. Für die richtige Anzahl von Millionen kann man sich vorstellen, auch ein wenig zu leiden. Jetzt war sie jedenfalls wieder zurück in Stockholm. Hatte eine Zweizimmerwohnung mitten in der City ergattert. In der Regeringsgata. Fühlte ihre Lebensgeister zurückkehren. Hatte angefangen, ein wenig waghalsig durch die Innenstadt zu joggen. Sang wieder im Kirchenchor. Kurz, sie hatte wieder Wasser unter dem Kiel. Aber PR-Fest bei der Reichspolizeibehörde? Naja. Wenn das nicht eher ans Kielschwein denken ließ. Oder, noch schlimmer, ans Kielholen.

Sie kamen zu den Zimmern der A-Gruppe. Hultin war weg, Söderstedt war weg, Norlander war weg, Nyberg war weg. Chavez war noch da. Er saß am Computer und hackte auf die Tastatur ein.

»Zehn nach«, sagte Hjelm und hackte seinerseits auf die Uhr ein. »Denk dran: ›mit dem Arsch zuerst‹.«

Chavez blickte auf wie aus einer anderen Welt. Er starrte sie mit leerem Blick an. Seine Augen sahen aus wie zwei Computerbildschirme.

»Die Gesundheit in Person«, sagte Kerstin Holm und lachte.

»Verflucht«, sagte Chavez verwirrt. »Wieviel Uhr ist es?«

»Soll das festliche Kleidung sein?« sagte Hjelm.

Chavez schaute an sich hinunter. Im Sommerhalbjahr trug er immer einen höchst unansehnlichen, ständig verknitterten

Leinenanzug. Hjelm mußte zugeben, daß er ihn nachgeäfft hatte, allerdings nur, was das Jackett betraf. Unten mußten Jeans oder Shorts reichen. Jetzt waren es Jeans.

Kurz: Keiner von ihnen war festlich gekleidet.

Während Kerstin immer richtig gekleidet war, darin waren die beiden Männer sich einig. Ein imponierendes Geschick, stets gut gekleidet auszusehen, egal, was sie anhatte. Im gleichen Moment fragten sich die beiden, ob es frauendiskriminierend war, so zu denken.

»Wobei warst du denn gerade?« fragte sie.

»Ja du«, sagte er, gab noch ein paar abschließende Befehle ein und zog sein Jackett über. »Ich war dabei, alles zu lesen, was es im Internet über die Sicklaschlacht gibt. Ich habe einen Chat gefunden, der sich ausschließlich mit der Sicklaschlacht befaßt. Der Sickla-Chat.«

»Wie FASK?« fragte Hjelm.

»Ja, genau. Fans of American Serial Killers. Eine muntere Vereinigung.«

»Aha«, sagten Jalm & Halm und wechselten vielsagende Blicke.

Chavez betrachtete sie verwundert, während sie in den Gang hinaustraten. Sie waren so eingespielt, in ganz anderer Weise als er und Hjelm. Nicht wie zwei gutfunktionierende Polizisten etwas unterschiedlicher Generationen, sondern wie, ja, wie Yin und Yang.

»Doch«, sagte er. »Es gibt eine Diskussion über Sickla, im ganzen Lande. Und diese Diskussion ist nicht ganz frei von rassistischen Aspekten, soviel kann ich sagen. Ihr könnt morgen früh eine Abschrift des ganzen Chats bekommen, wenn ihr wollt. Sehr informativ.«

Er betrachtete sie verstohlen, während sie ihre Wanderung durch die labyrinthischen Gänge des Polizeipräsidiums fortsetzten. Er konnte nicht umhin, sich zu fragen, was wohl geschehen war, als sie zusammen in den USA waren. Sie waren einander auf eine Art und Weise nahe, die voraussetzt, daß Intimitäten vorgekommen sind. Und dann ging er weiter zurück in der Geschichte. Gab es nicht schon früher, während der Jagd auf den Machtmörder, eine Reihe überschener Zeichen? Kleine, unmerkliche Berührungen? Vielsagende Blicke? Insgeheim angedeutete Fürsorge? In der Mauer, die er so sorgfältig zwischen seinem professionellen und seinem privaten Leben errichtet zu haben glaubte – auf der einen Seite die Arbeit, auf der anderen Seite die Musik, der Jazz, der Baß, und die Frauen –, offenbarte sich ein Riß. Als er Hjelm und Holm bei ihrem entspannten Zwiegespräch auf dem Weg durch die Gänge beobachtete, dachte er zu seiner eigenen Verwunderung: Vielleicht verpaßt man etwas Wesentliches als Polizist, wenn man seine Privatsphäre nicht einbezieht? Vielleicht sind all die kleinen Einverständnisse und Fürsorglichkeiten und vorausschauenden Bemühungen, die man einsetzt, um eine Liebesbeziehung zu entwickeln und zusammenzuhalten, tatsächlich nötig, um ein wirklich guter Polizist zu werden? Auch wenn er es sich nicht gern eingestand, war Paul Hjelm immer noch sein Vorbild als Polizist. Wie Paul und Kerstin dieses Spielchen zwischen Gang 1 und Gang 2 im *Kvarnen* herausgetüftelt hatten, wie sie gleichsam improvisierend aus dem Hintergrundrauschen eine *Form* geschaffen hatten – wäre das anderen möglich gewesen als gerade diesen beiden? Wäre es Jorge Chavez und Paul Hjelm möglich gewesen? Oder baute die ganze Arbeit mit dieser unfertigen Ahnung auf der Geduld und der Sanftmut der Liebesbeziehung auf? Allerdings war ihm die Mühsal der festen Beziehung ziemlich unbekannt; er verließ sich noch immer auf die ungezwungenere Ungebundenheit der lockeren Verbindungen.

Die Gedanken vermochten, mit anderen Worten, ziemlich weit abzuschweifen, bevor sie wieder zurückgeholt wurden. Das Trio erreichte die provisorischen Festräume des Reichskriminalamts, sie bekamen von irgendwoher jeder ein Champagnerglas in die Hand gedrückt, sie hörten verstreuten Applaus, folgten den Geräuschen und sahen Waldemar Mörner von einem Rednerpult herabsteigen. Sie hatten eine bombensichere Attraktion verpaßt. Mörner sah unerhört zufrieden aus und lächelte, so daß seine kreideweißen Zähne wie von innen leuchteten. Er legte den Arm um Jan-Olov Hultin, der, mit dem Reichspolizeichef konfrontiert, tatsächlich ein Lächeln zustande brachte; sie sahen, wie es dahinter kochte, und wandten sich schnell ab.

Die Räumlichkeiten sahen aus wie vollkommen normale Polizeipräsidiumskorridore. Einzige Extravaganz waren ein paar Spruchbänder an den Wänden, die die World Police and Fire Games anpriesen. Ziemlich viele Polizisten hatten sich von den Bergen ungeklärter Fälle, die immer unkontrollierter in den immer schwächer bemannten Polizeistationen gestapelt wurden, losreißen können. Das eine und andere bekannte Gesicht glitt vorüber, das Trio nickte dann und wann, gab den einen oder anderen Scherz zum besten, sah Norlander in einer Ecke sabbernd schnarchen, sah Söderstedt in einer anderen quatschen und sah Nyberg in einer abseits stehenden Gruppe mit Kaffeebechern in den Händen: einen mageren, gutgekleideten Mann mit schwarzem Kranz um die Glatze, einen jüngeren Mann mit gutgekämmten halblangen Haaren und einem kleinen schwarzen Leninbart. Und eine kurzgeschorene Frau, deren Anblick Jorge Chavez' Latino-Herz für einen kurzen Moment stillstehen ließ.

Sie kamen in die Ausläufer eines Gesprächs.

Der Magere sagte zu Nyberg: »Tja du, in ein paar Tagen fängt der Urlaub an. Ich fahre raus zum Sommerhaus und spann mal so richtig aus. Kannst du dich noch an das Haus erinnern, Gunnar?«

Dann war Schluß mit dem Frieden.

»Die Pädophilen!« rief Paul Hjelm. »Steht ihr hier und *esst ein bißchen was*?«

»Wir sind keine Pädophilen«, sagte Gunnar Nyberg emphatisch und erhob drohend seinen Riesenkörper über die Neuankömmlinge. Dann stellte er kreuz und quer alle einander vor. Es wurde reichlich unübersichtlich, so daß sie die Sache selbst in die Hand nehmen mussten.

»Genau«, stieß Kerstin Holm hervor, als sie den mageren

Mann mit der Glatze begrüßte. »Der Marathonmann. Wievielter warst du dieses Jahr?«

»Ludvig Johnsson«, sagte der Marathonmann höflich. »Ich bin Sechsundneunzigster geworden, zum ersten Mal unter hundert. Und ihr seid die auf wunderbare Weise wiederauferstandene A-Gruppe, nehme ich an?«

»Fragmente davon«, nickte Holm. Hjelm begrüßte den jüngeren Mann mit dem kleinen Spitzbart und zuckte zusammen, als der sagte: »Kommissar Ragnar Hellberg.«

Er sah nicht älter als dreißig aus. Ein Kommissar, der jünger war als Chavez? War das möglich? War dies wirklich Party-Ragge?

Als Hellberg seine Reaktion sah, fügte er lachend hinzu: »Ich pflege den Titel zu sagen, um die Reaktion zu testen. Sie fällt oft genau so aus.«

»Tut mir leid«, sagte Hjelm. »Meistens kann ich mich beherrschen.«

»Das stimmt nicht ganz«, sagte Holm und warf ihm von schräg unten einen Blick zu.

Hjelm sank immer tiefer in den Morast der Ausreden. »Ich wußte zwar, daß es einen Hellberg gibt und daß er jung ist, aber wir sind uns ja noch nie begegnet und …«

»Laß gut sein«, soufflierte Kerstin Holm, und Hjelm ließ es gut sein.

Chavez gab tatsächlich der bedeutend größeren Frau einen Handkuß. Sie betrachtete ihn skeptisch, während Gunnar Nyberg sagte: »Schleck nicht die Hand der Dame, Schleimer.«

»Sara Svenhagen«, sagte die Dame.

»Jorge Chavez«, sagte der Schleimer und fügte hinzu: »Svenhagen?«

»Das ist auch so eine Standardreaktion«, sagte Sara Svenhagen. »Ja, Chefkriminaltechniker Brynolf Svenhagen ist mein Vater. Dann haben wir das aus der Welt.«

»Ungeahnte Qualität der genetischen Ausstattung des Chefkriminaltechnikers«, sagte Chavez eine Spur ungeschmeidig.

»Laß gut sein«, soufflierte Kerstin Holm erneut.

Chavez ließ sich zu neuen verbalen Großtaten stimulieren. »Man erwartet nicht, daß eine Kinderpornoermittlerin so aussieht.«

Zu diesem Zeitpunkt hätte er natürlich aus Gründen der Barmherzigkeit von der Bühne befördert und durch eine Seitentür hinausgeworfen werden müssen. Doch das unterblieb. Die anderen waren bereits ins Gespräch vertieft.

»Wieso hast du mich erkannt?« fragte Ludvig Johnsson Kerstin Holm.

»Ich habe selbst ein wenig angefangen zu laufen«, sagte sie und erntete einen erstaunten Blick von Hjelm.

»Kriegt ihr denn die Sicklaschlacht in den Griff?« fragte Ragnar Hellberg Hjelm. »Es scheint ja ein richtiges Wespennest zu sein.«

»Das kannst du laut sagen. Wir haben ein paar Spuren eingekreist. Aber es stehen keine Festnahmen unmittelbar bevor.«

»Jesses«, sagte Hellberg. »Du hörst dich an wie eine Pressemitteilung. Und jetzt wollt ihr mir auch noch Gunnar ausspannen.«

»Das müssen wir erst noch sehen«, sagte Gunnar Nyberg. »Es fällt mir schwer, mich von den feinen Homepages im Internet loszureißen.«

»Gunnar hinterm Computer ist für mich ein Widerspruch in sich«, sagte Hjelm. »Er ist der erdverbundenste Polizist, mit dem ich zusammengearbeitet habe. Er hat einmal ein Auto kleingekriegt, mit einer Kugel in der Halsgegend.«

»Er scheint viele Saiten klingen lassen zu können«, lachte Hellberg.

Sara Svenhagen war mit anderen Worten diesem komischen Spanier ausgeliefert. Ihre Gedanken waren anderswo, und der erbärmlichen Einleitung folgte schleppende Zerstreutheit. Aber nicht von seiner Seite. Im Gegenteil. Mit Hilfe unermüdlicher Arbeit fand er am Ende eine Reihe gemeinsamer Gesprächsfäden, seltsamerweise betrafen sie das Internet, und plötzlich standen sie allein da und gaben einander gute Ratschläge für das Arbeiten mit Java Script. Außerdem *hofierte* er sie ununterbrochen. Tauschte den gleichsam festgewachsenen Kaffeebecher gegen ein Champagnerglas aus, stieß mit ihr an, betrachtete sie unverblümt, machte ihr Komplimente von einer Art, wie sie sie noch nie gehört hatte, achtete äußerst aufmerksam auf ihre Reaktionen. Und das Sonderbare geschah, daß sie allmählich das Gefühl bekam, *gesehen* zu werden. Im Ernst gesehen zu werden. Geschätzt. Aufgewertet. Die Lage war so bedrängt. Das Internet machte sie virtuell, löste ihre Konturen auf, die Pädophilie machte sie unempfindlich gegen erotische Gefühle, und wenn es ihr gelang, einen komplizierten Code zu knacken und eigenhändig einen Pädophilen zu fangen, durfte sie es niemandem erzählen. Sie hatte sich in eine Ecke manövriert, sich das Haar abgeschnitten, sich von einem grauenhaften Alptraum fesseln lassen. Sie war verschwunden, unsichtbar geworden. Der einzige, der sie sah, war Gunnar Nyberg, und er sah sie nur als eine Lichtgestalt, das wusste sie. Und plötzlich stand sie vor diesem feurigen kleinen Mann, der sie die ganze Zeit ansah, wirklich ansah, um ihre innersten Gefühle zu erforschen, und sie wollte nur ihr Haar lösen, wie eine alleinstehende junge Frau es manchmal tatsächlich tat. Doch es war kein Haar da, das sie lösen konnte. Dennoch tat sie es. Ließ ein wenig ihre Stoppelhaare flattern. Und er schien verzaubert und verzückt zu sein, von ihrer bloßen Existenz, und es gefiel ihr. Sie mußte sich eingestehen, daß es ihr wirklich gefiel.

Sie blieben stehen, bis das Bedienungspersonal hungrigen Hyänen gleich um sie zu kreisen begann. Sie merkten nicht, daß sie die letzten waren, daß das Fest schon lange vorbei war, daß das Polizeipräsidium so gut wie leer war für die Nacht.

Als sie es schließlich merkten, hörte sie sich selbst sagen: »Kommst du noch mit auf eine Tasse Kaffee?«

Sie knutschten im Taxi zur Surbrunnsgata, widmeten sich im Treppenhaus leichterem Petting, rissen sich im Flur die Kleider vom Leib und liebten sich in dieser vollkommen hemmungslosen Art und Weise, mit Auftakt im Flur, Durchführung im Bett, Reprise auf dem Fußboden und da capo an ungenanntem Ort. Als sie wieder zur Besinnung kamen, fanden sie sich auf dem Küchenfußboden, ohne zu wissen, wie sie dort gelandet waren. Der Inhalt der Mülltüte lag über den Boden verstreut. Sie begriffen nicht, warum.

Sara hatte das Gefühl, als habe sie sperrangelweit die Fenster aufgestoßen, als strömte die Luft herein wie angesogen von einem Vakuum, als flatterte ihr kurzes Haar wild im heftigen Wind. Sie schlang die Arme um ihn und hielt ihn fest.

Jorge kam es vor, als sei etwas umgestoßen worden. Sex war nicht mehr das Ende von etwas, es konnte auch der Anfang sein. Es war ein radikaler mentaler Umsturz. Er fragte sich, was das bedeuten mochte. Er lag zusammengekauert in ihrer Umarmung. Sie hatte die Arme um ihn geschlungen, und er lag zusammengerollt mit der Wange an ihrer Brust.

Es war ein phantastisches Gefühl.

Ein Gefühl. Ein gemeinsames Gefühl.

Ein enormer Hohlraum im Dasein war ausgefüllt worden.

Er erwachte von Sonnenstrahlen. Der Natur ureigenstem Wecker. Obwohl sie bei näherer Betrachtung nicht ganz natürlich waren. Sie wurden auf ihn *gerichtet*. Mit Hilfe einer Drehung an der Jalousie.

Sie zeichnete sich als fabelhafte Kontur gegen die schrägstehenden Sonnenstrahlen ab. Wie in einen Wasserfall von Licht gehüllt. Er streckte ihr die Arme entgegen. Sie kam nicht näher. Sie stand ganz still da, vom Licht umströmt. Gänzlich unerreichbar.

Jaha, dachte er. Ein Alptraum.

»Ich habe etwas, was du dir ansehen mußt«, sagte sie.

Jaha, dachte er. Kein Alptraum. Ein Alltagstraum. Ein Traum vom Glück, das alltäglich geworden ist. Das war vielleicht doch ein bißchen früh.

»Komm schon«, sagte sie.

Offenbar nicht, dachte er. Offenbar nicht zu früh.

Er stand auf und akzeptierte, daß er nun schon wach war. Er trat zu ihr, durch den Wasserfall von Licht. Sie trug ein großes T-Shirt, das ihr bis über die Hüften reichte. Er selbst war nackt. Er tastete nach ihrem Körper.

»Zieh dir was an«, sagte sie.

Er zog sich was an und folgte ihr hinaus auf die Toilette.

Für einen kurzen Moment befiel ihn Skepsis. Hatte er sie so falsch eingeschätzt? Was gab es *auf der Toilette*, was sie ihm mit solchem Eifer zeigen wollte? Einen positiven Schwangerschaftstest? Eine Zucht Totenköpfe? Schrumpfköpfe in Leinöl?

Nein, er war ungerecht. Er kam in eine Dunkelkammer. Eine schwache rote Lampe leuchtete statt der gewöhnlichen. An einer Wäscheleine unter der Decke waren mit Wäscheklammern Schwarzweißfotos befestigt. Ein noch unentwickeltes Papier schwamm in einer stinkenden Flüssigkeit. Sie schloß die Tür.

Alles sah neu aus. Die gesamte Ausrüstung wirkte nagelneu. Mißlungene Abzüge lagen zerrissen in einem Haufen auf dem Fußboden. Wäre er nicht so müde und immer noch so glücklich gewesen, hätte der Detektiv in ihm vermutlich angefangen zu arbeiten. Er hätte gedacht: Hmmm, und dann hätte er gedacht: neue Ausrüstung, nicht vertraut mit Dunkelkammerarbeit – ist gleichbedeutend mit: irgendein Geheimauftrag.

Der schlummernde Detektiv in ihm wurde auf eine weitere Probe gestellt.

Sara Svenhagen sagte: »Vor ein paar Tagen habe ich einen Pädophilen festgenommen, der im Söder-Turm wohnt.«

Pause. Es wurde erwartet, daß er etwas sagte, Reaktion zeigte, wenn nicht mit einem Heureka, so doch zumindest mit einem Hmmm. Nein, der Detektiv schlief ruhig weiter.

Sie fuhr fort: »Söder-Turm ist Haglunds Latte.«

Nix. Der Detektiv in ihm war nicht zu sprechen.

»Haglunds Latte ragt über Medborgarplatsen auf.«

»Mach weiter«, sagte er nur.

»Der Mann hat sein ganzes Leben damit verbracht, Kinder

auf Medborgarplatsen und in der Umgebung zu fotografieren. Und zwar täglich. Er hatte ein Einmachglas mit noch unentwickelten Filmen zu Hause. Ich habe sie entwickelt.«

»Und warum?«

»Werd mal wach jetzt, Jorge. Täglich. Medborgarplatsen. Es war nur eine Ahnung. Ich habe zwölf Filme entwickelt, und jetzt habe ich ihn gefunden.«

»Wieviel Uhr ist es?«

»Halb sieben. Ich arbeite seit halb fünf.«

»O verflucht. Ich bin also in meiner Eigenschaft als Polizist hergeholt worden?«

»Hör auf. Sieh mal hier oben.«

Er folgte ihrem Finger zu den Fotos unter der Decke. Skateboardfahrer auf Medborgarplatsen. Zwischen Restauranttischen und Parkbänken herumkurvend. In der unteren Ecke eine Serie kleiner digitaler Zeichen. 21.43 23.06.99.

Der Detektiv in ihm schreckte aus dem Schlaf auf. Einen Moment lang blickte er sich in der Dunkelheit um, ohne zu verstehen, wo er war. Dann sagte er: »Aha.«

»Das kann man wohl sagen«, meinte Sara Svenhagen.

»Bedeuten diese Ziffern, was ich glaube?«

»Es ist eine hochmoderne Kamera. Sie schreibt sie auf jedes Bild. Dreiundzwanzigster Juni, einundzwanzig Uhr dreiundvierzig.«

»Aber verflixt!«

Er folgte der Serie von Fotos an der Wäscheleine. Eins nach dem andern. Auf dem zweiten fuhren die Skateboarder weiter Richtung Björnscher Garten. Auf dem dritten befanden sie sich mitten auf der Götgata; über ihren Köpfen war ein ganzer Wald von Beinen in Bewegung zu erkennen. Auf dem vierten verschwanden die Skateboardfahrer hinter den Baumkronen hinunter zur Rampe im Björnschen Garten; statt dessen sah man den Anfang der Tjärhovsgata. Auf dem Bürgersteig herrschte Chaos. Im Zentrum ein Jüngling, der wild in Richtung der Kamera lief. Er war von anderen Jünglingen mit Fahnen und gestreiften Tüchern umgeben. Alle sahen erregt aus.

Einer schrie. Der Jüngling in der Mitte hatte blondes, ungepflegtes Haar und einen Schnurrbart, der sich an den Mundwinkeln etwas nach unten zog. Er hielt etwas in der Hand. Chavez zeigte auf den Gegenstand. Sara zeigte auf das nächste Bild. Es war eine Vergrößerung der Hand.

In der Hand war der Griff eines Bierkrugs zu erkennen.

»Der Täter vom *Kvarnen*«, sagte Chavez atemlos.

Er riß das Foto herunter, daß die Wäscheklammern umherflogen. Er untersuchte es genau. Dicht an der Hauswand stand eine Gruppe von vier Männern. Ihre Gesichter waren nicht zu erkennen. Aber durch die Tür preßte sich gerade ein wohlbekanntes Gesicht nach draußen. Lebend sah er besser aus als tot.

Es war 1 C. Der Fahrer des Mercedes in Sickla.

Zwei Männer warteten auf ihn. Sie waren ebenso dunkelhäutig wie er. Sie unterschieden sich deutlich von den Trauben von Hammarbyfans.

Chavez riß das letzte Foto herunter. Der Täter war verschwunden. Und die drei waren verschwunden. Gang 1 war abgehauen, sobald 1 C herauskam. Statt dessen erkannte man jetzt die Gruppe an der Hauswand deutlicher. Eine der Gestalten war wohlbekannt. Chavez kannte das Gesicht wohl von den Gefängnisfotos her. Sein Name war Sven Joakim Bergwall. 2 B. Auch er war jetzt tot.

Gang 1 und Gang 2.

Gruppenporträts.

Sara Svenhagen stupste mit einer großen Plastikpinzette das Papier an, das noch im Entwicklungsbad lag. Sie drehte es um. Es entwickelte sich vor ihren Augen.

Gang 2 war ebenfalls fort. Ein letzter Mann kam aus dem Restaurant *Kvarnen*. Fast seine ganze Gestalt wurde von Hammarbyfans verdeckt. Nur Konturen waren zu sehen.

»›Der Polizist‹«, keuchte Jorge.

»Was?« fragte Sara.

»Du bist ein Genie, habe ich gesagt. Du, Sara Svenhagen, bist nichts Geringeres als ein Genie.«

Er legte beide Hände an ihre Wangen. Sie leuchtete dunkelrot in der Finsternis. Er küßte sie und sank auf den Fußboden. Dann kroch er unter ihr T-Shirt und ließ sein Gesicht an ihrem Bauch nach oben gleiten bis zu den Brüsten. Er schleckte die Geschmäcker ihrer Haut.

Sara Svenhagen schaute auf ihren großen Bauch hinab und streichelte ihn leicht.

Ihr war, als leuchte er wie von einem inneren Licht.

26

Paul Hjelm saß auf dem Sofa. Er hatte lange nicht auf einem Sofa gesessen. Überhaupt war er lange nicht zu Hause gewesen. Er erinnerte sich kaum noch daran, wie es war. Eine merkwürdige Ruhe breitete sich um ihn aus, als sei eine Glasglocke über ihn gestülpt worden.

Um ihn herum war es nämlich nicht besonders ruhig. Die Familie lief im Reihenhaus in Norsborg hin und her. Aus weiter Ferne, vom Nachbarn herüber, hörte er die allseits bekannte Erkennungsmelodie der Abendnachrichten. Es war neun Uhr, und alle wollten weg. Zum ersten Mal seit langem hatte er Zeit, sich darüber zu wundern, daß die Kinder groß geworden waren. Kein Kuscheln mehr. Keine intimen Familienabende mehr. Kein Vorlesen mehr. Nur dieser zähe, sich hinziehende Aufbruch.

Danne war siebzehn und wollte zum Fußball. Um neun Uhr abends? hatte Vater Paul protestiert. Es gibt einen Engpaß bei den Trainingszeiten, hatte Danne sehr pädagogisch erwidert. Tiefer reichten ihre Gespräche nur noch selten. Würden sie später Zeit bekommen, den Schaden zu reparieren? Oder war es bereits zu spät? War schon alles zu spät? Würde ihn eines Tages – wie die netten Eltern Lindberg in Trollhättan – die Mitteilung erreichen, daß sein früher so wohlgeratener Sohn Nazi und Gewaltverbrecher geworden war? Wie würde er reagieren? Konnte man das überleben? Er sah erschreckende Parallelen – der wohlgeratene Niklas Lindberg wurde Offizier, sein eigener wohlgeratener Sohn wollte Polizist werden.

Doch jetzt lief er wie ein Verrückter herum und warf allen, den neu angeschafften Papagei eingeschlossen, vor, bewußt und in böser Absicht seine Schienbeinschoner versteckt zu haben. Schließlich fand er sie, in sein eigenes altes, stinkendes Handtuch gewickelt. Ein wenig beschämt verließ er die Wohnung.

Aber Tova war noch da. Fünfzehn Jahre und wahnsinnig. Von allen guten Geistern verlassen. Paul hatte keine eigenen Geschwister, und fünfzehnjährige Mädchen waren unbekanntes Territorium für ihn. Er staunte über das Spiel der Hormone. Jetzt wollte sie in die Disko, zum dritten Mal in dieser Woche. Er wußte nicht, wieviel Sorgen er sich machen sollte. Disko hörte sich auf jeden Fall besser an als Rave, und Mama Cilla versicherte ihm, daß die Veranstaltungsorte alkoholfreie Jugendzentren waren. Als bekäme sie dadurch Extrapunkte von einer Tochter, die ihre Mutter mehr als irgend etwas anderes auf der Welt zu hassen schien. Erst in jüngster Zeit war ihm der Gedanke gekommen, daß es sich vielleicht um Liebe handelte, nicht um Haß; gewisse Blicke, die zwischen Mutter und Tochter gewechselt wurden, ließen das vermuten. Als spielten sie ihm nur etwas vor. Er begriff es nicht.

»Zwölf!« schrie Tova mit ihrer schrillsten Stimme. Waren es nicht die Söhne, die in den Stimmbruch kamen?

»Zwölf«, krächzte der Papagei, der definitiv im Stimmbruch war. Normalerweise hätte es Paul dazu veranlaßt, nach einem Pantoffel zu greifen und damit nach der verabscheuungswürdigen Kreatur zu werfen, aber heute war er immun. Er saß unter einer Glasglocke und betrachtete das Geschehen von einem anderen Planeten aus. Es war richtig witzig.

»Elf!« rief Cilla und hörte sich genauso an wie ihre Tochter und der Papagei. »Sag du ihr doch auch mal was, Paul. Sitz nicht einfach nur da wie ein Ölgötze!«

Ölgötze? Gab es die noch? dachte Paul unter seiner Glocke. Er rührte keine Flosse.

Die Tür ging auf, Tova glitt hinaus, Cilla lief hinterher und rief ihr durch die Türöffnung nach: »Wenn du um elf nicht zu Hause bist, dreh ich dir den Hals um!«

Hmm, dachte Paul unter der Glocke. Ist das gute Erziehung? Ist das ein Beispiel für Toleranz und Verständnis?

»Ölgötze!« wiederholte Cilla in Richtung des Geleeklumpens auf dem Sofa, während sie sich den Mantel überzog.

»Ölgötze«, rülpste der stimmbrüchige Papagei.

»Bist du nicht Abteilungsleiterin?« fragte der Ölgötze. »Hat man da nicht normale Arbeitszeiten?«

»Glaubst du, ich betrüge dich?« schrie Cilla. »Glaubst du das? Glaubst du, ich laufe da hin, um mit einem Doktor zu vögeln?«

Der Gedanke war ihm überhaupt nicht gekommen. Jetzt würde er sich festsetzen, das war ihm klar. Es gab nur eine Möglichkeit, ihn loszuwerden. Vorübergehend. Er warf einen lüsternen Blick zum Klavier hinüber, das abgeschoben in einer Ecke stand, von allen außer ihm verabscheut. Als Kompensation hatte er der Anschaffung des Papageis zustimmen müssen, ein über viele Jahre beharrlich vorgebrachter, doch abgeschlagener Wunsch.

Am schlimmsten war, daß das Viech sein mittelmäßiges Klavierspiel nachahmte. Ein richtiger Alptraum.

»Nein«, sagte er und schluckte den Rest.

Cilla seufzte schwer und machte eine kleine, versöhnliche Geste. »Tut mir leid«, sagte sie. »Tova macht mich wahnsinnig. Und der Job. Ich muß eben selbst manchmal hin und die Nachtschicht übernehmen. Sonst bricht alles zusammen. Wir gehen auf dem Zahnfleisch, das weißt du doch.«

»Ich weiß«, sagte er. »Geh nur. Mach das Beste draus.«

Ein flüchtiger Wangenkuß. Mehr nicht.

Er blieb noch eine Weile unter der Glocke sitzen. Wartete, bis es sicher war. Dann zerschlug er sie. Ein Schlag, und sie zerbarst. Er ging zum Klavier. Öffnete den Deckel. Setzte sich. Ließ die Fingerspitzen über die Tasten gleiten. Genoß den Augenblick.

Dann spielte er. Eine kleine Wanderung, die er gelernt hatte. Misterioso. Monk. Schöne, seltsame Töne. Er glitt in halsbrecherische Improvisationen ab. Schließlich begann er, mitzusummen. Aber er sang nicht. Soweit war er noch nicht.

Er fragte sich, warum. Aber gerade jetzt nicht. Jetzt spielte er nur.

Statt dessen sang der Papagei. Mit widerlicher Stimmbruchstimme.

Paul Hjelm lachte und spielte weiter.

Aber er sang nicht.

27

Es war Mittwoch morgen. Man könnte es auch etwas drastischer formulieren: Es war der letzte Junimorgen des Jahrtausends.

Jan-Olov Hultin referierte am Mittwoch morgen. Es gab kaum Veranlassung, sich in die Brust zu werfen. Die Ermittlung ging erstaunlich langsam voran. Er fühlte sich noch immer eingerostet.

Hultin saß vorn am Pult und wartete. Währenddessen ging er die letzten Papiere von Brynolf Svenhagens exaltierten Kriminaltechnikern durch. Mehr über Waffen. Eine Liste von Interpol mit Orten, an denen die russischen Izh-70-300-Pistolen in Erscheinung getreten waren; sie war endlos – sie umfaßte neben vielen anderen Orte in Bosnien, Kroatien, Serbien, Montenegro.

Außerdem eine Aufstellung darüber, wo die Maschinenpistolen aus dem Diebstahl in Boden vor einigen Jahren gelandet waren. Mehrere waren tatsächlich in rechtsextremistischen Kreisen an verschiedenen Stellen in Europa aufgetaucht; zwei bei einer faschistischen Gruppierung in Bulgarien, zwei weitere bei einer dänischen Rockerbande. Es erschien nicht als unwahrscheinlich, wenngleich es alles andere als bewiesen war, daß Sven Joakim Bergwall und Niklas Lindberg den Einbruch in das Waffenlager in Boden eigenhändig verübt hatten. Dann der Sprengstoff. Neue Informationen deuteten darauf hin, daß die hochexplosive Flüssigkeit in den letzten Jahren des Apartheidregimes von der südafrikanischen Sicherheitspolizei entwickelt worden war, offenbar in der Hoffnung, ihn bei einer der internationalen Massenveranstaltungen des African National Congress' einzusetzen. Doch dies alles war noch nicht bestätigt.

Hultin blickte auf und seufzte. Es war noch nicht soweit. Die A-Gruppe mußte weiter warten.

Er hatte versucht, den Fall von oben zu sehen, ihn zusammenzufassen und die Linien zu verknüpfen, doch es war ihm nicht richtig gelungen. Etwas fehlte. Schwedisch-jugoslawisches Drogenkartell, ein einsamer schwedischer ›Polizist‹, rechtsextremistische Technoräuber, ein hochmoderner Sprengstoff aus Südafrika, tote Kriegsverbrecher aus dem früheren Jugoslawien. Es stank, weiter konnte er seine Analyse nicht treiben. Vermutungen ließen sich jedoch bedeutend weiter strecken. Stieg nicht ein Geruch von *Fortsetzung* von diesem Verbrechen auf? Ermittelten sie wirklich ein abgeschlossenes Verbrechen oder eher ein noch im Gang befindliches? Wollten die faschistischen Räuber wirklich nur den Drogenhändler berauben? War das alles? Sollte nicht in Wirklichkeit das Geld, oder was immer in dem mutmaßlichen Aktenkoffer war, für einen spezifischen Zweck genutzt werden? Doch hier geriet er auf immer dünneres Eis.

Er ging weiter zu einer Aufstellung der Reichspolizeibehörde über die gegenwärtige Verbrechenssituation im Land. Tatsache war, daß das blutige Frühjahr in einen ebenso blutigen Sommer überging. Mehrere Attentate auf Polizisten hatten sich nach den Malexander-Schießereien ereignet, zuletzt in Malmö, wo die Polizei unter dem Vorwand eines Autodiebstahls zu einem verlassenen Wagen gelockt worden war. Als der Beamte den Wagen öffnete, explodierte dieser. Der Kollege erblindete. Es handelte sich um ein direkt gegen die Polizei gerichtetes Attentat. Das war etwas Neues, dachte Hultin. Warum hatte man es auf die Polizei abgesehen? Ein neuer, unbegreiflicher Trend. Einen Moment lang dachte er an die World Police and Fire Games. Zwölftausend teilnehmende Polizisten aus aller Welt kamen in ein Land, in dem man Polizisten hinrichtete und in die Luft sprengte …

Und weiter? Ein Norweger mit Kontakten im internationalen Alkohol- und Zigarettenschmuggel war vor kurzem ermordet in einem Kombi südlich von Stockholm aufgefunden worden. Eine Art Raubwelle suchte gerade die Westküste heim, von Ängelholm nordwärts. Ein kritischer Journalist, der sich auf schwedische Neonazis spezialisiert hatte, wurde zusammen mit seinem Sohn in seinem Wagen in Nacka in die Luft gesprengt. Alles schien auf seltsame Weise mit allem anderen zusammenzuhängen. Doch nur vage.

Hultin blickte auf. Nein. Noch nicht.

Er begann, Irritation zu spüren. Die Folgen des Vortags hielten an. Mörners Ansprache an die Polizeiolympioniken, die anschließende Umarmung – der Brechreiz saß ihm noch im Hals. Und jetzt diese Sitzung, die er nicht einmal selbst einberufen hatte – und dann hatte der Lümmel die Stirn, nicht selbst zu erscheinen. Als hätte Kriminalkommissar Jan-Olov Hultin nichts anderes zu tun.

Noch keinerlei Antwort von einem der exjugoslawischen Staaten außer Slowenien, und dort hatten weder 1 A, 1 B noch 1 C irgendwelche Spuren hinterlassen. Und in Anbetracht der Verhältnisse in Serbien und im Kosovo war von dort auch keine Antwort zu erwarten. Und aus Bosnien oder Mazedonien, die vollauf mit ihren jeweils eigenen Problemen zu tun hatten, auch kaum. Er hoffte immer noch auf Kroatien.

Er war drauf und dran, die Sitzung abzusagen, als die Hauptperson hereinpolterte, mit einem Triumphlächeln, das zu explodieren bereit war, in den Mundwinkeln. Jorge Chavez ging schnurstracks nach vorn zur Flipchart und befestigte dort, quer über alle vorherigen Bilder, drei ordentliche Vergrößerungen von Schwarzweißfotos. Acht absurde Marienkäfer waren notwendig, um jedes von ihnen festzuhalten.

Schließlich zeigte Chavez auf die Bilder und sagte: »Speziell für Sie, meine Damen und Herren, hier die Präsentation eines außergewöhnlichen Durchbruchs in der Ermittlung. Drei Fotos von der Tjärhovsgata beim Björnschen Garten von Mittwoch, dem 23. Juni, um einundzwanzig Uhr dreiundvierzig. Vor einer Woche. Eine Bilderfolge mit beispielloser Schurkendichte.«

Hjelm und Holm sahen sich an.

»Die Bilder sind also eine Minute nach dem Moment aufgenommen worden, in dem der Kvarnenmörder im Restaurant *Kvarnen* einem armen Småländer einen Bierkrug auf den Schädel knallte. Hier auf Bild 1 sehen wir den Eingang«, sagte Chavez und zeigte. »In der Mitte der Kvarnenmörder höchstpersönlich. Rechts an der Hauswand Gang 2 minus Eskil Carlstedt und Niklas Lindberg, die sich zu diesem Zeitpunkt im Innern des Lokals beziehungsweise im Gefängnis in Kumla befanden. Und oben links Gang 1, komplett mit 1 C, hier in der Türöffnung. Dem Fahrer des Mercedes.«

In der Kampfleitzentrale herrschte atemlose Stille.

»Bild 2«, fuhr Chavez im gleichen etwas irritierend triumphierenden Tonfall fort. »Gang 1 ist fort, der Kvarnenmörder ist fort. Dagegen sieht man Gang 2 hier um so besser. Und hier haben wir mit aller Wahrscheinlichkeit, neben 2 B, Sven Joakim Bergwall, unsere drei unbekannten Räuber. Der zweite Tote in der Sicklaschlacht, Carlstedt, 2 A, sitzt noch im *Kvarnen*, sozusagen als Puffer gegen die Polizei. Also dürften alle drei noch am Leben sein, einer allerdings verletzt. Dies sind also drei von den vier Sicklaschlächtern, nach denen jetzt gefahndet wird. Das Bild ist gut genug, um unsere drei Herren zu identifizieren, und ich habe den gestrigen Tag damit verbracht, genau das zu tun. Es war nicht ganz einfach, aber wir dürften jetzt genug Material in Händen haben, um mit der Identität der vier Räuber an die Öffentlichkeit zu gehen, vorausgesetzt, wir wollen damit an die Öffentlichkeit gehen.«

Er hielt einen Augenblick inne und blickte in die schweigende Runde. Er hatte tatsächlich die ungeteilte Aufmerksamkeit aller. Dann zog er rote Kreise um die vier Gesichter, eins nach dem anderen. »Dies hier ist Sven Joakim Bergwall, der ins Gesicht Geschossene. Es folgt dieser Mann, ein Knastbruder, wie er im Buche steht, mit Namen Dan Andersson, genannt Danne Blutwurst wegen der Brandverletzung, die er sich in seiner Zeit als jugendlicher Krimineller zuzog und die einen großen Teil seiner Haut lila färbte. Wie diese lila Farbe als Blutwurst interpretiert werden konnte, ist unbekannt. Andersson ist achtunddreißig Jahre alt und für insgesamt, jetzt haltet euch fest, sechsundachtzig Verbrechen seit seinem fünfzehnten Lebensjahr verurteilt worden, hauptsächlich Banküberfälle. Er ist im Februar aus Kumla entlassen worden und hat dort der sogenannten nazistischen Clique angehört, auch wenn der Rechtsextremismus nie eine Hauptbeschäftigung gewesen zu sein scheint. Dan Andersson ist ganz einfach Berufsverbrecher. Diese Figur hier heißt Roger Sjöqvist, der einzige verurteilte Mörder der Gang. Dreiunddreißig, Bodybuilder mit militärischem Hintergrund. Ermordete vor zehn Jahren einen Drogenhändler, nutzte vor einem Jahr einen Hafturlaub zur Flucht und hält sich seitdem versteckt. Er tritt recht eifrig in rechtsextremen Kreisen in Erscheinung und ist aller Wahrscheinlichkeit nach auch an einer Reihe von Banküberfällen beteiligt gewesen. Nach ihm läuft eine Fahndung. Schließlich, hier, der kleinere der beiden gutgebauten Herren, der Techniker der Gang. Agne Kullberg, genannt ›Kulan‹, weil es für einen harten Burschen wie ihn unmöglich ist, Agne zu heißen. Er hat nur eine Gefängnisstrafe abgesessen, wegen Körperverletzung, wurde vor sechs Jahren freigelassen. Er verprügelte einen türkischen Pizzabäcker in Hagsätra, der danach blind wurde. Er ist sechsunddreißig und hat in Hall eine Ausbildung zum Ingenieur absolviert, mit der Fachrichtung Telekommunikation. Hat jedoch nie als Ingenieur gearbeitet. Tritt in rechtsextremen Kreisen nicht auffällig in Erscheinung, ist aber Mitglied in einem zwielichtigen Schützenverein, dem auch zwei unserer berüchtigten Kollegen von der Norrmalmspolizei angehören, und außerdem Bergwall.«

»Woher zum Teufel kommen diese Bilder?« platzte Hultin heraus und starrte auf die Vergrößerungen.

»Können wir das erst einmal zurückstellen?« sagte Chavez und fuhr fort. »Wir haben nämlich noch Bild 3. Hier ist auch Gang 2 verschwunden. Es dürfte sich um den Zeitpunkt handeln, da es den Türwachen gelungen ist, die Tür des *Kvarnen* zu blockieren. Die Hammarbyfans stehen noch da und reden; sie wissen, daß es ein paar Minuten dauern wird, bis die Polizei eintrifft, es besteht kein Grund zur Eile. Die Schlange, die angeblich aus ›lästigen Immigranten‹ bestand, existiert nicht, wie man sieht. Nur Fußballfans. Bis auf diesen Mann, der leider fast ganz von den Fans verdeckt wird und bei dem es sich mit großer Wahrscheinlichkeit um den sogenannten ›Polizisten‹ handelt.«

Sie betrachteten die Gestalt. Sie war fast nicht zu sehen, nur die äußere linke Seite. Möglicherweise hatte er dunkle Haare. Möglicherweise trug er Jeans. Am deutlichsten sah man den rechten Schuh. Nike Air.

»Wir müssen abwarten, was die Techniker mit dem Bild anfangen können«, sagte Chavez. »Sie arbeiten auf Hochtouren.«

»Woher kommen die Fotos?« fragte Hultin unter Aufbietung seiner eisigsten Neutralität.

Chavez betrachtete ihn. Es entstand eine Pause. Sie schien eine Unendlichkeit zu dauern. Ein Kräftemessen. Hjelm meinte, sogar die Konturen eines zukünftigen Machtkampfs zu verspüren. »Sie wurden von einem in der Nähe gelegenen hohen Punkt aus aufgenommen«, antwortete Chavez und sagte damit eigentlich gar nichts.

»Haglunds Halbständer«, platzte der eingefleischte Södermensch Söderstedt heraus.

Chavez schwieg.

»Woher kommen die Fotos?« wiederholte Hultin mit unveränderter Eiseskälte.

Chavez löste sich aus dem Clinch, lehnte sich zurück in die Seile und atmete aus. »Ich kann das im Augenblick nicht sagen.«

»Mein Zimmer«, sagte Hultin nur.

Chavez nickte eine Weile. Dann sagte er: »Laß mich nur zuerst noch zusammenfassen.«

Hultin ließ ihn zuerst noch zusammenfassen.

»Zeitfolge«, sagte Chavez und begann, auf der Flipchart eine Art Verlaufsschema nach hultinschem Vorbild zu zeichnen. »Wo fängt diese Geschichte an? Was kommt zuerst? ›Der Polizist‹ bereitet einen Angriff auf Rajko Nedic vor. Warum? Hat er etwas zu verkaufen? Ist es Erpressung? Soll eine zukünftige Zusammenarbeit in Gang gebracht werden? Auf jeden Fall nimmt er Kontakt zu Nedic auf, und Nedic erklärt sich bereit, etwas zu liefern, was sich späterhin in dem berüchtigten Aktenkoffer befinden wird. Es spricht wohl immer mehr dafür, daß es sich um Geld handelt. Auf irgendeine Weise kriegt jemand in der späteren Gang 2 Wind von der Sache. In Anbetracht dessen, daß Niklas Lindberg die treibende Kraft zu sein scheint, kann man vermuten, daß er derjenige ist, oder zumindest einer aus seiner sogenannten Nazi-Clique in Kumla, der von der bevorstehenden Lieferung erfährt. Aller Wahrscheinlichkeit nach läuft dies via Rajko Nedics rechte Hand Lordan Vukotic. Zu der Gang gehören Sven Joakim Bergwall und Dan Andersson. Andersson wird im Februar entlassen, ist also wohl schon draußen, als die Clique die Information bekommt. Noch drin sind Bergwall, der im Mai rauskommt, und Lindberg, der am Morgen des

24. Juni entlassen wird. Möglicherweise schnappen sie zufällig etwas aus einem Gespräch auf, das Vukotic mit jemandem im Knast führt. Sie merken, daß es sich um etwas ›Großes‹ handelt – vermutlich einfach viel Geld –, und warten ab, bilden eine Gang, die aus dem Knastkumpel Dan Andersson sowie Bergwalls Ingenieurfreund aus dem Schützenverein, Agne ›Kulan‹ Kullberg, sowie ein paar rechtsextremen Kumpanen besteht, dem bisher nicht vorbestraften Eskil Carlstedt und dem Mörder Roger Sjöqvist. Nach und nach kriegen sie mit, daß es im Restaurant *Kvarnen* zu einem Treffen kommen soll, und zwar am Vorabend der Freilassung von Niklas Lindberg. Er findet, daß es großartig paßt. Er selbst kugelt am selben Abend Lordan Vukotic die Arme aus, um Information aus ihm rauszubekommen oder weil es ihm einfach Spaß macht. Daß Vukotic über die Mißhandlung schweigt, läßt jedoch den Schluß zu, daß es um mehr geht als um ein bißchen Spaß. Es gelingt Lindberg auch, gewisse Informationen aus ihm herauszubekommen, vermutlich den *provisorischen* Treffpunkt für die Übergabe des Geldes; die näheren Details werden ja im *Kvarnen* zwischen dem ›Polizisten‹ und Nedics Leuten ausgehandelt, Gang 1. Der ›Polizist‹ hat einen so öffentlichen Platz wie das *Kvarnen* gewählt, weil er Rajko Nedics Leute fürchtet; offenbar weiß er, wozu sie nach einem ordentlichen Völkermorden im früheren Jugoslawien in der Lage sind. Vielleicht arbeiten sie auch ein gegenseitiges Sicherheitssystem aus, damit sowohl der ›Polizist‹ als auch Gang 1 davon ausgehen können, daß sie lebend den Treffpunkt verlassen werden. Vielleicht handelt das englisch geführte Gespräch vor allem davon. Anwesend sind jedenfalls auch fünf Mann unter Leitung von Sven Joakim Bergwall, nämlich Eskil Carlstedt, Dan Andersson, Roger Sjöqvist und Agne Kullberg, letzterer mit einem Stöpsel im Ohr. Ihm ist es gelungen, unter dem Tisch, an dem der ›Polizist‹ und Gang 1 sitzen und verhandeln, eine mikroskopisch kleine Abhörvorrichtung anzubringen. Als die Hammarbyfans hereinströmen, stehen die Verhandlungen kurz vor einer Lösung. Obwohl es laut wird,

verhandeln sie weiter, bis das Ergebnis klar ist. Und Gang 2 sitzt immer noch am Tisch an der gegenüberliegenden Wand und lauscht, obwohl sie mehrfach von Fußballfans gestört werden. Sie dürfte also das Verhandlungsergebnis – zwei Uhr in der darauffolgenden Nacht im Gewerbegebiet Sickla – erreicht haben, unmittelbar bevor ein Hammarbyfan auf die Idee kommt, auf dem Schädel eines Smålanders einen Bierkrug zu zerschmettern. Gang 1 und Gang 2 erkennen gleichermaßen, daß sie so schnell wie möglich verschwinden müssen. Aber beide sind trotz der Hast noch in der Lage, die Situation zu überdenken. Sämtliche Kneipengäste sind auf einen Schlag zu Zeugen verwandelt. Keine der Gangs kann von jetzt an unbemerkt bleiben. Beide sehen ein, daß ihre Existenz offenbar werden wird. Die Polizei wird minutiös die gesamte Lage im *Kvarnen* zum fraglichen Zeitpunkt unter die Lupe nehmen. Der ›Polizist‹ sorgt dafür, daß die Jugos vor ihm abhauen, damit man sie nicht miteinander in Beziehung bringt; er bleibt jedoch ein paar Sekunden zu lange und muß seinen Polizeiausweis vorzeigen, um hinauszukommen. Bergwall, können wir annehmen, sieht zu, daß der einzige nicht Vorbestrafte, Carlstedt, zurückbleibt, um als Puffer zu fungieren und die mysteriöse Gang mit dem Ohrstöpsel in eine Kumpanei von Verkäufern zu verwandeln, die einen draufmachen wollen. Es funktioniert. In der Nacht legen sie sich ihren Plan zurecht. Carlstedt bleibt und tischt der Polizei eine glaubhafte Geschichte auf. Bergwall, Andersson, Sjöqvist und Kullberg fahren nach Kumla, um Lindberg abzuholen. Vielleicht rechnen sie nicht richtig damit, daß er den Bunker in die Luft sprengt, als sie ganz offen dastehen, doch er tut es nicht zuletzt deshalb, weil er klarstellen will, wer der Boß ist. Machtdemonstrationen sind bekanntlich in der kriminellen Welt immer wichtig. Dann holen sie Carlstedt; vielleicht stehen sie mit ihrem Van vor dem Polizeipräsidium und warten darauf, daß Paul und Kerstin ihr Verhör beenden. Vielleicht zischen die sechs anschließend ab in ihr Versteck und gehen den Plan für die Nacht durch. Kurz vor zwei treffen sie in

Sickla ein, plazieren eine Minibombe auf der Straße und warten. Um zwei Uhr rollt der Mercedes heran. Irgendwo in der Nähe steht der ›Polizist‹ und wartet. Vermutlich hört er den Knall. Er sieht ein, daß es schiefgelaufen ist. Er haut ab. Lindberg, Bergwall, Carlstedt, Andersson, Sjöqvist und Kullberg nähern sich dem explodierten Wagen. Genau wie in Vukotics Zelle in Kumla handelt es sich um eine äußerst präzise dosierte Sprengladung. Sie wird genau unter dem Rücksitz des Wagens zur Explosion gebracht. Es waren drei Mann im *Kvarnen*, dazu der ›Polizist‹, vermutlich werden genau diese drei kommen. Einer von ihnen wird auf der Rückbank sitzen. Wahrscheinlich wird er den Aktenkoffer halten, und weil dieser Geld enthält, wird er explosionssicher sein. So ist es. Der Mann auf dem Rücksitz, 1 A, ist außer Gefecht gesetzt. Die zwei Überlebenden werden zum Aussteigen gezwungen und stehen auf beiden Seiten des Wagens, 1 B auf der Beifahrerseite, der Fahrer 1 C auf der Fahrerseite. Sie werden gefilzt. Bergwall geht um den Wagen herum und steht auf der anderen Seite. Carlstedt holt den Aktenkoffer vom Rücksitz, trennt mit einem Bolzenschneider, der übrigens gefunden worden ist, die Kette durch. Dann wird es unübersichtlich. Aus irgendeinem Grund läßt die Konzentration nach, die waffenfixierten Kriegsverbrecher 1 B und 1 C haben, wie die Techniker festgestellt haben, im unteren Teil ihrer Jackenärmel irgendwelche Vorrichtungen, so daß sie ihre Izh-70-300-Pistolen verstecken und blitzschnell ziehen können. Robert de Niro in *Taxi Driver*. Ein Schußwechsel bricht aus. 1 B schießt über die Schulter Bergwall durchs Auge. Carlstedt, der wegen des Aktenkoffers seine Waffe nicht ziehen kann, läuft weg. 1 C schießt ihn in den Rücken. Carlstedt wird ins Herz getroffen und stirbt im gleichen Moment, in dem er die Deckung erreicht hat. Wahrscheinlich ist 1 C da schon von mehreren Schüssen getroffen. Er schießt auf jeden Fall weiter und fällt dann tot mit fünf Kugeln im Körper zu Boden. 1 B liegt auch, von sechs Kugeln getroffen. Vielleicht tot, vielleicht noch lebend, weil Niklas Lindberg (oder möglicherweise Sjöqvist oder Kullberg) dann hingeht und achtzehn Schüsse auf ihn abfeuert. Ein Mann in Reebok-Schuhen Größe 40 holt den Koffer und findet ihn in einer Lache von Carlstedts Blut. Es ist Kullberg, der kleinste von ihnen; er hat Schuhgröße 40. Der Verletzte ist Dan Andersson, Danne Blutwurst, Blutgruppe AB negativ. Die Blutmenge läßt den Schluß zu, daß es sich um eine ziemlich schwere Verletzung handelt, aber er ist in keinem Krankenhaus zu finden, wenn also die Gruppe nicht aufgesplittert ist, sondern noch etwas Weiteres plant, ist Andersson immer noch dabei. Wenn sie ihn nicht ganz roh um die Ecke gebracht haben. Vielleicht beginnt er allmählich, ihnen zur Last zu fallen. Von den Sicklaschlächtern erfreuen sich also Roger ›Rogge‹ Sjöqvist und Agne ›Kulan‹ Kullberg noch bester Gesundheit. Und Niklas Lindberg natürlich. Und wie sieht es an der anderen Front aus? Es gibt zwei andere Fronten: den ›Polizisten‹ und Rajko Nedic. Unternimmt der ›Polizist‹ etwas? Wahrscheinlich nicht. Vermutlich wartet er, bis Nedic sich das Geld zurückholt, oder er verlangt neue, frische Knete. Es ist ja nicht sein Fehler, daß Nedic Mist gebaut hat. Nedic baut keinen Mist. Er haßt den Gedanken, Mist zu bauen. Er betreibt seine illegalen Geschäfte mit der Präzision eines Uhrwerks. Er schafft es, einen umfassenden Drogenhandel zu betreiben, und scheint es zu genießen, nach außen gleichzeitig als akribisch gesetzestreuer Restaurantbesitzer zu wirken. Viel kann ihm in seinem Leben nicht schiefgegangen sein. Vermutlich kocht er vor Wut. Aber die Situation ist nicht mehr die gleiche, weder für Nedic noch für den ›Polizisten‹. Der ›Polizist‹ ist in einer Situation gelandet, die einem Alptraum gleicht; er kann kaum damit gerechnet haben, daß seines Geldes wegen fünf Mann sterben würden, es kann ihm kaum gefallen, daß sich eine riesige Polizeiermittlung direkt auf seine kleine Transaktion richtet. Nichts kann mehr im verborgenen geschehen. Nedic weiß auch, daß wir ihm auf der Spur sind. Er weiß, daß wir mehr wissen, als die Medien geltend machen. Er muß eine Lösung finden, die drei Dinge umfaßt: daß er das Geld zurückbekommt, daß es ihm gelingt, die Banditen zu bestrafen, *und* daß er den ›Polizisten‹ zufriedenstellt. Alternativ läßt er den ›Polizisten‹ über die Klinge springen. Und der ›Polizist‹ muß sich darüber im klaren sein, daß dieses Risiko größer geworden ist. Es ist unabdingbar, daß er eine bombensichere Lebensversicherung hat. Vermutlich hat er die. Was also *gerade jetzt* geschehen sollte, ist folgendes: Gang 2 hält sich bedeckt vor Rajko Nedic, Nedic jagt sie, und zwar auf Hochtouren, der ›Polizist‹ ist nervös, aber passiv. End of story.«

Hultins Zimmer. Geduckter Primaner vor dem Rektor. Doch auch wieder nicht. Auch nicht aufrührerischer oder karrieregeiler Kollege. Njet. *Stolzer Mann.* Ein stolzer Mann, der vor der Obrigkeit auf seinem Recht besteht – das ganz und gar nicht sein Recht ist.

Die Obrigkeit fühlte sich müde.

Jorge Chavez war Jan-Olov Hultins bester Fund. Sein eigener, persönlicher. Der Rest der A-Gruppe war mit Hilfe von Tips aus verschiedenen Polizeidistrikten und in Absprache mit ihnen zusammengestellt worden, doch Chavez hatte er ganz allein gefunden. In dessen Eigenschaft als Norrlands einzigem Kanakenbullen, wie er sich selbst titulierte, auf Alptraumdienst in Sundsvall. Und er hatte sich als Volltreffer erwiesen. Der energischste Polizist, der Hultin in seinem ganzen Leben begegnet war. Und jetzt diese – wie hieß es gleich? – Insubordination. Diese direkte Befehlsverweigerung. Ein phantastischer Fund, die Fotos, und dann diese unbegreifliche Weigerung, die Quelle preiszugeben.

Er betrachtete Chavez. Wartete. Schwieg. Ließ ihn schmoren.

Schließlich sagte Chavez: »Es ist kompliziert.«

Mehr nicht. Hultin wartete weiter.

Und so ging es fort im gleichen Stil: »Es ist ein moralischer Konflikt. Ein ethisches Dilemma. Die Fotos haben uns bei der Feststellung der Identitäten geholfen. Wir brauchen sie nicht mehr. Es hat sich erledigt.«

»Nicht ganz«, sagte Hultin. »Wir müssen mit dem Bild des Kvarnenmörders an die Öffentlichkeit gehen.«

»Aber das können wir tun, ohne eine Quelle zu nennen.« Dann gleichsam flehend: »Im selben Moment, in dem ich es dir sage, Jan-Olov, sage ich es auch Mörner und dem Reichspolizeichef und dem ganzen verdammten Polizeikorps.«

»Nicht unbedingt«, sagte Jan-Olov Hultin neutral.

»Doch«, sagte Chavez und sah ihm in die Augen. »Du kannst es dir nach dem Kentuckymörder nicht leisten, Mörner etwas vorzuenthalten. Du hast eine zweite Chance bekommen und bist nicht gewillt, sie aufs Spiel zu setzen.«

Hultin erwiderte seinen Blick, ohne zu zögern. »Da genau denkst du falsch, Jorge. Es ist doch im Gegenteil so, daß ich nichts zu verlieren habe. Überhaupt nichts.«

Chavez schluckte und faßte einen Entschluß. Er sagte: »Sie sind von einem Pädophilen im Söder-Turm aufgenommen worden, Haglunds Halbständer, wie Arto gesagt hat. Er wurde von Sara Svenhagen festgenommen, falls du sie kennst.«

»Natürlich«, sagte Hultin. »Ich kenne sie seit ihrer Kindheit. Brynolfs Tochter. Eine sehr fähige Polizistin.«

»Aber Sara hat von ihrem Chef den Befehl erhalten, den Fall *privat* zu ermitteln. Sie darf unter keinen Umständen etwas über ihre Ermittlung preisgeben. Auch intern nicht.«

»Hellberg«, sagte Hultin und verspürte wieder eine Spur von Müdigkeit. »Ein etwas modernerer Typ von Kommissar als ich. Und warum nicht?«

»Ich habe keine Ahnung«, sagte Chavez. »Ich weiß nur, daß Ragnar Hellberg ihr absolute Schweigepflicht auferlegt hat. Sie hat sie schon gebrochen, als sie mir die Fotos zeigte. Sie hat sie selbst entwickelt. Zu Hause bei sich. Aufgrund einer *Ahnung*, daß der Pädophile das Nachspiel des Kvarnenmords eingefangen haben könnte. Einer Ahnung, mit der sie ins Schwarze traf.«

»Bei sich zu Hause?« fragte Hultin vielsagend.

Chavez schwieg. Schwieg und war stolz. Stolz über sein Schweigen.

»Warum nimmst du wegen Sara Svenhagen solche Unannehmlichkeiten in Kauf?« fuhr Hultin fort, obgleich er zu verstehen begann.

Jorge Chavez trat einen Schritt näher, beugte sich über den Schreibtisch und sagte klar und deutlich: »Weil ich sie liebe.«

28

Und sie liebte ihn. Es kam ihr ein bißchen pathetisch vor.

Sie kannte die Handbücher auswendig. Sie wußte, daß die Liebe langsam wachsen und mit viel Sorgfalt gepflegt werden sollte, daß es Zeit braucht, eine Beziehung zu etablieren, daß die Liebe nichts ist, was einfach mit einem Flupp auftaucht, mir nichts, dir nichts, fix und fertig. Sie glaubte absolut nicht an Liebe auf den ersten Blick. Und richtig, der erste war es ja auch nicht.

Aber fast.

Sie, die geglaubt hatte, immun zu sein. Sie, die geglaubt hatte, allzuviel gesehen und gehört zu haben, um für Amors Pfeile empfänglich zu sein. Sie, die geglaubt hatte, daß die Pädophilenpfeile ihr gesamtes Gefühlsleben versenkt hätten. Aber sie erkannte, wie *stark* der Mensch trotz allem war, wieviel der Mensch tatsächlich ertrug.

Sie stellte sich sämtliche kritischen Fragen. War es wirklich Liebe? Hatte er sich nicht nur in einem Augenblick offenbart, da ihre Gefühle in Aufruhr waren? Hatte er nicht seine in jeder Hinsicht sanfte Zunge auf unehrliche Art und Weise gebraucht? War sie nicht einem klassischen Latino-Verführungsritual zum Opfer gefallen?

Doch die kritischen Fragen reichten nicht weit. Sie dachte

die ganze Zeit an ihn. Sie war froh, erwartungsvoll, sehnsüchtig. Frische Energie hatte von ihr Besitz ergriffen, und sie arbeitete mit einem ganz neuen Schwung.

Denn merkwürdigerweise hatte die Liebe keinen *lähmenden* Effekt auf einen von ihnen, wie bei Teenagern. Dies mußte vielleicht eine reifere Liebe genannt werden, die sich befruchtend auf die Arbeit auswirkte. Beide arbeiteten härter als vorher, was in beiden Fällen unmöglich zu sein schien, und beide fanden, daß sie klarer dachten. Jorge hatte aus dem Handgelenk die ganze Sicklaschlacht zusammengefaßt, und Sara überblickte ihre Situation mit großer Klarheit.

Sie hatte zwei Dinge zu tun. Erstens hatte sie eine Liste durchzuarbeiten, die Adressenliste, auf der sie John Andreas Wiréus gefunden hatte und die sich so flüchtig auf der flüchtigen Pädophilen-Homepage offenbart hatte. Zweitens mußte sie einen Computer überprüfen, nämlich den von John Andreas Wiréus. Als erstes würde sie mit Hilfe der Spuren auf seinem Rechner die Homepage zu lokalisieren versuchen, die seine E-Mail-Adresse aufgespürt und auf jene Adressenliste gesetzt hatte, die sie irrtümlich für ein Netzwerk gehalten hatte. Immerhin war sie jedoch ein *potentielles* Netzwerk. Irgendwo sammelte jemand Adressen von allen, die überhaupt eine gewisse Homepage besuchten. Diese Homepage mußte lokalisiert werden, und in der Verlängerung dessen könnten vielleicht die Personen, die hinter dieser neuen Form von Pädophilenrekrutierung steckten, identifiziert werden.

Dies war eine aufwendige Arbeit, und sie war in vollem Gange, und ganz ohne professionelle Hilfe. Anderseits war sie mittlerweile selbst Profi. Sie bekam das Gefühl, mit einem Rechner und einem Telefonanschluß so gut wie alles tun zu können.

Wie war es überhaupt möglich, in einer Welt wie dieser einigermaßen erhobenen Hauptes zu leben? Alles war käuflich. Alles war möglich, wenn das Geld stimmte. Wie viele Menschen auf dem ganzen Globus waren eigentlich mit diesem unterirdischen Gewerbe befaßt? Worauf stieß sie? War es – die Hölle?

Einen Moment lang dachte sie, daß es tatsächlich die Hölle war. Die richtige biblische Hölle. Die sich in jedem Zeitalter wie ein unterirdischer Strom unter dem gewöhnlichen menschlichen Wirken erstreckte, zeitgemäße Formen bildete und empfängliche Menschen zu sich hinabzog. Und wie wurden Menschen empfänglich?

Sie begann mit diesem Virus einer weltweiten Verschwörung infiziert zu werden, der dann und wann jeden Hacker befällt. Die meisten glaubten, daß die Verschwörung in der Regierung der USA ihren Ausgang nahm, die in geheimen Gewölben UFOs versteckt hielt, die in Labors Aids hergestellt hatte und das Virus in Afrika erprobte. Andere glaubten immer noch an den Kommunismus und die Dominotheorie. Sie selbst hatte die fixe Idee – und da mußte sie wirklich auf der Hut sein –, daß nicht zuletzt diese Theorien Teil der Verschwörung waren. Die große Verschwörung bestand natürlich nicht in einer Elitegang, die wie in billigen Thrillern von irgendeinem Hauptquartier aus die Fäden zog – es handelte sich vielmehr um *unsichtbare Ideologie*. Es bedurfte keiner physischen Grenzposten; es galt, die Grenzposten zu internalisieren, dafür zu sorgen, daß der Ideologe in den Köpfen der Menschen wirksam war. Das 20. Jahrhundert war das Jahrhundert der Demokratie, aber auch das Jahrhundert, in dem man die Demokratie am intensivsten bekämpfte, vor allem aus dem Innern der Demokratie heraus. Wie bekam man – und *man* war natürlich der Markt, die größte und eigentlich einzige Ideologie der Gegenwart, ein vollkommen uniformes und absolut unflexibles Denksystem, das auf Gewinnmaximierung und nichts anderem als Gewinnmaximierung beruhte –, wie bekam man die Leute dazu zu glauben, sie seien im Besitz der Macht, während sie gleichzeitig der Macht beraubt wurden? Natürlich dadurch, daß man sie am Denken hinderte. Jedes Marketing dreht sich darum, die Menschen dazu zu bringen, das Denken einzustellen und sich statt dessen auf verschiedene Formen wohldurchdachter Idealbilder einzulassen. Ein Image zu verkaufen. Weiter? Massive Anhäufung direkt verdummender Fernsehunterhaltung, die jeden Teenager veranlaßte, Programmchef im Fernsehen werden zu wollen, Starrummel, Porno, Sporthysterie, Denken in ethnischen Bahnen, der Zwang, seine Zeit unablässig für absurde Wahlen zu verwenden, von der Müllabfuhr bis zum Stromlieferanten, die Beschränkung jedes wirtschaftlichen Denkens auf die eigene Brieftasche, die immer stärker mit den Börsenkursen gekoppelt war, und schließlich der Biologismus, den Sara Svenhagen als die Krönung der Idee auffaßte, die *um jeden Preis* verbreitet werden mußte: daß wir keine Macht über unser Leben haben. Jetzt waren unsere Hirne endlich matschig genug, unser Selbstvertrauen zerrüttet genug, um den Todesstoß zu empfangen: den Gedanken, daß es eigentlich gar keine Rolle spielt, was wir tun oder was mit uns geschieht – alles in unserem Leben wird sowieso von unseren Genen gelenkt. Das war der Todesstoß, und er setzte von allen Flanken ein, in allen Medien gleichzeitig. Was du auch tust, glaube nicht, daß du etwas an deiner Situation ändern kannst. Sie ist durch eine endlose Kette von Generationen vor dir festgelegt. Hast du einen älteren Verwandten, der pädophil ist, so weißt du, daß du selbst pädophil wirst. Es gibt also keine Veranlassung, der Versuchung zu widerstehen. Es ist sowieso vergeblich.

Sie wurde wütend. Es war Zeit, sich wieder der konkreten Wirklichkeit zuzuwenden.

Wiréus' Rechner enthielt eine enorme Anhäufung von Pädophilen-Sites, die meisten davon bestens bekannt, mehrere unbekannt, gut versteckt hinter getürkten Titeln wie ›Veranstaltungskalender der Universität Göteborg‹ oder ›Spitfire planes. An historical outlook‹: Es konnte irgend etwas sein, irgendwo, irgendwann. Wiréus' Computer öffnete diese verborgenen Homepages, zeigte wiederum ein paralleles Universum. Und überall stieß sie auf Adressenlisten unterschiedlicher Art.

Vor allem begegnete ihr eine Reihe von Pseudonymen, auf die sie zuvor nicht gestoßen war. Sie wurden in gewissen sonderbaren Präsentationen erwähnt und hingen in der Regel mit einer E-Mail-Adresse vom Typ ›xxxxxxx@hotmail.com‹ zusammen. Diesen ihr bis dato nicht bekannten Homepages entnahm sie eine ganze Reihe Pseudonyme von der Art: ›crushy_tomboy‹, ›limmeystone‹, ›rippo_man‹, ›sweetfacepowder‹, ›lungan‹ und ›brambo‹. Von diesen ging sie weiter und suchte die Telefonnummern. Das war schwieriger. Diese Figuren machten nicht den gleichen Fehler wie John Andreas Wiréus. Die Telefonnummern führten zu offiziellen Institutionen in aller Welt. Die obengenannten zu schwedischen Nummern.

Sie loggte sich in den Hauptrechner der Polizei ein und suchte im Ermittlungsmaterial der Pädophilengruppe nach den sechs Pseudonymen. Drei von ihnen waren häufig vorgekommen und inzwischen gefaßt. Drei blieben übrig: ›rippo_man‹, ›sweetfacepowder‹ und ›brambo‹. In dem umfangreicheren Material über die internationale Pädophilenaktion *Operation Cathedral* fand sie schließlich ›rippo_man‹ und ›sweetfacepowder‹. Man hatte sie an schwedische Orte zurückverfolgt und auch die Rechner gefunden, von denen aus diese Pseudonyme benutzt worden waren.

Jetzt wurde es ernstlich kompliziert.

Eine sehr sorgfältige Durchsicht des Ermittlungsmaterials führte zu folgender Erkenntnis: Irgendein polizeilicher Ermittler hatte bereits alle diese Homepages besucht. Eine Figur wie ›rippo_man‹ kam ausschließlich zusammen mit ›brambo‹ vor.

Aber jetzt war ›brambo‹ verschwunden.

Dieser ›brambo‹ fand sich nirgendwo im gesamten Ermittlungsmaterial.

Dennoch *mußte* der Beamte, der ›rippo_man‹ in die Ermittlung eingebracht hatte, auch ›brambo‹ kennen. Es war ein schweres Dienstvergehen, ›rippo_man‹ einzuführen, ohne zugleich ›brambo‹ zu nennen.

Und ›rippo_man‹ war bereits wegen der Verbreitung von Kinderpornographie und sexueller Übergriffe gegen Kinder verurteilt. Es handelte sich um einen vierundzwanzigjährigen Medizinstudenten aus Linköping, der seit April eine vierjährige Haftstrafe in Hall absaß.

Warum zum Teufel tauchte das Pseudonym ›brambo‹ nicht in der Ermittlung auf?

Je länger sie suchte, desto deutlicher wurde das Muster.

Der Ermittler hatte ›brambo‹ ganz bewußt von der Ermittlung ausgeschlossen. Und *der Ermittler kam aus ihrer eigenen Gruppe*. Der Abteilung für Pädophilie bei der Reichskriminalpolizei.

Ein tiefes und heftiges Unbehagen erfüllte sie.

Sie drückte auf die Aufwärtstaste und ließ den Text zurücklaufen, zum Beginn des Dokuments.

Zum Namen des Ermittlers.

Da klingelte es an der Tür.

Sie wußte, wer es war. Sie hatte den ganzen Tag auf ihn gewartet. Sie liebte ihn.

Aber dies hier konnte sie nicht erzählen. Nicht jetzt.

Der Text rollte weiter. Die Klingel schrillte weiter.

Sie mußte es jetzt herausfinden. Jetzt.

Nun mach schon. Komm endlich!

Sie rief, verzweifelt: »Einen Augenblick! Ich komme!«

Es klingelte weiter.

Der Text hielt an. Sie sah den Namen.

Es war, wie sie geglaubt hatte.

Kommissar Ragnar Hellberg.

Dann loggte sie sich aus und lief zur Tür.

Jorge Chavez würde nie vergessen, wie sie ihn umarmte, als sie die Tür endlich öffnete.

29

Am Freitag, dem 2. Juli, endete Hammarbys Niederlagenserie. 3:0 zu Hause gegen Norrköping. Hans Berggren beendete seine Torflaute. Kennedy Bakircioglü schoß sein erstes Tor in der schwedischen ersten Liga.

Vielleicht als Resultat dessen, was am Morgen des gleichen Tags geschehen war.

Kurz vor neun spazierten zwei etwas heruntergekommene junge Männer ins Polizeipräsidium in der Agnegata. Sie verlangten nach Paul Hjelm und Kerstin Holm. Da sie bei der Länspolizei hereingekommen waren, entstand zunächst eine gewisse Verwirrung in der Anmeldung. Die Namen waren unbekannt. Während der langen Wartezeit hielt der ältere, größere Mann den Arm um den jüngeren, kleineren.

Endlich fand die Anmeldung die Namen Paul Hjelm und Kerstin Holm, rief bei ihnen an und bat die beiden jungen Männer, auf einem in der Nähe stehenden Sofa Platz zu nehmen. Keiner der beiden setzte sich. Dazu waren sie physisch nicht in der Lage.

Hjelm und Holm kamen zusammen herunter. Sie erkannten sogleich den älteren, größeren Mann. Es war Jonas Andersson aus Enskede, Vorstandsmitglied im Hammarby-Fanclub. Nach einem Moment erkannten sie auch den zweiten, kleineren Mann. Und zwar von einem Schwarzweißfoto, das mit Marienkäfermagneten an einer Flipchart befestigt war. Das ungepflegte blonde Haar und der Schnauzbart, der ein Stück über die Mundwinkel hinunterhing, waren ihnen inzwischen gut bekannt.

Was sie nicht erwartet hatten, waren die vollkommen verweinten Augen des Kvarnenmörders.

»Er saß heute morgen vor dem Clubheim«, sagte Jonas Andersson aus Enskede. »Er hat gesagt, er wolle Hammarby nicht länger schaden.«

Sie nickten ihm zu.

»Danke, Jonas«, sagte Kerstin Holm.

Jonas Andersson lächelte dünn und verzog sich.

»Wie heißt du?« fragte Paul Hjelm den Kvarnenmörder.

»Conny Nilsson«, sagte der Kvarnenmörder kaum hörbar. Seine Stimmbänder schienen sich verknotet zu haben.

»Warum kommst du gerade jetzt?«

»Ich habe mein Bild in der Zeitung gesehen. Nicht die Zeichnung, das Foto. Und jetzt reicht es. Es war kein Vergnügen.«

»Das kann ich verstehen«, sagte Paul Hjelm und setzte sich auf das Besuchersofa der Länspolizei. Er klopfte darauf. Conny Nilsson setzte sich neben ihn. Er war ziemlich klein, kompakt. Und vollständig am Ende.

»Wo hast du dich versteckt?« fragte Kerstin Holm und setzte sich auf die andere Seite des Kvarnenmörders.

Ohne ein Wort zu wechseln, beschlossen sie beide, diese Bezeichnung nie wieder zu benutzen.

»Zu Hause«, sagte Conny Nilsson. »Ich wohne bei meinen Eltern in Haninge.«

»Wie hast du es geschafft, dich zu verstecken? Sind deine Kumpels so loyal?«

»Meine Kumpels … Ich kenne sie nicht, sie kennen mich nicht. Ich habe mich nach dem Spiel an eine Clique angehängt. Sie schienen mich gar nicht zu bemerken. Sie waren wahnsinnig sauer. Unentschieden zu Hause gegen Kalmar. Im *Kvarnen* fingen sie an, ein paar Småländer anzumachen. Es war eine verdammt aufgeheizte Stimmung. Die Småländer haben gelogen und gesagt, sie hielten nicht viel von Kalmar. Einer von ihnen hat mich geschubst. Ich weiß nicht, was passiert ist, es ist vollkommen schwarz. Ich nehme an, daß ich zeigen mußte, daß ich da war, daß ich kein unbedeutender Niemand war, den man einfach umschubsen konnte. Ich war schon an der U-Bahn vorbei, als ich merkte, daß ich ein vollkommen blutiges Stück Glas in der Hand hielt. Ich warf es weg und lief weiter und nahm einen Bus am Stadsgården. Das war alles. Ich war eine Woche krank.«

»Krank geschrieben?«

»Ich arbeite nicht. Ich habe keinen Job, um mich krank schreiben lassen zu können. Niemand außer meiner Mutter hat gemerkt, daß ich krank war. Eines Abends hörte ich, wie sie über den Kvarnenmörder schimpfte. Sie fragte sich, in was für einer beschissenen Welt sie lebte.«

»Jetzt weiß sie es.«

»Bald weiß sie es«, sagte Conny Nilsson. »Scheiße.«

Sie hatten nichts mehr zu sagen.

Sie übergaben ihn der Ordnungspolizei.

Sie fühlten sich elend.

30

Arto Söderstedt lieferte Kinder in der Tagesstätte ab. Im Sommer liebte er es, Kinder in der Tagesstätte abzuliefern. Er liebte es, jene kleine Veränderung im Verhalten zu beobachten, wenn das Kind sich aus Papas Kleiner in eins der Mädchen verwandelte. Es war eine richtige kleine Metamorphose.

Aber im Winter sah er sie nicht. Dann reichte die Energie nicht aus.

Als er seine kleine Lina noch einmal drückte, kam ihm der Gedanke, daß es langsam aufs Ende zuging. Er hatte fünf Kinder und hatte rund fünfzehn Jahre Kinder in der Tagesstätte abgeliefert und wieder abgeholt, und noch nie hatte er daran gedacht, daß es einmal enden würde. Im nächsten Jahr würde er kein Kind mehr in der Tagesstätte abliefern. Er würde *nie mehr* Kinder in Tagesstätten abliefern.

Vielleicht Enkelkinder. Doch hoffentlich noch nicht so bald.

Der kleine Flachskopf Lina schoß über die Schwelle, hin zu den anderen Kindern. Als er sah, wie sie einen kleinen Bengel mit Namen Rutger drückte, war sie nicht mehr Papas Kleine.

Er blieb noch einen Moment stehen und sah ihr zu. Die Kleinste.

Als er in den unentschlossenen södermalmer Sommermorgen hinaustrat, kam ihm die Idee, daß dies eine gute Szene für einen Krimi wäre. Ein Kriminalbeamter, der sein Kind im Kindergarten abliefert. Darin würden die Leute sich wiedererkennen. Aber natürlich wäre er noch besser eine Frau.

Nein, beschloß Arto Söderstedt. Dies war kein Krimi. Dies war Wirklichkeit.

Er wanderte die Bondegata hinunter. Die Sonne unternahm nur zaghafte Versuche, zwischen den übermächtigen Wolkenmassen hindurchzulugen. Die Straße war seltsam bunt; ein andauernder Kampf zwischen Sonne und Schatten. Er traf dem Steuerkratzer gegenüber auf die Götgata; der leuchtete im selben eigentümlichen, bunten, ständig wechselnden Schein. Dort drinnen saß Anja und prüfte Steuererklärungen. Beim Frühstück lieferte sie täglich Berichte über die erstaunlichsten Versuche von Steuerhinterziehung. Er brauchte deshalb kein allzu schlechtes Gewissen zu haben, daß die Kinder den Sommer in Tagesstätten, Freizeitheimen und Jugendlagern verbringen mußten. Die Eheleute teilten sich die Last der Schuld brüderlich – oder war es schwesterlich?

Unten in der Götgata wartete der frisch ausgehändigte Dienstaudi. Ohne Knöllchen. Er fing an, die komplizierten Parkbestimmungen zu lernen. Das Gaspedal war gut geölt, die Kupplung straff. Eine Weile saß er da und spielte Rallyefahrer. Er hoffte nur, daß ihn niemand sah, als er als der überlegene Sieger durchs Ziel der Safari-Rallye ging.

Dann startete er und fuhr nach Kungsholmen. Er wußte, was er heute als erstes tun würde. Er sollte zwar zusammen mit Viggo die Wohnungen von Roger Sjöqvist und Dan Andersson in den südlichen Vororten durchsuchen, doch das war nicht das erste, was er tun würde.

Als erstes würde Arto Söderstedt ein Auto kaufen. Im Internet.

Der Beschluß war gereift, zwar nicht langsam, sondern mit Nachdruck, ja, also, schnell. Ein Beschluß, der schnell gereift war. Er hatte den Beschluß mit wenig demokratischen Methoden in der Familie verankert. Anja, die seit zwei Jahren wegen eines Wagens nervte, betrachtete ihn skeptisch und versuchte, die verborgenen Motive zu ergründen. Er verriet nichts. Er saß nur da mit einem Pokergesicht und teilte altruistische Motive wie falsche Karten aus: Sie konnten in den Ferien nach Schonen fahren, sie konnten Tagesausflüge nach Kolmården machen, sie konnten mal eine Spritztour über den Bottnischen Meerbusen nach Vasa rüber machen und nachschauen, ob es in Finnland noch Freunde gab.

Er konnte ja nicht einfach den eigentlichen Grund verraten – daß Autofahren Spaß machte.

Was die Megafamilie brauchte, war ein Familienauto. Während er in die Garageneinfahrt unter dem Polizeipräsidium einbog, dachte er über den Begriff des ›Familienautos‹ nach. Es waren Kleinbusse, doch so konnte man sie ja nicht nennen. Das klang uncool. Gerade erst hatte eine europäische Verkehrssicherheitskommission das Resultat eines großen Sicherheitstests bei Familienautos vorgelegt. In Schweden war er besonders willkommen, weil sich im letzten Jahr ein paar Katastrophen ereignet hatten, bei denen Familienautos nach einem Zusammenstoß in Flammen aufgegangen waren. Zum Glück zeigte der Test, daß es auch sichere Modelle gab.

Er betrat sein Dienstzimmer, grüßte mit einem abwesenden Nicken Viggo Norlander, der schon wieder aussah wie etwas, was die Katze hereingeschleppt hatte, heute am ehesten wie eine zerzauste und totgespielte Kohlmeise, setzte sich an seinen Computer und rief das Internet auf.

»Wir müssen los«, sagte Norlander unwirsch. »Zuerst nach Handen, dann ...«

»Nach Fußen«, sagte Arto Söderstedt und gab sein Paßwort ein.

»Schnauze«, sagte Viggo Norlander.

»Du hast heute nacht also wieder Charlotte gehabt? Ist es gutgegangen?«

»Es ist so verdammt anstrengend.«

»Fängst du an, kalte Füße zu bekommen?«

»Nein. Nein, ich liebe es. Wirklich. Aber es ist anstrengend. Dreimal pro Nacht bin ich überzeugt davon, daß sie tot ist. Plötzlicher Kindstod.«

»Und Astrid?«

»Donnerstagabend. Da trifft Astrid sich mit ihren Freundinnen.«

»Kaffeekränzchen«, sagte Arto, während er darauf wartete, daß sein Paßwort angenommen wurde.

»Was?«

»Kaffeekränzchen, so hieß es früher. Heute sagt man Frauentratsch oder Frauenstammtisch. Wenn man auf der falschen Seite aus dem Bett gestiegen ist, kann man es auch Hühnerhof nennen. Aber das muß man für sich behalten. Und wie geht es ihr?«

»Tja, weißt du. Vitalität ist nur der Vorname. Astrid ist wie neugeboren. Sie hat am Ende ihr Kind bekommen. Sie sprudelt. Das kann man doch sagen: *sprudelt*?«

»Sagen kann man es. Wenn man es so meint.«

»Ja, das meine ich. Was machst du da, verdammt? Ich warte seit einer Viertelstunde. Wir müssen los.«

»Was meinst du mit sprudeln? Es sind erst drei Wochen vergangen seit der Geburt. Keine Nachwirkungen?«

»Sie ist ein wenig gerissen. Aber das hindert sie nicht.«

»Sexuell?«

»Das ist doch wohl unsere Privatsache.«

»Genau«, sagte Arto Söderstedt und tippte die Adresse von *Gula Tidningen* ein. »Privatsachen sind die, die man mit seinen Freunden teilt.«

»Schnauze«, sagte Viggo Norlander.

Söderstedt drehte sich zu ihm um. »Jetzt mach mal halblang, Viggo. Du hast dein erstes monogames Verhältnis seit

Gott weiß wie vielen Jahrzehnten, und ich will wissen, wie es ist. Das nennt man ein soziales Netzwerk. Ich bin dein soziales Netzwerk.«

Viggo Norlanders Gesichtsausdruck veränderte sich drastisch. Die mürrische schräg-nach-innen-rückwärts-Miene glättete sich in einem träumerischen Lächeln.

»Verstehe«, sagte Söderstedt und lächelte schief. »Das nenne ich fixe Arbeit. Geh schon zum Wagen, ich komme nach. Ich brauche hier nur fünf Minuten.«

Norlander verschwand.

Das ist mir eine lebenskräftige Kohlmeise, dachte Söderstedt und betrachtete die Überschriften auf dem Bildschirm.

Gula Tidningen war seit einigen Jahrzehnten Stockholms führendes Blatt für Gratisannoncen. Möglicherweise auch für die Hehlereibranche. Hier gab es alles Gebrauchte zu kaufen. No questions asked. Autos, zum Beispiel. Familienautos. Seit einiger Zeit gab es *Gula Tidningen* selbstverständlich auch online. Das System war vielleicht noch nicht ganz ausgereift, doch es gab auch so schon mehr als genug.

Er fand sieben interessante Objekte, vor allem Renault Espace und Toyota Picnic. Furchterregende Preise zwar, aber da hieß es einfach, zu Kreuze zu kriechen. Er schickte sieben Mails ab, in denen er sein Interesse bekundete. Das mußte reichen. Dann kehrte er zur Startseite zurück.

Die wöchentliche Rubrik ›Ich liebe dich‹ erregte seine Neugier. Arto Söderstedt liebte es, Kontaktannoncen, Liebeserklärungen und persönliche Mitteilungen zu lesen. Er konnte nicht recht erklären, warum – vielleicht war es nur eine perverse Neigung, vielleicht beinhalteten diese kleinen konzentrierten Phrasen wirklich *die Sehnsucht unserer Zeit*. In stark gestraffter Form. Das ganze komplizierte Gefühlsleben eines Menschen sollte auf ein paar Zeilen reduziert werden, und was dabei passierte, war in der Regel höchst interessant. Er dachte einen Augenblick an Norlander, der unten im Wagen saß und kochte. Doch nur einen Augenblick. Mit dem übertriebenen Schamgefühl eines Voyeurs schaute er die Annoncen unter der

Rubrik ›Ich liebe dich‹ durch. Einige waren recht phantasieanregend.

›Hengst-Harald. Ich brenne nach deiner Brunst. Stute-Edna.‹

›BK ist CF. 3 12 13 18 24 28 30. DL.‹

›Stefan. Komm zurück. Alles ist vergeben. Sogar die Kühltruhengeschichte. I.L.D. Rickard.‹

›3+3=5. Still waiting. D & die Gang.‹

›Eurydice. ›Kein Verbrechen ist schlimmer als bitterer Verrat, sagten die Schwestern Florento.‹ 82 12G 14. Orpheus.‹

›Samstag, 3. Du weißt, wo. Licking Jack.‹

›Ständer macht Spaß. Scheidensekret-Service.‹

Da reichte es, er klickte sich raus und lief zur Garage.

Viggo Norlander kochte. Er stand vor seinem rostigen alten Dienstvolvo und trat von einem Bein aufs andere. »Scheißkerl«, sagte er.

»Söderstedt«, sagte Söderstedt.

Sie fuhren die zwanzig Kilometer nach Handen südlich von Stockholm. Norlander fuhr wie eine zerzauste und totspielende Kohlmeise, die von der Katze reingeschleppt worden ist. Im Zentrum von Handen lag Dan Anderssons Einzimmerwohnung, die überrascht zu sein schien, daß sie geputzt worden war. Präzisionsgeputzt. Vermutlich würde die Spurensicherung nicht einmal einen Fingerabdruck finden. Es war das gleiche wie in Eskil Carlstedts Wohnung auf Kungsholmen. Sie gingen die wenigen Bücher und Mappen durch. Alles war in mustergültiger Ordnung. Sogar die Teppichfransen waren glattgekämmt. Ein Duft von Seife schwebte noch in der Luft unter dem eingezogenen Rauchgestank. Auf einem Regal stand ein Foto. Dan Andersson auf Mallorca, mit einem breiten Lächeln und einem riesigen Drink in der Hand. Sein Gesicht war tatsächlich leicht lila. Viel mehr gab es nicht zu sehen. Auch hier glänzten alle Formen von Rechtsextremismus mit Abwesenheit. Auch hier hatten sie eine Wohnung vor sich, die wußte, daß sie von der Polizei besucht werden würde und sich deshalb so nichtssagend wie möglich gab.

Arto Söderstedt tat seine Pflicht, aber nicht viel mehr. Irgendwo unter der grauen Routinearbeit lag nämlich etwas und scheuerte. Er fragte sich, was es sein mochte.

Ein Sandkorn, das darauf wartete, eine Perle zu werden?

Sie fuhren in nördlicher Richtung nach Hökarängen. Hier lag Roger Sjöqvists letzter bekannter Aufenthaltsort. Sjökvist war nach neun urlaublosen Jahren bei seinem ersten unbewachten Hafturlaub aus der Anstalt Tidaholm geflohen. Er hatte damals angegeben, er wohne an dieser Adresse. Es zeigte sich, daß es die Wohnung seiner Eltern war, und er hatte sich dort seit zehn Jahren nicht blicken lassen. Söderstedt und Norlander ließen sich von dem etwas heruntergekommenen Elternpaar Sjöqvist überzeugen. Der Vater – wenn er denn der Vater war – stank so stark nach Schnaps, daß die geringste Funkenbildung das ganze Hochhausgebiet hätte hochgehen lassen. Sie verließen schleunigst die Gefahrenzone.

»Verdammt ergiebig«, sagte Norlander im Wagen auf dem Weg zurück nach Kungsholmen. »Verdammt großen Nutzen haben wir getan. Verdammt sinnvoll, das Ganze.«

»Schnauze«, sagte Söderstedt.

Norlander betrachtete ihn verwundert.

Arto Söderstedt dachte nach. Es scheuerte immer unerträglicher. Das Sandkorn *verlangte* danach, eine Perle zu werden.

Er hatte etwas gesehen, gehört oder gedacht. Irgendwann an diesem Vormittag hatte ihn etwas gestreift, das seine Aufmerksamkeit hätte wecken sollen. Aber es war vorübergezogen, und jetzt lag es da und scheuerte wie ein Sandkorn in einer Muschel. Oder besser, eine Fliege im Auge, die durch Blinzeln hinter den Augapfel gerutscht ist und an die man nicht herankommt. Außer mit chirurgischen Methoden.

Söderstedts chirurgische Methode war von der rechtgläubig klinischen Art. Er ging den ganzen Tag durch, beim Aufwachen angefangen. Als er die Augen aufschlug, war Anja fort. Sie war schon zum Steuerkratzer gegangen, um überflüssiges Fett von Steuererklärungen zu kratzen. Danach Toilettenbesuch. Keine bemerkenswerten Gedanken. Irritation über

Hartleibigkeit. Frühstück. Lebhaft. Vier Kinder. Kleinere Prügelei zwischen dem Acht- und dem Zehnjährigen. Catfight, hatte er gedacht, das fiel ihm ein. Das fünfte Kind im Jugendlager nördlich von Uppsala. Ablieferung von drei Kindern, der Dreizehnjährige blieb zu Hause, zuerst zwei ins Freizeitheim, dann das Kleinste in die Tagesstätte. Reflexion über das Abliefern von Kindern im Sommer respektive Winter. Die blitzartige Einsicht, daß er bald kein Kind mehr in die Tagesstätte bringen würde. Betrachtung von Schattenspiel in der Bondegata respektive am Steuerkratzer. Wunderliche Phantasien darüber, sich in einem Kriminalroman zu befinden. Nachdenken über die Parkbestimmungen in Stockholms City. Der überlegene Sieg in der Safari-Rallye. Überlegungen zum Autokauf. Der Begriff Familienauto. Europäische Crashtests. Viggo. Diskussion über plötzlichen Kindstod, Kaffeekränzchen, Hühnerhöfe, der Begriff ›sprudeln‹. Viggos sexualträumerisches Lächeln. *Gula Tidningen*. Teure Familienautos. Sieben Interessebekundungen via E-Mail. Dann Beschämung. Das Gefühl kehrte zurück. Warum Beschämung? Die Rubrik ›Ich liebe dich‹ der Woche. Genau, Scheidensekret-Service. Da war es. Irgendwo da. Eine Mitteilung.

Wie war es noch? Stute-Edna. Kühltruhengeschichte. Licking Jack. Still waiting. Nein, es klingelte nicht.

›Kein Verbrechen ist schlimmer als bitterer Verrat, sagten die Schwestern Florento.‹ Da war es wohl. Die Schwestern Florento? Ein kleines Klingeln.

Ein *Verbrechen* von irgendeiner Art, das kürzlich durch die Presse gegangen war … Waren die Schwestern Florento nicht Kriminelle? In den USA, oder? Zwei Prostituierte, die einen Zuhälterboß um einen Haufen Geld erleichtert hatten. Aber war das so wichtig?

Warum werden Kriminelle unter der Rubrik ›Ich liebe dich‹ in einer Mitteilung in der Internetversion von *Gula Tidningen* zitiert?

Jaja, so what? Es war die Kombination mit etwas anderem, das ausschlaggebend war. Wie war es noch gewesen? Orpheus und Eurydice? Ja, da war es, doch es war nicht das. Waren da nicht auch Ziffern? Kombinationen?

Was hatte da noch gestanden unter ›Ich liebe dich‹ der Woche?

BK, CF, DL. ›3 12 13 18 24 28 30‹. Nein, das sah nach einer Lottoreihe aus. Waren es nicht sieben Ziffern im Lotto? Initialen und Lottoreihe.

›3+3=5‹. Nein, das war ›still waiting‹. Einer von sechs fehlte. Zwei Dreier. Vielleicht zwei Dreiecksverhältnisse, die sich zusammentaten. Zwei kleinere Gruppensexgangs wollten fusionieren. Aber einer wollte nicht mitmachen. Das konnte man Gruppenzwang nennen.

Mehr. ›Samstag, 3‹. Nein, Treffen. ›Du weißt, wo. Licking Jack.‹ Klassischer Ehebruch. Der ja kein Verbrechen war. Begegnung zwischen Frau und Zunge.

Er pflegte sich an Dinge zu erinnern. Orpheus und die Schwestern Florento und – eine Ziffernkombination.

›Eurydice. ›Kein Verbrechen ist schlimmer als bitterer Verrat, sagten die Schwestern Florento.‹ 82 12G 14. Orpheus.‹

›82 12G 14.‹ Genau. Das war es. Das war es, was scheuerte. Es scheuerte weiter. Warum? Wie konnte er wissen, was die Kombination bedeutete? Es waren nur Ziffern und ein Buchstabe. Undurchdringlich. Laß gut sein, wie Kerstin Holm zu sagen pflegte.

Er konnte nicht gut sein lassen. Es scheuerte weiter. ›82 12 G 14‹. ›82 12 G 14‹. ›82 12 G 14‹.

In seinem Innern tauchte ein Wagen auf. *Dieser* Wagen. Viggo Norlanders mittlerweile unrechtmäßig angeeigneter Dienstvolvo. Warum? Wann? *Schwer zu lenken*. Jaha? Warum schwer zu lenken?

Weil er unter Zuhilfenahme des Lenkrads ein Buch halten mußte.

Kumla. Ein kleines Kirchdorf südöstlich des Sees Tåkern in Östergötland. E 18. Abbiegung bei Järva Krog verpaßt.

Arto Söderstedt riß den Straßenatlas aus dem Seitenfach in der Wagentür. *Motormännens vägatlas över Sverige.* Er schlug den zerfledderten roten Plastikumschlag auf und blätterte fieberhaft im Register. Kumla. ›44 8E 2‹.

Verdammt. Es stimmte und stimmte auch wieder nicht ganz. ›82 12 G 14‹.

›44 8 E 2‹.

Vor dem Register stand eine Beschreibung, wie die Kombination zu deuten war. Zuerst die Seite: 82 und 44. Dann ein Quadrat auf dieser Seite: 12 G und 8 E. Danach, um welches Viertel des Quadrats es sich handelte: 1 unten links, 2 unten rechts, 3 oben links, 4 oben rechts. Da stimmte es nicht. Die letzte Ziffer in der Kombination konnte nur 1, 2, 3 oder 4 sein. Nicht 14.

Arto Söderstedt verstand nicht richtig, womit er sich da eigentlich abgab. War es nur ein Gedächtnistraining? Um nicht einzurosten, wenn man fünfundsiebzig war?

Zusammenfassung. Kriminelle werden in der Rubrik ›Ich liebe dich‹ zitiert. Warum? Es ist kombiniert mit etwas, was eine geographische Position zu sein scheint, aber doch nicht richtig. War es doch eine Spur, die in die Irre führte? Hatte ›82 12 G 14‹ trotz aller sonstigen Ähnlichkeiten nichts mit *Motormännens vägatlas över Sverige* zu tun?

»Wie verbreitet ist der hier?« fragte Söderstedt und hielt das rote Plastikbuch hoch.

Norlander starrte ihn so lange an, daß es schon stark verkehrsgefährdend wurde. »Du bist wahnsinnig geworden«, stellte er schließlich fest. »Endlich hast du den Verstand verloren. Es war ja nur eine Zeitfrage, bevor die Glocken schrillen würden.«

»Antworte mir einfach.«

Norlander entdeckte gerade noch rechtzeitig den entgegenkommenden LKW, um ausweichen zu können.

»Das ist der Standard-Autoatlas in Schweden«, sagte er nach einer Weile. Die Pulse pochten laut.

Söderstedt nickte. Okay, wenn man in Schweden eine geographische Position bestimmen wollte, war es nicht ganz unnatürlich, daß man zum *Motormännes vägatlas över Sverige* griff. Von dieser Hypothese arbeitete er sich weiter. Bei der letzten Ziffer, 1, 2, 3 oder 4, handelte es sich um die Einteilung jedes Quadrats vom Typ 12 G in vier identische Quadrate. 14 stand in *Gula Tidningen*. Wenn man sich eine noch präzisere Einteilung jedes neuen Quadrats, in diesem Fall also 12 G 1, in weitere vier Quadrate vorstellte, landete man jetzt in Quadrat 4 im Quadrat 1. Also 14.

Aus dem Quadrat mit der Bezeichnung ›82 12 G 14‹ machte er das Quadrat ›82 12 G 1‹, und hieraus machte er wieder vier Quadrate und wählte von diesen das vierte, d.h.: ›82 12G 14‹. Er schlug Seite 82 auf, suchte das Quadrat 12 G, darin Quadrat 1, unten links, und darin Quadrat 4, oben rechts. Er landete in – Avesta. Avesta an der Grenze zwischen Västmanland und Dalarna. Das wirkte nicht unwahrscheinlich. Eine Stadt.

Orpheus teilte Eurydice mit, daß er sich in Avesta befand, und bei der Gelegenheit zitierte er die Schwestern Florento.

Und? Die A-Gruppe steckte mitten in einer der schwierigsten Mordermittlungen seit langem – warum sollte diese kleine Mitteilung ihn interessieren? Er konnte es nicht anders erklären als mit dem Begriff *Witterung*. Dieses unbeschreibliche Gefühl, etwas völlig Unbekanntem auf der Spur zu sein.

Kriminelle, Position, Mythologie … *Etwas* war da.

Aber es durfte natürlich nicht auf Kosten der laufenden Ermittlung gehen. Darüber war er sich im klaren.

Als sie zurück im Büro waren, ging Söderstedt sofort wieder ins Internet. Es waren vier Antworten wegen der Familienautos gekommen: verkauft, verkauft, verkauft, verkauft. Nicht besonders variationsreich.

Die Variation fand sich indessen auf der Homepage von *Gula Tidningen*. Unter der Überschrift ›Ich liebe dich‹ der Woche. Da stand jetzt: ›Orpheus. ›Aber die Schwestern lösten sich in Luft auf.‹ 41 7 C 31. Eurydice.‹

Er hatte *Motormännens vägatlas över Sverige* mit hochgeschmuggelt. Er schlug nach, ›41 7 C 31‹.

Es war Alingsås.

Er hatte etwas gefunden, doch er hatte keine Ahnung, was.

Alles, was er hatte, war die Witterung.

31

Ljubomir war da. Da. Er verstand sehr wohl, warum. Es war ein Loyalitätstest.

Die beiden Schweden waren im Arbeitszimmer der Villa gewesen. ›Sicherheitsberater‹ in Hawaiihemden und Shorts. Sie saßen schwer auf dem L-förmigen Schreibtisch und sprachen mit dem Großen. Leise, so daß Ljubomir nichts hören sollte. Er stand an der Tür wie immer. Und hörte alles. Sein Gehör war gut.

»Wissen wir, wer sie sind?« fragte der Große barsch.

»Nicht richtig«, sagte einer der Schweden. »Wir arbeiten noch daran.«

»Es scheint einen rassistischen Hintergrund zu haben«, sagte der andere. »Es steht ganz oben auf der Prioritätenliste. Kanakenkohle. Royal Straight Flush. Höher geht es nicht.«

»Wer, verdammt, hat Lordan in die Luft gesprengt?«

»Wie gesagt. An das Material kommen wir nicht ran. Unmöglich.«

»Ihr seid Exbullen«, sagte der Große. »Woran kommt ihr eigentlich, verdammt? Was tut ihr für euer Geld?«

Er machte eine kurze Pause. Faßte sich und fuhr fort: »Kommen wir an einen der Ermittler heran?«

Die beiden ›Sicherheitsberater‹ schüttelten die Köpfe. »Die sind schwierig. Wir haben einiges mit ihnen zu tun gehabt ...«

»Handverlesene Gruppe. Wasserdicht, smart, ein bißchen abgedreht. Unberührbar.«

»Niemand ist unberührbar«, sagte der Große. »Der, der hier war? Hultin?«

»Vergiß es«, sagte der erste Schwede und sah bedrückt aus. »Stützpfeiler. Alter Stamm. An den kommst du nicht ran. Du kannst ihn umbringen, aber nicht erpressen.«

»Scheiß auf die Bullen«, sagte der andere. »Sei ihnen voraus, einfach. Wie gewöhnlich.«

»Nichts von unserem Mann?«

»Er ist in Deckung gegangen. Wäre es nicht an der Zeit, ihn jetzt unter Druck zu setzen?«

»Absolut unmöglich. Seine Versicherung ist wasserdicht. Und wenn hier jemand wen unter Druck setzt, dann sind es meine Leute, die das tun. Ist das klar?«

Sie hatten die Diskussion beendet. Die Schweden waren gegangen, ohne Ljubomir eines Blickes zu würdigen. Da hatte der Große ihn einfach mitgezogen, ohne ein Wort. Er schleppte ihn durch den paradiesischen Garten zur Garagentür. Dort blieben sie stehen. Drei Mann waren sofort aus dem Wachraum gekommen und ihnen gefolgt, dicht auf den Fersen. Jetzt gingen sie vorbei, traten in die Garage und starteten den Wagen. Alles war grün.

Die drei Männer testeten alles. Sie deckten ihn mit ihren Körpern, sie gingen als erste in alle Räume, sie kosteten sein Essen, sie öffneten seine Post, sie starteten seinen Wagen, und sie *fuhren* seinen Wagen. Und das taten sie auch jetzt. Ljubomir saß im Fond eingeklemmt zwischen zwei Typen, während der Wagen zur Stadt brauste.

Und jetzt waren sie *da*. An *diesem Ort*.

Er war entschärft. Desinfiziert. Keine Spur der Widerwärtigkeiten der Vergangenheit. Eine leere Wohnung. Nur zwei weitere Männer, die genauso aussahen. Wie Parodien von Gangstern. Der zivile Look.

Sie wußten ganz einfach nicht, wie man sich zivil kleidete. Sie waren für verschiedene Armeen und paramilitärische Truppen rekrutiert worden, bevor sie auch nur erwachsen waren. Bevor sie gelernt hatten, sich zu kleiden.

Doch sie wußten, wie man Befehle befolgte.

Keiner sagte ein Wort.

Wenn man vom Präzisionsfernglas auf der Fensterbank absah, war es eine ganz normale Wohnung.

Wenn man von den Schreien absah, die aus den schallisolierten Wänden zu Ljubomirs Ohren aufstiegen.

Den grellen, hellen Schreien.

Ljubomir fand, daß sie sich in den porösen Wänden abgelagert hatten. All die Schreie. Alle stiegen sie im Chor zu ihm auf, wie eine furchtbare, schneidende Anklage. Er wurde überwältigt. Er spürte, daß er weiß wurde. Er trat ans Fenster, versuchte es zu öffnen. Keine frische Luft wehte durchs Fenster herein. Es saß vollkommen fest.

Der Große kam zu ihm und legte ihm den Arm um die Schultern. Es war keine freundschaftliche Geste – die hob er bis nach der Arbeit auf. Es war eine Kontrolle. Um zu sehen, wie stark er zitterte.

Um zu sehen, ob er sich übergeben mußte.

Sie standen da zusammen, die Kindheitsfreunde aus dem kleinen Bergdorf im östlichen Serbien, und blickten hinunter zu der Bank auf der anderen Straßenseite. Man konnte glauben, daß sie Freunde waren.

Ein kleiner, aber breitschultriger Mann mit einer Mütze auf dem Kopf betrat soeben die Bank.

Ein kleiner, aber breitschultriger Mann mit einer Mütze auf dem Kopf betrat soeben die Bank. Er kratzte sich an der Stirn, während er eintrat, kratzte sich so, daß die Hand sein Gesicht verdeckte. Er sah sich einen Augenblick um. Große Innenstadtbank. Noch nicht in eine Bürolandschaft verwandelt. Halb elf: wenig Betrieb. Vier Kunden, keiner von ihnen ein potentieller Held. Drei Kameras. Er fixierte ihre Reichweite, zog die schwarze Mütze übers Gesicht und sah durch die Augenschlitze einer Räubermaske.

Im gleichen Augenblick, in dem die anderen hereinstürmten, zog er eine Pistole und zerschoß die drei Kameras. Es waren nur drei Schüsse nötig.

Einer der anderen stand Wache an der Tür. Er konnte mit Mühe und Not seine Maschinenpistole heben. Zwei gingen mit erhobenen Waffen zum Tresen.

Einer von ihnen trug eine goldfarbene Räubermaske. Er sagte deutlich: »Wir sind uns bewußt, daß sie Alarm ausgelöst haben. Also bitten wir Sie, diese beiden Taschen schnellstens

260

zu füllen. Sie haben eine halbe Minute Zeit, dann fangen wir an, die Kunden zu erschießen.«

Die Taschen wurden schnell gefüllt. Niemand schrie, keiner gab einen Laut von sich. Ein merkwürdiges Schweigen herrschte im Raum. Als hätten alle instinktiv erkannt, daß die Stimme es ernst meinte.

Auf dem Weg nach draußen nahmen sie ihre Gesichtsmasken ab, legten eine Kette um die Handgriffe der Türen und schlossen mit einem Vorhängeschloß ab.

Mit zwei Taschen über den Schultern gingen die vier Männer ruhig die Straße hinunter und bogen in eine Querstraße ab. Keiner bemerkte, daß der eine Mann sich kaum aufrecht halten konnte.

Der kleine, aber breitschultrige Mann mit Mütze verließ soeben in Gesellschaft einer jungen Blondine die Bank. Er steckte die Brieftasche in die Innentasche seines Jacketts und zerzauste der Blondine das lange Haar, bevor sie mit einer Umarmung auseinandergingen.

Der Große zeigte auf ihn. »Wahrscheinlich hat er in der Bank seine Tochter getroffen. Eine zufällige Begegnung. Seine *Tochter*. Verstehst du mich, Ljubomir?«

Ljubomir begegnete dem Blick des Großen. Er drang in ihn ein wie ein Schlagbohrer.

Der Große fuhr fort: »Diese Wohnung ist ein Spähposten und nichts anderes. Alles andere Ljubomir, mußt du aus deinem Bewußtsein auslöschen. Von hier aus sehen wir *alles*. Früher oder später kommen sie hierher, und dann werden wir sie fangen. So einfach ist es. *Niemand* trickst Rajko Nedic aus, Ljubomir, und *niemand* verrät ihn. Ich möchte, daß du das wirklich verstehst.«

Ljubomir nickte. Er verstand. Er verstand *genau*.

Und dennoch wollte sein Bewußtsein sich nicht säubern lassen.

32

Sie waren einander so nah, wie man einander kommen kann. Die Jalousien vermochten die Sonne nicht aufzuhalten. Dennoch lagen sie eng aneinandergedrückt. Ihre Körper sollten sich mit der größtmöglichen Fläche berühren. Die Wärme konnte nie drückend werden.

In der Wohnung in der Surbrunnsgata waren vierzig Grad.

Sie hatten etwas getan, was noch keiner von ihnen je getan hatte. Sie hatten geschwänzt. Sich plötzlich, wie auf einen gemeinsamen, gleichzeitig empfangenen Impuls hin, nach Hause begeben und sich geliebt. Wie auf Befehl einer höheren und wichtigeren Instanz, als es der Reichspolizeichef war.

Beide erkannten – ungefähr gleichzeitig –, daß sie in einer gefühlsmäßigen Wüste von Arbeit und nichts als Arbeit gewandert waren und daß sie erst jetzt die Oase erreicht hatten, nicht eine erneute Fata Morgana, sondern wirklich die Oase. Dort gedachten sie zu bleiben. Dort wollten sie ihre Pfähle einschlagen.

Nichts anderes würde sie von ihren Pflichten losreißen können.

Nur dies. Eine höhere Pflicht. Ein höheres Recht.

Sie mußten einander in- und auswendig kennenlernen, aus- und inwendig. Nichts sollte mehr verheimlicht werden.

Und doch geschah genau das. Eine doppelte Mauer erhob sich zwischen ihren engverschlungenen Körpern. Die Mauer der beiderseitigen Schweigepflicht. Und dazwischen ein sonderbares, vermintes Gelände.

Sie versuchten sich einzureden, daß die Mauer *sie* nicht berührte, nichts mit ihrer Zweisamkeit zu tun hatte, nur mit der Arbeit. Aber es ging nicht richtig. Die Arbeit war ein Teil von ihnen.

Man konnte sich, genaugenommen, zur Arbeit nur auf zweierlei Weise verhalten. Entweder man macht irgendeine

Arbeit, egal was, wenn nur der Gehaltsscheck am Monatsende eingeht – oder man sucht sich zielbewußt eine Arbeit, mit der man sich innerlich im Einklang weiß.

Sara Svenhagen und Jorge Chavez hatten beide letzteres getan. Wenn sie an ihren Ermittlungen arbeiteten, wenn sie sich langsam, ganz langsam einer verborgenen Wahrheit annäherten, taten sie zugleich etwas anderes. Etwas Wichtigeres. Stellten eine Ordnung wieder her, fanden Muster im Dasein, deckten verborgene Strukturen auf, näherten sich langsam dem eigentlichen *Sinn*. Sie taten ihre Arbeit mit *Hingabe*. Ein anderes Wort gab es nicht.

Und jetzt liebten sie sich mit der gleichen Hingabe. Zwei Hingaben im Clinch.

Jorge schmerzte seine Undankbarkeit. In der Überzeugung, ›nur‹ den Kvarnentäter lokalisiert zu haben, hatte Sara die A-Gruppe mit einem Fotomaterial versehen, das ihnen ermöglichte, die gesamte Gang 2 zu identifizieren, und das auch noch Bilder von Gang 1 lieferte. Es war wie eine Liebesgabe. Leider war das Bild des ›Polizisten‹ so gut wie nicht existent, und es war vor allem dieser ›Polizist‹, der der Grund für seine Undankbarkeit war. Wenn wirklich ein Polizist in die Sache verwickelt war, dann war strengste Schweigepflicht ein absolutes Muß, und das machte es unmöglich, irgendwelche wesentlichen Aspekte der Sicklaschlacht zu diskutieren. Und er war überzeugt, daß ein Gedankenaustausch über Niklas Lindberg und ›Kulan‹ Kullberg den Fall wirklich weitergebracht hätte. Er hätte gern Saras Meinung über Rajko Nedic und Lordan Vukotic gehört, über Danne Blutwurst und Roger Sjöqvist und Sven Joakim Bergwall und Eskil Carlstedt und eine Gang mutmaßlicher Kriegsverbrecher aus dem früheren Jugoslawien. Und – vor allem – über den ›Polizisten‹. Doch das war ausgeschlossen. Eine Mauer verhinderte es.

Sara hatte sich zwar gefragt, was der sonderbare Ausruf ›der Polizist‹ bedeuten mochte, den Jorge ausstieß, als das Foto des verborgenen Mannes aus dem Entwicklungsbad gehoben wurde. Doch ihre Frage war bald hinter ihrem eigenen Dilemma verschwunden. *Ihrer* Mauer. Ihr Vorgesetzter, Kommissar Ragnar Hellberg, hatte ihre Ermittlung totgeschwiegen, sie rigorosester Geheimhaltung unterworfen – und jetzt fragte es sich, ob dies seinerseits auf einem Dienstvergehen beruhte. Oder sogar einem Verbrechen. Er hatte zielbewußt sämtliche Spuren einer E-Mail-Adresse ausgelöscht, die ziemlich häufig auf verschiedenen Pädophilen-Homepages vorkam: ›brambo‹. Allem Anschein nach war ›brambo‹ ein Pädophiler, der im Internet aktiv war. Sie konnte einen von zwei Wegen wählen. Entweder konfrontierte sie Ragnar Hellberg mit ihrer Entdeckung. Oder sie suchte weiter nach ›brambos‹ Identität. Das einzige, was sie nicht konnte, war mit Jorge zu sprechen. Dies war *ihre* Mauer, und nur ihre.

Also lagen sie da, so eng zusammen, wie man einander nur kommen konnte – und gleichzeitig sehr weit voneinander entfernt. Zwischen ihnen lag ein sonderbares, vermintes Gelände.

33

Die Schwestern Florento waren in der Tat Kriminelle. Arto Söderstedt fand sie ziemlich schnell im Pressearchiv. Besonders in der Boulevardpresse war die Geschichte während einiger Tage um Mittsommer herum heftig aufgebauscht worden – länger hielt sich eine Neuigkeit selten.

Die Schwestern waren Prostituierte in Atlanta, Georgia. Sie hatten zu einem riesigen Stall von Kolleginnen unter einem Superzuhälter namens Big Ted Curtis gehört, der seine Huren ziemlich schlecht behandelte, selbst mit Zuhältermaßstab gemessen. Unter schwierigen Umständen war es den Schwestern gelungen, eine Internetschaltung aufzubauen, mit der sie sich

Zugang zu Big Teds Bank verschafft, sein Konto geleert und sich anschließend in Luft aufgelöst hatten. So ruiniert, beging er Selbstmord, und der ganze Stall von Prostituierten wurde freigelassen.

Vor einigen Wochen nun hatten die Schwestern Florento sich gemeldet, wenngleich von unbekanntem Ort. Sie kommunizierten per E-Mail mit der Presse und erzählten ihre Geschichte. Aber sie blieben verschwunden.

Jetzt saß Söderstedt da und dachte über die Geschichte nach. Jede Sekunde, in der er es unterließ, an Rajko Nedic und Niklas Lindberg zu denken, bereitete ihm ein schlechtes Gewissen. Allerdings immer weniger. Er konnte diese Geschichte nicht loslassen.

Ein Paar, vermutlich Liebende, nennt einander Orpheus und Eurydice – der antike Sänger und seine Geliebte, die er aus dem Totenreich heraufsang. Sie zitieren zwei kriminelle Schwestern, die sich ebenfalls aus dem Totenreich befreiten und denen es nebenbei noch gelang, ihren Quälgeist zu versenken und selbst reich zu werden, und sie teilen sich ihre jeweiligen Positionen in verschiedenen Teilen Schwedens unter der Rubrik ›Ich liebe dich‹ der Woche in *Gula Tidningen* mit. Hier ging etwas vor sich, was vermutlich nicht gänzlich im Rahmen des Gesetzlichen lag.

Söderstedt hielt das umfangreiche Ermittlungsmaterial über die Sicklaschlacht in der einen und den mageren Ausdruck aus *Gula Tidningen* in der anderen Hand. Merkwürdig war nicht nur, daß sie gleich schwer wogen, sondern daß sie sich auch gegenseitig anzogen wie Magneten.

Zwei Positionen. Orpheus in Arvika, Eurydice in Alingsås. Zwei Zitate, mit Anführungszeichen und allem: ›Kein Verbrechen ist schlimmer als bitterer Verrat, sagten die Schwestern Florento.‹ – ›Aber die Schwestern lösten sich in Luft auf.‹ Da traf ihn ein Genieblitz, er rief *Gula Tidningen* an und bekam den Webmaster ans Telefon.

Doch, die Zeitung hatte Backups von den Annoncen des letzten halben Jahres.

Arto Söderstedt ballte sekundenkurz die Hand zur Faust. Dann bat er darum, die Annoncen der Rubrik ›Ich liebe dich‹ vom letzten Monat gemailt zu bekommen. Das würde gehen. Es dauerte eine knappe Stunde.

Dann durchsuchte er das umfangreiche Material mit der Suchfunktion. Während ein ›Orpheus‹ nach dem nächsten auf seinem Bildschirm hervorgehoben wurde, dachte er darüber nach, wie drastisch diese kleine Funktion die polizeiliche Arbeit effektiviert hatte. Schließlich hatte er eine Sammlung gleichartiger Mitteilungen vor sich. Sie sahen alle gleich aus. Zuerst der Name des Empfängers (Orpheus oder Eurydice); dann, in Anführungszeichen, eine kleine Phrase mit mehr oder weniger klarem Bezug zu den Schwestern Florento; dann die Positionsbestimmung aus *Motormännens vägatlas över Sverige*, die übrigens ohne Ausnahme auf eine Stadt hinwies; schließlich der Absender (Orpheus oder Eurydice). Immer exakt die gleiche Form.

Die erste Mitteilung war am Mittsommerabend abgeschickt worden, am fünfundzwanzigsten Juni. Söderstedt spürte, wie die beiden Papierstapel näher zueinander gesogen wurden. In der Nacht auf den Mittsommerabend hatte die Sicklaschlacht stattgefunden.

Er betrachtete die erste Mitteilung eingehender. Sie kam von Orpheus. Der Code aus dem Straßenatlas sagte: Orsa in Dalarna. Und hier stand kein Zitat, sondern ein Hinweis: ›Expr., 24.06, S. 12 oben‹. Eurydices Antwort kam knapp zwei Stunden später, zusammen mit einem Code, der auf Falkenberg an der Westküste hinwies. Jetzt gab es ein Zitat: ›Die Schwestern waren nur seelische Schwestern.‹

‹Expr.›? Und dann ›S. 12 oben‹. Sicher war dies ein Hinweis auf den oberen Teil der Seite zwölf in *Expressen* vom vorhergehenden Tag. An Mittsommerabend waren wohl keine Zeitungen erschienen. Vielleicht hatte Orpheus die Abendzeitung vom Vortag zur Hand – und dort gefunden …?

Söderstedt rief in der Bibliothek des Polizeipräsidiums an. Eine Dame meldete sich, und fünf Minuten später brachte eine junge Frau ihm den *Expressen* vom vierundzwanzigsten Juni. Das meiste handelte vom Kvarnenmord, aber ganz oben auf Seite zwölf stand ein Artikel mit der Überschrift: ›Die Schwestern, die sich in Luft auflösten‹. Es war ein Folgeartikel über die Schwestern Florento. Nach ein paar Zeilen stieß er auf den Satz: ›Die Schwestern Florento waren nur seelische Schwestern.‹ Noch ein Stück tiefer stand: ›Kein Verbrechen ist schlimmer als bitterer Verrat, sagten die Schwestern Florento.‹

Und der Artikel endete mit den Worten: ›Aber die Schwestern lösten sich in Luft auf.‹

Er ging den Rest der Mitteilungen aus der Rubrik ›Ich liebe dich‹ durch. In allen fanden sich Zitate aus dem Artikel in *Expressen*.

Rekonstruktion, dachte Söderstedt und lehnte sich zurück. Orpheus findet den Artikel über die Schwestern Florento. In seiner ersten Mitteilung an Eurydice weist er darauf hin. Sie antwortet nach zwei Stunden, da hat sie sich allem Anschein nach ins mittsommerlich verödete Falkenberg begeben und den *Expressen* vom Vortag besorgt, und sie antwortet mit einem Zitat aus dem Artikel: ›Die Schwestern waren nur seelische Schwestern.‹ Die beiden haben also im vorhinein beschlossen, sich Orpheus und Eurydice zu nennen, die aus dem Totenreich aufgestiegen sind. Dann finden sie einen Artikel über ein seelisches Schwesternpaar, das das gleiche geschafft und außerdem noch eine märchenhafte Geldsumme mitgebracht hat. Sie identifizieren sich mit den Schwestern und schicken jedesmal ein Zitat aus dem Artikel. Sie bewegen sich durch Schweden, in verschiedenen Teilen des Landes, und sie haben vorher beschlossen, über die harmloseste, versteckteste Seite von *Gula Tidningen* mit der Rubrik ›Ich liebe dich‹ der Woche Kontakt zu halten. Das setzte Internet-Zugang voraus. Wie? Und warum das Internet? Warum kein Direktkontakt? Um die Gefahr, aufgespürt zu werden, zu vermeiden? Hmm.

Der Server, dachte Söderstedt. Es mußte möglich sein festzustellen, woher diese Mitteilungen an *Gula Tidningen* kamen.

Neuer Kontakt mit dem Webmaster. Ja, Orpheus und Eurydice hatten denselben Server. Einen spanischen Gratisserver mit Namen Virtud. Er fand ihn im Netz. Nach einer Weile sprachlicher Verwirrung und allgemeinem Widerstand akzeptierte der Webmaster von Virtud, daß Arto Söderstedt schwedischer Polizist war und rückte, immer noch äußerst widerwillig, mit den Angaben über Orpheus und Eurydice heraus. Sie waren als Baruch Spinoza und Elton John registriert. Das besagte nicht viel. Wichtig war, daß es zwei Telefonnummern gab.

Zwei Mobiltelefonnummern.

Orpheus und Eurydice gingen also von Mobiltelefonen aus ins Internet.

Er suchte die Nummern bei Comviq. Beide waren dort registriert. Auf den gleichen Adressaten. Ein Restaurant.

Restaurant Tartaros in Östermalm.

Neue, immer atemlosere Kontakte, jetzt mit der Patent- und Registrierbehörde. Was war das Restaurant Tartaros?

Schließlich erhielt Arto Söderstedt Auskunft auf seine Frage nach dem Besitzer.

Das Restaurant Tartaros gehörte einem Mann mit Namen – Rajko Nedic.

Arto Söderstedt fühlte sich plötzlich ganz, ganz ruhig.

34

Das fehlende Glied zwischen Sara Svenhagen und Jorge Chavez hieß Gunnar Nyberg. Vor nur einer Woche hatte er noch mit Sara im Paar gearbeitet, jetzt arbeitete er mit Jorge im Paar.

Obwohl es vielleicht ein bißchen weit ging, von Paar zu sprechen. Sie liefen nicht abwechselnd mit ihren Dienstwaffen im Anschlag dunkle Treppen hinauf, sie schützten einander nicht, wenn sie sich in eine finstere Gasse schlichen, sie spielten nicht netter und böser Bulle in irgendeinem nächtlichen Vernehmungszimmer. Nein, sie saßen an Computern. Ohne eigenes Verschulden war der einstmals so rauhbeinige Bodybuilderbulle vom einen Computergenie zum anderen geworfen worden und war darüber tatsächlich richtig gut geworden im Umgang mit dem Internet.

Jetzt reichte es allerdings auch.

Die Rückversetzung zur A-Gruppe hatte auf unerklärliche Weise alte Gewohnheiten neu belebt. Oder möglicherweise Unarten. Er begab sich wieder in die Unterwelt, in das Territorium des alten Gunnar Nyberg. Plötzlich bekam er genug von virtuellen Cybernazis und aktivierte eine überraschende Menge Fußvolk bei der Jagd auf die einzige Branche, die nie Urlaub machte.

Als erstes gab es eine Räuberbande. Diese Räuberbande bestand in hohem Maße aus relativ jungen Rechtsextremisten. Aber auch aus waschechten Berufsverbrechern wie Danne Blutwurst. Nyberg organisierte eine umfassende Befragung von Berufsverbrechern, Bankräubern und Skinheads. Er verfolgte vor allem die Spuren im Umkreis von Danne Blutwurst und Roger Sjöqvist.

Noch hatte es zu nichts geführt.

Als zweites gab es eine Drogenbande. Rajko Nedic schien zwar unerreichbar, doch auf Dealerebene mußte man irgendwo einhaken können. Egal wie.

Das war es, womit er im Augenblick beschäftigt war. Die alte Einschüchterungstaktik saß noch im Rückgrat. Er richtete seine unangenehm unveränderlichen einhundertsechsundvierzig Kilo über einer schmächtigen Figur namens Robban auf, einem bekannten Großdealer in Hjulsta. Robban saß in seiner Wohnung und betrachtete mit großen Augen die zerschmetterte Wohnungstür, die in Fetzen – nicht Splittern, nicht Bretterstücken, sondern merkwürdigerweise wirklich *Fetzen* in den Angeln hing. Robban dachte: Wie zum Teufel kriegt er es hin, die Tür in Fetzen zu schlagen? Doch das sagte er nicht.

Er sagte, mit zitternder Stimme: »Ich weiß nicht, wovon du redest.«

»Denk noch mal nach«, sagte Gunnar Nyberg.

»Aber verdammt«, begann Robban, dem Schluchzen nahe. »Du weißt genausogut wie ich, daß es ein idiotensicheres System ist. Man kennt niemanden. Es kommt eine Lieferung. Man holt die Lieferung ab. Man liefert Geld. Sie sehen zufrieden aus. Wenn sie nicht zufrieden aussehen, ist man tot.«

Nyberg schob sich noch ein Stück näher heran. Sein Grizzlygesicht befand sich nur ein paar Zentimeter von Robbans eher kaninchenartigem. Der Atem des Grizzlys roch nicht nach rohem Fleisch und frischem Blut – er roch nach Stehcaféimbiß.

»Jugoslawen?« fauchte das kaffeestinkende Raubtier.

»Könnten sie sein«, hechelte Robban. »Aber ich weiß es nicht. Sie sehen südländisch aus, das schon. Üble Typen. Reden miteinander immer ihr Rotwelsch.«

»Was meinst du damit?«

Und plötzlich ein Anfall von Kamikaze-Mut: »Scheiß dir doch in die Hose, Stinkbombe.«

Als Folge dessen drückte jetzt der Grizzlybär auf einen Punkt im Nacken des Kaninchens. Das Kaninchen erbebte heftig – ein zitterndes Stück Pelzwerk zweiter Wahl.

»Das habe ich durch Nahkontakt gelernt«, informierte Gunnar Nyberg sein Gegenüber pädagogisch. »Es funktioniert tatsächlich.«

»Warte, verdammt, warte«, bebte Robban.

Nyberg ließ ihn los und fühlte sich mies. Er hatte sich vorgenommen, im Dienst nie wieder Gewalt anzuwenden. Es war von selbst gekommen. Als verlange seine Grizzlyrolle einfach danach.

Robban starrte ihn *bewundernd* an. »Wow, Mann!« stieß er aus und massierte sich den Nacken. »Was für ein krasser Griff.«

»Komm jetzt zur Sache«, murmelte Nyberg beschämt.

»Okay. Ich habe gehört, daß es einen Drogenhändler gibt, der das zum Prinzip gemacht hat. Alle seine Mitarbeiter reden immer eine Art Rotwelsch miteinander. Das ist eine Methode, das ganze Gewerbe zu verschlüsseln.«

Eine Methode, das ganze Gewerbe zu verschlüsseln, dachte Gunnar Nyberg und sagte, wie es sich gehörte: »Welcher Drogenhändler?«

»Rajko Nedic.«

»Und du glaubst, daß es Nedic ist, der an dich liefert?«

»Ich habe keine Ahnung«, sagte Robban, zündete sich eine Fluppe an und versuchte, cool auszusehen. »Und vor allem habe ich es nicht gesagt.«

Nyberg ging zu seinem alten Renault zurück, saß eine Weile mit den Händen am Lenkrad da und blickte auf Hjulstas vollkommen homogene Siebziger-Jahre-Architektur. Die Julisonne wurde freudlos von den eintönigen Fensterreihen der graubraunen Häuser reflektiert.

Jaha, dachte Gunnar Nyberg; es war der wärmste Tag des Jahres, der Schweiß rann, und die Gedanken versuchten heldenhaft, einem Tag zu entkommen, der zu Treibsand geworden war. Und aufs neue dachte er: jaha.

Und: jaha.

Dann befreiten sich seine Gedanken mit einem kurzen, aber mächtigen Schub.

Wenn Rajko Nedics Mitarbeiter untereinander immer serbokroatisch sprachen – wie konnten die urschwedischen Nazis in Kumla mitbekommen, daß eine Lieferung stattfinden sollte?

Niklas Lindberg konnte Lordan Vukotic nicht gut *zwei*mal gefoltert haben. Das wäre aufgefallen. Dennoch wußte Lindberg schon zwei Dinge: daß eine Lieferung stattfinden würde und daß ein Treffen im *Kvarnen* bevorstand. Woher wußte er das?

Nedics Macht baute auf perfekter Disziplin auf. Niemand gab jemals etwas preis. Das war der Grundpfeiler des gesamten Unternehmens. Nur so konnte er mit dieser Präzision als gesetzestreuer Restaurantbesitzer agieren. Sein Wille war ganz einfach Gesetz.

War es ein Riß in Nedics Mauer, den er so plötzlich entdeckt hatte?

Einer von seinen Jungs in Kumla hatte gesungen – noch bevor Vukotic sang. Ein Leck in dem wasserdichten System.

Gunnar Nyberg sah die Chance, ein bißchen Unkraut in den streng getrimmten Garten zu säen. War es nicht möglich, daß die ganze Organisation Risse bekommen würde, wenn Nedic von dem Leck erfuhr?

Nyberg blieb sitzen. Die Knöchel seiner ums Lenkrad gekrallten Hände wurden weiß. Schweißtropfen rannen zwischen die Finger und lockerten den Griff.

Drei Mann in Kumla. Wie hießen sie? Zoran Koco, Petar Klovic, Risto Petrovic. Mit denen würde er sprechen. Sofort.

Ein Stück weit war er schon auf dem Weg. Hjulsta. Er lenkte den morschen Renault auf die E 18 und rollte in Richtung Örebro. Zwischen Bålsta und Enköping fuhr er durch eine Ortschaft namens Grillby. Der Name setzte in seinem Innern ein kleines Klingeln in Gang. Grillby? Er war einmal in Grillby gewesen. Wo? Wann? Wieso? Aber er verstand nicht, warum er jetzt daran dachte. Wahrscheinlich kam es von einer gewissen Zerstreutheit, die sich beim Fahren einstellte.

Hinter Örebro rollte er über die Ebene von Närke nach Kumla. Es hatte nicht viel länger gedauert als eine Stunde. Er wandte sich an den Anstaltsdirektor und saß wenig später mit den gesammelten Werken des Trios vor sich in einem Vernehmungsraum.

Das Material von Interpol war umfangreich, aber nicht besonders aussagekräftig. Es gab zahlreiche weiße Flecken auf der Karte der Verbrechenslandschaft, vor allem im Zusammenhang mit den jugoslawischen Kriegen. Zoran Koco war bosnischer Moslem aus Sarajewo und während des Bosnienkriegs offenbar einer der führenden Schwarzmarkthaie gewesen. Petar Klovic war bosnischer Serbe und Lagerwache in einem Konzentrationslager für Moslems gewesen. Keine Straftaten – wenn man von Verbrechen gegen die Menschlichkeit absah. Risto Petrovic war Kroate und ehemaliger Befehlshaber einer paramilitärischen Truppe, die an ethnischen Säuberungen beteiligt war. Allerdings von Serben in Kroatien.

Eine im höchsten Grad unheilige Allianz.

Der weiße Fleck auf Niklas Lindbergs Karte war das Jahr in der Fremdenlegion. Von Mai 94 bis Mai 95. Da waren Koco und Klovic bereits in Schweden. Nicht jedoch Petrovic. Für ebendiesen Zeitraum wies das Material über ihn eine auffällige Lücke auf. Im Juli 95 kam er nach Schweden und schloß sich Rajko Nedics Gang an, was natürlich unbestätigt war, wurde schon im September als Drogendealer inhaftiert und wartete seitdem im Gefängnis auf seine Ausweisung.

Nyberg rief die Interpol-Abteilung im Reichskriminalamt an. Diese wandte sich ihrerseits an die Fremdenlegion und meldete sich eine Stunde später mit einer Anzahl möglicher Namen aus den Jahren 94–95.

Während dieser Stunde hatte Gunnar Nyberg versucht, sich einen Reim auf die Dinge zu machen.

Ein Kroate, der an ethnischen Säuberungen beteiligt gewesen war. Es hing ein leichter Geruch von Ustascha über dem Ganzen, der faschistischen Organisation, die während des Zweiten Weltkriegs Serben ausrottete. Es war nicht ganz unwahrscheinlich, daß Risto Petrovic den Weg über die Fremdenlegion genommen hatte, unter falschem Namen, um sich der internationalen Gerichtsbarkeit zu entziehen. Dort hatte er einen Gesinnungsfreund getroffen, den abgesprungenen schwedischen Gebirgsjägermajor Niklas Lindberg. Petrovic hatte sich dann bei dem Serbenschweden Rajko Nedic eingenistet, der nicht sonderlich an ethnischer Reinheit interessiert war, um Lindberg mit Informationen zu versorgen, beispielsweise über eine bevorstehende Großtransaktion von Nedic an einen schwedischen ›Polizisten‹. Aber war

Lindberg wirklich groß genug, um einen Spion bei Nedic einzuschleusen? Oder existierten größere rechtsextreme Organisationen im Hintergrund? Die Petrovic wie auch Lindberg lenkten? Und wenn ja, fanden sich hinter der Sicklaschlacht größere Motive?

Als er dort in dem kleinen Vernehmungsraum saß, bekam Gunnar Nyberg das Gefühl, daß die Wände immer näher krochen. Was war das für ein seltsamer Zusammenhang, auf den er gestoßen war? Dank eines kaninchenähnlichen Drogendealers mit Namen Robban.

Da begann das Faxgerät zu knarren. Drei Karteiauszüge aus der Fremdenlegion 1994–95. Drei jugoslawische Namen und drei nicht besonders gute, doch klar erkennbare Fotografien.

Gunnar Nyberg rief Jan-Olov Hultin an. Er erklärte die Lage und nahm verschiedene Order entgegen. Alle klangen gut.

Er ließ Risto Petrovic hereinrufen. Eine gewisse Genugtuung breitete sich in dem Riesenkörper aus, als er auf Anhieb das Gesicht von einem der Fotos erkannte.

Petrovic saß da und sah ihn an. Er war groß, kompakt und übermäßig aufgepumpt in dieser spezifischen Knastweise. Ein Körper, der keine Bewegung hat, dafür aber jede Menge Schrott hebt. Und der Blick war grausam und grenzte ans Unmenschliche. Genau wie Gunnar Nyberg gehofft hatte.

Als er den Mund aufmachte, war er sich voll und ganz darüber im klaren, daß er in diesem Augenblick Risto Petrovic zum Tode verurteilte.

»Jovan Sotra?« las er von einem der Faxe.

Petrovic gefror zu Eis. Alle Konsequenzen standen ihm unmittelbar klar vor Augen. Im gleichen Moment, in dem Koco oder Klovic oder irgendein Nedic Nahestehender auch nur von dem Verdacht erfuhr, wäre er ein toter Mann. Was Gunnar Nyberg in diesem Augenblick durchströmte, war *Macht*. Reine Macht. Er begriff plötzlich exakt, was es bedeutete, das Leben eines Mannes in seinen Händen zu haben. Es war unerträglich.

Vielleicht hätte er am Computer bleiben sollen. Im sicheren Cyberspace.

»I don't know what you're talking about«, sagte Petrovic schließlich, doch sein Blick sagte etwas ganz anderes.

Nyberg schaltete auf Englisch um; es ging ein bißchen holperig. »Nach dem Kriegsende in Kroatien wechselten Sie für eine kurze Zeit von der Position eines paramilitärischen Befehlshabers als gemeiner Legionär zur französischen Fremdenlegion. Während dieser Zeit trafen Sie einen ehemaligen schwedischen Offizier mit Namen Niklas Lindberg. Als Sie sich hier in Kumla wiederbegegneten, gaben Sie Informationen über eine große Transaktion zwischen ihrem Arbeitgeber Rajko Nedic und einem Dritten an Lindberg weiter. Lindberg benutzte diese Information, um Nedics engsten Vertrauten Lordan Vukotic zu töten und drei Angestellte Nedics in der sogenannten Sicklaschlacht zu berauben und zu ermorden, wobei auch die Lieferung gestohlen wurde.«

Petrovic starrte Nyberg an. Sein Blick suchte einen Ausweg. Er wußte nicht, ob er in dem großen Polizeibeamten, der wie ein Grizzlybär aussah, einen solchen finden würde. Vielleicht. Er wiederholte, in erster Linie, weil es von ihm erwartet wurde: »I don't know what you're talking about.«

Es klang so hohl, daß Nyberg ihn ganz einfach ignorierte.

»However«, sagte er und nickte. »There is a way out.«

Sie fixierten sich eine Weile. Der paramilitärische Befehlshaber und Schwedens größter Polizist. Der Fremdenlegionär und Mister Sweden. Es erschien ihm männlich bis zum Rand des Absurden.

»Wir warten auf einen Polizisten, der Lars Viksjö heißt. Er wird Sie an einen sicheren Ort bringen. Sie werden Kronzeuge, bekommen eine neue Identität und werden an jeden Ort auf der Welt gebracht, an den Sie wollen. Im Austausch dagegen erfahren wir folgendes. Erstens: wie die Verbindung zwischen Ihnen und Niklas Lindberg aussieht. Zweitens: alles Erdenkliche und Unerdenkliche über Rajko Nedics Organisation. Drittens: um was für eine Lieferung es sich handelte.

Viertens: wer der Empfänger der Lieferung war. Fünftens: wozu Lindberg sie benutzen will. Sechstens: wo Lindberg und seine Bande sich derzeit aufhalten.«

Risto Petrovic schloß die Augen. Er saß vollkommen still. Als er die Augen wieder aufmachte, war sein Beschluß gefaßt. Es war deutlich zu sehen. »Ich weiß nicht, wo Niklas Lindberg ist«, sagte er.

Danach sagte er nichts mehr.

Nach einer Viertelstunde absoluten Schweigens traf Lars Viksjö ein und nahm Petrovic mit. Der hatte erneut das Leben gewechselt.

Es würde interessant sein zu sehen, wie Rajko Nedic reagierte.

Gunnar Nyberg erlaubte sich einen Augenblick stiller Kontemplation. Nein, gestand er sich ein, nicht Kontemplation, das war zuviel gesagt. Eher einen Augenblick reiner und äußerster Selbstzufriedenheit.

Dann rief er Hultin an und erstattete ihm Bericht.

Hultin sagte: »Verdammt gute Arbeit, Gunnar.«

Nyberg sagte: »Schon gut.«

Dann setzte er sich in seinen klapperigen Renault und tuckerte nach Hause. Kurz hinter Enköping kam er zu der kleinen Ortschaft mit Namen Grillby. Er mußte anhalten. Was war mit diesem Grillby? Warum verlangte es gerade im Augenblick des Triumphs Aufmerksamkeit von ihm?

Grillby. Kleines Häuschen. Das Häuschen einer Tante. Jugendliches Gefühl von Freiheit. Abschluß der Polizeihochschule. Zwanzig Jahre her. Fünf Mann und ein Kombi voll mit Sechserpacks.

Was hatte er noch gesagt? ›Ich fahre raus zur Hütte und lade die Batterien auf.‹

Warum es nicht versuchen? Gunnar Nyberg folgte einer zwanzig Jahre alten inneren Karte. Grillby war anscheinend völlig unverändert, denn er fand den Weg ohne Probleme. Er fand einen kleinen Schotterweg, der aus der kleinen Ortschaft hinaus und in den großen Wald hinein führte. Ein paar Kilometer folgte er der immer unwegsamer werdenden Piste. Die Sonne verwandelte den alten Renault in einen Backofen und Gunnar in einen schmorenden Hackbraten. Er zweifelte immer mehr an seiner Erinnerung und seinem Ortssinn. Schließlich öffnete sich jedoch eine Lichtung in dem ziemlich lichten Mischwald, und die kleine Kate tauchte auf. Sie war vollkommen unverändert. Sie lag am Waldrand und wirkte verlassen. Eine kleine Waldkate in faluroter Farbe von der Jahrhundertwende. Hier war so manches Bierchen oben rein und unten raus geflossen.

Ludvig Johnsson lehnte an der Veranda und machte Stretchübungen. Er sah mit einem zutiefst verwunderten, beinah erschrockenen Blick auf. Offensichtlich war er nicht daran gewöhnt, Besuch zu bekommen.

Als Nyberg ihm zuwinkte, hellte sich sein Gesicht auf, er kam im Laufschritt an den Renault und sah durch das heruntergekurbelte Backofenfenster.

Er prallte zurück. »Jesses«, entfuhr es ihm. »Da hast du lange gesessen.«

»Es ist reichlich heiß«, sagte Gunnar Nyberg und wand sich aus dem viel zu engen Wagen. Dann streckte er sich und zeigte auf das Haus. »Es steht also noch«, stellte er fest.

Ludvig Johnsson nickte, ging zurück zur Veranda und fuhr mit seinen Stretchübungen fort. »Ja, es steht noch«, sagte er. »Kein Strom, kein fließendes Wasser, kein Telefon. Ich ziehe mich hierher zurück, wenn ich der Welt den Rücken kehren will. Und das ist immer öfter der Fall.«

Nyberg nickte. »Ich verstehe, was du meinst«, sagte er. »Ich selbst fahre zu meinem Sohn und meinem Enkel nach Östhammar. Dieses Jahr hat es noch nicht so oft geklappt.«

Johnsson hörte auf zu stretchen und betrachtete ihn. »Für mich ist das nicht aktuell«, sagte er nur.

Nyberg biß sich auf die Zunge. Viel zu spät. »Verzeihung«, sagte er.

Ludvig Johnsson trat zu ihm und legte den Arm um ihn. Es entwickelte sich zu einer Umarmung. Sie standen in der Sonnenhitze vor einer einsamen Waldkate an einem Ort namens Grillby in Uppland und umarmten sich. Die Macht der Vergangenheit.

»Ist schon in Ordnung«, sagte Ludvig Johnsson schließlich. »Lange nicht gesehen.«

Sie setzten sich auf der Veranda in den Schatten. Johnsson holte zwei Bier. Die leerten sich ziemlich schnell. Zwei neue kamen zum Vorschein.

»Gaskühlschrank«, sagte Johnsson.

»Jetzt reicht es«, sagte Nyberg. »Ich muß noch zurückfahren. Wir haben einen Durchbruch in der Ermittlung erzielt.«

»Von Pädophilen zu Nazis«, nickte Johnsson. »Ist es etwas, was du erzählen willst?«

»Ich glaube schon. Später. Ist es immer noch das Häuschen deiner Tante?«

Ludvig Johnsson lachte laut und kratzte sich die symmetrische Glatze. »Sie war schon damals senildement, als wir hier unser Examen gefeiert haben. Sie ist immer noch senildement. Liegt im selben Heim und sieht aus wie damals, obwohl sie fast hundert ist. Als ob die Demenz sie konservierte.«

Er schnitt eine kleine Grimasse und fuhr fort. »Dann, als ich Familie bekam, vergaß ich es beinah. Hanna und ich sind viel gereist. Und es ging weiter, als die Jungen kamen. Sie waren neun und sieben, als sie starben, und waren in vierzehn Ländern gewesen. Sie gaben damit an in der Schule. Vierzehn Länder. Und eines Tages waren sie einfach weg. Alle drei. Hanna, Micke, Stefan. Peng – weg. Ich weiß nicht, ob das zu verstehen ist.«

Es war vollkommen still. Gunnar Nyberg meinte, die Sonne scheinen zu hören. Ein feines, leichtes Surren im Hintergrund. Er wußte nichts zu sagen. Es gab nichts zu sagen. Ihm selbst war es gelungen, die Beschädigungen aus der Vergangenheit zu reparieren. Ludvig Johnsson hatte nicht einmal die Chance gehabt. Die fürchterliche Unwiderrufbarkeit des Todes.

»Jaja«, sagte Johnsson nach einer Weile. »Dann fiel mir wieder ein, daß das Häuschen noch da war. Hier kann ich ganz für mich sein. Ich brauche das. Vor der Begegnung mit der Pädophilenwelt die Batterien aufzuladen. Niemand weiß, daß es dieses Haus gibt. Bis jetzt.«

»Ich werde den Mund halten«, sagte Gunnar Nyberg und spürte, daß er einen Fehler gemacht hatte. Er war auf heiligen Boden getrampelt. Er hatte eine Sphäre bevölkert, die nicht bevölkert werden durfte. Ohne nachzudenken hatte er die Tür zu einer Intimsphäre aufgebrochen, so daß sie *in Fetzen* in den Angeln hing. Er fühlte sich wie ein Schurke.

Ludvig Johnsson beugte sich über den Tisch vor, legte seine Hand auf Gunnar Nybergs Hand und sah ihm mit glasklarem, forschendem Blick in die Augen. »Es ist in Ordnung, Gunnar«, sagte er ruhig. »Vielleicht ist es genau das, was ich brauche. Ich halte es nicht länger aus, Eremit zu sein.«

Sie sahen sich an. Auf gewisse Weise wohnten sie immer noch in jener gemeinsamen Wohnung vor zwanzig Jahren. Keiner von beiden hatte sie ganz verlassen. Wie man niemals einen Ort verläßt. Alles bleibt immer da. Und es waren wichtige Jahre ihres Lebens. Der weltgewandte Ludvig und der tumbe Gunnar. Hier waren sie wieder.

Dann machte sich Gunnar Nyberg eines Dienstvergehens schuldig. Er erzählte von dem Fall. Er bedurfte dringender denn je eines Gesprächspartners, und der wiederum bedurfte ebenso dringend genau dessen, Gesprächspartner zu sein, das sah man deutlich. Einen kurzen Augenblick lang hatte Gunnar Nyberg das Gefühl, daß sie gemeinsam den Fall lösen würden. Wie sie es auf der Polizeihochschule getan hatten.

Er begann mit dem Durchbruch, dem Leck bei Rajko Nedic, Risto Petrovic, er fuhr fort, indem er ganz am Anfang begann, bei den Ereignissen im Restaurant *Kvarnen* und im Kumlabunker bis zu exjugoslawischen Söldnern und Niklas Lindberg und der Fremdenlegion und potentiellen rechtsextremistischen Dachorganisationen, und dann war er fertig. Es war eine lange und komplizierte Erzählung. Und noch ohne Ende.

»Mannomann«, sagte Ludwig Johnsson.

Das war alles.

Als Gunnar Nyberg Grillby verließ, kam es ihm vor, als sei eine Last von seinen Schultern genommen worden. Eine alte Freundschaft war wiederbelebt worden, ganz ernsthaft, und er spürte, daß er für den Rest seines Lebens einen Gesprächspartner hatte. Ein gutes Gefühl. Als habe sich ein weiteres abhanden gekommenes Puzzlestück aus der Vergangenheit wieder eingefunden und liege jetzt an seinem Platz.

Er nahm die E 18 und kehrte nach Stockholm zurück.

35

»Ja! Ja! Ja!« grölte ›Kulan‹. »Hier haben wir ihn wieder.«

Es war das zweite Mal an diesem Tag. Beim ersten Mal war er nur vorbeigehuscht. Ein kurzes Signal, das möglicherweise, wenngleich nicht wahrscheinlich, ein falscher Alarm war. Diesmal jedoch war es unzweideutig. ›Kulan‹ war über die Maßen zufrieden. Sogar er hatte aufgehört, daran zu glauben.

Niklas Lindberg sah es ihm an. Der untersetzte, breite Körper erbebte gleichsam vor nicht mehr erhoffter Erwartung. Wie ein Soufflé, dachte er zu seiner eigenen Überraschung.

Er blickte hinab zu seinem Elternhaus. Wie still es dort unten im Tal lag. Dieses niedliche Reihenhausgebiet, in dem er entstanden war. Von Fremden ungestört. Eine gesunde, reine, anständige Jugend in Frieden und Freuden. Trollhättan – so gediegen schwedisch. Und jetzt: zwielichtige Pizzerien an jeder Ecke, Mafiosospielhöllen, südländisch unehrliche

Drückebergermentalität. Eine Welt von Vergewaltigern, Drogendealern, Messerstechern, Sozialhilfeschummlern, von arabisch-jüdisch-katholischer Korruption und machoverkleideter Feigheit. Er wußte auf jeden Fall, *wogegen* er kämpfte. Um das *Wofür* war es ein bißchen schlechter gestellt.

»Jetzt ist er wieder weg«, sagte ›Kulan‹ gedämpft und drehte an seinen Rädchen.

»Hast du eine Richtung bekommen?« fragte Niklas Lindberg.

»Ja«, sagte ›Kulan‹. »Nach Osten. Entweder die 44 oder die 42.«

»Was liegt da? Rogge?«

Roger Sjöqvist blätterte im Straßenatlas. »Schwer zu sehen. Es ist genau zwischen den Seiten. Die 44 teilt sich. Sie geht als 44 hinauf zum Vänern, Lidköping. Als 47 geht sie nach Falköping. Aber die 47 stößt auf die E 20, die nach Skara und Skövde führt. Was hast du noch gesagt? Die 42? Die geht nirgendwohin. Vårgårda. Fristad.«

»Wir brauchen noch eine zweite Indikation«, sagte ›Kulan‹.

Niklas Lindberg überlegte. »Nimm die 44«, sagte er. »Und gib ein bißchen Gas.«

»Und die Geschwindigkeitsbegrenzung?«

»Scheiß drauf. Wir sind jetzt dicht dran.«

»Was glaubst du, Nicke?« sagte ›Kulan‹.

»Ich glaube, daß wir eine zweite Indikation bekommen«, sagte Niklas Lindberg. »Und dann wissen wir Bescheid.«

36

Kommissar Jan-Olov Hultin war ganz und gar nicht begeistert davon, daß Jorge Chavez an seinem Pult saß und die Beine baumeln ließ. Alles andere als begeistert. Obwohl er nicht richtig verstand, warum.

Vermutlich, weil er nicht gesehen wurde.

Es war Freitag, der neunte Juli, und die Zeit raste. Es gab keine richtig heiße Spur. Zwar waren massenhaft neue Fakten hereingekommen, doch nichts wirklich Heißes, richtig Akutes.

Woher dann dieser plötzliche Optimismus?

Die letzten Sitzungen in der Kampfleitzentrale waren eher von einer etwas trostlosen Resignation beherrscht gewesen. So viel Information, und so wenig Handlungsspielraum. Nedic hielt sich bedeckt, und die landesweite Fahndung nach Niklas Lindberg und seinen Männern rückte immer näher. Wenn sie die Identitäten der Männer bekanntgäben, würde die Boulevardpresse die Sicklaschlacht auf das gröbste auswalzen, Lindberg würde als der Antichrist dargestellt und seine Männer als Apostel des Bösen. Das wollten sie um jeden Preis vermeiden. Noch hatte Hultin Mörner sowie den Reichskriminalchef und den Reichspolizeichef hinter sich, was die Geheimhaltung der Identität von Lindberg, Sjöqvist, Andersson und Kullberg betraf, doch je länger die Ermittlungen erfolglos blieben, um so stärker wuchs die Forderung nach Information der Öffentlichkeit. Bald würde man nicht mehr umhin können, den Superdetektiv ›Die Allgemeinheit‹ einzuschalten – und damit würde man Rajko Nedics Handlungsspielraum wesentlich erweitern; er würde plötzlich wissen, wer ihn beraubt hatte. Doch bald gab es keine andere Möglichkeit mehr. Hultin fürchtete diesen Augenblick. Er würde die Ermittlung lähmen, man würde in trostloser Überprüfung von Hinweisen steckenbleiben, und jede Möglichkeit, der Gruppe die Zügel zu lockern, wäre zunichte gemacht.

Und was wäre die A-Gruppe ohne lockere Zügel?

Der Anblick des ungezügelten Gunnar Nyberg dort unten in der Tiefe der Kampfleitzentrale war einer der Gründe für Hultins plötzlichen Optimismus. Doch es gab noch andere. Alle sahen wie angespitzt aus, möglicherweise mit Ausnahme von Viggo Norlander, der mit offenen Augen und sabberndem Mund schlief. Ein Leckerbissen für die Boulevardpresse: ›So betreibt die Polizei die Suche nach den gefährlichsten Kriminellen des Landes.‹ Und dann der sabbernde Mund in Großaufnahme. Super.

Er hatte gelernt, den Gesichtsausdruck jedes Mitglieds der A-Gruppe zu deuten, und wußte ungefähr, was zu erwarten war. Jorge oben an dem Pult sah forsch aus – das ließ Gutes vermuten. Die letzten Tage war er spürbar zerstreut gewesen; Verliebtheit – aber auch eine Art sichtbarer Druck, als lägen der Liebe unnötige Hindernisse im Weg. Paul sah richtig obenauf aus – was der Fall gewesen war, seit er mit Kerstin ein Paar bildete –, und Hultin ahnte gewisse Komplikationen. Kerstin ihrerseits sah auch aus, als sei sie gut in Form. Aber sie sah ja immer gut aus. Doch es war Arto, der am heftigsten auftrug. Die finnlandschwedischen Mundwinkel waren auf eine Art und Weise gespannt, wie er es lange nicht gesehen hatte. Es würde ihn nicht wundern, wenn Arto Söderstedt da unten saß und den ganzen Scheiß gelöst hatte. Es sah tatsächlich so aus.

Kriminalkommissar Jan-Olov Hultin erteilte der A-Gruppe also nicht ohne eine gewisse Erwartung das Wort.

Vorn am Pult stand ein Fernseher mit einem Videogerät. Chavez setzte ihn mit der Fernbedienung in Gang. Eine Sequenz von einigen Sekunden Länge wurde abgespielt. Ein kleiner, aber breitschultriger Mann mit einer Mütze auf dem Kopf betrat eine Bank. Er verbarg routiniert das Gesicht hinter der Hand und ging aus dem Bild. Nur seine Beine waren sichtbar. Die Füße steckten in Stiefeln und standen ein paar Sekunden neben einem Tisch still. Dann verschwand das Bild in einem Rauschen.

Chavez ließ die Sequenz noch einmal laufen. »Bankraub in Göteborg«, sagte er. »Bevor die Überwachungskameras zerschossen werden. Seht euch mal die Füße an. Messungen vor Ort haben ergeben, daß es sich um Größe 40 handelt.«

»Aber keine vier Jahre alten Reebok«, sagte Arto Söderstedt.

Sie betrachteten ihn. Sie warteten auf eine Fortsetzung, die jedoch ausblieb.

»Nein«, räumte Chavez ein. »Nicht die vier Jahre alten Reebok, die im Gewerbegebiet von Sickla in Eskil Carlstedts Blut herumgetrampelt sind. Aber Schuhe kann man wechseln. So was soll schon vorgekommen sein.«

Herausfordernder Blick zu Söderstedt. Keine Reaktion.

Chavez machte weiter: »Dieser Bankraub war jedoch die Krönung eines regelrechten Raubzugs durch das südwestliche Schweden. Alles, von Schnapsläden bis zu Banken, entlang der Westküste. Es fing am Mittsommerabend mit einer Tankstelle in Skillingaryd zwischen Jönköping und Värnamo in Småland an. Mittsommerabend war der Tag nach der Sicklaschlacht.«

»Skillingaryd liegt ja wohl nicht an der Westküste«, sagte Kerstin Holm.

»Na gut«, sagte Chavez. »Doch danach kommt die Westküste. An sechs Orten sind Raubüberfälle verübt worden: Ängelholm, Mellbystrand, Halmstad, Varberg, Ulricehamn, aber gestern der Höhepunkt in Göteborg, wo die Beute vierhundertzwanzigtausend Kronen betrug. Weil so gut wie keine Zeugenaussagen vorliegen, wissen wir noch nicht, ob es dieselbe Bande ist. Aber in Kombination mit dem routinierten Verhalten in der Bank in Göteborg und den Schuhen Größe 40 ist es wohl nicht ganz unwahrscheinlich, daß es tatsächlich unsere Jungs sind, die hier an der Westküste aktiv sind. Die Bankräuber waren nämlich zu viert, einer von ihnen offenbar verletzt. Ich möchte behaupten, daß es unsere Jungs *sind*. Es spricht nämlich noch ein Faktor dafür.«

»Und der wäre?« fragte Hultin geduldig.

»Zeugenaussagen von der Bank«, sagte Chavez. »Vier Räuber. Drei mit schwarzen Gesichtsmasken. Einer mit einer anderen Farbe. Gold. Ihr erinnert euch vielleicht an die goldenen Fasern in Sickla …«

Hultin nickte, wandte jedoch ein: »Erst raubt man Rajko Nedic eine saftige Lieferung, wahrscheinlich einige Millionen, dann macht man mit einer Serie riskanter kleiner Raubüberfälle an der Westküste weiter. Der kleinste bringt viertausendzweihundertzwölf Kronen. Das klingt unwahrscheinlich.«

»Das *ist* unwahrscheinlich«, sagte Söderstedt.

Wieder wandten sich ihm alle Blicke zu. Er hatte etwas in der Hinterhand, hielt es aber zurück, das war klar.

»Es ist unwahrscheinlich, weil die Prämissen falsch sind«, verdeutlichte Söderstedt. »Wenn man die Prämissen ändert, wird es nicht nur wahrscheinlich, sondern wahr.«

Die Verdeutlichung hatte es nicht gerade deutlicher gemacht.

»Ich möchte später darauf zurückkommen, bitte«, endete er und starrte die Wand an.

Chavez fand, daß er verärgert sein sollte. Zu seiner Verwunderung war er das nicht. Die Neugier überwog. Er sprang vom Pult herunter und kehrte an seinen gewöhnlichen Platz zurück.

»Kerstin?« sagte Hultin.

»Schon bei der Arbeit«, sagte Kerstin Holm, stieg aufs Podium und begann, mit Hilfe der Marienkäfermagneten ein großes Foto an der Flipchart zu befestigen. »Dies wird wohl nur ein kleines Zwischenspiel, während wir auf Artos Enthüllungen warten. Wie ihr wißt, haben wir den Kvarnenmörder festgenommen, einen schüchternen und von allen übersehenen kleinen Jungen mit Namen Conny Nilsson. Ein ganz und gar nicht blutrünstiger Mörder. Ich weiß nicht, wie ich es erklären soll, aber ich habe den Eindruck, als wäre er nur ein Werkzeug von etwas Größerem, das in unserer Gesellschaft in Bewegung ist. Ein junger, etwas willenloser Mann, der plötzlich, ohne zu begreifen, *wie*, den blutigen Griff eines Bierkrugs in seiner Hand sieht. Ich weiß nicht, aber die Sache hat etwas Schreckliches, worauf ich aber nicht richtig den Finger legen kann. Nun gut, daß der Täter gefaßt ist, hat es kaum leichter gemacht, die Zeugen aus dem Kvarnen noch einmal zu vernehmen. Die ganze Bagage scheint in Urlaub gefahren zu sein und sich in alle Winde zerstreut zu haben. Paul und ich haben ja daran gearbeitet, den ›Polizisten‹ einzukreisen. Ein paar der Zeugen sind wie vom Erdboden verschluckt, bei anderen haben wir lange nachforschen müssen, um sie zu erreichen. Endlich sind wir ein Stück weitergekommen. Es hat den Anschein, als sei der ›Polizist‹ dunkelhaarig und habe einen Bart. Man scheint ziemlich einig darin zu sein, daß er unter vierzig ist. Der Zeuge mit dem besten Erinnerungsvermögen, die sogenannte Steintunte, behauptet mit Bestimmtheit, daß der ›Polizist‹ einen kleinen schwarzen Kinnbart trug, ihr wißt schon, diese Art von Bart, der sozusagen den Mund umschließt. Und, wenn wir etwas genauer eine äußerst exakte und wissenschaftlich gesäuberte Vergrößerung des Fotos betrachten, auf dem er also fast ganz von Hammarbyfans verdeckt ist, können wir hier ganz richtig Fragmente eines solchen Barts erkennen.«

»Und da«, sagte Paul Hjelm, »haben wir uns natürlich gefragt, wo wir zuletzt einen Polizisten mit einem solchen Bart gesehen haben. Natürlich unter der Voraussetzung, daß es sich tatsächlich um einen Polizisten handelt. Es ist noch nicht lange her, daß wir einen dunkelhaarigen Polizeibeamten im passenden Alter und mit dem richtigen Bart gesehen haben. Obwohl es natürlich viele gibt.«

»O Gott«, platzte Chavez heraus. Sara erstand vor seinem inneren Auge. Die wunderbare Sara Svenhagen. Die Mauern, die zwischen ihnen in die Höhe gewachsen waren. Und ihm entfuhr die Bemerkung: »Saras Chef.«

Gunnar Nyberg zuckte zusammen und starrte ihn skeptisch an. Hatte Chavez wirklich seine Lichtgestalt gemeint? Was hatte sie mit Jorge zu schaffen? Und sein eigener – zweiter – Chef? Party-Ragge?

»Jetzt wollen wir mal ganz, ganz behutsam vorgehen«, artikulierte Jan-Olov Hultin überdeutlich. »Keiner, will sagen *keiner*, setzt irgendwelche übereilten Beschuldigungen von Kollegen in die Welt, bevor wir nicht sehr, sehr gründlich die Fakten geprüft haben. Ist das klar? Gibt es irgendeinen Grund, daß wir Kriminalkommissar Ragnar Hellberg verdächtigen sollten? Daß er einen kleinen dunklen Kinnbart trägt? Ein bißchen mehr müßten wir schon auf die Beine stellen.«

»Redet ihr von Ragnar Hellberg?« platzte Nyberg heraus. »Party-Ragge? Aber der ist doch vollständig – harmlos.«

»Jetzt könnte man natürlich behaupten, daß kein Kriminalkommissar bei der Reichskriminalpolizei vollständig harmlos ist«, sagte Hultin scharf und fixierte Nyberg. »Aber im Grunde hat Gunnar recht: Es gibt keinerlei Verdacht gegen Ragnar Hellberg oder einen anderen bestimmten Polizeibeamten in diesem Land. Jetzt gehen wir wieder zur Realität über. Nicht wahr, Gunnar?«

Nyberg war immer noch vollkommen fassungslos. Erst das mit Jorge und Sara – dann Party-Ragge. Party-Ragge war in seinen Augen die Kosmetik der Pädophilen-Gruppe, eine Galionsfigur, die ein robustes, aber wenig aufsehenerregendes Schiff schmücken sollte. Zitat Ludvig Johnsson.

Der Partypolizist gegen den Einsiedlerpolizisten.

Dann riß er sich zusammen und startete mit zerstreutem Tonfall seinen eigenen kleinen Triumphzug: »Niklas Lindberg kann kein Gespräch zwischen Rajko Nedics Männern in Kumla belauscht haben, weil sie untereinander immer serbokroatisch sprechen; das ist kennzeichnend für die ganze Bande. Also *muß* irgend jemand gesungen haben. Zuerst hat irgend jemand davon gesungen, daß eine Großlieferung bevorstand und daß am Abend des 23. Juni, also am Tag vor Lindbergs Entlassung, ein vorbereitendes Treffen im *Kvarnen* stattfinden würde. Dann folterte Lindberg Vukotic, um den Ort der Übergabe herauszubekommen, während gleichzeitig seine Leute das gleiche herausfanden, indem sie das Treffen im *Kvarnen* abhörten. Doppelt gecheckt, wie gesagt. *Aber* – derjenige, der das Ganze ins Rollen brachte, war jemand ganz anderer, etwas im Umfeld von Nedic so Einzigartiges wie ein Spitzel. Dieser Spitzel war nach verrichteter Arbeit im Dienst der ethnischen Säuberung in die Fremdenlegion eingetreten, wo er einen Schweden traf, der seine rechtsextreme Ideologie teilte. Dieser Schwede war Niklas Lindberg. Als dann beide, aus unterschiedlichen Gründen, in Kumla landeten, wurde der Spitzel Lindbergs Verbindungsglied zum Nedic-Imperium. Dieser Spitzel heißt Risto Petrovic.«

»Ein paar Jugos der gleichen Sorte‹«, sagte der gerade erwachte Viggo Norlander forsch. Alle waren überzeugt, daß er im Schlaf redete.

»Risto Petrovic«, fuhr Gunnar Nyberg fort, »sitzt zur Zeit gut bewacht an einem geheimen Ort als potentieller Kronzeuge. Aller Wahrscheinlichkeit nach hat er viel über seinen Gesinnungsfreund Niklas Lindberg und seinen Arbeitgeber Rajko Nedic zu berichten. Dagegen hat er keine Ahnung, wo Lindberg und Genossen sich derzeit befinden.«

»Aber das hat Arto«, sagte Hultin ausdruckslos, während alle weiter verblüfft auf Gunnar Nyberg starrten, der schon wieder in seine körperliche Hülle zurückgesunken war.

»Wir hätten ihren Hintergrund kontrollieren müssen«, sagte Söderstedt selbstkritisch.

»Das hätte nichts gebracht«, sagte Nyberg. »Petrovic benutzte bei der Fremdenlegion einen falschen Namen. Jovan Sotra. Und da war Niklas Lindberg noch gar nicht auf der Bildfläche erschienen.«

»Aber trotzdem«, beharrte Söderstedt sinnlos und stand auf. Er ging zur Flipchart und schüttelte enttäuscht den Kopf. Dann befestigte er quer über alle Fotos und Pfeile und Aufzeichnungen eine riesige Karte. Es war die südliche Hälfte von Schonen. Drei verschiedenfarbige Schnörkel waren an verschiedenen Stellen des Landes eingezeichnet – wie übriggebliebene Papierschlangen nach einem Krebsessen.

»Ja, also, hört her«, begann er unkonzentriert. »Was ich gefunden habe, ist ziemlich seltsam. Möglicherweise ist es ein

Zufall. Vermutlich nicht. Kürzlich habe ich mit Hilfe beharrlicher gedanklicher Tüftelarbeit in der Internetversion von *Gula Tidningen* auf der Seite ›Ich liebe dich‹ der Woche eine Serie rätselhafter Mitteilungen gefunden. Zwei Parteien tauschten Informationen über ihre Position aus, und zwar unter Zuhilfenahme selbstgestrickter Hinweise auf das literarische Meisterwerk *Motormännens vägatlas över Sverige*. Meine Aufmerksamkeit wurde dadurch geweckt, daß sie die Schwestern Florento zitierten. Erinnert ihr euch an die?«

»Ja«, nickte Kerstin Holm. »Sexsklavinnen, die einen Aufruhr starteten und ihren Zuhälter um eine Masse Kohle erleichterten.«

»Ungefähr so, ja. Warum sollte man unter der Rubrik ›Ich liebe dich‹ der Woche Kriminelle zitieren? Ich habe jedenfalls Kontakt zu *Gula Tidningen* aufgenommen und deren Backups mit der ganzen Serie von Mitteilungen bekommen. Seit dem fünfundzwanzigsten Juni, Mittsommerabend, haben sie je sechzehn Mal Informationen gewechselt. Das ergab zwei Routen. Die *gelbe* hier durch Dalarna und Västmanland. Die *blaue* hier durch Halland und Västergötland. Die gelbe Route geht von Orsa nach Köping. Die blaue geht von Falkenberg nach Skara. Köping beziehungsweise Skara wurden erst vor ein paar Stunden ins Netz eingegeben. Zehn Minuten bevor wir hier zusammengekommen sind, erhielten wir auch die Nachricht von einem neuen Raubüberfall, auf eine Tankstelle in Falköping. Der Räuber trug dem Vernehmen nach eine Gesichtsmaske in einer Farbe, die am ehesten als golden bezeichnet werden könnte. Wenn wir jetzt die genannten Raubüberfälle in Skillingaryd, Ängelholm, Mellbystrand, Halmstad, Varberg, Ulricehamn, Göteborg und Falköping zu einer Route formen, dieser *roten hier*, dann sehen wir, wie die rote der blauen immer näher kommt.«

Arto Söderstedt machte eine Pause, blickte um sich und sah in völlig verständnislose Gesichter. »Sie jagen Eurydice«, verdeutlichte er.

Auch diesmal blieb der Verdeutlichungseffekt gering.

»Als mir diese Einsicht kam, wurde alles klarer. Wie Jan-Olov eben schon sehr richtig bemerkt hat: Warum sollten sich die Sicklaschlächter auf eine mediokre Raubtournee in West-schweden begeben, *wenn sie Nedic beraubt hatten?* Es ist die-ses *wenn*, das die Prämissen verändert. Wenn sie Nedic um, sagen wir einmal, zehn Millionen beklaut hätten, dann hätten sie nicht Tankstellen um erbärmliche Tausender beraubt. Aber *sie haben Rajko Nedic nicht beraubt.* Sie haben es ver-sucht, aber ohne Erfolg. Jemand anders hat vor ihren Augen die Lieferung stibitzt. Ein kleiner Mann mit vier Jahre alten Reebok Größe 40. Die Blutspuren fort von Eskil Carlstedts Leiche. Orphei Blutspur. Als ich der Spurensicherung Druck gemacht habe, gaben sie zu, daß die Spuren mit, Zitat, ›gewis-ser, wenngleich nicht ganz zufriedenstellender Wahrschein-lichkeit‹ von einem leichten Mann stammen, nicht von ›Kulan‹ Kullberg mit seinen achtundachtzig Kilo.«

»Orphei?« sagte Paul Hjelm und warf Kerstin einen Einver-ständnis heischenden Blick zu. Den sie erwiderte.

»Genitiv von Orpheus«, sagte Söderstedt wie ein senil-dementer Oberstufenlehrer. »Orpheus' Blutspur in moder-nem Schwedisch. Sie nennen sich Orpheus und Eurydice. Ich gehe weiter. Orpheus und Eurydice reißen sich den Akten-koffer unter den Nagel. Sie teilen sich auf und hauen ab in die Provinz, jeder in eine Richtung. Warum? Das ist komplizier-ter. Aber wahrscheinlich deshalb, weil sie aus irgendeinem Grund wissen, daß sie gejagt werden. Sie wissen, daß Gang 2 hinter ihnen her ist. Sie versuchen abzutauchen. Ich weiß nicht, vielleicht haben sie das Geld versteckt und hoffen, daß zumindest einer von ihnen davonkommt. Denn Gang 2 nähert sich. Langsam, aber sicher. Vielleicht haben sie eine Suchan-ordnung, das ist unklar. Wir können auf jeden Fall ein paar Schlußfolgerungen ziehen. Erstens: Gang 2 wollte ganz richtig das Geld für einen bestimmten Zweck haben; für alle Even-tualitäten benutzen sie die Gelegenheit, überall, wo es sich ergibt, ein neues, wenn auch bedeutend geringeres Kapital anzusammeln. Sie brauchen Geld für einen bestimmten

Zweck. Zweitens: Hier haben wir das Rätsel. Ich habe die Telefonnummern von Orpheus und Eurydice lokalisiert. Die Mitteilungen für ›Ich liebe dich‹ der Woche in *Gula Tidningen* kommen immer von denselben Nummern, zwei Mobiltelefonnummern. Beide Mobiltelefone sind auf das Restaurant Tartaros in Östermalm registriert. Der Besitzer des Tartaros ist – Rajko Nedic.«

»Sollte also Rajko Nedic sein eigenes Geld stehlen?« sagte Hultin verwirrt.

»Ja, es ist ein Rätsel, wie gesagt. Ich habe mit Nokia gesprochen, und es handelt sich um die denkbar modernsten Handys, mit integrierten Rechnern. Prototypen beinah. Man kann direkt mit ihnen ins Internet gehen. Sobald Orpheus und Eurydice an einen neuen Ort kommen, schicken sie sich unter der Rubrik ›Ich liebe dich‹ der Woche in *Gula Tidningen* eine Nachricht. Mit einer gewissen Wahrscheinlichkeit sind es ein Mann und eine Frau, und mit gewisser Wahrscheinlichkeit lieben sie sich. Vielleicht treibt Nedic wirklich ein subtiles Doppelspiel – vielleicht sind es zwei junge Leute, die sich von Nedics Organisation abgesetzt haben.«

»Es gibt offensichtlich eine Reihe von Löchern in Nedics wasserdichter Organisation«, sagte Chavez.

»Laßt mich mal sehen, ob ich es verstehe«, sagte Hultin sachlich. »Diese ganze weitgehende Theorie baut also auf einer gewissen geographischen Übereinstimmung zwischen deinen roten und blauen Linien auf? Von einem liebeskranken Paar, das im Internet Mitteilungen austauscht, schließt du darauf, daß sie diejenigen beraubt haben, die Rajko Nedic beraubt haben?«

»Die Handys gehören Nedic«, sagte Söderstedt und zeigte auf die Karte. »Und sieh dir die Linien an. Es ist ein gewisser Zeitfaktor mit im Spiel; deshalb lasse ich nicht locker, bevor ich nicht richtig sicher bin. Wenn wir die Geschwindigkeit betrachten, die die rote beziehungsweise blaue Linie bisher gehalten hat, also Lindbergs Gang beziehungsweise Eurydice, und ihre letzten bekannten Aufenthaltsorte, Falköping beziehungsweise Skara, dann werden sie aller Wahrscheinlichkeit nach morgen aufeinandertreffen. In Skövde.«

»Du glaubst also ...?« fragte Hultin und fühlte sich unterbrochen.

»Daß wir morgen in Skövde Niklas Lindberg, Roger Sjöqvist, Dan Andersson und Agne Kullberg fassen können. Ja. Und außerdem die mysteriöse Eurydice. Viele Fliegen auf einen Streich.«

Hultin schwieg. Er überlegte. Was wäre, wenn Söderstedt völlig danebenlag? Nicht viel, ein fehlgeschlagener Zugriff, kein Kentuckymörderrisiko. Es war ziemlich vage, und der Teufel mochte wissen, wie Söderstedt die mysteriösen Orpheus und Eurydice gefunden hatte. Die Schwestern Florento? *Gula Tidningen*? ›Ich liebe dich‹ der Woche? Steckte nicht Nedic dahinter? Eine Art Verwirrspiel unter Zuhilfenahme der Handys des Restaurants Tartaros? Aber würde er sich jemals verzeihen können, wenn er sich die Chance entgehen ließ? Und würde die A-Gruppe ihm verzeihen? Er betrachtete die krumme rote Linie auf der Karte. Waren das wirklich Lindbergs Männer? Die Gesichtsmaske aus Gold ... Småland, Skåne, Halland, Västmanland ... Doch, es war keine zufällige Linie. Sie kehrten um. Eine Kehrtwende unten in Ängelholm und dann nach Norden. Sie waren auf der Jagd. Und nahmen die Gelegenheit wahr, unterwegs ein bißchen Kleinvieh mitzunehmen, bevor sie auf das richtige Wild stießen. Das stimmte. Und die blaue Linie? Im Zickzack durch Westschweden. Warum? Und die gelbe? Dalarna? Doch die Daten paßten perfekt. Sie begannen gleichzeitig, alle drei. Die Raubüberfälle und die Mitteilungen in *Gula Tidningen* hatten am selben Tag angefangen, am Mittsommerabend, dem Tag nach der Sicklaschlacht. Und natürlich würden die rote und die blaue Linie zusammentreffen. Zum ersten und sicherlich einzigen Mal. Und natürlich mußte Eurydice geschützt werden. Sie – wenn es denn eine Sie war – würde mit großer Wahrscheinlichkeit sterben.

Da nickte Jan-Olov Hultin. Kurz. Sachlich. »Okay«, sagte er. »Wir fahren nach Skövde.«

37

Es war zehn Uhr sechsundzwanzig am Samstag, dem zehnten Juli.

Er lag in einem lausigen Bett in einer Campinghütte bei Arboga und begann sein drittes einsames Wochenende. Er fragte sich, wie lange er noch durchhalten würde.

Vierhunderteins, leichter geht keins.

Die Worte verhöhnten ihn. In wie viele Bankfächer mit den inzwischen hypnotischen Ziffern 4,0,1 hatte er bereits den Schlüssel gesteckt? Fünfzig? Mehr? Er wußte es nicht. Der Alltag war wie ein Nebel. Er tat nichts anderes als Auto zu fahren und in Banken zu gehen und seine Position auf dem Straßenatlas zu bestimmen und kurzgefaßte Mitteilungen ans Internet zu schicken. Etwas anderes gab es nicht.

Erst an den Wochenenden. Da fiel alles über ihm zusammen. Die Entbehrung. Die Hoffnungslosigkeit. Das Eingeständnis der Niederlage.

Die Träume sollten Träume bleiben.

Doch am schlimmsten war die Entbehrung. Sein ganzes Wesen – Körper, Seele, Geist, alles, was er sich denken konnte – schrie nach ihr. Und die Wochenenden waren ein einziges langgezogenes Leiden. Eine Wanderung nach Golgatha.

Hymenaios ist vergebens nach Thrakien gerufen worden.

Er drückte das vergammelte Kissen, bis die Federn herausquollen und in der Hütte umherzusegeln begannen. Sein Blick fiel auf den kleinen Digitalwecker. Er sprang gerade auf 10.31.

Da kam der Stoß.

Sein ganzes Wesen wurde von einem Stoß durchzuckt, wie Elektrizität, von einem gewaltigen Impuls, der durch jede Nervenzelle des Körpers und weiter durch die eher ätherischen Verbindungsglieder der Seele und des Geistes schoß. Alles war Schmerz. Es gab nichts als diesen Schmerz, und der Schmerz war alles.

Alles außer einer kurzen, abrupten Erkenntnis: Ohne es zu wissen, mußte er sich umgedreht haben.

Orpheus mußte sich umgedreht und einen Blick über die Schulter geworfen haben.

Und Eurydice sank zurück in die schattige Tiefe des Hades.

Es war zehn Uhr sechsundzwanzig am Samstag, dem zehnten Juli.

Sie lag in einem lausigen Bett im Parterre eines Hotels in Skövde und begann ihr drittes einsames Wochenende. Sie fragte sich, wie lange sie noch durchhalten würde.

Hatte sie trotz allem falsch gedacht? Hatte die Natter sich doch nicht hinausbegeben in die Provinz und das Geld in einem ländlichen Bankfach verstaut? Fehlte etwas in ihren Berechnungen? War da nichts, woran sie sich erinnern sollte – was in die Berechnungen eingehen sollte? Etwas, das sie blockierte?

Sie überlegte. Das war immer ihr einziger Verteidigungsmechanismus gewesen. Und sie spürte in diesem Augenblick – als das Wochenende kam und gleichsam die Überaktivität des Alltags ertränkte –, daß ihr Gedanke sich ein kleines Stück der Wahrheit annäherte.

Ein Faktor fehlte in den Berechnungen.

Onkel Jubbe? War da nicht mehr?

Sollte sie nicht *wissen*, wo sich dieses Bankfach befand?

Soweit von des Gedankens Blässe angekränkelt …

Er war hell, sie war dunkel, und sie vermißte ihn. Das war das einzige, was glasklar war. Es war das einzige Unbezweifelbare im Leben. Das einzig Reine, absolut Unbefleckte.

Es war nicht möglich, jetzt noch länger voneinander getrennt zu sein.

Sie drückte das lausige Kissen, bis die Federn herausquollen und im Zimmer umherzusegeln begannen. Ihr Blick fiel auf den kleinen Digitalwecker. Er sprang gerade auf 10.31 um.

Da kam der Stoß.

Die Tür ging auf. Sie hatte sie nicht mal abgeschlossen.

Drei Männer mit Gesichtsmasken, zwei davon schwarz und eine in Goldfarbe, traten breitbeinig durch die Tür und schlossen sie hinter sich. Ein vierter Mann kletterte durch die Tür herein, die auf den kleinen Altan nach draußen führte. Alle vier hielten Pistolen in der Hand, und alle vier trieften vor Nässe.

Sie gefror zu Eis.

»Verdammt regnerisch«, sagte der Goldgekrönte und richtete seine Pistole auf sie.

Sie starrte in ein Paar eisblaue Augen. Das war alles, was durch den Goldvorhang zu sehen war.

Sie konnte nicht atmen. Es ging nicht. Sie bekam keine Luft.

»Okay«, fuhr der Mann fort. »Atme jetzt schön ruhig. Du kannst zufrieden sein. Du hast es geschafft, dich zwei Wochen zu verstecken. Das ist gar nicht schlecht, wenn man an den Widerstand denkt. Bist du übrigens allein?«

Sie bekam immer noch keine Luft. Sie fühlte, daß sie blau wurde. Und inmitten des Grauens, mitten in all dem, *dachte sie*. Die Verteidigungsstrategie. Sie dachte: Ich habe dies schon einmal gefühlt, es hat schon früher in meinem Leben Gelegenheiten gegeben, bei denen ich keine Luft kriegen konnte.

Der Mann mit der Goldmaske trat auf sie zu und gab ihr eine kräftige Ohrfeige. Sie konnte wieder atmen. Jeder Atemzug tat weh. Sie war woanders. Auf dem Weg in *einen anderen Raum*.

»Bist du allein?« fragte der Mann. Die drei anderen standen gleichsam in Habachtstellung hinter ihm. Einer von ihnen schien verletzt zu sein. Sie hatte sie schon einmal gesehen. In derselben Kleidung. Sie hatte gesehen, wie der Verletzte verletzt wurde. Und vier andere erschossen wurden. Aus dem Blut des einen war ein Aktenkoffer aufgehoben worden.

Der goldgekrönte Mann mit der verbindlichen Art schaltete um. Abrupt. Er schlug sie noch einmal. Härter. Schrie: »Antworte, du Scheißkanakenhure!«

»Ich bin allein«, sagte sie schwach. Sie spürte, wie sie zu entschwinden begann. Allmähliches Dahinsterben. Als sänke sie zurück ins Totenreich. In die schattige Tiefe des Hades.

Da änderte der Mann wieder den Tonfall. »Danke«, sagte er höflich. »Um den Koffer zu finden, brauchen wir allerdings keine Hilfe.«

Er wandte sich mit einer kaum merklichen Geste an den kleinsten der Männer. Er trug Kopfhörer über der Mützenmaske und hielt einen kleinen Apparat in der Hand. Er ging zum Kleiderschrank, hob drei Wolldecken zur Seite und zog den Aktenkoffer heraus. Dann reichte er ihn dem Goldgekrönten.

Der öffnete ihn und nickte. »Das Radio und der Schlüssel«, bekräftigte er. »Ausgezeichnet. Und jetzt erzähle alles, was du von dieser Sache weißt. Zu allererst: Wer bist du?«

Der zweitgrößte der Männer hatte ihre Handtasche geöffnet. Er holte ein Mobiltelefon mit großem Display heraus. »Kontrollier das hier«, sagte er und hielt es hoch. »Man kann damit direkt ins Internet gehen.«

»Solche gibt es«, sagte der Kleinste fachmännisch. »Prototypen. Saumäßig teuer. Mit eingebautem kleinem Rechner. Nokia, natürlich …«

»Portemonnaie«, sagte der erste und grub weiter in der Handtasche. »Führerschein auf den Namen Sonja Karlsson. Und ein Paß. Derselbe Name. Massenhaft Bares, bestimmt fünftausend.«

»Ein Paß«, sagte der Goldgekrönte. »Hattest du vor, dich ins Ausland abzusetzen, Sonja Karlsson?«

Sie sank immer tiefer. Die Wirklichkeit begann zu verschwinden. Eine andere Wirklichkeit trat an ihre Stelle. Es war wie eine Höhle, vertikal, wie ein Trichter hinunter in die Erde, und sie sank zwischen Höhlenwänden, Stalaktiten, Stalagmiten, und irgendwo tief dort unten war eine Öffnung, wie ein Tor, das Tor zum Hades.

»Jetzt darfst du ruhig was erzählen«, drängte der Mann mit der Goldmütze. »Sonja? *Karlsson*? Nein, verdammt, du bist Kanakin. Falscher Name. Ich hasse falsche Namen. Wie wenn Johan Bengtsson bei einem Bewerbungsgespräch erscheint und ist Buschneger. Das ist die schlimmste Form von Infiltration. Nein, du heißt nicht Sonja Karlsson. Was bist du? Iranerin? Oder Jugo, klar. Was hast du mit Rajko Nedic zu tun?«

Sie sank tiefer. Sie spürte, wie Arme und Beine sich langsam bewegten. Als sei die Luft Wasser.

Sie bekam einen Schlag. Keine Ohrfeige. Einen Schlag in den Bauch. Der Schmerz war irgendwo am Rande der Existenz. Nur vage wahrnehmbar.

»Sie scheint ziemlich weggetreten zu sein«, sagte der Verletzte mit atemloser Stimme von der Tür her. »Paß auf, daß sie nicht schlappmacht.«

Der Goldgekrönte betrachtete den Verletzten. Dann nickte er. »Du hast recht. Kommen wir zum Wesentlichen. Hast du das Bankfach gefunden, Sonja?«

Sie sah ihn verschwommen. Nur diese stahlblauen Augen im Gold. Bohrlöcher. Karies, dachte sie verwirrt.

Dann war sie wieder bei klarem Bewußtsein. Zu erzählen war trotz allem eine Art, sich am Leben zu halten. »Nein«, sagte sie. »Ich habe es gesucht, aber nicht gefunden.«

»Warum suchst du hier?«

»Er liefert seinen Stoff in drei Gebiete in Schweden«, sagte sie glasklar. »Dies hier ist eins davon. Die anderen sind Dalarna und Västmanland sowie Norr- und Västerbotten. Das sind seine Territorien. Er hat nicht Stockholm, Göteborg, Malmö. Er versucht, dort Fuß zu fassen, aber es läuft zäh. Einzelne Vorortgebiete.«

»Sieh mal an«, sagte der Goldgekrönte. »Sie spricht ja ein richtig gutes Rinkebyschwedisch.«

Er wandte sich an den Kleinen. »Was glaubst du?« fragte er in gedämpftem Ton.

»Sie sucht ja selbst«, sagte der Kleine ebenso gedämpft. »Vermutlich ist sie irgendwie aus Nedics Organisation abgehauen – Hure vielleicht, Empfangsdame, Dealerin, was weiß ich? –, und wahrscheinlich hat sie geglaubt, es sei Knete in dem Koffer. Ich glaube nicht, daß wir viel mehr aus ihr herausbekommen.«

»Aber wir haben den Schlüssel«, sagte der Goldgekrönte. »Das ist ein großer Schritt nach vorn. Ich muß unserem Lieferanten Bescheid geben. Versucht, soviel aus ihr herauszubringen, wie ihr könnt. Welche Banken sie schon probiert hat und welche noch nicht. Findet heraus, ob sie einen Komplizen hat. Ihr wißt schon, was ihr tun müsst.«

Dann fügte er hinzu, bedeutend lauter: »Ihr habt freie Hand.«

Der Zweitgrößte rieb sich seine freien Hände. Der Verletzte lachte ein hohles Lachen.

Dann verließ der Goldgekrönte den Raum.

Die drei anderen blieben zurück. Sie begann wieder zu sinken. Es ging immer schneller.

Der Kleine sagte: »Jetzt ist dein letzter Schutz fort, Sonja. Selbst habe ich nicht viel für Vergewaltigungen übrig, aber manchmal kennt Not kein Gebot. Wir haben zwei verdammt lange Wochen auf dem Trockenen gelegen, deinetwegen, und den Kollegen hier steht der Sinn nach Fotze. Je mehr du redest, desto größer ist die Chance, daß du davonkommst. Wir wollen folgendes wissen. Erstens: In welchem Verhältnis stehst du zu Nedic? Zweitens: Woher wußtest du von der Übergabe der Lieferung im Gewerbegebiet Sickla? Drittens: Bist du wirklich allein in dieser Sache? Viertens: Wo wolltest du weiter nach dem Bankfach suchen?«

Sie sank nicht mehr, sie fiel. Sie schlug gegen die Pforte des Totenreichs. Es war eine Tür. Eine normale Wohnungstür. Sie stand davor. Ihr Körper preßte sich gleichsam durch sie hindurch, langsam, schmerzvoll.

Der Kleine zuckte mit den Schultern und trat zur Seite.

Der Verletzte löste sich von der Tür. Seine weite Militärhose beulte am Schlitz aus. Er beugte sich vor. Sie sah den Schmerz in seinen Augen, während er ihre Hose packte. Er zerrte sie herunter, riß sie ihr von den Beinen, daß die Schuhe wegflogen. Sie fühlte, wie ihr linker Fuß sonderbar verdreht wurde. Dann zog er seine Militärhose herunter. Die Unterhose. Und sie starrte auf seinen Ständer. Er kletterte über sie und bewegte das Glied zu ihrem Gesicht hin. Der Gestank von Schweiß und ungewaschenem Geschlecht strömte über sie.

Und sie war durch die Tür. Sie war da. An *dem Ort*. Die schattige Tiefe des Hades. Und sie sah ein Glied, das sich näherte. Sie spürte den Gestank von Schweiß und ungewaschenem Geschlecht. Sie sah die Blitzlichter. Sie sah Bilder von Kindern. Sie hörte Schreie, die ihre eigenen gewesen sein mußten. Und sie wandte sich ab. Sie war nicht da. Sah durchs Fenster hinaus und dachte. Die Verteidigungsstrategie. Die Straße vor dem Fenster. Wagen, die vorüberfuhren. Autonummern. AGF. Agfa Film. BED. Englisch für Bett. DTR. Dithyrambe, was das nun sein mochte. EID. Eider. Oder first aid. Obwohl man es so wohl nicht aussprach. Und im Hintergrund, unter den ständig dunklen Wolken, der Blumenladen, der Videoladen, der Herrenfriseur, die Bank.

Die Bank.

Da wurde die Tür aufgesprengt. Sie hörte Schüsse. Der Mann auf ihr schoß und brüllte und fiel. Klebrige Flüssigkeit rann über sie.

Alles war Chaos.

Und Chaos war im Anfang.

Die Polizeiwache in Skövde war das, was man vielleicht als schwach besetzt bezeichnen konnte. Der diensthabende Vorgesetzte war allein. Der Rest der kleinen Truppe war unterwegs in der Stadt. Zwei kümmerten sich um einen Einbruch in das Lager von Konsum in der voraufgegangenen Nacht. Der Rest war auf Streife. Also fand der diensthabende Vorgesetzte es ziemlich merkwürdig, sieben höhere Polizeibeamte in Zivil in der Wache zu haben.

Er war einundsechzig und sah erwartungsvoll seiner Pensionierung entgegen. »Seid ihr sicher, daß ihr nicht lieber die Nationale Einsatztruppe hinzuziehen solltet?« sagte er zum vierten Mal.

Obwohl seine Frage eine unangenehme Wahrheit beinhaltete, hatte Jan-Olov Hultin angefangen, ihn zu ignorieren.

Er betrachtete seine Truppe. Die A-Gruppe war vollzählig zur Stelle. Sie hatten sich um zwei Karten versammelt. Die erste war ein ganz normaler Stadtplan von Skövde. Die zweite war der Detailplan eines Gebäudes.

»Also, noch einmal von vorn«, sagte Hultin. »Das Hotel liegt hier, am Stadtrand. Die junge, alleinreisende Frau, die unter dem Namen Sonja Karlsson eingecheckt hat und die wahrscheinlich unsere Eurydice ist, hat ein Zimmer in einer Ecke im Erdgeschoß bezogen. Hier. Es gibt zwei Zugänge, einen vom Hotelinnern aus, einen anderen vom Balkon. Außerdem gibt es Fenster an der gegenüberliegenden Wand, wir wissen nicht richtig, wie hoch. Zwei Mann gehen über den Balkon, Hjelm und Holm. Zwei stehen am Fenster, Chavez und Nyberg; Hocker zum Draufstehen werden mitgenommen. Drei gehen durch den Haupteingang. Norlander, Söderstedt und ich. Alle tragen kugelsichere Westen. Zuerst checken wir ab, was da drinnen vor sich geht. Kontakt via Walkie-talkie. Wenn Lindbergs Gang drin ist, schlägt Norlander die Tür ein. Die anderen warten, bis sie hören, daß die Tür eingeschlagen wird. Dann stürmt ihr rein. Vorsicht wird empfohlen. Es könnte sich um eine Geiselsituation handeln. Und es *kann* also wirklich angeraten sein, die Nationale Einsatztruppe hinzuzuziehen. Doch das wird dauern. Am besten wäre es natürlich, wenn ihr sie überrascht. Wir wissen, daß sie sich wahrscheinlich nicht freiwillig ergeben. Noch Fragen?«

»Nachbarn?« fragte Söderstedt.

»Das Hotel ist riesig und fast leer. Die nächsten Zimmer sind leer. Und tatsächliche Nachbarn sind ziemlich weit weg. Wir können nicht die gesamte Nachbarschaft evakuieren, ohne Aufsehen zu erregen. Wenn sie denn überhaupt da sind. Meiner Einschätzung nach können wir diese Sache durchführen, ohne andere als uns selbst in akute Gefahr zu bringen.«

»Und Eurydice«, sagte Söderstedt.

»Sie ist allerdings bereits in akuter Gefahr, wenn sie schon da sind. Also los.«

Sie gingen hinaus zu zwei Mietwagen und fuhren ruhig und ordentlich durch Skövde, bis die eigentliche Stadtbebauung abzunehmen begann. Dann waren sie da.

Es war zehn Uhr sechsundzwanzig am Samstag, dem zehnten Juli.

Es war ein scheußlicher Tag. Es regnete Bindfäden. Eins dieser Unwetter, die für alle schönen Tage Rache nehmen und die Statistik ausgleichen zu wollen scheinen. Es gab so gut wie keine Sicht. Sie aktivierten alle ihre Walkie-talkies, stopften sich die Stöpsel in die Ohren und gingen los.

Alle außer Hjelm und Holm, die um das Gebäude herumgingen, bewegten sich auf den Eingang des anspruchslosen Hotels zu. Bei der Treppe trennten sich Nyberg und Chavez von der Gruppe und schlichen mit je einem kleinen Hocker in der Hand langsam an der Hotelwand entlang zur Ecke, die dem Garten zugewandt lag; ihr Ziel waren die Fenster an der Ecke. Hultin nahm Norlander und Söderstedt mit ins Hotelvestibül. In der Rezeption lungerte die Sparversion eines Piccolos herum.

»Zimmer 12«, sagte Hultin und zeigte seinen Ausweis. »Eine junge Frau. Wir haben vor zwei Stunden miteinander telefoniert.«

Die Piccolovariante reagierte nicht nennenswert auf den Anblick des kriminalkommissarlichen Ausweispapiers. Der Mann senkte lediglich den Blick zu einem vor ihm aufgeschlagenen Gästebuch. »Karlsson«, sagte er schleppend. »Sonja Karlsson. Sie hat Besuch.«

»Von vier Männern?« sagte Hultin.

»Drei. Einer ist gerade gegangen.«

»Wie lange ist das her?«

»Fünf Minuten vielleicht. Zehn.«

»Wagen?«

»Ich hörte einen Wagen starten. Aber er war nicht hier vor dem Haus geparkt.«

»Okay«, sagte Hultin. »Schließen Sie sich jetzt für eine Weile im Büro ein.«

Die Piccoloimitation öffnete zum ersten Mal ganz die Augen. Das war die einzige Reaktion. Dann verschwand er im Hinterzimmer.

Hultin, Söderstedt und Norlander gingen durch eine Doppeltür in den Gang und zogen ihre Dienstwaffen. Langsam bewegten sie sich auf Zimmer 12 zu. Die Ziffern leuchteten wie eine Luftspiegelung von der Tür am Ende des Gangs.

Hjelm und Holm nahmen den Hintereingang. Sie kamen von der entgegengesetzten Seite und mußten sich an einer Reihe unbelebter Balkone entlangarbeiten, die alle von hohen Zäunen mit Kletterpflanzen umgeben waren. Beim letzten Zaun blieben sie stehen. Hjelm nickte.

Holm spähte um die Ecke. »Schwer zu sehen«, flüsterte sie. »Scheißregen.«

»Wir sind da«, flüsterte Gunnar Nyberg ins Walkie-talkie. »Die Gardinen sind zugezogen. Wir erkennen Bewegung, aber nicht viel mehr.«

»Wir sehen nichts«, sagte Holm. »Wir müssen näher ran.«

»Sie *müssen* da sein«, flüsterte Hultin. »Wir haben die Bestätigung, daß drei von ihnen da sind. Ich wiederhole: *Drei* sind da, einer ist weg.«

»Eurydice?« sagte Nyberg.

»Sie ist auch da. Wahrscheinlich haben sie die Waffen auf sie gerichtet. Also größte Vorsicht. Wir stehen genau vor der Tür und müssen exakt wissen, was drinnen vor sich geht. Paul und Kerstin?«

»Wir gehen jetzt dichter heran.«

Kerstin Holm schlich voran. Es patschte hörbar im matschigen Gras. Hjelm war dicht hinter ihr. Erst auf halbem Weg sahen sie die Tür genauer. Es war eine klassische Balkontür, unten Holz, oben Glas, unter der Tür eine kleine Treppe. Sie schlichen geduckt bis an den Fuß der Treppe. Sie waren durchnäßt, wischten sich das Wasser aus den Gesichtern. Hjelm deutete auf sich. Dann richtete er sich langsam auf. Die Stirn, die Augen über die Fensterkante. Wasser lief an der Scheibe herab.

Durch den Wasserschleier sah er drei Männer mit Gesichtsmasken und eine Frau im Schlüpfer. Einer der Männer zog seine Hose herunter und kletterte auf die Frau, um sein Glied an ihr Gesicht zu führen. Er hielt eine Pistole in der Hand. Die beiden anderen hatten jeder eine Pistole im Hosenbund.

Hjelm schnitt eine Grimasse und sank wieder nach unten. Er flüsterte ins Walkie-talkie: »Sie wird jeden Moment vergewaltigt. Der Vergewaltiger hat eine Pistole in der Hand. Die beiden anderen im Hosenbund. Das Kopfende des Bettes zeigt in eure Richtung, Jan-Olov, unmittelbar rechts, hinter der Tür, wenn sie aufgemacht wird. Ihr kommt nicht richtig an ihn ran. Wir müssen ihn vom Balkon aus nehmen. Wenn ihr reinkommt, steht der Meisterschütze ›Kulan‹ direkt geradeaus, der dritte links, gleich vor eurem Fenster, Gunnar.«

»Okay«, flüsterte Hultin. »Gunnar und Jorge, seht ihr was?«

»Nein«, flüsterte Chavez. »Wir müssen erst das Fenster einschlagen, dann die Gardine wegziehen. Das wird schwer.«

»Okay, dann wir und ihr, Paul«, sagte Hultin. »Das Holz der Tür eintreten oder das Glas zerschlagen?«

Paul blickte Kerstin an. Sie sah so sonderbar angespannt aus. Wie ein anderer Mensch. Ihre Lippen formten: ›zerschlagen‹.

»Zerschlagen«, sagte Paul Hjelm.

»Sind alle fertig? Jetzt tritt Viggo die Tür ein. Drei, zwei, eins.«

Die Tür flog auf. Hjelm sah es durchs Fenster. Wie in Zeitlupe. Norlander taumelte herein, und der Mann über der Frau schoß ihn in die Brust. Da schoß Hjelm. Schräg von hinten. Durch die Glasscheibe der Balkontür. Die Kugel drang von rechts in den Brustkorb des Mannes ein. Er fiel auf die Frau. Blut rann heraus. Die beiden anderen streckten instinktiv die Hände hoch. Die Scheibe über ihnen wurde zerschlagen, Glas regnete auf sie herab. Nybergs Gesicht und seine Pistole kamen zum Vorschein. Hjelm trat die zerschossene Balkontür ein. Die Frau glitt auf den Fußboden. Der Angeschossene auf dem Bett schoß noch einmal, haarscharf über Hjelms Schulter. Hjelm schoß wieder auf ihn. Zwei Schüsse ins Gesicht. Einfach durch die Gesichtsmaske. Hultin kam herein. Norlander stand auf und betrachtete das rauchende Loch in seiner Brust. Hultin, Söderstedt und Nyberg oben vom Fenster richteten ihre Waffen auf die beiden, die die Hände hochhielten.

Chavez lief außen herum und schrie auf: »Kerstin!«

Hjelm wandte sich um und sah Kerstin Holm auf dem Balkon liegen und die Hände gegen die Schläfe drücken. Zwischen ihren Fingern rann Blut. Chavez hockte sich neben sie. Hjelm taumelte zu ihr. Da kam der Große unter dem Fenster auf die Idee, seine Pistole zu ziehen. Er bekam sie hoch und schoß geradeaus. Hjelm fühlte, wie er auf den Balkon geschleudert wurde und neben Holm landete. Der Schmerz kam in rollenden Wogen.

Hultin erschoß den Mann. Ohne Pardon und mit vier Schuß genau ins Herz.

»Herrgott«, stieß Gunnar Nyberg oben am Fenster hervor.

Hultin ging zu dem Kleinen, der mit erhobenen Händen dastand, riß ihm die Maske vom Gesicht, preßte ihm die Pistole in den Mund und drückte ihn zurück, so daß er gegen die Wand fiel. Er war vollkommen weiß im Gesicht. Seine Augen starrten wild.

»Jan-Olov!« schrie Söderstedt laut.

Der Finger am Abzug zuckte. Der Pistolenlauf schlug klappernd an die Zähne des Mannes.

»Tu es nicht, Jan-Olov«, beharrte Söderstedt. »Geh weg da.«

Der Pistolenlauf blieb, wo er war. Hultin drückte ihn tiefer und tiefer in den Rachen. Der Erbrechensreflex setzte ein. Der kleine Mann weinte und schniefte und schluchzte. Schließlich erbrach er sich direkt in die Pistole.

»Geh da weg«, wiederholte Söderstedt. »Sieh nach, wie es Paul und Kerstin geht. Das zählt. Jetzt! Geh!«

Hjelm lag da und starrte nach oben in den Regen. Er sah die Regentropfen größer und größer werden. Alle wurden größer und größer. Sie veränderten sich nicht. Er starb nicht. Er wandte sich zu Kerstin um. Jorge preßte sein Jackett an ihren Kopf. Er schrie drauflos. Jorge schrie einfach drauflos. Eine vage Gestalt glitt in Pauls Rücken vorbei. Er starrte auf Kerstins Gesicht. Es bewegte sich. Es formte ein Wort, und das Wort war: »Paul.«

»Ja, Kerstin, ich bin hier. Es wird alles gut.«

»Paul, ich liebe dich.«

»Es wird gut, Kerstin. Es wird gut.«

Hultin riß die Pistole aus dem Mund des kleinen Mannes, zog ein paar Zähne mit, beugte sich vor und zerschlug ihm mit einem Kopfstoß die Augenbrauen. Das konnte er sich leisten.

Nyberg richtete von oben die Waffe auf den Kleinen, Söderstedt unten im Zimmer. Er verkroch sich in die Ecke und schluchzte.

Norlander saß auf dem Bett und riß sich wie wild die kugelsichere Weste vom Leib. Von seinem Brustkorb stieg ein wenig Rauch auf. »Scheiße, tut das weh«, sagte Viggo Norlander.

»Schnauze«, sagte Arto Söderstedt.

Hultin riß dem Toten unterm Fenster die Maske vom Kopf. »Roger Sjöqvist«, sagte er enttäuscht.

Dann ging er zum Bett und riß der Leiche mit den heruntergelassenen Hosen die Maske weg. Das Gesicht zerlief übers Bett. Es war einmal lila gewesen.

»Dan Andersson«, sagte er noch enttäuschter.

Erst da sah er Jorge, Paul und Kerstin draußen auf dem Altan. Aus dem Ärmel von Pauls Leinenjackett rann Blut. Und Kerstins Kopf war in Jorges Jackett eingewickelt. Und Jorge brüllte nur.

Hultin trat zu ihm und gab ihm eine Ohrfeige. Er verstummte.

»Was ist mit ihr?« fragte Hultin.

»Sie ist am Kopf getroffen, verdammt«, sagte Chavez gedämpft. »Was glaubst du, was mit ihr ist?«

Hultin nahm sein Handy und forderte Krankenwagen an.

Norlander kam mit Agne ›Kulan‹ Kullberg in Handschellen heraus, stieß ihn um und drückte sein Gesicht mit dem Fuß ins schlammige Gras.

»Mach halblang«, sagte Hultin neutral.

Nyberg kam in dem Moment um die Ecke, in dem Söderstedt heraustrat.

Nyberg sank neben Kerstin auf die Knie. »Verdammt noch mal, Kerstin«, sagte er still. »Was hast du gemacht?«

»Viel zu wenig«, sagte Kerstin Holm und lächelte angestrengt.

Söderstedt steckte seine Pistole ins Achselhalfter und seufzte: »Stellt euch vor, was passiert wäre, wenn Niklas Lindberg auch hier gewesen wäre …«

»Wo ist Eurydice, verflucht?« sagte Paul Hjelm und fiel in Ohnmacht.

Jan-Olov Hultin dachte an Kraut und Unkraut.

Dann kotzte er.

38

In Stockholm war es indessen sonnig am Samstag, dem zehnten Juli. Tatsächlich war es denkbar höchster Hochsommer. Die Stadt rang förmlich nach Luft unter ihrer Decke von Sonnendunst. Wo immer es ein Fleckchen grünes Gras gab, lagen die Menschen verstreut, wie von der Stadt ausgestoßen – der Schweiß der Stadt. Die Wolken hatten sich davongemacht, um nicht wegzutrocknen, und die Sonne schien der Erde ein paar Schritte näher gekommen zu sein, wie um sie genauer in Augenschein zu nehmen. Sie traute ihren Augen nicht – und schob sich noch näher heran.

Sara Svenhagen saß zusammen mit einer Busladung Deutscher in Sundbergs Konditorei am Järntorg in Gamla Stan. Weil eine Busladung Deutscher kaum in Sundbergs Konditorei am Järntorg in Gamla Stan hineinpaßt, war es ein wenig eng.

Sie wollte es ein wenig eng.

So eng wie möglich.

Sie wartete, und während sie wartete, ging sie die letzten Tage noch einmal durch. Legte sich Rechenschaft ab über den jüngsten Teil ihres Lebens. Hätte sie etwas anders machen können? Sie drehte und wendete das Geschehene und fand keinen direkt falschen Schritt. Ihre Schritte waren gerade und bestimmt und führten unweigerlich hierher. Zu diesem Punkt.

›Brambo‹ hatte sie hergeführt.

Eine Signatur im Internet. Das, was vor dem @ in einer E-Mail-Adresse steht.

Sie rekapitulierte: Über den Rechner des passiven Pädophilen John Andreas Wiréus hatte sie eine Anzahl von Homepages mit Kinderpornographie lokalisiert, die ihr unbekannt waren. Sie lagen gut versteckt hinter harmlosen Titeltexten und machten sich damit für die Suchmaschinen des Internets unauffindbar. Auf diesen Homepages fand sie eine ganze Reihe weiterer Signaturen, von denen einige schwedisch waren oder auf jeden Fall zu schwedischen Telefonnummern zurückverfolgt werden konnten, was nicht richtig dasselbe war. Diese Signaturen taten ihr Bestes, um unidentifizierbar zu bleiben, konnten aber in günstigen Fällen bei genauerer Nachforschung identifiziert werden. Es zeigte sich, daß diese Signaturen sämtlich in dem umfangreichen internationalen Ermittlungsmaterial vorkamen, wovon ein Teil von der Abteilung für Pädophilie beim Reichskriminalamt geschrieben worden war, zu der sie selbst gehörte. Sämtliche Signaturen außer einer: ›brambo‹. Auf allen Homepages, auf denen dieser ›brambo‹ erwähnt war, gab es auch einen ›rippo_man‹. Dieser ›rippo_man‹ war bereits, wie sich zeigte, unter anderem wegen Kindesmißbrauchs vorbestraft, und das dank des schwedischen Polizeibeamten, der ihn gefaßt hatte. Dieser schwedische Beamte hätte auch ›brambo‹ fassen oder zumindest ausforschen müssen, weil ›rippo_man‹ und ›brambo‹ auf den versteckten Pädophilen-Homepages unzertrennlich waren. Das war jedoch nicht der Fall. ›Brambo‹ war absichtlich aus dem Ermittlungsmaterial ausradiert worden. Und in sämtlichen Fällen zeichnete derselbe Mann für die Ermittlung verantwortlich. Sara Svenhagens eigener Chef, Kriminalkommissar Ragnar Hellberg.

Entweder würde sie Hellberg direkt angehen oder versuchen, mehr über ›brambo‹ herauszufinden, und sei es nur, um bei einer direkten Konfrontation mit Hellberg mehr vorweisen zu können. Sie entschied sich für letzteres. Das war nicht ganz einfach.

›Brambo‹ war eine wirklich gutgetarnte Figur. Es war klar zu erkennen, daß er nicht beabsichtigte, seine geheimen Lüste ans Tageslicht kommen zu lassen. Er benutzte ein paar richtig avancierte illegale Programme, die aus dem Internet heruntergeladen werden konnten und die Quelle vollständig unkenntlich machten. Wenn man diese Programme miteinander verknüpfte, was professionelle Programmierfähigkeit erforderte, konnte man sich anonym im Internet bewegen, darin waren sich alle Experten, mit denen sie sich unterhalten hatte, rührend einig.

Da kam ihr der Gedanke, daß Hellberg sich ganz einfach eines leichteren Dienstvergehens schuldig gemacht haben konnte: Er hatte ›brambo‹ ausradiert, weil er unerreichbar war.

Doch damit gab sie sich nicht zufrieden. Sie wußte, daß die wirklichen Internetexperten kaum mit einer Festanstellung bei der Polizei saßen. Und kaum sonstwo. Die wirklichen Experten waren Hacker. Häufig Teenager. Superfit. Also klinkte sie sich bei verschiedenen Diskussionsgruppen im Internet ein. Sie warf mit zielbewußt naiver Weiblichkeit ihre Fragen in die avanciertesten Chats, die sie finden konnte, wo Chen, 18, mit Bob, 16, über das neue Sicherheitssystem des Pentagons oder die langsamen Finanzroutinen an der New Yorker Börse diskutierte. Sie gab sich galant als sexy Doofe mit Problemen aus und erhielt pubertäre, testosteronpralle, jungfräulich klingende Rückmeldungen. Doch, diese Programme waren alt, ein paar Monate alte Upgrades, sie waren knackbar, aber nur für Jungs mit Dings. Mach einfach so und so. Und plötzlich hatte sie es. Während sie sah, wie sich auf dem Monitor langsam die Telefonnummer offenbarte, dachte sie an die Risiken und Möglichkeiten der Informationsgesellschaft.

›Brambos‹ Telefonnummer ging zu einem Restaurant. Restaurant Tartaros auf Östermalm in Stockholm.

Tartaros? Thanatos? Dachte sie, während sie im Unternehmensregister nach dem Besitzer und der Geschäftsführung suchte. Das hatte doch was mit dem Totenreich der alten Griechen zu tun? Mit der Unterwelt?

Die tiefsten Abgründe der Hölle.

Komischer Name für ein Restaurant.

War das nicht auch Freud? Eros und Thanatos? Die beiden stärksten Triebe des Menschen? Der Lebenstrieb und der Todestrieb?

Egal, das Restaurant hieß Tartaros. Und der Besitzer war – Rajko Nedic.

Rajko Nedic? Dachte sie. War das nicht dieser Drogenhändler, der immer ungeschoren blieb? Er war doch nie im Zusammenhang mit Kinderpornographie in Erscheinung getreten?

Sie untersuchte die Zeiten. ›Brambo‹ war zu allen denkbaren Tages- und Nachtzeiten im Netz gewesen. Es fiel ihr schwer, sich jemanden im Restaurant vorzustellen, der sich der Kinderpornographie widmete, während in der Küche unten Hochbetrieb war. Sie fragte bei Telia an. Es war eine Zweitnummer zum Restaurant, geheim, weitergeschaltet. Sie mußte alle denkbaren polizeilichen Methoden anwenden, um die Mauer der Schweigepflicht zu knacken.

Doch, die Nummer war weitergeschaltet. *Nach Hause* zu Rajko Nedic in Danderyd.

Plötzlich begann sich das Bild zu klären. Rajko Nedic war nicht in der Pädophilenbranche. Es war viel simpler.

Rajko Nedic war pädophil.

Sie begann, alle Kinderpornobilder im Internet zu sammeln, die ›brambo‹ zugeordnet werden konnten. Es war eine Kavalkade vom üblichen Zuschnitt. So alltäglich – und so unerträglich. All die Gesichter. Es waren stets die Gesichter der Kinder, die sie nicht losließen und die *sie* nicht loslassen konnte, die sie festhielten und sie anklagten, sie dessen anklagten, davongekommen zu sein, ihre Kindheit in Frieden verlebt zu haben, ihnen gerade jetzt und hier nicht zu helfen, abwesend zu sein in der konkreten Situation, ein furchtbarer, stummer, gleichsam stumm gemachter Schrei des Grauens stieg zum Horizont auf und fuhr über die Welt hin und zog sie mit sich und bereitete ihr Alpträume von einer furchtbaren doppelten Penetration mitten im Geburtsakt. Diese Blicke. Immer so dunkel – gebrochen und zugleich glasklar. Die akute Frühreife. Die gestohlene Kindheit. Die unfaßbar groteske Handlung.

Sara Svenhagen versuchte sich zu besinnen. Sie kannte die Situation nur zu gut. Sie versuchte wieder, Polizistin zu werden, objektiv, forschend, nach Hinweisen jagend. Es war stets die gleiche Prozedur, die gleiche Einengung des Gesichtsfelds. Am Ende gelang es.

Wenn auch durch einen Schleier von Tränen.

Auf den Bildern war hauptsächlich *ein* Kind zu sehen, ein kleines dunkles Mädchen in verschiedenen Altersperioden, doch es kamen auch andere vor. Es war immer derselbe Raum, derselbe Hintergrund. Die Wände waren offenbar geräuschisoliert – es sah aus wie an die Wand genagelte Bordellkissen aus Gold. Sonst gab es keine besonderen Merkmale. Das Gesicht des Täters war nie mit im Bild, und vom Körper war eigentlich nur das Glied zu sehen. Und daran war nichts Besonderes – außer was es tat.

Aller Wahrscheinlichkeit nach gehörte es Rajko Nedic.

Okay, dachte sie und streckte sich. Sie blickte sich in der Wohnung um. Jorges Spuren waren überall. Der Anblick seiner Unterhose auf der Bettlampe erfüllte sie mit Wärme. Sie stieg ihr von den Zehen hinauf bis unter die Kopfhaut.

Okay. Ragnar Hellberg war im Internet nie besonders heimisch gewesen; seine Spezialität war, mit der Presse Scherze zu treiben. Dennoch hatte er offenbar den äußerst komplizierten Code geknackt, den sie selbst – unter der Mithilfe von Meisterhackern – geknackt hatte. Er hatte eingesehen, worauf er da gestoßen war: eine Möglichkeit, das zu fangen, was sich nicht fangen ließ. Eine Hintertür zu der Organisation des unerreichbaren Nedic. Warum hatte er dann diese Hintertür nicht benutzt? Warum hatte er, ganz im Gegenteil, dafür gesorgt, daß nicht die geringste Spur davon im Ermittlungsmaterial zurückblieb?

Weil er sich privat an Rajko Nedic herangemacht hatte?

Weil Kommissar Ragnar Hellberg den Drogenhändler Rajko Nedic finanziell erpreßte?

Nüchtern betrachtet gab es also zwei Möglichkeiten: Entweder hatte Hellberg ganz einfach eine gewisse Scham darüber empfunden, daß die Signatur ›brambo‹ nicht zu knacken war und sie wegretuschiert – oder er hatte sein Wissen über Rajko Nedic in erpresserischer Absicht genutzt.

Welche dieser Alternativen zutraf, würde Sara Svenhagen in Kürze erfahren, denn durch die Horde deutscher Touristen in Sundbergs Konditorei am Järntorg in Gamla Stan drängte sich gerade Kommissar Ragnar Hellberg, auch bekannt als Party-Ragge. Er strich sich langsam über den kleinen Kinnbart, sah tief konzentriert aus und sank auf den Stuhl ihr gegenüber.

Er machte eine kleine Geste und sagte: »Warum hier?«

»Ich möchte es gern so«, erwiderte Sara nur.

Ragnar Hellberg nickte. Als verstehe er. »Dann laß hören«, sagte er.

»Rajko Nedic«, sagte sie.

Er betrachtete sie. Sein Blick war schärfer, als sie ihn je gesehen hatte. Jede weitere Reaktion blieb aus. »Mach weiter«, sagte er.

»Die Signatur ›brambo‹ ist der Drogenhändler und Restaurantbesitzer Rajko Nedic. Und du hast ›brambo‹ zielbewußt von der Ermittlung ausgeschlossen.«

Er lächelte. Ragnar Hellberg lächelte tatsächlich. Dann legte er seine Hand auf ihre und sah ihr in die Augen. »Danke«, sagte er.

»Wofür denn?« sagte sie und zog ihre Hand fort.

»Dafür, daß du es nicht warst«, sagte er.

Sie merkte, daß sie ihn voller Abscheu anstarrte. »Was ist denn das jetzt für eine Geschichte?« sagte sie.

»Es tut mir leid«, sagte er. »Ich mußte dich testen. Zuerst hatte ich nur vor, alles neue Material von der Gruppe fernzuhalten; deshalb solltest du privat arbeiten, Sara. Dann kam ich darauf, daß es der entscheidende Test sein könnte. Mit hoher Wahrscheinlichkeit würdest du über diese versteckten Homepages stolpern – und sie vielleicht sogar dechiffrieren. Aber das war mehr Nebensache. Wichtig war, ob du mich zur Rede stellen würdest oder nicht.«

Sie spürte, daß ihr Blick jetzt direkt mörderisch war.

Er fuhr fort: »Vor ein paar Wochen durchsuchte ich – aus einem ganz anderen Grund – meine alten Ermittlungen im Rahmen von Operation Cathedral. Ich fand bedeutend mehr Dateien mit meinem Namen, als ich je geschrieben hatte. Jemand hatte *unter meinem Namen* Ermittlungsmaterial geliefert. Es gelang mir, die fremden Dateien von meinen eigenen zu trennen und sie durchzugehen. Ich durchsuchte alle Internetseiten, auf denen die Signaturen vorkamen. Und dabei fand ich – genau wie du – den ungenannten ›brambo‹. Aber ich hatte keine Chance, ›brambos‹ Identität zu knacken.«

»Und du erwartest, daß ich dir das glaube?« platzte sie laut heraus. Eine Menge Deutscher betrachteten sie skeptisch.

Ragnar Hellberg fuhr ungerührt fort: »Es gelang mir, potentielle Übeltäter einzukreisen. Es konnte sich nur um eine von zwei Personen handeln. Einer meiner beiden Mitarbeiter hatte unter meinem Namen unvollständiges Material geliefert. Einer, der mir eins auswischen wollte, glaubte ich. Jetzt verstehe ich, daß das mehr ein Nebeneffekt war. Die Hauptsache war die Erpressung. Alles Pädophilenmaterial über Rajko Nedic befindet sich jetzt bei diesem Mitarbeiter, und wenn jemand auf die Idee käme, nachzuforschen, würde er bei mir landen. Und du, Sara, warst eine der beiden möglichen Personen.«

»Wie lange hast du diese Sache vorbereitet?« fragte Sara.

Sie wußte nicht, ob sie wirklich fragte. Sie wußte nicht, was sie glauben sollte. Aber sie verstand, in welche Richtung die Sache lief.

Sie spürte, wie sie blaß wurde.

»Ich habe keine Möglichkeit, es zu beweisen«, sagte Ragnar Hellberg. »Dafür hat er gesorgt. Sein Wort steht gegen meins, und ich weiß, daß mein Wort in der Gruppe ziemlich wenig Gewicht hat. Galionsfigur. Party-Ragge. Wer bin ich gegen Ludvig Johnsson? Den Mann, der seine Familie bei einem Verkehrsunfall verlor und dann die ganze Pädophilen-Abteilung aufbaute. Und dem die Chefposition gestohlen wurde – von mir. Dem leichtgewichtigen Partypolizisten.«

»Und es mußte also entweder ich oder Ludvig sein?« sagte Sara. Sie fand, daß sie etwas ganz anderes hätte sagen sollen. Hier saß dieser Mann, den sie häufiger im Fernsehen als im Polizeipräsidium sah, und klagte ihren Mentor an, den einzigen Polizeibeamten, den sie wirklich bewunderte: Ludvig Johnsson. Neben Gunnar Nyberg der einzige, den sie wirklich als Kollegen zu bezeichnen wagte.

»Ja«, sagte Hellberg. »Nur du oder Ludvig. Du mußt so denken. Hätte ich wirklich den gutgetarnten ›brambo‹ identifizieren können? Hätte ich wirklich eine Erpressung großen Stils gegen einen so notorisch lebensgefährlichen Mann wie Rajko Nedic in Szene setzen können? Würde ich es gewagt haben, mich in seinen Klan von Folterern und Kriegsverbrechern zu begeben? Party-Ragge? Denk doch mal nach.«

Sara Svenhagen schloß die Augen.

Sie war überzeugt.

Und überwältigt von Trauer.

Ludvig Johnsson. Ihr stellvertretender Papa.

Sie schlug gegen die Kaffeetasse, so daß der Kaffee über die Deutschen spritzte.

Ragnar Hellberg blieb still sitzen, Kaffeeflecken auf dem Anzug.

Sie gab ihm eine schallende Ohrfeige.

39

»Kerstin geht es gut.«

Einen Moment herrschte Schweigen in der Kampfleitzentrale. Dann brach der Jubel los. Kurz, intensiv, ein Deckel, der sich für eine kurze Sekunde hob. Dann schloß er sich wieder.

Paul Hjelm fuhr fort: »Ich durfte gerade das Krankenhaus verlassen. Auf dem Weg bin ich zu ihr hochgeschlichen. Die Kugel hat sie genau über dem Ohr gestreift und ein Stückchen Knochen vom Schädel hinter der Schläfe abgetrennt und ist weitergeflogen. Dabei wurde ein Blutgefäß verletzt, deshalb sah es schlimmer aus, als es war. Sie hat eine Gehirnerschütterung, aber sie läßt euch grüßen.«

»Und wie sieht es mit dir aus?« fragte Hultin vorn vom Pult.

Sie wechselten einen Blick. Den ersten seit Skövde. Ein Blick zwischen *zwei Männern, die getötet hatten.* Beide erkannten in diesem Augenblick, über welche eigentümliche Schwelle sie gestiegen waren. Keiner von beiden hatte in den letzten vierundzwanzig Stunden groß darüber nachgedacht. Jetzt traf sie der Gedanke mit voller Wucht.

Wir haben beide einen anderen Menschen getötet.

Es gab nichts zu sagen.

»Ja, danke«, sagte Hjelm. »Die Kugel ist durch den Arm gegangen und an der Weste abgeprallt. Ein leichter Rippenbruch, aber der Arm hat Glück gehabt. Nur eine Fleischwunde. Aber es tut verdammt weh.«

Hultin nickte und fragte geradeheraus: »Haben alle mit Interna gesprochen?«

Sie nickten. Alle hatten mit der Abteilung für interne Ermittlungen gesprochen. Hjelm war bereits im Krankenhaus mit einem alten Quälgeist namens Niklas Grundström konfrontiert worden. Es war erstaunlich schmerzfrei abgegangen.

Keiner hatte Hultins Pistolenmanöver erwähnt. Es war, als habe es nie stattgefunden.

Er selbst wirkte sonderbar unberührt. »Ja, dann wollen wir mal«, sagte er und streckte sich. »Diese Aktion hat sowohl Plus als auch Minus erbracht. Das große Plus ist, daß wir Eurydice gerettet haben. Das große Minus, daß sie uns entwischt ist. Daß Niklas Lindberg gerade die Gesellschaft verlassen hatte, war kaum unser Fehler. Möglicherweise hätten wir eine Viertelstunde schneller sein können, doch das lag jenseits unserer Einwirkungsmöglichkeiten. Ein geistesgegenwärtiges Mitglied der Gruppe – Hultin warf einen kurzen, aber vielfältig dankbaren Blick zu Söderstedt – hat dafür gesorgt, daß die Krankenwagen umgeleitet und damit die Aufmerksamkeit minimiert wurde. Dennoch reichte es nicht dazu, Lindberg zur Rückkehr zu veranlassen. Er roch natürlich den Braten und löste sich in Luft auf. Daß Roger Sjöqvist und Dan Andersson erschossen wurden, kann man als gerechtfertigt betrachten. Es war natürlich eine Panne, daß Sjöqvist die Möglichkeit hatte, auf Paul zu schießen, und auch daß Andersson auf Kerstin schießen konnte, aber mitnichten ein Dienstvergehen. Alles ging verflixt schnell. Wir haben Eurydices Schuhe, braune Sandalen Größe 40, den Aktenkoffer mit einem Bankfachschlüssel und Agne ›Kulan‹ Kullberg. Dazu also noch den Rechtsextremisten Risto Petrovic in sicherem Gewahrsam. Ordentliche Verhöre mit diesen beiden dürften dazu führen, daß wir eine Vorstellung von Lindbergs weiteren Plänen bekommen. Gegenwärtig sind beide erstaunlich wortkarg. Was wir *nicht* haben, ist Niklas Lindberg, der Van sowie die Beute aus dem Raubzug durch Westschweden, die sich auf insgesamt fast eine Million beläuft. Falls Lindberg weitere Pläne hatte, dürften sie wohl nicht ad acta gelegt sein. Dies war leider nicht der Schlußpunkt.«

»Der Bankfachschlüssel ist höchst gängige schwedische Norm«, sagte Chavez. »Er kann zu jeder beliebigen Bank an jedem beliebigen Ort gehören. Wenn wir das ganze rekonstruieren wollen, können wir wohl annehmen, daß das bereits belegte Mißtrauen zwischen Nedic und dem ›Polizisten‹ so groß war, daß Nedic nicht einmal wagte, Bargeld zu liefern. Statt dessen lieferte er einen Bankfachschlüssel und ein topmodernes Polizeifunkgerät. Wahrscheinlich sollte dem ›Polizisten‹ mitgeteilt werden, um welche Bank es sich handelte, sobald etwas geklappt hatte. Was, ist bis auf weiteres unbekannt. Das führte auf jeden Fall dazu, daß der Ingenieur ›Kulan‹ Kullberg eine elektronische Suchvorrichtung konstruieren konnte, um den von Orpheus und Eurydice gestohlenen Koffer zu orten. Jetzt haben sie keine Schlüssel mehr, so daß ihre Rolle in dem Drama ausgespielt sein dürfte. Sie müssen sich damit begnügen, noch zu leben und einander zu haben. Wir können vielleicht noch hinzufügen, daß es uns sonderbarerweise gelungen ist, das ganze Ballett aus den Medien herauszuhalten.«

Und mit einem Seitenblick fügte Chavez hinzu: »In hohem Maße also dank Artos Geistesgegenwart, die uns im übrigen auch dorthin geführt hat.«

Söderstedt sah völlig baff aus bei diesem unerwarteten Lob.

Er blätterte verwirrt in seinen Papieren. »Und ich hatte eine Geschichte erzählen wollen«, murmelte er. »Über die Metamorphose der Metamorphosen.«

Sie betrachteten ihn. Dieser ungewöhnliche Polizist ging von Klarheit zu Klarheit. Sie warteten gespannt auf den nächsten Schritt.

»Heute ist Montag«, begann Arto Söderstedt mit größter Präzision. »Montag vormittag, der 12. Juli. Zwei Stunden nach unserem Skövde-Intermezzo, am Samstag um ein Uhr, tauchte unter der wöchentlichen Rubrik ›Ich liebe dich‹ in *Gula Tidningen* eine kurze Mitteilung auf. Seitdem ist keine weitere Mitteilung erschienen. Wir dürfen davon ausgehen, daß das junge Paar nun vereint ist. Die Mitteilung lautete: ›Philemon. Ausgangspunkt. Baucis.‹«

Sie starrten sich an.

»Wenn die Polizei nun mythologisch unwissend wäre«, fuhr er fort, »so wäre uns diese kleine kryptische Nachricht entgangen. Das ist indessen nicht der Fall. Philemon und Baucis sind ein anderes klassisches Liebespaar der Antike. Wenn auch in gewisser Weise der Gegensatz zu Orpheus und Eurydice. Statt stürmisch und dramatisch ist ihr Verhältnis abgeklärt und friedlich. Wenn wir die beiden Geschichten miteinander verweben, sieht es ungefähr so aus: Der Hochzeitsgott Hymenaios wird nach Thrakien gerufen, wo Orpheus sich mit seiner Eurydice verheiraten will. Doch Hymenaios kommt vergeblich, denn Eurydice ist tot. ›Durch die Gefilde / schweifte die jüngst Vermählte, vom Schwarm der Najaden begleitet, / ach, und starb, an der Ferse verletzt von dem Bisse der Natter.‹ Orpheus, als der göttliche Sänger, der er ist, begibt sich indessen ins Totenreich hinab und fleht Hades an: ›Löst der Eurydice, fleh' ich, o löst das beschleunigte Schicksal!‹ Sogar Sisyphus stellt sein ewiges Steinrollen den Berg hinauf ein. Das ganze Totenreich läßt sich verführen, und Eurydice wird aus den Schatten heraufgeführt. Wenn Orpheus sich nicht umdreht und seine Braut ansieht, bevor sie die Unterwelt hinter sich gelassen haben, dann hat er sie in die Welt der Lebenden zurückgebracht. Aber er kann sich nicht zügeln, in seiner Besorgnis blickt er trotzdem über die Schulter. Wir können natürlich nicht wissen, was für eine Hölle unsere beiden jungen Leute durchwandert haben, aber gerade als Eurydice ins Totenreich zurücksinkt, gerade als Orpheus zurückkehrt, um in seiner Einsamkeit von den thrakischen Frauen in Stücke gerissen zu werden, gerade da – verwandeln sie die Verwandlung. Die Metamorphose durchläuft eine Metamorphose. Aus Orpheus und Eurydice in Thrakien werden sie jetzt zu dem strebsamen Paar Philemon und Baucis in Phrygien. Dorthin kommen ein paar Götter in menschlicher Gestalt, um die Bewohner der Gegend einer Prüfung zu unterziehen. Wo sie auch fragen, überall wird den Göttern Unterkunft verweigert. Überall – außer bei Philemon und Baucis. Das bettelarme Paar bietet den Göttern alles, was es hat, und sie erhalten ihren Lohn. Die Götter geben sich zu erkennen:

Wir sind Götter und tragen den unrechtschaffenen Nachbarn, sagten sie, würdigen Lohn. Doch euch vergönnen wir, teillos solcher Strafe zu sein. Verlaßt nur euere Wohnung; Folget unserem Schritt, und hinauf zu den Höhen des Berges Gehet zugleich!

Die alte Hütte von Philemon und Baucis verwandelt sich in einen goldenen Tempel, und die beiden werden die Hüter des Tempels. Auf die direkte Frage der Götter haben sie nur einen einzigen Wunsch: zusammen sterben zu dürfen. Und am Ende verwandeln sich beide, gleichzeitig, in Bäume, ›und zugleich umhüllte das Antlitz beiden Gebüsch‹.«

Söderstedt hielt inne und blickte über die verstummte Versammlung. »Ich hoffe, ihr wißt den subtilen Übergang zu schätzen. Gerade als Eurydice auf dem Weg zurück ins Totenreich ist, wird sie gerettet und wird statt dessen die arme, aber strebsame Baucis, die zusammen mit ihrem Gatten den Göttern hinauf zu den Höhen des Berges folgt und irgendwann im selben Augenblick stirbt wie er. ›Cura deum di sunt, et qui coluere colantur.‹ Vielleicht kann man es Reife nennen.«

»Darf man fragen, aus was für einer Quelle du zitierst?« sagte Paul Hjelm.

»Natürlich«, sagte Arto Söderstedt. »Es sind Ovids *Metamorphosen*.«

318

40

Gunnar Nyberg hatte das Kunststück fertiggebracht, sich einen Tennisarm zu holen, als er sich durch das Hotelfenster in Skövde gequetscht und seine Pistole auf die Räuber gerichtet hatte. Vermutlich hatte er sie zu fest gepreßt – ein paar eigentümliche Vertiefungen am Kolben ließen darauf schließen.

Oder er hatte ganz einfach einen Mausarm bekommen.

Einen Mausarm zogen sich Computerfreaks zu. Eine neue Volkskrankheit war im Anzug. Keine Staublungen mehr, keine kaputten Rücken, aber Mausarme. Gesellschaftliche Fortschritte kann man an verschiedenen Symptomen ablesen.

Er saß in seinem Büro und sah sich um. Es kam ihm so leer vor. Keine Kerstin Holm, mit der er ein Duett singen konnte. Nichts. Und wie lange war es eigentlich her, daß er seinen Enkel Benny in Östhammar zuletzt besucht hatte? Er hatte schon Angst, daß Benny seinen Großvater vergessen könnte.

Anderseits hatte Tommy, sein Sohn, ihn in zwanzig langen Jahren nicht vergessen. Sie nahmen ihre Beziehung auf eine verblüffend ungezwungene Art und Weise wieder auf. Das Leben kehrte zurück. Das Blut, das dickflüssige, begann wieder seine Marathonstrecken durch den Körper von Schwedens größtem Polizisten zu pumpen.

Doch jetzt verdickte es sich wieder. Er erinnerte sich an das Gefühl, als er neben Kerstin Holms blutendem Kopf im matschigen Gras auf die Knie sank. Des Lebens Flüchtigkeit. Es kam ihm vor, als löste das Leben sich von ihm ab und segelte durch die Regenschwaden davon. Den Augenblick würde er nie vergessen.

Kerstin Holm stand ihm so nah. Sie teilten eine Liebe zum Chorsingen, die teilweise abnorme Proportionen annahm. Menschen, die zusammen singen, Menschen, die die Möglichkeiten der Stimme bis zum äußersten dehnen und den schönsten Wohllaut hervorbringen, den der Mensch hervorbringen kann – konnte man Gott näherkommen?

In dem zwanzigjährigen Vakuum war ihm nur eine Frau ähnlich nahegekommen, und gerade als er dasaß und seinen enormen Mausarm dehnte, betrat sie sein Büro. Einen kurzen Augenblick dachte er über mystische Korrespondenzen nach.

Sara Svenhagen war nicht wiederzuerkennen. Sie sah verwüstet aus, kaputt, als hätte sie mehrere Nächte nicht geschlafen. Ihr weißes T-Shirt hatte mehrere große Kaffeeflecken und ihre Shorts waren nahezu absurd verknittert. »Gunnar«, sagte sie und strich sich über das kurzgeschnittene goldblonde Haar. »Du mußt mir helfen.«

Er stand auf, ging zu ihr und legte väterlich beschützend den Arm um ihre Schultern. Es kam ihm richtig und falsch zugleich vor. Denn rein professionell betrachtet war sie seine Mentorin, die ihn behutsam in die grausige Hölle der Kinderpornographie eingeführt hatte. Sie und Ludvig Johnsson.

Er führte sie zu Kerstin Holms Stuhl und ließ sie sich setzen. Selbst setzte er sich auf die Schreibtischkante; daß sie sich besorgniserregend bog, ließ ihn kalt. »Und Jorge?« sagte er. »Was kann ich tun, was er nicht kann?«

Sie betrachtete ihn mit zumindest angedeuteter Verblüffung. »Weißt du davon?«

»Ich habe es geraten«, sagte Gunnar Nyberg und kam sich wie ein Schurke vor. »Habe ich falsch geraten?«

»Nein«, sagte Sara Svenhagen. »Nein, ganz und gar nicht. Ich liebe ihn. Und er liebt mich. Wir sind aufgelebt, beide. Aber wir haben auch Mauern um unsere jeweiligen Fälle errichtet, ohne richtig zu verstehen, warum. Vermutlich ist es eine Art von krankhaftem Beschützerinstinkt. Verschone ihn damit. Verschone sie damit. Nein, Gunnar, das einzig wirkliche Verbindungsglied zwischen diesen beiden Fällen bist du. Außerdem berührt es dich persönlich.«

Nyberg wurde von dunklen Ahnungen erfaßt.

»Persönlich?« fragte er. »Privat?«

»So muß man es wohl nennen«, sagte Sara und sah ihm in die Augen.

»Okay«, seufzte Gunnar. »Schieß los.«

»Ich kann dir den ganzen Mist ersparen«, sagte sie. »Ich kann aufstehen und weggehen, und du bist das Problem los.«

»Schieß los«, wiederholte er.

Sara Svenhagen blickte zur Decke. Sie wußte nicht richtig, wo sie anfangen sollte. Sie beschloß, eine lange Geschichte kurz zu machen. »Eine Pädophilensignatur namens ›brambo‹ ist bewußt aus unseren Ermittlungen ausgeschlossen worden. Es geschah vor fast einem halben Jahr. Als ich nachforschte, entdeckte ich, daß alle diese unvollständigen Ermittlungen vom selben Kollegen durchgeführt worden waren.«

Nyberg spürte erneut die bösen Ahnungen. Sie liefen anstelle von Blut durch seine Adern, denn das Blut war jetzt vollständig geronnen.

»Es war Ragnar Hellberg«, sagte sie.

»Was?« stieß er hervor. »Party-Ragge?«

»Ich hätte einsehen müssen, daß das Unsinn war ... Nun gut, ich versuchte jedenfalls weiter, ›brambo‹ zu identifizieren. Es gelang mir schließlich. Es ist ein Drogenhändler mit Namen Rajko Nedic.«

Gunnar Nyberg saß reglos da. In seinem Innern flatterten lose Fäden. Die sich suchten. Sie waren fast dabei, sich zu einem Gewebe zusammenzufügen. »Ich verstehe«, log er schließlich.

»Okay. Ragnar ließ mich zu Hause arbeiten. Es kam mir so vor, als wollte er etwas verbergen. Und jetzt schien es glasklar zu sein. Er ließ mich inoffiziell arbeiten, um das, was ich eventuell herausbekommen würde, nicht an die Öffentlichkeit dringen zu lassen. Und das war – daß er Nedic erpreßte. Etwas anderes konnte es nicht sein.«

»Der kleine Bart«, sagte Gunnar Nyberg und dachte an das Restaurant *Kvarnen* in der Tjärhovsgata am dreiundzwanzigsten Juni um einundzwanzig Uhr zweiundvierzig.

Sie betrachtete ihn skeptisch, fuhr aber fort. »Jetzt mußte es reichen. Ich war gezwungen, ihn damit zu konfrontieren. Wir haben uns am Samstag getroffen, inoffiziell. Da tischte er mir eine Geschichte auf, mit der ich jetzt seit zwei Tagen kämpfe. Ohne während der ganzen Zeit ein Auge zuzumachen. Er behauptete, entdeckt zu haben, daß sein Name für Ermittlungen benutzt worden sei, die er selbst nicht durchgeführt habe. Jemand *anders* habe den Namen Ragnar Hellberg benutzt – um ihm eins auszuwischen. Dieser andere wäre einer von zwei Kandidaten. Ich bin das Ganze selbst durchgegangen. Soweit hat er recht. Es gibt nur zwei in der Gruppe, die es hätten durchführen können. Die eine war ich. Das war teilweise der Grund, warum er mich zu Hause arbeiten ließ, um nachzuprüfen, ob ich es war. Wenn ich es gewesen wäre, hätte ich ihn kaum wegen ›brambos‹ Existenz kontaktiert. Statt dessen war es der andere Kandidat.«

Gunnar Nyberg fühlte, wie sein Inneres bereits weinte. »Ludvig«, sagte er nur.

»Es war ein langes Wochenende«, sagte Sara Svenhagen. »Sollte ich dem albernen Partypolizisten glauben oder meinem Mentor, dem Kollegen, der mir am nächsten stand von allen? Ich habe mein Inneres nach außen gekehrt und wieder zurück.«

»Und zu welchem Ergebnis bist du gekommen?«

»Daß ich Party-Ragge glaube. Aus dem einfachen Grund, daß er nie auf den Gedanken gekommen wäre und noch weniger vermocht hätte, ihn durchzuführen. Es besteht kein Zweifel mehr. Ludvig Johnsson hat Rajko Nedic erpreßt – und ganz nebenbei die Schuld dem Mann zugeschoben, der ihm die Abteilung für Pädophile gestohlen hatte. Der Galionsfigur.«

»Hast du mit Ludvig gesprochen?«

»Er hat Urlaub. Und wenn er Urlaub hat, macht er sich unauffindbar. Niemand weiß, wo er ist.«

»Und was willst du tun? Was will Hellberg tun?«

»Man kann über Hellberg sagen, was man will, aber ein Paragraphenreiter ist er nicht. Er ist bereit abzuwarten. Er weiß, daß ich mit dir rede. Also, was willst *du* tun?«

Gunnar Nyberg sah ihr in die Augen. »Überlaß Ludvig mir«, sagte er.

Sie nickte. »Ich hatte vermutet, daß du das sagen würdest. Und ich will zusehen, ob ich mir Nedic irgendwie vornehmen kann.«

»Sei aber sehr vorsichtig. Er ist äußerst gefährlich.«

»Ich weiß. Ich werde versuchen, einen Weg zu finden.«

»Was hast du aus dem Internet?«

»›Brambos‹ Bilder. Ich habe sie bei mir. Willst du sie sehen?«

»Nein, will ich nicht«, sagte Gunnar Nyberg, streckte den Mausarm aus und nahm die Bilder. Farbausdrucke aus dem Internet. Die ganze Kavalkade von Erniedrigungen. Und er hatte sich eingebildet, dies gehöre der Vergangenheit an. Er nahm sich Zeit. Seine Gedanken waren in Unordnung. Hinter jedem Bild sah er Ludvig Johnssons Gesicht. »Er kann nicht vorgehabt haben, Nedic laufenzulassen«, sagte er. »Er muß irgendein doppeltes Spiel geplant haben. Das Geld von Nedic zu bekommen, aus Schweden abzuhauen *und* ihn hochgehen zu lassen. Etwas anderes kann ich mir nicht vorstellen.«

Sara nickte. »Ich weiß doch, wie brennend er sich hier engagierte. Seine eigenen Kinder starben. Jetzt konnte er andere retten. Es war ein persönliches Anliegen. Vielleicht allzu persönlich. Er brannte, bis er ausgebrannt war. Aber nie im Leben hätte er einen Pädophilen für Geld davonkommen lassen.«

Nyberg nickte und reichte die Bilder zurück. »Da ist ein kleines Mädchen«, sagte er und zeigte darauf.

»Ja«, sagte sie und warf einen Blick auf den Stapel von Bildern. »Eine arme Kleine, die häufiger vorkommt als andere. Ich glaube, ich werde versuchen, sie zu identifizieren. Und dieses Goldkissenzimmer.«

»Tu das«, sagte er und ergriff ihre Hand. »Wir haben geglaubt, daß Nedics Organisation wasserdicht ist, aber wir haben verschiedene Lecks gefunden. Es gibt eine Chance. Wenn jemand in der Organisation davon weiß, daß er pädophil ist, ist es nicht unmöglich, daß er oder sie das nicht gut findet. Versuch, jemanden zu finden, den man unter Druck setzen kann.«

Sara Svenhagen stand auf. Sie hielten immer noch ihre Hände. »Und du nimmst dich Ludvigs an?« sagte sie. »Mach es auf die richtige Weise, Gunnar. Versprich mir das.«

Er nickte und drückte ihre Hand. »Das verspreche ich, Sara.«

Die Reise nach Grillby war keine normale Reise. Es war eine Schmerzensreise. Aber auch eine Reise der Metamorphose. Gunnar Nyberg machte sich davon, ganz einfach. Kappte die Verbindungen. Verließ die A-Gruppe. Vielleicht würde er entlassen, vielleicht sogar disziplinarisch belangt, doch daran dachte er nicht. Er dachte nur: Jetzt sollte Ludvig verdammt noch mal in dem Mist aufräumen, den er hinterlassen hat.

Neben ihm auf dem Beifahrersitz des Renault lagen zwei Laptops mit Mobiltelefonanschluß, zwei Mobiltelefone und ein Adapter für den Zigarettenanzünder des Wagens. Hier war Arbeit angesagt.

Er hielt an einer Tankstelle und kaufte für einen Tausender Essen, Bier und Kaffee. Aber keine Kopenhagener.

Er kontrollierte sogar, ob er verfolgt wurde. Er traute Ragnar Hellberg nicht richtig.

Die Rapsfelder leuchteten prallgelb, und als Gunnar Nyberg auf das Grundstück mit der kleinen Kate in der Nähe von Grillby in Uppland einbog, war Ludvig Johnssons Wagen da – aber er selbst nicht. Wahrscheinlich lief er seine Trainingsrunden. Nyberg faßte die Tür an. Sie war offen. Er betrat die kleine Kate hoch bepackt mit den Einkaufstüten und verstaute das Ganze im Gaskühlschrank. Dann machte er ein Bier auf und ließ sich auf der Veranda nieder. Die Sonne schien freundlich auf ihn herab.

Nach einer Stunde kam Ludvig Johnsson tatsächlich angejoggt. Er lächelte schwach, als er Nyberg auf der Veranda sah. Nyberg sah das Lächeln, und er sah auch, was es ausdrückte. Die Einsicht.

Es war schiefgegangen.

»Es steht eine Tonne mit Regenwasser hinterm Haus«, sagte er. »Man muß das Wasser da rausschöpfen und sich damit begießen.«

»Das hat Zeit«, sagte Nyberg.

»Ja«, sagte Ludvig Johnsson und ließ sich auf der Veranda nieder. »Das hat Zeit. Hast du ein Bier für mich?«

»Ich denke nicht daran, dich allein ins Haus zu lassen«, sagte Nyberg. »Und ich denke auch nicht daran, dich aus den Augen zu lassen. Nicht eine Sekunde.«

Ludvig Johnsson starrte zum Himmel. Sein Blick schien sich im Blauen zu verlieren. »Wie viele wissen davon?« fragte er nur.

»Sara hat dich gefunden. Den ›Polizisten‹. Via ›brambo‹, wenn dir das was sagt.«

»Sara«, sagte Johnsson und lächelte. »Das hätte man ahnen können. Und Hellberg?«

»Hellberg weiß es auch. Aber er hält eine Weile still. Wartet ab, was ich mitbringe. Also hat es wenig Sinn, wenn du mich umbringst.«

»Aber Herrgott!« stieß Ludvig Johnsson hervor. »Was glaubst du eigentlich?«

»Was ich glaube, ist, daß dein kleines Manöver *bisher* acht Menschen das Leben gekostet hat. Drei exjugoslawische Kriegsverbrecher, einen Mann namens Lordan Vukotic sowie Eskil Carlstedt, Sven Joakim Bergwall, Roger Sjöqvist und Dan Andersson. Aber mit dem allen hätte ich leben können. Dieser Tage wurden aber auch zwei meiner Kollegen und engsten Freunde angeschossen. Paul Hjelm und Kerstin Holm. Ihr seid euch neulich begegnet. Kerstin hat mit dir bei diesem Fest anläßlich der World Police and Fire Games übers Marathonlaufen diskutiert, falls du dich erinnerst.«

Ludvig Johnsson begegnete seinem Blick. Sein eigener war völlig verstört. Wie erloschen. »Wie geht es ihnen?« fragte er.

»Sie überleben. Aber nur um Haaresbreite.«

»Alles, was ich wollte, war, irgendwohin zu kommen, wo der Winter kürzer ist …«

Sie saßen eine Weile im Schatten. Das Sonnenlicht wurde durch die umgebenden Rapsfelder noch intensiver. Gelb überall. Die Farbe des Verrats.

»Ich hatte nicht vor, ihn davonkommen zu lassen«, sagte Ludvig Johnsson. »Ich wollte weg. Und danach wollte ich dafür sorgen, daß das Material in die Hände der Polizei käme. Ich wollte nur einen kleinen Bonus.«

»Das war ein teurer Bonus.«

»Du weißt, daß ich die Pädophilenabteilung eigenhändig aufgebaut habe. Ich war derjenige, der es erreichte, daß die Kinderpornographie in diesem *toleranten* Land endlich ernst genommen wurde. Meinungsfreiheit bis zum Gehtnichtmehr. Meine eigenen Söhne starben. Ich sah alle diese Kinder leiden, ich sah, daß das Internet einer Zunahme aller Formen von Kindesmißbrauch Tür und Tor öffnen würde. Jedes Kind, das ich rettete, wurde auf diese Weise zu meinem Kind. Ich arbeitete Sara ein, und wir waren ein verdammt gutes Team. Dann kam Party-Ragge und erntete die ganzen Lorbeeren. Das machte mir eigentlich nicht so viel, denn so geht es zu in der Welt, aber ich hatte auch nichts dagegen, ihn zum Sündenbock zu machen.«

»Und deshalb hast du dir einen kleinen Bart angeklebt, als du dich mit Nedics Gang im *Kvarnen* getroffen hast.«

Johnsson schnaubte nur.

»Gut, das war ein bißchen albern, aber ich brauchte einen Ausweg. Er mußte zum Sündenbock werden. Diese Typen waren knallharte Verhandlungspartner, wir saßen lange im *Kvarnen* und diskutierten hin und her, nur über den Treffpunkt, und es sollte nicht einmal Geld oder Ermittlungsmaterial übergeben werden. Nur zwei Bankfachschlüssel und eine Funkausrüstung. Und nach und nach würden wir einander mitteilen, um welche Banken es sich handelte. Ein ziemlich umständliches Verfahren, aber ich ließ ihn bestimmen. Alles, was ich tat, war, mir das allerneueste Polizeifunkgerät aushändigen zu lassen. Jaja, wir saßen da und redeten im *Kvarnen* und hatten uns gerade auf den Treffpunkt in Sickla um zwei

Uhr in der darauffolgenden Nacht geeinigt, als dieser Blöd-
mann einem anderen einen Bierkrug auf den Schädel knallte.
Ich schickte die Jugos schnell weg und dankte den Göttern für
den kleinen albernen Bart und wartete, bis sie außer Sichtweite waren, und da tauchten die Türsteher auf. Ich wedelte mit
dem Polizeiausweis und kam raus.«

»Ihr wurdet abgehört. Habt ihr nicht die Umgebung kontrolliert? Eine ganze Gang Nazis saß in der Ecke und hat euch
abgehört.«

Ludvig Johnsson nickte. »Also so ist es zugegangen? Doch,
es war ziemlich schlampig, sich nicht ordentlich umzusehen,
aber ich hatte einfach eine Scheißangst. Mit diesen Typen war
nicht zu spaßen. Drei richtige Ungeheuer aus Bosnien. Sie
hätten ja auf die Idee kommen können, mich zu foltern, um
mich dazu zu bringen, meine Versicherung preiszugeben.«

»Versicherung?«

»Die klassische. Eine Kopie des gesamten Ermittlungsmaterials bei einem alten Jugendfreund. Im Falle meines Todes
sollte es der Polizei übergeben und Rajko Nedic als Pädophiler entlarvt werden.«

»Als ihr rauskamt, wurdet ihr fotografiert, die ganze Gang,
ironischerweise von einem Pädophilen, aus dem Söder-
Turm.«

»Aber dann hattet ihr mich doch schon lange.«

»Das Bild von dir war leider saumäßig. Man sah ein bißchen
vom Bart, das war alles.«

Ludvig Johnsson lachte unfroh. »Da kann man mal sehen,
Glück im Unglück.«

»Erzähl jetzt mal alles von Anfang an.«

»Jaja. Es war wohl im Februar oder so. Ich fand eine Serie
versteckter Homepages im Internet und konnte eine Reihe
von Signaturen lokalisieren. Ich nahm die ganze Bande fest –
außer einem. Die Idee wurde im gleichen Moment geboren,
als ich sah, daß ›branco‹ Nedic war. Dem Teufel Geld abzu-
luchsen erschien mir nicht als besonders gefährlich. Mein
Leben war vollkommen festgefahren. Ich lief nur noch. Ich

lief um mein Leben. Wie der ursprüngliche Marathonlauf. Ich haßte den Winter immer mehr. Es war Winter, als meine Familie ausgelöscht wurde. Verfluchte winterliche schwedische Straßen. Ich wollte weg. Irgendwo in der Wärme sterben. Ich hatte eine absurde Vorstellung, auf irgendeine polynesische Insel zu fahren und mich zu Tode zu saufen; und das ich, der nie besonders viel für Schnaps übrig hatte. Auf jeden Fall schickte ich meinem Kumpel in Säffle das Material und nahm Kontakt zu Nedic auf. Er war ziemlich platt. Glaubte wohl, er sei im Internet total geschützt. Ich schlug ihm eine Summe vor, die sich gut anhörte, zehn Millionen, und er war einverstanden. Ich war vollkommen sprachlos. *Er war einverstanden.* Zehn Millionen. Man kann sich ja schon fragen, wieviel so ein Mensch hat … Wir einigten uns darauf, daß ich seine Lieferanten treffen sollte, um die näheren Einzelheiten der Lieferung zu besprechen. Ich schlug das *Kvarnen* vor, so öffentlich wie möglich. Irgendwie ist es offenbar durchgesickert.«

»Nedics engster Vertrauter hieß Lordan Vukotic. Er war einverstanden damit, daß das Treffen im *Kvarnen* stattfinden sollte. Er machte im Kumlabunker eine Ausbildung zum Wirtschaftsjuristen und sollte vermutlich eines Tages die Finanzen des Imperiums verwalten. Anscheinend erwähnte er das bevorstehende Treffen gegenüber seinen Kumpanen im Knast, und einer von ihnen, ein Kroate mit Namen Risto Petrovic, informierte einen seiner alten Kumpels aus der Fremdenlegion, einen rechtsextremistischen ehemaligen Offizier namens Niklas Lindberg. Er scheint in Kumla eine Art ›nationalsozialistische Clique‹ angeführt zu haben. Der gehörten auch Sven Joakim Bergwall und Dan Andersson an. Andersson wird im Februar entlassen; er ist also draußen, als die Nachricht von der Lieferung von zehn Millionen eingeht.«

»Das muß im Mai gewesen sein«, sagte Johnsson.

»Im Mai wird die ideologische Triebkraft Bergwall entlassen. Möglicherweise hat Andersson da schon angefangen, eine Gang zu bilden, um die zehn Millionen einzusacken. Lindberg sitzt bis zum vierundzwanzigsten Juni, dem Tag nach eurem Treffen im *Kvarnen*, dem Tag vor der geplanten Übergabe im Gewerbegebiet Sickla. Er weiß, daß Bergwall und die Jungs euer Kvarnentreffen abhören, aber er nimmt auch die Gelegenheit wahr – ungefähr gleichzeitig –, Vukotic zu foltern, um herauszubekommen, was der über den Treffpunkt weiß. Am nächsten Morgen wird er entlassen. Die Jungs holen ihn mit einem Van in Kumla ab. Als er die Mauern hinter sich gelassen hat, nimmt er die Gelegenheit wahr, den verletzten Vukotic mittels einer elektronisch gesteuerten Bombe in die Luft zu sprengen. Ein Abschiedsgruß an Kumla, ein Gruß zu seinem Einstand an Nedic, und er verwischt seine Spur – alles auf einmal.

Daraufhin begibt sich die rechtsextremistische Gang von sechs Mann ins Gewerbegebiet Sickla. Lindberg sprengt den Wagen mit deinen drei Ungeheuern aus Bosnien in die Luft. Einer von ihnen ist sofort tot. Sie klauen den Aktenkoffer mit dem Bankfachschlüssel und einem Funkgerät, bekommen einen Schock, als kein Geld im Koffer ist, und ebnen damit den Weg für die kriegsgewohnten Bosnienungeheuer, die Pistolen aus irgendwelchen Mechanismen in den Jackenärmeln zaubern und zwei von ihnen erschießen, Carlstedt und Bergwall, und einen verletzten, Andersson. Sie selbst sterben natürlich. Aber in dem ganzen Wirrwarr *verschwindet der Aktenkoffer*. Eine ganz andere Gang, die sich Orpheus und Eurydice nennt, irgendwelche Aussteiger aus Nedics Organisation, haben auch Kenntnis von deiner kleinen Lieferung. Mitten während des Schußwechsels gelingt es ihnen, sich den Koffer unter den Nagel zu reißen. Auch sie sind nicht besonders glücklich, als sie darin statt Bargeld einen Schlüssel und ein Funkgerät finden. Sie teilen sich auf und reisen durchs Land, um nach der Bank zu suchen. Sie müssen also irgendeine Ahnung haben, wo die Bank sich befinden sollte. Also stehen sie Nedic relativ nahe. Von der Nazigang sind noch Lindberg, Sjöqvist, Kullberg und der verletzte Andersson übrig. Kullberg ist Ingenieur und konstruiert ein Gerät, mit dem sie das Polizeifunkgerät lokalisieren können. Sie verfolgen den Teil von Orpheus und Eurydice, der den Koffer und das Funkgerät hat. Das ist Eurydice. Nach einer Verfolgungsjagd von zwei Wochen finden sie sie. In Skövde. Da sind wir auch da. Wir töten Sjöqvist und Andersson und schnappen Kullberg. Lindberg selbst geht uns durch die Lappen. Ebenso Eurydice. Hjelm und Holm werden angeschossen.«

Ludvig Johnsson starrte verblüfft seinen einst so trägen Kollegen an. »Jesses«, sagte er. »Ihr habt hart gearbeitet. Wer sind diese Orpheus und Eurydice?«

»Das wissen wir nicht, und es ist auch nicht länger interessant. Wir haben jetzt den Bankfachschlüssel. Hast du eine Ahnung, wo die Bank sein kann?«

»Nein, aber es sollte in der Nähe der Stadt sein. Stockholm. Mein Bankfach mit dem Ermittlungsmaterial liegt in der Stadt. Handelsbanken am Odenplan. Warum erzählst du mir das alles? Dem Verbrecher? Dem ›Polizisten‹?«

»Damit du Ordnung schaffst in dem Mist, den du hinterlassen hast. Ich habe eine Computerausrüstung und Mobiltelefone und ein Ladegerät im Wagen, so daß es für zwei Mann in einer Hütte ohne Strom und Telefon reicht. Ich habe deinen Kühlschrank vollgepackt mit Essen. Und jetzt bleibst du und ich verdammt noch mal so lange hier und arbeiten, bis wir das Ding geknackt haben!«

»Aber was ist denn noch übrig?« stieß Ludvig Johnsson hervor.

»Nedic kann uns für den Augenblick scheißegal sein«, sagte Gunnar Nyberg entschlossen. »Ich glaube, das erledigt Sara. Orpheus und Eurydice sind uns genauso egal. Die sind aus dem Spiel. Was noch übrig ist – und zwar in ganz gehörigem Maß übrig ist –, das ist Niklas Lindberg. Er wollte deine zehn Millionen für etwas ganz Spezifisches. Er läßt mit Vorliebe hochentwickelte Mikrobomben von enormer Sprengkraft knallen, und er hat ganz nebenbei fast eine Million zusammengeraubt, während sie Eurydice gejagt haben. Die zehn Millionen bekommt er wohl kaum, wenn er nicht direkt auf Nedic losgeht. Aber vielleicht reicht ihm die knappe Million.«

»Was glaubst du?« sagte Johnsson.

»Ich glaube, daß die ersten Bomben Versuche waren. Er sprengte Vukotic mehr oder weniger aus Spaß in die Luft, und der Wagen in Sickla hätte ohne Sprengstoff gestoppt werden können. Er sprengt zur Probe. Wie die Franzosen in Polynesien, du Idiot. Er sprengt Warenproben. Die zehn Millionen sollten für eine ordentliche Ladung dieses flüssigen Sprengstoffs sein, der vom Sicherheitsdienst des südafrikanischen Apartheidregimes entwickelt wurde. Es dreht sich dabei um den gleichen internationalen Rechtsextremismus, mit dem Lindberg in der Fremdenlegion in Kontakt kam und der Nedics Mitarbeiter, den kroatischen Faschisten Petrovic, dazu brachte, Lindberg gegenüber zu plaudern. Der Sprengstoff konnte nach Kumla eingeschmuggelt werden, und jetzt soll er bei einer größeren Veranstaltung eingesetzt werden. Du und ich werden herausfinden, was Niklas Lindberg vorhat, und es verhindern. Das werden wir tun. Das bist du mir und Sara und der Welt schuldig, du dummer Arsch.«

Ludvig Johnsson betrachtete Gunnar Nyberg. Was er sah, war bemerkenswert. Gebündelte Energie. Eine absolute Zielbewußtheit, von der er nichts hatte ahnen können. Anderseits hatte er nie in der A-Gruppe gearbeitet. »Aber was ist mit dir?« fragte er. »Bist du abgehauen aus der A-Gruppe?«

»Wenn wir das hier hinkriegen, können wir vielleicht beide unsere Haut retten«, sagte Gunnar Nyberg und ging zu seinem alten, rostigen Renault.

41

Kerstin Holm war ins Karolinska verlegt worden. Es war Dienstag, und sie hatte Kopfschmerzen.

Das war nicht verwunderlich. Sie hatte die Röntgenaufnahme gesehen. Es sah aus wie ein offenes Loch im Kopf, doch es war nur der Schädelknochen, der unmittelbar über dem Ohr dünn wie eine Eierschale war. Durchsichtig. Dan Andersson hatte ihr einen Splitter vom Schädelknochen weggeschossen. Vom Knochen ein Splitter, zum Kochen zu bitter. Ein Teil ihres Kopfes lag jetzt festgetreten in einem regengetränkten Rasen in Skövde. Vielleicht würde er keimen, und zur Verwunderung der Hotelgäste würde eine kleine Kerstin Holm aus dem Gras emporwachsen.

Aber richtig wahrscheinlich war das nicht.

Sie wandte sich Paul Hjelm zu, der auf der Bettkante saß und dieses mitleidende Gesicht machte, wie Besucher es im Krankenhaus immer tun.

»Laß gut sein«, sagte sie.

»Laß was gut sein?« sagte er.

»Das mit dieser Miene.«

»Tut mir leid.«

»Es braucht nichts zu bedeuten.«

»Was?«

»Das mit Ovids *Metamorphosen*. Es kann ein Zufall sein.«

»Du hast recht.«

»Sag nicht, daß ich recht habe, nur weil ich im Krankenhaus liege und krankenhausmäßigen Mundgeruch habe. Sag statt dessen, daß ich mich irre. Widersprich mir.«

»Du irrst dich.«

»Danke. Warum irre ich mich?«

»Du hast keinen krankenhausmäßigen Mundgeruch.«

»*Warum irre ich mich?*«

»Weil er so lange in unseren Gedanken gewesen ist. Weil er

332

so komisch reagierte auf das mit Orpheus. Weil er im rappelvollen *Kvarnen* saß und Ovids *Metamorphosen* las. Weil gesagt wurde, daß er nur *so tat*, als läse er. Weil er alles sah, obwohl er las, bloß nicht die Gang, die ihm am nächsten saß und englisch direkt in seine Ohren redete. Weil er einer von drei Zeugen ist, die wir trotz aller Anstrengungen nicht haben auftreiben können. Weil das junge Pärchen nicht nur eine von Ovids Metamorphosen verwendet, sondern zwei, wenn sie miteinander in Kontakt treten. Orpheus und Eurydice *und* Philemon und Baucis.«

»Das ist eine Menge.«

»Per Karlsson. Es kann ja die Ermittlung nicht entscheidend verändern, aber wir sollten ihn vielleicht im Hinterkopf behalten.«

»Das meine ich auch. Was ist denn dann passiert? Der arbeitslose Per Karlsson, zwanzig Jahre und ohne Ausbildung, belauscht drei Exjugoslawen und einen ›Polizisten‹, die einen Treffpunkt vereinbaren. Ist es Zufall, daß er dort sitzt? Hört er es nur zufällig – oder ist er dort, *um sie zu belauschen*? Woher weiß er dann, daß diese Gangster sich dort befinden? Er und seine Liebste benutzen Mobiltelefone mit Internetanschluß, die Rajko Nedics Restaurant Tartaros gehören, was ja das Totenreich ist. Etwas fehlt. Natürlich kann Per Karlsson vorübergehend – und schwarz, also nicht registriert – als Kellner oder Tellerwäscher im Tartaros gearbeitet haben, aber das ist nicht richtig stichhaltig. Zwei hochmoderne Mobiltelefone *plus* Information, daß das Treffen im *Kvarnen* stattfindet. Das deutet auf eine wirkliche Nähe zu Rajko Nedic hin, zu einem Mann, der niemanden an sich heranläßt.«

»Obwohl es ein Zufall sein *kann*. Er sitzt wirklich im *Kvarnen*, um zu lesen. Dann hört er das Gespräch mit, und es macht klick bei ihm. Er tut also so, als läse er, und zu uns sagt er nichts vom Nachbartisch. Denn er sieht ein Geschenk des Himmels vor sich. Eine Anzahl Millionen als Geschenk für einen arbeitslosen armen Schlucker. Das ist auch durchaus möglich.«

»Aber dann machen die beiden sich auf den Weg, jeder in eine andere Richtung, um nach dem Bankfach zu suchen. Warum gerade dahin? Warum gerade nach Dalarna und Västmanland, beziehungsweise Halland und Västergötland? Sie können ja nicht ganz Schweden durchsuchen. Spricht das nicht doch für eine Art intimeren Wissens über Nedic?«

»Vielleicht. Aber das muß ja hinter Niklas Lindberg zurückstehen. Per Karlsson machte ja keinen direkt gemeingefährlichen Eindruck. Außerdem müssen sie ja jetzt aus dem Spiel sein.«

»Ganz sicher. Scheiße, jetzt fängt es wieder an, sich zu drehen.«

Hjelm stand auf und starrte sie an. Sie sah ihn sich drehen. Er sah so hilflos aus, wie Besucher im Krankenhaus es immer tun.

»Laß gut sein«, sagte Kerstin Holm und ließ es sich weiterdrehen.

42

Durch das Einfahrtstor konnte man das Paradies erkennen. Doch die Mauern waren hoch und wurden von einem bewaffneten Cherubim bewacht.

Der im vorliegenden Fall aus einer Überwachungskamera, einem Türtelefon und einer metallisch klingenden Stimme bestand, die sagte: »Name und Anliegen.«

Sie räusperte sich und warf einen Blick auf die vier hartgesottenen Polizeiassistenten in ihrem Schlepptau. Alle starrten in die Kamera. Es war wie eine Talentsuche im Fernsehen. »Kriminalinspektorin Sara Svenhagen, Reichskriminalpolizei. Wir möchten mit Rajko Nedic sprechen.«

»Herr Nedic ist zur Zeit nicht anwesend«, sagte die Metall-stimme.

»Dann möchten wir mit jemand anderem sprechen. Ist ein Verantwortlicher im Hause?«

Es war still. Dann glitt das Tor zum Paradies auf. Der mär-chenhafte Garten schien keine einzige Farbnuance auszulas-sen, und der strahlende Sonnenschein verstärkte die Farben noch. Sara Svenhagen fühlte sich fast geblendet von der Far-benpracht und fast betäubt von dem vielfältigen Duft. Es war wirklich phantastisch. Ein Garten Eden.

Ein gutgekleideter kleiner Mann um die Fünfzig kam ihnen auf dem Gartenweg entgegen. Er streckte Sara die Hand hin.

Sie nahm sie und schüttelte sie.

»Ich heiße Ljubomir Protic«, sagte er in nicht ganz akzent-freiem Schwedisch. »Ich arbeite für Herrn Nedic. Womit kann ich dienen?«

»Ist er nicht zu Hause?« fragte Sara Svenhagen.

»Leider nicht«, sagte Ljubomir Protic höflich. »Kann ich vielleicht etwas tun?«

»Das kommt darauf an, wer Sie sind.«

»Ich bin Herrn Nedics Mädchen für alles, könnte man sagen.«

»Ich dachte, das wäre Lordan Vukotic. Aber er ist ja tot.«

Protic behielt sein höfliches Lächeln und antwortete: »Lei-der ist mir der Name nicht bekannt.«

»Stehen Sie Rajko Nedic nahe, Ljubomir?« fragte Sara.

»Ich stehe ihm sehr nahe, Frau Svenkragen.«

»Svenhagen. Und Sie können mich Sara nennen, Ljubomir. Wir werden in der nächsten Zeit viel miteinander zu reden haben. Und natürlich stehen Sie ihm nahe. Wenn ich nicht ganz falsch unterrichtet bin, verließen Sie vor dreißig Jahren gemeinsam Jugoslawien. Nur die jungen Männer Rajko und Ljubomir per Anhalter durch Europa einer goldenen Zukunft in Schweden entgegen.«

Ljubomir Protic betrachtete sie. Sein Lächeln begann zu verblassen. »Worauf wollen Sie hinaus? Ich habe nichts mehr zu sagen. Ich glaube, ich muß Sie jetzt bitten zu gehen.«

»Ich glaube, ich vergaß zu sagen, woher ich komme. Von der Abteilung für Kinderpornographie beim Reichskriminalamt. Dies hier hat nichts mit dem Drogenhändler Nedic zu tun. Es geht um den Pädophilen Nedic.«

Jetzt war die Reaktion wichtig.

Sara hatte die Zeit seit dem Gespräch mit Gunnar dazu genutzt, soviel Material über Nedics Organisation wie möglich einzusehen. Drogenhandel war sicherlich ein wesentlicher Faktor, wenn es um den eigentlichen Aufbau der Organisation ging. Der wichtigste Neuzugang war Ljubomir Protic, der Rajko Nedic praktisch von Geburt an kannte, doch erst jetzt in die Organisation eingetreten war, als Nedics rechte Hand. Von außen betrachtet schien er das schwächste Glied zu sein – aber dafür waren die inneren, freundschaftlichen Bande um so stärker.

Und die Reaktion war glasklar. Er erbleichte leicht. Er gab sich Mühe, die höflich zuvorkommende Miene beizubehalten, doch seine Gesichtsfarbe wurde fahl.

Auf diese Reaktion hatte sie gehofft.

Sie wandte sich an die Polizeiassistenten. »Nehmt ihn mit«, sagte sie und wanderte zum Tor des Paradieses.

Ljubomir saß in einem Vernehmungszimmer. Er fühlte sich wunderlich. Nur er und die Wände. Und sobald er sie anpustete, würden sie einstürzen. Das fühlte er. Also hörte er auf zu atmen. Es kam ihm vor, als verließe ihn mit jedem Ausatmen ein Stück Leben.

Schließlich war nichts mehr da.

Er hatte jetzt zwei Stunden hier gesessen. Niemand war bei ihm gewesen. Aber ihm war klar, daß jemand ihn beobachtete. Von irgendwo. Und inzwischen wußte wohl auch der Große davon, daß er hier war. Er sah keine richtige Zukunft.

Er erinnerte sich an die Lektion des Großen. Ein kleiner Regelkanon für den Fall einer Konfrontation mit der Polizei.

Sei immer höflich und entgegenkommend. Streite alles mit bedauernder Miene ab. Achte auf dich und deine kleinste Miene. Sag kein unnötiges Wort.

Der Große hatte ihm bereits klargemacht, daß er als Sicherheitsrisiko angesehen wurde. Er verstand ungefähr, wie er zu diesem Zeitpunkt argumentierte. Zwei Stunden bei der Polizei. Er hat schon alles erzählt, was er weiß. Ein Glück, daß er nichts erfahren hat.

Doch der Große wußte nicht, bei *welcher* Polizei er war. Der Polizei für Pädophilie. Und darüber wußte er wirklich alles.

Dann ging die Tür auf, und die kurzgeschorene Polizistin trat ein. Endlich. Sie sah so unansehnlich aus. Zart. Daß eine zarte Frau einem das Leben zerstörte, war wohl trotz allem nicht so ungewöhnlich. Jetzt hatte sie Trümpfe gesammelt. Würde er die Ruhe bewahren können – wenn *dieser Ort* zur Sprache kam?

Er kam direkt zur Sprache.

Sara Svenhagen legte einen Papierstapel auf den Tisch und sagte: »Zu diesem Zeitpunkt glaubt er, daß Sie alles erzählt haben, nicht wahr? Und da ist Ihr Leben nicht mehr viel wert. Deshalb können Sie ebensogut alles erzählen. Zum Beispiel über das Pädophilennest mit geräuschisolierten Wänden, die aussehen wie Bordellkissen aus Gold.«

»Glauben Sie wirklich«, sagte Ljubomir, als leiere er etwas Auswendiggelerntes herunter, »daß die Organisation so einfach zu knacken ist? Glauben Sie nicht, daß sie widerstandsfähiger ist?«

»O doch«, sagte sie. »Was den Drogenhandel angeht. Da ist sie nahezu unerschütterlich. Da sitzen alle Sicherungen am richtigen Platz. Aber hier dreht es sich nicht um den Drogenhandel. Hier geht es um die Hintertür in Nedics Organisation. Via Rajko Nedics sexuelle Eskapaden.«

»Ich weiß nicht, wovon Sie sprechen, Sara«, sagte Ljubomir. »Es tut mir leid.«

»Natürlich nicht. Was halten Sie von Kinderpornographie, Ljubomir? Was halten Sie von kleinen Mädchenschößen, die

bis zum Nabel von kaputten Coca-Cola-Flaschen aufge-
schlitzt sind? Was halten Sie von fünfjährigen Jungen, deren
After so aufgerissen sind, daß die Scheiße einfach rausläuft?«

»Aber Jesus Christus«, sagte Ljubomir und starrte sie an.

»Ich werde Ihnen an die hundert Bilder Ihres Arbeitgebers
in derartigen Situationen zeigen, und Sie werden sich jedes
einzelne davon ansehen, und wenn ich Ihnen die Lider an die
Stirn nageln muß. Haben wir uns verstanden?«

Ljubomir betrachtete die zarte Frau mit dem kurzgeschorenen Kopf. Er sah ihre Zielbewußtheit und erkannte, daß er
verloren war. Er würde dagegen kämpfen, aber nur, weil es
ihm eingebleut worden war, daß man dagegen kämpfen mußte, doch er würde verloren sein. Er würde anfangen zu weinen. Er würde an *diesen Ort* gezwungen werden und all das
sehen, wovon er ein ganzes Leben lang den Blick abgewendet
hatte. Alles würde auf ihn einstürzen. Das wußte er, als er in
Sara Svenhagens Augen sah. Und er wußte, daß sie es sah.

»Rajko Nedic ist unter der Signatur ›brambo‹ auf Pädophi-
lensites im Internet überaus aktiv gewesen. Wir haben ihn erst
jetzt identifizieren können. Rein praktisch ist er schon aus
dem Verkehr gezogen. Es wäre gut, Ljubomir, wenn Sie ein
bißchen mehr erzählen könnten. Wie war es? War er schon
pädophil, als Sie nach Schweden kamen? Zwei junge Männer,
denen die Welt zu Füßen lag? Gab es etwas in seiner Kindheit,
was ihn zu dem gemacht hat, der er ist?«

»Ich will mit einem Anwalt sprechen«, sagte Ljubomir.

»Das wollten Sie schon vor zwei Stunden. Und wie vorhin
gilt auch jetzt: Sie dürfen nicht. Das einzige, was Sie dürfen,
ist, diese Bilder ansehen. Ihr Arbeitgeber hat sie ins Internet
gestellt. Er ist der vorsichtigste General, wenn es um den
Drogenhandel geht, aber seinen Schwanz in kleinen Kindern
zeigt er gern der ganzen Welt. Ich habe schon lange mit Pädophilen zu tun, vielleicht viel zu lange, aber diese seltsame,
gleichsam unbezwingbare Lust, seine Perversionen vorzufüh-
ren, werde ich nie verstehen. Sie setzt jegliche Vorsicht außer
Kraft.«

Sie schob ihm den Papierstapel zu.

Er betrachtete ihn. Dann schloß er die Augen. »Nein«, sagte er. »Ich will nicht.«

»Doch«, sagte sie. »Sie werden.«

Dann hielt sie ihm das erste Bild hin.

Es war *sie.*

Natürlich war es sofort *sie.*

Und es ging weiter und weiter und weiter, und obwohl er weinte, ging es weiter und weiter und weiter. Und auf allen Bildern war *sie.*

Er brach zusammen. Es ging nicht. Er fiel nach vorn über den Verhörtisch, und die Tränen liefen auf die Ausdrucke, daß die Farben sich auflösten und als ein einziger Schmier über den Tisch flossen, und sein Gesicht wälzte sich in dem Schmier, und als er aufblickte, war er ein Kasper, ein weinender Clown in frohen Farben. »Ich hätte es verhindern können«, schluchzte er. »Sie kam jedesmal zu mir. Nach jedem Mal kam sie zu mir und setzte sich auf meinen Schoß und nannte mich Onkel Jubbe und weinte ein Weinen, das jenseits jedes Weinens war, und starrte mich nur an, ohne Tränen und ohne ein Wort sagen zu können, weil sie dafür keine Wörter hatte, und jedesmal dachte ich, daß dies das letzte Mal sein müßte, wenn nicht, müßte ich den Kerl töten, aber ich tat es nicht, ich tat gar nichts, ich wandte den Blick ab von ihr, wie sie auf meinem Schoß saß und Onkel Jubbe sagte und meinte, hilf mir, Onkel Jubbe, es geschieht etwas, was ich nicht verstehe, und du bist so lieb und du kannst mir helfen, aber ich war nicht lieb, ich war der gemeinste der Gemeinen, denn ich wandte den Blick ab und sah nichts.«

Sara Svenhagen schloß einen Moment die Augen. Sie dachte ohne Worte. Dann reichte sie Ljubomir Protic ein Taschentuch. Er wischte sich die Tränen ab und blickte auf das Spiel der Farben im Taschentuch. Es sah wie ein Paradiesgarten aus.

»Wer ist ›sie‹?« fragte Sara Svenhagen.

Ljubomir sah sie gekränkt durch die Nebel an. »Aber Sonja natürlich«, sagte er. »Meine kleine Sonja.«

»Und Sonja ist …?«

»Rajkos Tochter. Seine *Tochter*, zum Teufel.«

»Und das ist sie auf den Bildern hier?«

Ljubomir schnitt eine Grimasse. Dann nickte er.

»Wie alt ist Sonja Nedic jetzt? Zwanzig?«

»Ja«, sagte Ljubomir. »Genau zwanzig.«

»Was für ein Leben führt sie?«

»Sie hat einen eigenen Wagen und eine eigene Wohnung. Studiert Mathematik an der Universität. Vor einem Jahr hat sie versucht, sich das Leben zu nehmen. Schnitt sich die Handgelenke auf. Der Länge nach. Sie wäre fast gestorben. Aber wenn ich sie in der letzten Zeit im Haus gesehen habe, wirkte sie nicht mehr so unglücklich. Ich weiß noch, daß ich dachte: Hoffentlich hat sie jetzt jemanden gefunden, jemanden, der sie glücklich machen kann, der ihr etwas von der Kindheit geben kann, die sie nie gehabt hat. Ich hoffe das wirklich.«

»Können Sie noch mehr sagen?«

»Rajko hatte selbst die gleiche Kindheit. Ich weiß das, denn ich habe mit ihm genauso dagesessen. Als wir Kinder waren. In dem kleinen Gebirgsdorf im östlichen Serbien. Ich konnte ihn ebensowenig trösten. Deshalb sind wir weggegangen. Um von all dem fortzukommen. Er glaubte, daß er seine Vergangenheit hinter sich lassen und ein anderer werden könnte. Aber sobald Sonja da war, kehrte es zurück. Er wiederholte das Verhalten seines eigenen Vaters. Und ich saß nur da. Wieder einmal. Pfui Teufel. Onkel Jubbe.«

»Und der Rest der Familie?«

»Es sind zwei Kinder da. Bei seinem Sohn hat er der Versuchung widerstanden. Er ist drei Jahre älter und arbeitet in der Organisation mit. Doch bei Sonja konnte er nicht widerstehen. Und seine Frau hat die Augen noch fester verschlossen als ich. Sie leidet an Kaufzwang und kauft sich aus der Wirklichkeit heraus. Und Rajko kultiviert seinen Garten, um ein Paradies zu schaffen, das er nie verstanden hat.«

»Andere Kinder?«

»Es hat auch andere Kinder gegeben. Ich weiß nicht, woher er sie bekommt. Jetzt, wo Sonja erwachsen ist, sind es andere Kinder. Vielleicht kauft er sie.«

»Und weiter?«

»Es ist wohl sowieso zu spät jetzt. Ich sage Ihnen alles, was ich weiß, Sara. Sie scheinen eine fähige Frau zu sein, aber Sie müssen wissen, daß ich eigentlich nicht besonders viel weiß. Ich kann mit den ›Sicherheitsberatern‹ anfangen. Zwei eklige Schweden, ehemalige Polizisten. Bei der Säpo. Sie heißen Gillis Döös und Max Grahn.«

»Den Rest können Sie den Drogenfahndern erzählen. Die warten schon vor der Tür. Ich will noch wissen, wo diese Pädophilenabsteige ist. Die Wohnung mit geräuschisolierten Wänden, die aussehen wie Bordellkissen aus Gold.«

Ljubomir lächelte zaghaft hinter seiner verschmierten Farbmaske. »Er ist da jetzt«, sagte er. »An *diesem Ort*.«

»Was sagen Sie da?« stieß Sara Svenhagen hervor. »Und das sagen Sie erst jetzt?«

»Nein, nein«, sagte Ljubomir. »Sie hat jetzt eine andere Funktion, die Wohnung. Es hat nichts mit Kindern zu tun.«

Sara atmete auf. Dann sagte sie: »Und wo liegt die Wohnung?«

»Am Hornstull. Hornsgatan 131. Dritte Etage. Ahlström steht an der Tür. Aber er hat mindestens fünf Mann bei sich, also seien Sie vorsichtig, Sara. Sie sind schwer bewaffnet.«

Sie nickte eine Weile. Dann betrachtete sie den Mann vor sich. Ein Funkeln war in seine Augen getreten. Dinge waren ans Licht des Tages gekommen, die jahrelang eingeschlossen und versiegelt gewesen waren. Und vielleicht hatte er irgendwie einen ganz, ganz kleinen Teil der Schuld bei Sonja Nedic zurückbezahlt. Meine kleine Sonja.

Er lehnte sich zurück und schloß die Augen.

Jetzt konnte Ljubomir in Frieden sterben.

Er war wieder Onkel Jubbe.

Und jetzt – endlich – hatte er etwas getan.

43

Paul Hjelm hatte getötet.

Er war angeschossen worden.

Kerstin Holm hatte – so hatte es ausgesehen – den Tod gesehen und gesagt, daß sie ihn liebe.

Jedes einzelne dieser Ereignisse reichte aus, um sein Leben zu verändern. Er war gezwungen, den ganzen Kram zu verdrängen. Um in die Rolle als Verhörleiter zu schlüpfen.

Hultin hatte nämlich die Rollen verteilt. »Verflixt, daß das Kerstin ausgerechnet jetzt passieren mußte«, sagte er barsch. »Jetzt mußt du Jorge als Beisitzer mitnehmen. Ihr zwei übernehmt die Verhöre von Kullberg und Petrovic.«

So wurden die ehemaligen Helden zu autorisierten Verhörleitern.

Jorge Chavez hatte während der Schießerei einen Panikanfall gehabt.

Er hatte von seinem Chef eine Ohrfeige bekommen.

Er hatte eigentümliche Mauern gegen die Frau errichtet, in die er frisch verliebt war. Auch dies war genug für ein paar Metamorphosen. Und auch das mußte verdrängt werden.

Sie betraten den Vernehmungsraum in einem gutisolierten Teil des Präsidiums. Da drinnen saß ein kleiner Mann mit löchriger Zahnfront, verpflasterten Augenbrauen und blauen Flecken im Gesicht.

Er lachte ihnen sardonisch entgegen. »Na, wen seh ich denn da?« sagte Agne ›Kulan‹ Kullberg. »Den Schreihals.«

Chavez fühlte sich unwohl. Er setzte sich, Hjelm blieb einen Moment stehen und fixierte Kullberg. Versuchte, ihn zu packen. Bezwang den ewigen, bohrenden Schmerz im Arm und versuchte, ihn zu packen.

»Aber einen knallharten Alten von Chef habt ihr«, fuhr ›Kulan‹ fort.

»Tja, Agne«, sagte Hjelm. »Es ist uns nicht entgangen, daß du geheult und in die Pistole gekotzt hast. Apropos Schreihälse.«

Er setzte sich. Die Eröffnung war ausgeglichen. Jetzt kam es auf die Fortsetzung an. ›Kulan‹ war ein bißchen kleinlaut geworden und hatte den Blick auf den Tisch gesenkt.

»Wir müssen ein wenig mehr darüber wissen, was Niklas Lindberg sich als Fortsetzung gedacht hat«, sagte Hjelm ruhig.

»Davon redet ihr jetzt schon eine ganze Weile«, sagte ›Kulan‹ zu dem Tisch. »Aber ich weiß es nicht, verdammt. Wir hatten es auf zehn Millionen Kronen abgesehen. Das war die einzige Fortsetzung, die ich im Sinn hatte.«

»Also es war ein gewöhnlicher Raub, Agne? Ohne ideologische Nebentöne?«

»Ja. Es ging um Knete. Um mehr nicht.«

»Erzähl ein bißchen mehr über diese Suchvorrichtung, Agne.«

»Nenn mich nicht die ganze Zeit Agne.«

»Ich versprech's dir, Agne. Jetzt erzähl.«

»Tja, unten in Sickla konnten wir einen kurzen Blick auf das Funkgerät werfen, bevor der Koffer verschwand. Da war noch ein Zettel mit der Frequenz. Mit Hilfe des Funkradiotyps und der Frequenz konnte ich eine Suchvorrichtung basteln, die das kleine Steuersignal auffängt, das diese Geräte immer aussenden. Wir fingen am Anfang ein paar Signale auf und folgten ihnen auf der E 4. Dann verschwand es. Wir fuhren bis hinunter nach Schonen, bevor uns klar wurde, daß der Koffer unterwegs irgendwo verschwunden sein mußte. Vermutlich nach Westen. Dann haben wir uns wieder hochgearbeitet, und in Trollhättan kriegten wir das Signal wieder rein. Und in Falköping. Und da war Skövde logisch. Da piepte es die ganze Zeit. Wir brauchten ihm nur ins Hotelzimmer zu folgen.«

»Solltest du dein Talent nicht lieber für etwas Vernünftigeres verwenden?«

»Ich hoffe, daß ich in Kumla die Chance kriege, mich weiterzubilden. Danach werde ich superanständig.«

»Warum habt ihr alles beraubt, was sich auf eurem Weg durch Westschweden anbot?«

»Warum nicht? Wir raubten alles, was sich anbot, weil es eben da war. Nur deshalb. Wir waren eine Räubergang und wir waren auf Knete aus – und solange wir den Koffer nicht hatten, mußten wir uns mit Kleinkram zufriedengeben. Man muß schließlich leben.«

»Nicht unbedingt. Es sind viele gestorben unterwegs, Agne. Du scheinst nicht um deine Kumpels zu trauern.«

»Sie waren nicht meine Kumpels. Sie waren Kollegen.«

»Und Lindberg?«

»Ein guter Führer. Mehr nicht. Wahnsinnige Physis, der Mann.«

»Die Gang bestand ja praktisch ausschließlich aus organisierten Rechtsextremisten. Meinst du, es lagen keine ideologischen Motive dahinter?«

»Ich bin kein organisierter Rechtsextremist.«

»Aber, Agne, du bist Mitglied eines Schützenclubs, zusammen mit allgemein bekannten Rechtsextremisten, unter anderem einer Reihe lichtscheuer Kollegen von uns. Leuten, die im Zusammenhang mit dem Palme-Mord Aufmerksamkeit erregt haben.«

»Nur bei Verschwörungstheoretikern im Fernsehen. Nein, ich bin in dem Club, weil ich gern schieße. Feinmotorik ist faszinierend. Präzision. Und hör auf, mich Agne zu nennen.«

»Ich versprech's, Agne. Wir brauchen zwei Dinge: Marke, Farbe und Kennzeichen des Vans sowie Niklas Lindbergs derzeitigen Aufenthaltsort.«

»Darüber weiß ich nichts.«

»Du weißt nicht, in was für einem Auto ihr gefahren seid, Agne?«

»Ich hab es vergessen. Leider.«

»Kurz bevor wir in dem Hotelzimmer eintrafen, hat Niklas Lindberg selbiges verlassen. Warum?«

›Kulan‹ blieb stumm. Das war ungewöhnlich.

»Na gut«, sagte Chavez. »Das Bild ist ziemlich klar. Du gibst dir die größte Mühe, Agne, uns glauben zu machen, ihr wärt eine ganz normale Räuberbande gewesen, die nur an Geld interessiert war. Warum ist es so wichtig, uns das einzureden? Und warum kommst du nicht auf eine ganz natürliche Erklärung dafür, daß Niklas Lindberg weg war, als wir kamen? Könnte er nicht beispielsweise … tja, hinausgegangen sein, um das Geld an sich zu nehmen, das ihr in dem Van zurückgelassen hattet?«

»Irgend so was war es«, sagte ›Kulan‹ träge. »Die Situation war unter Kontrolle. Danne und Rogge wollten sich ein bißchen mit der Kleinen amüsieren. Das war nicht Nickes Stil. Er ist nach draußen gegangen, um nachzusehen, ob in der Umgebung alles okay war.«

»Gute Arbeit, Agne«, sagte Chavez. »Jetzt haben wir auch dafür eine natürliche Erklärung.«

»War es dein Stil, Agne?« fragte Hjelm.

»Was?« sagte ›Kulan‹.

»Sich ›ein bißchen mit der Kleinen zu amüsieren‹? Es fand ja praktisch eine Vergewaltigung statt, als wir reinkamen.«

»Und du Danne in den Rücken geschossen hast, ja. Sehr mutig. In den Rücken. Und dann zweimal ins Gesicht, als er lag. Er war schon vorher verletzt.«

»Ich habe gefragt, ob es dein Stil war, Agne.«

»Nein, es war nicht mein Stil. Ich hatte nicht vor, sie zu vergewaltigen. Aber einer muß ja Wache stehen.«

»Kennst du Risto Petrovic?«

»Nein.«

»Das war schnell geantwortet. Findest du nicht, Jorge, daß Agne verdammt schnell geantwortet hat?«

»Doch, das war imponierend schnell geantwortet von Agne. Du mußt doch wissen, daß er es war, der Lindberg in Kumla gesteckt hat, daß Nedic eine Lieferung plante.«

»Das war Nickes Sache. Mit dem Kumla-Teil hatte ich nichts zu schaffen.«

»Petrovic ist Kriegsverbrecher, organisierter Faschist und Nickes Kumpel aus der Fremdenlegion.«

»Was du nicht sagst.«

»Ja, das sage ich, Agne. Und das sagt *mir*, daß ihr alles andere wart als eine gewöhnliche Räuberbande, sondern nahezu ein faschistischer Kader, der im Auftrag einer hohen internationalen rechtsextremistischen Organisation unterwegs war, einer Organisation, die vermutlich weiß, wer Olof Palme ermordet hat.«

»Du machst Witze!«

»Ja, ich mache Witze, Agne. Danne Blutwurst und der immer noch ziemlich gut florierende Sicherheitsdienst des Apartheidregimes in Südafrika passen nicht richtig zusammen.«

»Ich heiße nicht Agne.«

»Nein, Agne, das Attentat, das ihr plant – und das Nicke bestimmt nicht auf Eis gelegt hat –, ist eure eigene Idee. Aber um den hochexplosiven Sprengstoff zu bekommen, sind Kontakte mit dem internationalen Rechtsextremismus erforderlich. Das Problem ist, daß sie ihn sich bezahlen lassen. Begreifst du nicht, Agne, was für kleine Fische ihr seid? Sie wollen *Geld* von euch. Sie haben keine Lust, die Kosten für eure läppischen kleinen Attentate zu übernehmen.«

Chavez hielt inne. Sie machten eine Pause und musterten Agne Kullberg. Gerade hier sollte sich sein Mienenspiel ein wenig ändern. Es sollte ausdrücken: ›Wartet nur ab, ihr Bauerntölpel.‹

›Kulan‹ starrte mit einem Blick auf den Tisch, der sagte: ›Wartet nur ab, ihr Bauerntölpel.‹

»Danke«, sagten Chavez und Hjelm im Chor.

»Wofür denn?« sagte ›Kulan‹ und beäugte sie mißtrauisch.

»Für den Hinweis, den du uns gerade gegeben hast, Agne«, sagte Hjelm. »Dafür bedanken wir uns herzlichst.«

»Was macht ihr da eigentlich, ihr Erbsenhirne?«

Auf ›Kulans‹ Gesicht zeichnete sich Unruhe ab. Sein Körper begann sich zu bewegen. ›Bauerntölpel‹, dachte Chavez.

»Warum hast du gesagt, daß du nicht Agne heißt, Agne?«

»War das, weil *du* nicht Agne heißt, Agne?«

»Denn wer Agne heißt, Agne, ist ein kleiner Kerl, auf dem sie alle herumhacken und der auf dem Schulhof von Östra Real gezwungen wird, Dreck zu fressen.«

»Und Agne hast du weit hinter dir zurückgelassen, Agne.«

»Oh, wie weit weg der Streber Agne ist, der kleinste in der Klasse.«

»Und wie lange es her ist, daß Agne von den großen Jungs richtig die Hucke vollgekriegt hat, Agne.«

»Und wie lange es her ist, daß die Mädchen vorbeiparadieren konnten, eine nach der anderen, und kichernd den haarlosen Penis des kleinen Agne betrachten konnten, Agne.«

»Und wie lange es her ist, daß Agne ihn nicht hochkriegte, als er in einem Hotelzimmer in Skövde ein kleines Kanakenluder vergewaltigen wollte, Agne.«

»Du bist ein kleiner Scheißkerl, Agne.«

»Du bist eine absolute Null, Agne. Keiner mag dich, keiner will dich haben, nur weil du ein kleiner Wurm bist.«

»Ein kleiner Ringelwurm. Wie dein Schwanz. Ein kleiner Wurm mit einem noch kleineren Wurm. Der Agnepagne-Tatterich.«

Dann abruptes Schweigen.

Jetzt gaben sie einen Scheiß auf ›Kulan‹. Gleichgültig. Abwesend.

»Gehen wir was essen?« sagte Chavez.

»Ich weiß nicht, ich muß Lotta aus der Tagesstätte abholen.«

»Lassen wir das hier sausen? Es ist langweilig. *Er* ist langweilig. Wie hieß er noch? Arne?«

»Banarne.«

Sie gingen zur Tür und quatschten weiter.

»Kennst du die Gemeinsamkeit von Stockholmern und Spermien?«

»Nee.«

»Aus den meisten wird nichts.«

»Göteborger Witz. Hast du eine Eins bei Fulham – West Bromwich?«

»Nix da. Aber ich muß noch eben im Schnapsbunker vorbei. Wieviel Uhr haben wir?«

»Genauso wie gestern zur gleichen Zeit.«

»Häng keinen raus, Kanake. Hast du schon die neuen Präser mit Einlochgarantie probiert?«

»Einlochgarantie? Golfpräser fürs Finish in bedrängter Lage.«

»Dagegen läuft Dame Edna im Moment verflucht gut. Sicherer Tip im siebten Rennen in Valle.«

»Benny Björn ist ein Scheiß-Pferdename.«

Sie schlugen die Tür hinter sich zu und gingen hinüber zum Spiegelfenster und schauten hindurch. ›Kulan‹ sah aus, als sei er völlig aus dem Gleichgewicht. Er befingerte so komisch seine Stirn.

»Lotta aus der Tagesstätte abholen?« sagte Chavez und guckte.

»Oder Benny Björn«, sagte Hjelm. »Ist gehupft wie gesprungen.«

Dann rissen sie die Tür auf und gingen wieder hinein. Hjelm ging schnurstracks auf ›Kulan‹ zu und brüllte zehn Zentimeter von seinem Gesicht entfernt: »World Police and Fire Games!«

›Kulan‹ erstarrte. Eindeutig. Es war nicht zu übersehen.

»Davon weiß ich nichts«, sagte er tonlos.

»Danke«, sagten Hjelm und Chavez im Chor.

»Golfpräser mit Einlochgarantie?« platzte Ludvig Johnsson heraus und las weiter auf dem Bildschirm.

Gunnar Nyberg las auf seinem. Er lachte laut auf. »Jorge zensiert seine Reinschriften nie«, sagte er.

Sie lasen weiter. Als sie fertig waren, meinte Johnsson: »Ein eigenartiges Verhör.«

Nyberg biß in einen eiskalten Hähnchenschenkel und lehnte sich zurück. »Sie sind ihrer Sache verdammt sicher«, sagte er. »Ein bißchen unorthodox, aber sie wissen, was sie tun. Ich selbst überrage sie hauptsächlich als Grizzlybär.«

»Was glaubst du?«

»Es scheint, als hätten sie ins Schwarze getroffen. Zuerst brachten sie ihn aus dem Gleichgewicht, brachten die Mauer zum Einsturz, und dann stießen sie zu. Und es stimmt. Heute ist Mittwoch, der vierzehnte Juli. Die Eröffnung der World Police and Fire Games findet am Samstag um fünfzehn Uhr in Stockholms Stadion statt. Verdammt! Niklas Lindberg will in Stockholms Stadion Polizisten in die Luft jagen!«

Sie fuhren anschließend zu einer kleinen Wohnung im Stockholmer Vorort Tumba. Sie riefen Lars Viksjö vom Wagen aus an und teilten ihm mit, daß sie unterwegs waren. Der korpulente Bulle aus Närke war kurzfristig zu Risto Petrovics persönlichem Kindermädchen avanciert.

Im Flur saßen drei uniformierte Polizeiassistenten.

»Wunderschönen guten Abend«, sagte Chavez beschwingt zu den Pornopolizisten. »Habt ihr in letzter Zeit ein paar Mittelmeerkrabben gefangen?«

Die Pornopolizisten blickten sauer hinter ihm her.

Sie kamen ins Wohnzimmer. Lars Viksjö rauchte eine ungeschickt gedrehte Zigarette, von der glühende Tabakbrösel aufs Parkett rieselten, und Risto Petrovic saß vor dem Fernseher und stopfte Spaghetti in sich hinein. Hjelm fühlte sich an einen Film erinnert, kam aber nicht darauf, an welchen.

Sie nickten Viksjö kurz zu, zogen zwei Stühle an Petrovics Tisch, schalteten den Fernseher aus und setzten sich.

»Für einen potentiellen Kronzeugen ist Ihre Aussage viel zu dürftig«, sagte Hjelm auf englisch. »Dies hier ist Ihre letzte Chance. Danach fahren wir Sie zurück nach Kumla. Und was dann passiert, ist Ihnen wohl klar.«

»Unser Kollege Gunnar Nyberg hat Ihnen eine Anzahl von Aufgaben gestellt«, sagte Chavez. »Erstens: die Beziehung zwischen Ihnen und Niklas Lindberg. Zweitens: alles Denk- und Undenkbare über Rajko Nedics Organisation. Drittens: die Art der Lieferung. Viertens: der Empfänger der Lieferung. Fünftens: wozu will Lindberg sie benutzen. Sechstens: wo Lindberg und seine Bande sich derzeit befinden. Wir fangen hinten an und modifizieren die sechs: Wo befindet sich Niklas Lindberg im Moment?«

»Davon habe ich keine Ahnung«, sagte Risto Petrovic mit einem halben Kilo aufgedrehter Spaghetti auf der Gabel.

»Keine denkbaren Verstecke?«

»Tut mir leid. Keine denkbaren Verstecke. Ich weiß sehr wenig über Schweden. Ich bin hergekommen, um einen Job zu machen, und wurde fast sofort festgenommen.«

»Dann nehmen wir fünftens: Wozu wollte Lindberg das Geld verwenden?«

»Dinge kaufen. Man kauft Dinge für Geld. Deshalb wollen es alle haben.«

»Danke für den Grundkurs in kapitalistischer Ökonomie. Er wollte das Geld also nicht für einen bestimmten Zweck?«

»Jedenfalls weiß ich nichts davon.«

»Vier: Wer sollte das Geld bekommen?«

»Sie fragen ja nur das gleiche wie die anderen.«

»Wer?«

»Ein schwedischer Polizist. Mehr als das weiß ich nicht. Er hat Nedic erpreßt. Zehn Millionen Kronen.«

»Die Summe haben wir bisher nicht gehört. Das ist eine große Summe. Der Polizist hatte also etwas richtig Wertvolles herausgefunden. Etwas, was Nedics ganze Organisation vernichten konnte.«

»Ja«, sagte Petrovic, den Mund voll Spaghetti. »So muß es gewesen sein. Aber ich weiß nicht, was.«

»Damit ist drei bereits abgehakt«, sagte Hjelm. »Zweitens: Rajko Nedics Organisation.«

Petrovic nickte und kaute zu Ende. Als er damit fertig war, beugte er sich unter den Tisch und hob einen Stapel handbeschriebene Blätter auf.

Hjelm nahm sie entgegen und blätterte sie durch. Es sah gediegen aus. Daran hatte er wirklich gearbeitet. Nur daran. Nedic zu vernichten. »Danke«, sagte Hjelm. »Beeindruckend. Jetzt sieht es ja allmählich nach etwas aus.«

»Thank you«, sagte Risto Petrovic und begann wieder, Spaghetti aufzudrehen. Drehung um Drehung um Drehung.

»Dann kommen wir zu erstens: Wie sieht eigentlich die Beziehung zwischen Ihnen und Niklas Lindberg aus?«

»Wir sind uns in der Fremdenlegion begegnet. Keiner von uns paßte eigentlich dorthin. Wir wurden Freunde und hielten ein Jahr zusammen durch. Dann sind wir uns im Kumlabunker wiederbegegnet. Ein freudiges Wiedersehen. Ich arbeitete für Nedic und gab Nicke einen Tip, daß Nedic einem schwedischen Polizisten zehn Millionen Kronen liefern sollte. Später erwähnte Lordan dieses Treffen, das in einem Restaurant *Kvarnen* stattfinden sollte. Das habe ich Nicke auch erzählt.«

»Und was sprang für Sie dabei heraus?«

»Nichts. Wir sind Freunde. Wenn man das durchgemacht hat, was wir gemeinsam in der Fremdenlegion durchgemacht haben, versteht man das. Sonst versteht man es nicht.«

Hjelm nickte und sah Chavez an. Chavez nickte und sah Hjelm an.

»Gut«, sagte Hjelm. »Dann wissen wir ungefähr, wo wir Sie haben. Sie wollen Nedic um jeden Preis vernichten, und Sie wollen Lindberg um jeden Preis schützen. Sie sind durch eine schwere Situation zusammengeschweißt worden. Sie sind Freunde, fast auf eine arabische Weise. Friends for life. Unzertrennlich.«

So gut, wie sein Englisch es ihm denn erlaubte.

»Kommt dir das bekannt vor?« fragte er Chavez auf englisch.

»Ich habe es vor gar nicht langer Zeit schon einmal gehört«, antwortete Chavez auf englisch. »Wir sind *nur* eine gewöhnliche Räuberbande. Wir sind *nur* Freunde. Das gleiche Muster.«

»Allerdings glaube ich nicht, daß wir jetzt anfangen können, von Golfpräsern zu reden.«

»Ich glaube nicht, daß das richtig weh tun würde. Also machen wir dies.«

Und damit zerriß Jorge Chavez Petrovics handbeschriebene Blätter.

Petrovic verschluckte sich. Halbzerkaute Spaghetti flogen durch den Raum und vermischten sich mit den glühenden Tabakbröseln Lars Viksjös, dem der Mund offenstand.

»Sie glauben, daß sie als Kronzeuge gegen Rajko Nedic auftreten können. Aber das ist ein Irrtum. Rajko Nedic interessiert uns einen Dreck. Was uns interessiert, ist das Attentat in Stockholms Stadion in ein paar Tagen. Die World Police and Fire Games. Alles, was Sie wissen. Wenn nicht, schicken wir Sie postwendend zurück nach Kumla zu einem vertraulichen Wiedersehen mit Zoran Koco und Petar Klovic und dem Rest von Nedics Mannschaft.«

Petrovic hörte auf zu husten. Die Spaghetti hingen ihm in Fetzen um den Mund. Es sah aus wie in den Schlußszenen von *Der weiße Hai*.

Jaws.

»Was steht hier, verdammt?« sagte Ludvig Johnsson. »In Klammern?«

»JC zerreißt Ps N-Mtrl«, las Gunnar Nyberg. »Jorge hat offenbar Petrovics Material über Nedic zerrissen.«

»Und wie kann er das rechtfertigen?«

»Das muß ein Trick sein. Er blufft. Vermutlich haben sie bereits eine Kopie. Aber es ist eine hübsche Wendung. Wird interessant zu sehen, was danach passiert.«

»Sie waren wahrscheinlich schon vor dem Ausbruch des Krieges in Kroatien organisierter Rechtsextremist«, sagte Hjelm. »Die Erben der alten extremnationalistischen Ustascha. Serbenhaß. Dann, während des Krieges, kamen Sie als Befehlshaber einer paramilitärischen Truppe wirklich Ihrer Aufgabe nach. Wahrscheinlich erweiterten Sie während dieser Zeit Ihr internationales Kontaktnetz. Bekamen auf diese Art und Weise falsche Papiere und flohen in die Fremdenlegion. Nahmen die Gelegenheit wahr, Gesinnungsgenossen in der Legion diesem internationalen faschistischen Kontaktnetz zuzuführen. Unter anderem Niklas Lindberg, der dann anfing, Bomben hochgehen zu lassen und Kurden zu verprügeln und deshalb in den Knast ging. Er seinerseits warb in Kumla Kumpels für das Kontaktnetz an: die sogenannte ›Nazi-Clique‹, darunter der bekannte Rechtsextremist Sven Joakim Bergwall, der bei der Sicklaschlacht ums Leben kam. Sie drei planten gemeinsam ein größeres Attentat in Stockholm, und was konnte sich besser dafür eignen als die sommerlichen World Police and Fire Games? Bullen und Gefängniswärter in die Luft jagen. Was für ein Traum. Sie wußten, daß in Ihrem großen internationalen Kontaktnetz ein geeigneter Sprengstoff zu bekommen war. Eine hyperaktive und zuverlässig explosive Flüssigkeit mit elektronischer Mikrozündung. Die Südafrikaner hatten es für die Massentreffen des ANC entwickelt, doch die Apartheid brach zusammen, bevor das Zeug in Gebrauch genommen werden konnte. Sie schmuggelten eine Warenprobe nach Kumla und gaben sie Lindberg, und Sie sorgten dafür, daß Lindberg ausreichende finanzielle Mittel hatte, um eine ordentliche Menge von diesem Sprengstoff einzukaufen. Das Geld konnte Ihrem Arbeitgeber Rajko Nedic abgeluchst werden, dem Scheiß-Serben, der es schaffte, die ehemaligen Feinde in seiner Organisation zu vereinen. Eine richtige Friedensorganisation. Zwei Fliegen mit einer Klappe. Sie konnten Polizisten und Serben mit ein und demselben Knall hochgehen lassen. Gut gedacht. Lindberg ist da draußen, er hat vielleicht nicht zehn Millionen, aber doch mindestens eine, und er kann trotz aller Komplikationen den Plan durchführen. Während Sie hingegen, bewacht von vier feinen Polizisten, Spaghetti kauen, Nedic vernichten und vom schwedischen Staat eine hübsche neue Identität erhalten. Wieder gut gedacht. Aber Sie haben die A-Gruppe vergessen.«

»*Was* habe ich vergessen?« stieß Risto Petrovic hervor.

»Nichts«, entgegnete Hjelm. »Gar nichts. Eine Nebensächlichkeit.«

»Wo? Wann? Wie?« sagte Chavez. »Sonst schicken wir Sie zurück zu Rajko Nedic. So einfach ist das. *Wo* soll die Bombe plaziert werden? Wo wird Lindberg sein, wenn er sie auslöst? *Wann* wird die Bombe dort plaziert? Wann soll sie gezündet werden? Und *wie* soll das Ganze vor sich gehen?«

»Sie irren sich«, sagte Risto Petrovic und wischte sich den Mund ab. »So einfach ist es nicht.«

»Warum nicht?«

»Weil es Dinge gibt, die größer sind als der einzelne.«

»Was meinen Sie damit?«

»Schicken Sie mich meinetwegen zu Nedic zurück. Dies hier ist größer als ich. Ich bin ein entbehrliches Rädchen in einer großen Maschinerie.«

Hjelm und Chavez sahen sich an. Es hatte so gut angefangen. Und jetzt kam etwas so Unerwartetes dazwischen wie – Idealismus.

Kranker schwarzer Idealismus.

Von der gefährlichsten Sorte.

»Schicken sie ihn zurück?« fragte Ludvig Johnsson.

Nyberg sah ihn an, während er an einem weiteren eiskalten Hähnchenschenkel knabberte.

»Kaum«, sagte er. »Er kann immer noch wertvoll sein.«

»Das glaube ich nicht«, meinte Johnsson. »Er wird nicht reden. Er ist in diesem verrückten Idealismus geschult. Das schwache Glied ist Kullberg. Da besteht noch eine Chance.«

»Wenn er genug weiß. Und das frage ich mich.«

»Ich glaube es. Ich glaube, deine Kollegen haben vollkommen recht. Und ich stimme dir zu: Sie sind ihrer Sache verdammt sicher. Daß die mir entgangen sind, als ich damals Leute für die Pädophilengruppe suchte. Sie haben sicher recht damit, daß die Planung in Kumla gemacht wurde. Drei intelligente Faschisten planten ein cleveres Attentat: Petrovic, Lindberg, Bergwall. Aber es stand noch ein intelligenter Faschist zur Verfügung: Kullberg. Ich glaube nicht, daß sie ihn nicht einweihten. Der Rest war Fußvolk, Kanonenfutter: Carlstedt, Andersson, Sjöqvist. Aber nicht Kullberg. Er weiß Bescheid.«

»Vielleicht. Was, glaubst du, macht Niklas Lindberg jetzt?«

»In Kürze wird die Lieferung erfolgen. Er kauft von der rechtsextremen Organisation Sprengstoff. Aber er ist immer noch sauer, weil die zehn Millionen eingefroren sind. Es hätte ein unvergeßlicher Knall werden können. Für eine Million wird es auch ganz ordentlich rumsen, schon, aber er will ums Verrecken die zehn Millionen.«

»Du meinst, daß ...?«

»Ja. Ich glaube, daß Niklas Lindberg sich direkt an Rajko Nedic ranmacht.«

44

Er ist hell, sie ist dunkel, und sie sitzen engumschlungen in der Sonne auf der Treppe vor der Högalidskirche. Sie sind dort nicht allein. Mehrere engumschlungene junge Paare sitzen auf der Treppe und beten die Sonne an. Sie sehen aus wie alle anderen.

Es ist wie ein in die Stadt versprengtes Stück Natur. Es ist grün in alle Richtungen, doch nur ein kurzes Stück. Dann beginnt der Asphalt wieder. Der Asphaltdschungel.

Sie wissen nicht, ob es eine Oase ist oder eine Luftspiegelung. In sehr kurzer Zeit werden sie es wissen.

Am klarblauen Himmel über Riddarfjärden tanzen kleine Wolkenschleier. Sie verwandeln sich ununterbrochen. .

Es ist der Tanz der Metamorphose.

Er schaut hinab auf seine vier Jahre alten Reebok-Schuhe Größe 40; sie kommen ihm allmählich etwas schimmelig vor. Sie sind viel zu weit gegangen. Sie schaut auf ihre vor kurzem gekauften weißen Sandalen Größe 40, hebt den Blick und sieht in seine Augen, bis auch sein Blick von unten hochklettert. Ihre Münder vereinigen sich in einem Kuß. Das leichte Zungenspiel. Der Stich durch den Körper.

Sie können nicht aufhören damit, sich anzufassen. Nie mehr werden sie allein sein. Was auch geschieht jetzt, sie werden nie mehr allein sein. Sie haben vor, gemeinsam zu sterben, wenn ihre Münder von vermoderten Blättern verschlossen sind.

Aber dann werden sie alt sein.

Sie werden den Göttern hinauf zu den Höhen des Berges folgen.

Sie stehen auf und wandern durch das Grün des Högalidsparks. Auf der Kirchentreppe bleibt ein Exemplar des *Expressen* vom 24. Juni liegen. Die mit Kugelschreiber eingekreiste Überschrift verkündet: ›Die Schwestern, die sich in Luft auflösten‹.

Aber Ovids *Metamorphosen* steckt er ein. Die Taschenbuchausgabe.

Ein großer Baum erhebt sich über ihnen und legt beschützend einen Arm um ihre Schultern. Er bleibt dort liegen, als sie an der Hornsbruksgata den Park verlassen, in die Lignagata einbiegen und nur wenige Schritte weiter auf der Hornsgata herauskommen. Dort wenden sie sich nach rechts. Zum Hornstull.

Vor der Föreningssparbanken bleiben sie stehen.

Sie wirft einen kurzen, schrägen, scheuen Blick über die Straße. Zur dritten Etage des Hauses gegenüber. Sie nimmt an, daß die schwarze Kontur, die hinter dem Fenster zu erkennen ist, nur in ihrem eigenen Kopf existiert.

Dann gehen sie in die Bank.

Der Große steht da und sieht aus dem Fenster. Es ist unerträglich heiß. Eine grün schimmernde Schmeißfliege hat Geschmack an seinem Schweiß gefunden und startet immer neue Sturzflüge gegen seine Stirn. Er macht sich nicht die Mühe, sie wegzuwedeln. Bedeutend schlimmere Schmeißfliegen setzen zu immer neuen Sturzflügen gegen seine Stirn an. Von innen.

Die kann man nicht wegwedeln.

Undichte Stellen.

Bis vor ein paar Wochen war ihm der Begriff unbekannt. Die Worte existierten ganz einfach nicht in Rajko Nedics schwedischem Vokabular. Jetzt waren sie ein übers andere Mal aufgetaucht.

Zuerst der lästige Polizeibeamte Ludvig Johnsson, der herausgefunden hatte, was absolut nicht herausgefunden werden durfte. Er bezahlte jeden Preis, um das Problem loszuwerden. Er wußte sehr wohl, was mit Pädophilen im Gefängnis passierte. Dann Risto Petrovics Verrat. Kronzeuge. Wie sollte er damit fertig werden? Vielleicht ließ sich der Schaden begrenzen. Die Mitarbeiter erfuhren nicht genug, um ihm gefährlich werden zu können, besonders die direkt vom Balkan importierten nicht. Schlimmer war Ljubomirs Verrat. Obwohl auch er nicht besonders viel über die Geschäfte wußte. Das hatte Lordans Verantwortungsbereich werden sollen. Aber Lordan starb. Das war *sein* einziger Verrat. Und dann die aus dem Restaurant verschwundenen Mobiltelefone. Instinktiv hatte er gewußt, daß es sich dabei nicht um einen gewöhnlichen Diebstahl handelte.

Auch das war eine undichte Stelle. Irgendwie.

Da sieht er – und er versteht nicht, was er sieht, die Verbindungswege der Gehirnzellen reichen nicht aus. Er sieht – seine Tochter. Er sieht Sonja vor der Bank, zusammen mit einem jungen Spund. Und das paßt nicht zusammen. Es ist eine unmögliche Gleichung. Er steht in dem Zimmer mit den schallisolierten Wänden, die aussehen wie Bordellkissen aus Gold, und versteht nichts. Ihm wird ganz kalt.

Zwei gestohlene Mobiltelefone aus dem Restaurant Tartaros.

Er kann nicht mehr reagieren. Er kann seinen Männern kein Zeichen mehr geben. Kann ihnen nicht mehr befehlen, in die

Bank zu stürmen. Die Tür fliegt auf. Ein schallgedämpfter Kugelhagel versprüht Tod in der Wohnung. Es ist so still, als sie fallen. Drei von fünf. Er betrachtet seinen Körper. Keine Löcher. Keine heimtückischen, späten Schußverletzungen, die man erst merkt, wenn alles zu spät ist.

Seine beiden überlebenden Männer strecken die Hände zur Decke. Ihre ausdruckslosen Gesichter haben sich nicht nennenswert verändert. Als er sie sieht, begreift er, was kriegsgeschädigt heißt.

Er sieht den Gesichtsausdruck des Mannes nicht. Sein Gesicht ist von einer goldfarbenen Maske bedeckt. Ein wenig Rauch steigt leicht vom Schalldämpfer der kleinen Maschinenpistole auf. Der Mann schließt die Tür hinter sich. Als sei er zu Besuch. Er spricht ein glasklares Englisch mit schwedischem Akzent.

»Ich kenne eure Vorrichtungen in den Jackenärmeln. Benutzt sie lieber nicht. Dann überlebt ihr. Holt ganz langsam die versteckten Pistolen heraus.«

Die beiden legen ihre Waffen vorsichtig auf den Boden und schieben sie mit dem Fuß zu ihm. Der Mann wendet sich an Rajko Nedic. Zum ersten Mal in seinem Leben sieht der eine Waffe auf sich gerichtet.

»Und Sie verhalten sich vollkommen ruhig, Herr Nedic«, sagt der Mann in gesittetem Schwedisch. Dialekt, denkt der Große verwirrt. Bohuslän oder Västergötland. Uddevalla, Trollhättan.

Eine Leiche sitzt auf dem Sofa. Als sei der Mann auf seinem Posten eingeschlafen – ein absurder Gedanke. Die anderen liegen auf dem Boden. Es ist unwirklich. Es kann nicht passieren. Er wirft einen Blick über die Schulter, durchs Fenster. Sonja und der Junge gehen in die Bank. Da lächelt er. Schief. Ihm ist plötzlich alles klar.

»Setzt euch«, sagt der Mann und zeigt aufs Sofa. Die beiden entwaffneten Gorillas setzen sich neben die Leiche. Er wickelt sie schnell und routiniert in stark haftendes Klebeband ein. Sie sehen aus wie Silbermumien.

Rajko Nedic fühlt, wie die Zeit vergeht. Er rechnet aus, wieviel jede Sekunde kostet. Sonja steht immer noch da und wartet darauf, zum Bankfach vorgelassen zu werden. Noch ist Zeit. Zehn Millionen Kronen.

Zehn Millionen oder eine Tochter.

Der Mann blickt ihn an. Eisblau, von Gold umrandet.

»Wie haben Sie hergefunden?« fragt Rajko Nedic. Er muß ein wenig Zeit kaufen. Er muß denken, während er spricht. An etwas anderes denken.

Der Mann schnaubt nur. Sein Blick ist vollkommen fest. »Ich bin Ihnen von Danderyd gefolgt«, sagt er verächtlich und fügt hinzu, jetzt mit Nachdruck: »Ich brauche die zehn Millionen.«

»Ich auch«, sagt Rajko Nedic. »Ich komme selbst nicht an sie heran. Aber ich verstehe nicht – haben Sie den Schlüssel nicht bekommen?«

»Sie verstehen vieles nicht. Wo ist das Geld? In welcher Bank? Und wie ist die Nummer des Bankfachs?«

Der Große fühlt sich nicht so groß. Er sieht ein Szenario vor sich: Er sagt zu dem Mann: ›Die Bank gegenüber. Ein Junge und ein Mädchen sind da und holen *in diesem Moment* das Geld ab.‹ Und der Mann läuft hinunter. Und der Große befreit seine beiden Männer. Sie verfolgen ihn. In der Bank kommt es zu einem Feuergefecht. Seine kriegsgeschädigten Helden erschießen den Mann. Und Rajko Nedic bekommt seine zehn Millionen.

Dann muß er seine Tochter aufgeben.

Dann muß er seine Tochter ein zweites Mal töten.

Und in diesem Moment lösen sich die Schreie von den Wänden. Die grellen, hellen Schreie, die sich in den porösen Wänden, die wie Bordellkissen aus Gold aussehen, abgelagert haben. Sie brüllen direkt in Rajko Nedics Ohren. Sie sprengen seine Trommelfelle.

Er sagt: »Das werden Sie nie erfahren.«

Und zum ersten Mal in seinem Leben fühlt sich der Große groß.

Der Mann sieht über seine Schulter. Aus dem Fenster. Der Anblick gefällt ihm nicht. Vielleicht erkennt er sie.

Doch was der Mann sieht, ist nur ein flüchtiger Anblick von acht unverkennbaren Gestalten. An der Spitze eine junge Frau mit kurzgeschorenen Haaren. Sie schleichen durch die Hornsgata heran und nähern sich der Haustür.

Der Mann seufzt, fesselt Rajko Nedic mit dem starken Klebeband, nimmt eine kleine Metalldose aus der Tasche, drückt sie Rajko Nedic in den Mund und verklebt ihm die Schnauze. Bindet ihm das Kinn hoch, als sei er bereits eine Leiche. Der Große fühlt die kleine Dose auf der Zunge. Sie schmeckt nach Stahl. Er hat keine Möglichkeit, sie auszuspucken.

»Das ist ein altes Versprechen«, sagt der Goldgekrönte und verschwindet.

Sara Svenhagen folgt ihren Männern. Im Treppenhaus begegnen sie einem kurzgeschorenen, gutgebauten Mann mit klarblauen Augen. Er nickt ihnen zu. Kollegial, ist ihr Eindruck. Sie nicken zurück und steigen weiter nach oben.

Sie erreichen die dritte Etage und ziehen ihre Dienstwaffen. Sie finden die Tür, auf der Ahlström steht. Sie sammeln sich davor.

Da sehen sie, daß die Tür eingetreten ist. Sie ist nicht geschlossen. Es sieht nur so aus.

Sie drücken sich an die Wand. Die Pistolen am Kinn. Sie schieben die Tür auf.

Sie sehen Blut. Viel Blut. Sie sehen drei Leichen. Und zwei Silbermumien auf einem Sofa.

Und eine auf den Knien am Fenster. Sara erkennt Rajko Nedic. Sobald der Raum gesichert ist, tritt sie zu ihm. Er ist leichenblaß hinter dem Silberklebeband. Er nickt so komisch mit dem Kopf. Es ist eine Geste. Sie streckt die Hand zum Klebeband aus. Er schüttelt frenetisch den Kopf und macht weiter mit dem komischen Nicken.

Da versteht sie.

Die Geste besagt: *Haut ab hier so schnell ihr könnt.*

Und sie reagiert blitzschnell. Schafft ihre Männer raus ins Treppenhaus.

Als sie fort sind, fühlt sich der Große zum zweiten Mal in seinem Leben groß. Dann explodiert sein Kopf.

Sara Svenhagen hört im Treppenhaus den Knall. Sie versteht ihn und versteht ihn nicht. Sie kehren zurück. Vorsichtig.

Rajko Nedic liegt am Fenster. Das Silberband hat sich am Mund geöffnet. Blut sickert heraus. Sara pfeift auf jede Vorsicht. Sie läuft hin und reißt das Klebeband los.

Die Zunge fällt heraus. Ein blutiger Klumpen.

Jemand hat Rajko Nedic die Zunge aus der Schnauze gesprengt.

Sara Svenhagen richtet sich auf. Sie tut ein paar taumelnde Schritte zum Fenster. Sie braucht frische Luft. Es geht nicht. Sie bekommt das Fenster nicht auf. Es ist keine frische Luft zu kriegen.

Eine grün schimmernde Schmeißfliege im Sturzflug prallt an ihre Stirn.

Sara erbricht sich gegen die Fensterscheibe in der Wohnung mit den geräuschisolierten Wänden, die aussehen wie Bordellkissen aus Gold.

Sie kommen aus der Bank. Sie drücken sich die Hände. Fest, ganz fest. Zwischen ihnen hängt eine prallvolle Tasche.

Sie wirft einen kurzen, schrägen, scheuen Blick über die Straße. Zur dritten Etage des Hauses gegenüber. An der Fensterscheibe prangt ein Kotzfleck.

Sie lächelt. Es ist ein stilgemäßer Abschiedsgruß.

45

Sara Svenhagen war blaß und matt. Sie saß vorn auf Hultins Pult und baumelte mit den Beinen. Er fand es charmant. Aber er war ja auch ein altes *male chauvinist pig*.

Was sie zu erzählen hatte, war nicht ganz so charmant. Aber klärend. Gräßlich, aber klärend.

Alle waren anwesend, bis auf Gunnar Nyberg und Kerstin Holm.

Es würde also an diesem Freitag morgen Mitte Juli kaum Chorgesang geben. Heute begannen die World Police and Fire Games mit einem ›Frühstart‹ in mehreren Disziplinen. Morgen um fünfzehn Uhr sollte die feierliche Eröffnung stattfinden. Auch wenn die Teilnehmerzahl nicht ganz so hoch war wie geplant, und auch wenn die Organisation so schlecht war, daß bereits Prozesse anstanden, würde Stockholms Stadion überquellen von Polizisten aus aller Herren Länder.

»Ihr habt also Niklas Lindberg im Treppenhaus getroffen, als ihr auf dem Weg nach oben wart?« sagte Arto Söderstedt.

»Ja«, sagte Sara Svenhagen. »Aber wir wußten nichts von einem Niklas Lindberg. Die Mauern zwischen uns waren viel zu hoch.«

Sie warf einen Blick zu Jorge Chavez hinüber. Er saß blaß und erschöpft da und begegnete ihrem Blick. Er sah tief betroffen aus.

»Hat Rajko Nedic etwas gesagt?« fragte Viggo Norlander.

Sara Svenhagen lächelte grimmig. Es war kein Lächeln. Es sah nur aus wie ein Lächeln. »Nein«, sagte sie. »Er kann nicht sprechen. Er wird nie wieder sprechen können.«

»Aber er lebt?«

»Ja. Er liegt im Söder-Krankenhaus. Sie versuchen, ihm die Mundhöhle zusammenzuflicken. Aber die Zunge war nicht zu retten.«

»Eine präzise bemessene Sprengladung«, sagte Hjelm. »Hat dein Papa etwas über den Sprengstoff gesagt?«

Sie warf ihm einen finsteren Blick zu. »Ja, Papa hat gesagt, es sei der gleiche Sprengstoff. Und Rajko Nedic ist festgenommen wegen sexuellen Mißbrauchs von Kindern und der Verbreitung von Kinderpornographie. Ihr könnt die Anklage sicher bald noch um einige Punkte erweitern.«

»Interessant das mit Gillis Döös und Max Grahn«, sagte Söderstedt. »Diese ehemaligen Säpo-Leute, die einmal fast eine unserer früheren Ermittlungen hätten platzen lassen, haben Nedic also mit Informationen über die polizeiliche Ermittlung versorgt?«

»Sie nennen sich ›Sicherheitsberater‹. Aber sie scheinen nicht viel zustande gebracht zu haben.«

»Überbezahlte Berater sind das Zeichen der Zeit«, stellte Söderstedt fest.

»Der ›Polizist‹ ist also Ludvig Johnsson«, sagte Hultin. »Er erpreßte Nedic, weil er entdeckt hatte, daß dieser pädophil war. Und jetzt ist er in Urlaub, und keiner weiß, wo. Kann wirklich niemand sagen, wo er sein könnte?«

»Doch«, sagte Sara Svenhagen. »Und er ist jetzt bei ihm.«

»Gunnar, mein Gunnar«, nickte Hultin besorgt. »Glaubst du, er schwebt in Gefahr? Glaubst du, Johnsson könnte auf die Idee kommen, Nyberg umzulegen, um davonzukommen?«

»Nein«, sagte Sara bombensicher. »Nein, da besteht keine Gefahr.«

»Aber wieder einmal hat Gunnar Nyberg sich von der A-Gruppe abgesondert. Diesmal hat er jedoch kaum das Recht auf seiner Seite.«

»Hättest du anders gehandelt?« sagte Sara und blickte in Hultins Augen.

Hultin nickte schwer. »Kaum«, sagte er. »Deshalb gedenke ich auch keine Maßnahmen gegen ihn zu ergreifen. Fürs erste. Wir müssen abwarten, wie es sich entwickelt.«

»Ich glaube, sie führen eine Parallelermittlung durch«, sagte Hjelm. »Gunnar hat sich in den Kopf gesetzt, daß Ludvig

Ordnung schaffen soll in dem Schlamassel, den er angerichtet hat. Und wenn Gunnar sich was in den Kopf gesetzt hat, dann läßt er nicht so leicht locker. Niemals.«

»Das klingt wahrscheinlich«, sagte Hultin. »Aber wenn schon. Dies alles ist jetzt erst einmal Nebensache. Jetzt geht es darum, bei den World Police and Fire Games eine Menge Menschenleben zu retten. Wir haben nur noch gut vierundzwanzig Stunden. In Kürze müssen wir anfangen, darüber nachzudenken, ob die Eröffnung abgesagt werden muß. Wirklich feine Reklame für Stockholm und die hochkompetente schwedische Polizei. Wir werden zum Gespött der ganzen Welt. Das sollten wir vermeiden. Kannst du eure Verhöre zusammenfassen, Paul?«

»Risto Petrovic ist der Kopf hinter dem ganzen Mist. Er hat Beziehungen zu wirklichen Spitzenleuten in der rechtsextremen Szene. Diese rechtsextremen Spitzenleute werden Niklas Lindberg in Kürze mit einer passenden Menge des flüssigen Sprengstoffs versehen. Für eine knappe Million Kronen. Es wird ein kräftiger Knall. Zwar kein Zehn-Millionen-Knall, aber es wird reichen. Stockholms Stadion wird mit größter Wahrscheinlichkeit dem Stadtbild der Vergangenheit angehören. Und im schlimmsten Fall kann er Tausende von Menschen töten, vor allem Polizisten. Wie kommen wir also an Lindberg heran? Vier Möglichkeiten: durch seine Bekannten, über Kullberg, über Petrovic, über die rechtsextremistische Dachorganisation. Letzteres ist prinzipiell unmöglich, es handelt sich um die denkbar lichtscheueste Organisation, wahrscheinlich Stützen der Gesellschaft rundum in der Welt, die ethnische Säuberungen in großem Umfang sehen möchten. Das dritte ist schwer. Es sei denn, wir könnten bei Petrovic einen schwachen Punkt finden, etwas, was ihn dazu bringt, wie ein Mensch zu denken und nicht wie ein schwer kriegsgeschädigter Soziopath. Das zweite ist vermutlich unsere beste Chance. Wir haben Agne gestern locker gemacht. Wir kriegten World Police and Fire Games aus ihm heraus, ohne daß er wußte, wie ihm geschah. Ich glaube, daß dort immer noch was zu holen ist. Das erste ist schwer, aber es ist möglich, daß wir uns in Lindbergs Bekanntschaftskreis eingraben und jemanden finden, ja, eine Freundin oder einen Freund oder sonst einen mit ihm Vertrauten.«

Hultin sah cool aus. Cool under fire.

»Ihr seid jetzt kaum noch allein«, sagte er. »Mörner ist mit dem ganzen Drama an die Öffentlichkeit gegangen. Und weil er selbst nicht mehr als ein paar Prozent begreift, war das, was er an die Medien weitergegeben hat, ein wenig holzschnittartig. Was sie bekommen haben, sind vier inzwischen mit Namen versehene Vorfälle: die ›Kumla-Sprengung‹, ein Toter; die ›Sicklaschlacht‹, fünf Tote, ein Verletzter; die ›Schießerei in Skövde‹, zwei Tote, zwei Verletzte; das ›Hornstulls-Blutbad‹, drei Tote, ein Verletzter. Es ähnelt allmählich einem Schlachtfeld. Wir sind bei elf Toten, und weil wir wissen, daß *Svenska Dagbladet* Leichen zu zählen pflegt, sollten wir versuchen, uns zu bremsen. Wir haben uns bisher bedeckt gehalten, was Nedic, den ›Polizisten‹, Orpheus und Eurydice und das Drohbild gegen die Polizeispiele betrifft. Die Presse versucht, nach bestem Vermögen die Puzzleteile zusammenzufügen, und das Ergebnis ist teilweise richtig ergötzend, wenn man was für Galgenhumor übrig hat. Was wir nicht haben. Auf jeden Fall prangen Niklas Lindbergs Name und seine Visage jetzt auf jedem Zeitungsaushänger in Schweden. Das dürfte seine Handlungsfreiheit um einiges einschränken. Ihr dürft jetzt über jeden Polizisten verfügen, den ihr auftreiben könnt. Drückt dem Reichspolizeichef einen Gummiknüppel in die Hand, und er wird damit wedeln. Die Macht ist in euren Händen.«

»Oder möglicherweise in deinen«, sagte Söderstedt.

Hultin ignorierte ihn glockenrein. »Die Macht liegt in euren Händen«, wiederholte er. »Nutzt sie gut. Folgende Arbeitsverteilung: Paul und Jorge, ihr macht weiter mit den Verhören. Zieht das ganze Register, schlagt unter die Gürtellinie. Arto und Viggo nehmen sich das internationale Material über Petrovic vor. Sucht nach denkbaren Erpressungsmomenten, Eltern, Geschwistern, egal, was.«

Hultin öffnete den Mund, um fortzufahren. Es gab keine Fortsetzung. Das waren alle seine Leute.

Und dennoch nicht ganz.

»Ich kann mit Lindbergs Bekannten dienen«, sagte Sara Svenhagen. »Wenn wir die Mauern einreißen.«

Wieder ein Blick hinüber zu Jorge.

»Okay«, sagte Hultin neutral. »Du und ich arbeiten uns in den Bekanntschaftskreis ein. Irgend etwas müssen wir einfach finden.«

Dann stand Jorge Chavez auf. Er sah ganz und gar ernst aus, geprägt vom Ernst der Stunde. »Es geht um diese Geschichte mit den eingerissenen Mauern«, sagte er, als beginne er eine Rede. »Hätten Sara und ich zwischen uns nicht diese Mauern errichtet, wäre dieser Fall leichter zu lösen gewesen. Wir hätten den ›Polizisten‹ schneller gefaßt, wir hätten Rajko Nedic schneller gefaßt, und nicht zuletzt hätte Sara im Treppenhaus der Hornsgata 131 Lindberg festnehmen können. Auf eine Weise bin ich froh, daß sie es nicht getan hat. Er hätte sich nicht gutwillig ergeben. Und dann hätte meine zukünftige Ehefrau in Lebensgefahr geschwebt.«

Sie sahen sich an. In der Kampfleitzentrale entstand ein kleines Vakuum. Die Überstundenzeit legte eine Pause ein. Lasten wurden von Schultern gehoben. Doch nur für einen kurzen Augenblick.

Während dieses Augenblicks sagte Jorge Chavez: »Keine Mauern mehr, Sara. Nie wieder. Ich frage dich vor den Menschen, die mir am nächsten stehen: Hast du Lust, mich zu heiraten?«

Sara Svenhagen zeigte die Andeutung eines Lächelns. »Wenn wir Niklas Lindberg fassen«, sagte sie.

Dann begegneten sie sich in einem Kuß auf Hultins Katheder.

Er mißbilligte das nicht.

46

Abend. Eine verlassene Tiefgarage. Ein wartender Wagen. Ein Schatten, der in den Wagen glitt.

Auf das Gesicht des Fahrers fiel ein schwacher Lichtschein. Ein Steingesicht. Er drehte sich nicht um. Er sah auch so. »Du kannst das Ding abnehmen«, sagte er auf englisch.

Niklas Lindberg nahm die goldglänzende Räubermaske ab. Er hatte eine Konsum-Tragetasche in der Hand.

»Ist das das Geld?« fragte der Mann nahezu verächtlich. »Wie konntest du dir die Millionen entgehen lassen? Das läßt nichts Gutes ahnen.«

»Es tut mir leid«, sagte Lindberg. »Dies sind neunhundertsechsundzwanzigtausendsiebenhundertsiebzig Kronen.«

Der Mann nahm die Tragetasche und wog sie in der Hand. »Hmm«, sagte er. »In Zukunft mußt du schon ein bißchen mehr bringen. Sonst können wir dich nicht brauchen. Und Petrovic sitzt fest.«

»Sitzt fest?«

»Die Polizei verhört ihn pausenlos. Die Kriminalinspektoren Hjelm und Chavez. Kennst du sie?«

»Kanake? Nein.«

»Nein. Sie haben euren ganzen Plan aufgedeckt. Es sieht nicht gut aus. Wenn sie eine Verbindung zu uns entdecken, werden wir nicht begeistert sein.«

»Risto hält die Klappe. Da besteht keine Gefahr.«

»Und Kullberg?«

»›Kulan‹ genauso. Das ist in Ordnung.«

Der Mann beugte den Kopf ein paar Millimeter zurück. Es schien ein halbes Jahr zu vergehen, bevor er sagte: »In Ordnung, sagst du? Du hinterläßt Spuren und sagst, es ist in Ordnung. Ich sage: Es ist *nicht* in Ordnung. Haben wir uns verstanden?«

»Sie reden nicht. Das verspreche ich. Reicht das nicht?«

»Wechseln wir das Thema. Waren die Proben zufriedenstellend?«

»Äußerst zufriedenstellend. Ist der Sprengstoff angebracht?«

»Er ist da, wo er sein soll. Die Flagge ist am Platz.«

»Die Flagge? Wir hatten doch von einer Eckstange gesprochen?«

»Wir mußten es ändern. Die Prämissen sind jetzt andere. Die Polizei ist in höchster Alarmbereitschaft. Wir können nicht riskieren, daß die Bombenhunde es entdecken. Alle Versuche haben zwar gezeigt, daß die Hunde auf die Substanz nicht reagieren, doch wir müssen hundertprozentig sicher sein.«

»Und welche Flagge?«

Der Mann mit dem steinernen Gesicht lachte tatsächlich. Kurz. Es ging vorüber. Er sagte: »Die Substanz steckt in der Flagge, die beim Einzug vorangetragen wird. Der schwedischen. Es schien irgendwie am passendsten zu sein.«

»Da kann man wirklich von Läusen in der Fahne sprechen«, sagte Niklas Lindberg und lachte auf.

Der Mann gab ihm einen eisigen Blick, und er verstummte.

Dann reichte der Mann ihm einen Umschlag. Er öffnete ihn und holte einen Schlüssel, einen Zettel und eine kleine flache Dose mit einem roten Knopf heraus. Sie sah aus wie ein Minitaschenrechner. »Der Türschlüssel«, sagte der Mann. »Auf dem Zettel steht der neue Türcode. Sie haben ihn gestern geändert. Und mit dem Zünder kannst du ja umgehen. Warum hast du Nedic die Zunge weggesprengt?«

»Das war ein altes Versprechen«, sagte Niklas Lindberg, steckte die Sachen ein und öffnete die Wagentür.

Der Mann legte die Hand auf seinen Arm. »Noch eins«, sagte er. »Es besteht ein gewisses Risiko, daß die Eröffnungsfeier abgesagt wird. Wenn das geschieht, sehen wir uns nie wieder. Und ich meine wirklich *nie wieder*. Ist das klar?«

»Das ist in Ordnung«, sagte Niklas Lindberg mit Nachdruck. »Ich werde euch nicht enttäuschen. Ich bewundere euch seit Februar sechsundachtzig.«

»Da kannst du noch nicht sehr alt gewesen sein«, sagte der Mann und ließ ihn los.

Lindberg verwandelte sich in einen Schatten, der mit der Dunkelheit verschmolz.

Einen kurzen Augenblick erlaubte sich der Mann, an den Februar sechsundachtzig zurückzudenken. Es war wirklich der Bewunderung wert. Es war ihnen gelungen, ein Land zu verändern. Ein unsichtbarer Putsch.

Eine Bombe war in der schwedischen Fahne explodiert.

Es war wieder einmal Zeit.

Dann mußte es genügen mit der Nostalgie. Der Mann mit dem steinernen Gesicht startete den Wagen und fuhr davon.

Weit weg.

47

»Es wird nicht abgeblasen«, sagte Gunnar Nyberg und lehnte sich zurück.

Sie saßen im Schein von Petroleumlampen und Kerzen in der alten uppländischen Häuslerkate aus dem 19. Jahrhundert. Vor ihnen standen moderne Laptops, die über Mobiltelefone mit dem Internet und dem Zentralrechner der Polizei verbunden waren.

»Woher weißt du das?« fragte Ludvig Johnsson und strich sich über die Glatze.

»Internes Rundschreiben«, sagte Nyberg und zeigte auf den Bildschirm. »Der Reichspolizeichef, der Chef des Reichskrim, der Justizminister, der Premierminister, der Chef der Sicherheitspolizei und Mörner haben die halbe Nacht getagt. Es geht nicht. Der Prestigeverlust wäre zu groß. Und es hat internationalen Druck gegeben. Die Polizei weltweit würde der Lächerlichkeit preisgegeben. Wenn wir nicht einmal uns selbst schützen können, wie sollen wir dann andere schützen? Es besteht die Gefahr, daß das der Todesstoß für die Polizei wäre, so wie wir sie kennen.«

»Und was für ein Todesstoß wäre es, wenn es knallt?«

»Tja ... Die Argumentation ist einfach: Es *darf* nicht knallen. Es *darf* ganz einfach nicht knallen. Eine sehr praktisch fundierte Argumentation.«

Ludvig Johnsson saß ganz still. Er schloß die Augen. Er wußte nicht, ob er wirklich auch hierfür noch verantwortlich zu machen war. Es war ihm auch egal. Alles war sein Fehler, das fühlte er, und jetzt schien es, als sollte das Ganze vollständig eskalieren.

Er faßte einen Beschluß. »Noch ein Bier?« sagte er und stand auf. Der Jogginganzug klebte ihm am Körper.

»Warum nicht?« sagte Nyberg. »Wir kommen doch nicht weiter. Wir stecken fest. Verdammt, und ich dachte, wir würden irgendwo eine Öffnung finden, aber es geht nicht. Es geht ums Verrecken nicht.«

Johnsson kam zurück und stellte eine Bierdose vor ihn hin. Sie war geöffnet. Johnsson öffnete seine mit einem Zischen und trank ein paar große Schlucke. Nyberg trank die halbe Dose in einem Zug.

»Ludvig, verdammt«, sagte er. »Lindberg hat Nedic fertiggemacht. Nedic ist die Zunge weggesprengt worden. Gibt es da nirgendwo einen Ansatzpunkt?«

Ludvig Johnsson stand vollkommen reglos da. Er schaute in das große Nichts und schüttelte langsam den Kopf. »Es gibt keine Lösung«, sagte er.

»Wieviel Uhr ist es?« sagte Nyberg.

Johnsson nahm noch einen Schluck Bier und sah auf die Uhr.

»Gleich sechs. Sechs Uhr früh am Samstag, dem siebzehnten Juli. Noch neun Stunden bis zur Eröffnungsfeier.«

Ludvig Johnsson stand nicht mehr still. Langsam begann er sich zu drehen. Schließlich rotierte er durchs Zimmer. Und das Zimmer begann zusammenzuklappen wie ein Buch.

Nyberg fiel vornüber auf den schlecht plazierten Plastiktisch. Er lag auf der Backe, und das Zimmer klappte weiter zusammen, immer weiter, bis nur noch ein kleines Quadrat in der großen Schwärze übrig war.

»Tut mir leid, Gunnar«, sagte Ludvig Johnssons Stimme von weit her. »Ich muß jetzt allein Ordnung schaffen. Es gibt keine andere Wahl.«

Dann sagte es plopp, und das kleine Quadrat war fort.

Agne ›Kulan‹ Kullberg sah zwar ein wenig erschöpft aus, doch sein Blick war glasklar. Noch einmal würde er sich nicht übertölpeln lassen. Er hatte ihre Tricks jetzt durchschaut. Er hatte nur eine einzige Strategie: die Schnauze halten. Nicht ein einziges Mal den Mund aufmachen.

Es war fast vierundzwanzig Stunden geglückt. Es war elf Uhr, und Paul Hjelm fühlte die Hoffnungslosigkeit steigen.

Es waren noch drei Stunden bis zur Eröffnung der World Police and Fire Games in Stockholms Stadion.

Es waren merkwürdige vierundzwanzig Stunden gewesen. Keiner hatte geschlafen. Söderstedt und Norlander hatten Petrovics Eltern ausfindig gemacht. Sie lebten in Deutschland, und über diese fanden sie einen Bruder, der mit dem Gesetz aneinandergeraten war. Sie beschafften einen falschen Ausweisungsbeschluß für den Bruder nach Serbien und zogen damit zu Petrovic nach Tumba. Lars Viksjö sah aus, als schlafe er seit einem halben Jahr in seinen Kleidern.

»Wir haben nachgewiesen, daß dein Bruder Serbe ist und nach Belgrad zurückgeschickt werden sollte«, sagte Hjelm.

Petrovic starrte sie an, sein Blick pendelte von Hjelm zu Chavez, von Chavez zu Hjelm.

Dann lachte er schallend. »Mein Bruder ist ein Dorftrottel«, sagte er.

Tja, das war ein Reinfall. Und Petrovic sagte nichts mehr. Er war unerhört standhaft. Sie kehrten zum Untersuchungsgefängnis und dem noch standhafter schweigenden ›Kulan‹ zurück. Es kam ihnen allmählich gespenstisch vor.

Sara Svenhagen teilte aus Trollhättan mit, sie habe Lindbergs Eltern und seiner Exfrau drei frühere Adressen in Stockholm aus der Nase gezogen. Hultin und Norlander sprachen mit Menschen, die nichts begriffen und nie etwas von einem Niklas Lindberg gehört hatten und direkt unangenehm wurden. Obwohl weder Hultin noch Norlander sich in der Regel lange zierten, wenn es nötig wurde, handfestere Methoden anzuwenden, brachten die handfesteren Methoden sie nicht weit. Die unangenehmen Menschen wußten tatsächlich nichts.

Söderstedt kam auf eine neue, vage Möglichkeit, was Petrovic betraf. Er fand eine Internet-Seite einer internationalen faschistischen Organisation, die überraschend offiziell erschien. Wenn man nun damit drohte zu verbreiten, daß Petrovic bei der Polizei gesungen hatte? Hjelm und Chavez übermittelten Petrovic die Drohung. Er sah tatsächlich etwas betroffen aus. Aber es reichte nicht. Sie fuhren schweres Geschütz auf. Doch vergeblich. Er hielt dicht.

Zahllose Polizisten durchsuchten das Stadion und seine nähere Umgebung. Lindberg würde wohl nicht wagen, selbst im Stadion zu sein, wenn er die Bombe zündete. Dennoch mußte er vermutlich so sitzen, daß er etwas sah. Also nahm man sich alle Häuser auf Östermalm vor, von denen aus man ins Stadion sehen konnte. Es gab nicht wenige davon, und das Klinkenputzen war in vollem Gange. Bisher hatte es ein paar Hinweise erbracht, aber keinen wirklich heißen Tip. Die Leute schienen ihre Nachbarn nicht richtig zu mögen.

Die Nacht verging. Hjelm und Chavez erhöhten den Druck auf ›Kulan‹. Es war aussichtslos. Er würde nicht reden.

Sie diskutierten ernsthaft, illegalere Methoden einzusetzen. Eine Zeitlang war Folter im Gespräch. Es war zutiefst bedrückend. Sie merkten es erst hinterher. Als löse die Demokratie sich plötzlich in Luft auf. Als ob plötzlich die schwedische Fahne explodiere.

Schließlich war es elf Uhr. Sie saßen nur noch da und starrten sich an. Auf der einen Seite ›Kulan‹. Auf der anderen Hjelm und Chavez.

Patt.

»Es sind noch drei Stunden«, sagte Hjelm schleppend. »Wenn es in Stockholms Stadion zu einem Attentat kommt, wirst du nie mehr das Tageslicht sehen, es sei denn durch Gitter. Das wird eine lange Fortbildung.«

›Kulan‹ blinzelte sie an.

»Bist du wirklich bereit, dein ganzes Leben wegen dieses lächerlichen Attentats zu ruinieren?« sagte Chavez ebenso schleppend. »Ist es das wirklich wert, nur damit ein paar Feuerwehrmänner aus Venezuela dran glauben müssen?«

›Kulan‹ blinzelte weiter.

»Scheiße!« schrie Chavez und verließ ›Kulans‹ Zelle.

Hjelm blieb zurück. Sein Handy piepte.

»Eine letzte Chance«, sagte Hultin in sein Ohr. »Einer der unangenehmen Menschen hat sich gemeldet. Eine Frau, die von einer eventuellen Freundin von Lindberg in Gnesta geredet hat. Kommt ihr mit?«

»Ja«, sagte Hjelm, ohne zu zögern.

Er rief nach der Wache und sorgte dafür, daß Agne ›Kulan‹ Kullberg gut weggeschlossen wurde. Die Wache war ein altgedientes Faktotum, das sich schlurfend wieder hinter sein Pult im äußeren Teil des Untersuchungsgefängnisses begab. Er starrte Hjelm eine Weile nach. Die ganze Nacht, dachte er und schüttelte den Kopf. Habt ihr gar kein Privatleben, ihr Burschen? Habt ihr keine Familie und keine Freunde? Seht mich an, ich arbeite von neun bis fünf, und mir geht es gut. Was hat es für einen Sinn, sich kaputtzumachen? Werdet ihr deswegen glücklichere Menschen?

Nach ein paar Minuten kam ein Mann an sein Pult, zeigte seinen Polizeiausweis und sagte: »Agne Kullberg bitte.«

Der Wachmann schüttelte den Kopf und sagte: »Daß ihr nie ein Ende findet, Jungs. Bitte hier unterschreiben, Inspektor.«

Er begleitete den Mann den Gang hinab und ließ ihn zu Agne Kullberg hinein. Ein gefragter Mann.

Der Wachmann betrachtete den Inspektor ein paar Sekunden. Erst jetzt nahm er den Geruch von altem, getrocknetem Schweiß wahr. Konnte man nicht wenigstens vorher duschen? Und diese stinkenden Joggingsachen ausziehen?

Er schüttelte den Kopf und kehrte an sein Pult zurück, an dem er jeden Werktag von neun bis fünf zubrachte. Das hatte er sich verdient.

Ludvig Johnsson ging auf ›Kulan‹ zu und hielt ihm seinen Polizeiausweis hin. Ohne ein Wort zu sagen, gab er ihm eine Spritze in den Arm.

Gunnar Nyberg kam langsam wieder zu sich. Ein kleines Quadrat offenbarte sich irgendwo und entfaltete sich, Schritt für Schritt, bis das ganze Blickfeld wieder am Platz war. Aber ganz wie vorher fühlte er sich nicht. Sein Kopf hämmerte gewaltig, und als er versuchte aufzustehen, sanken seine hundertsechsundvierzig Kilo mit einem Krachen wieder auf den Plastikstuhl.

Die Laptops hatten sich entladen, die Bildschirme waren pechschwarz. Er griff zum nächsten Mobiltelefon. Es war auch leer. In dem anderen war ein Rest von Leben.

Während er Hultins Nummer wählte, versuchte er, die Ereignisse zu sortieren. Er konnte mit Mühe und Not den Arm heben und auf die Uhr sehen. Herrgott, dachte er. Fünf nach halb drei. Alles war verloren.

Statt zu verzweifeln, versuchte er zu denken. Es gab eine, und nur eine einzige Sache, die Ludvig Johnsson bei ihrem gemeinsamen Versuch, eine Lösung zu finden, betont hatte. Daß ›Kulan‹ Kullberg das schwache Glied war.

»Hultin«, sagte es in sein Ohr.

»Wo bist du?« sagte Nyberg und kannte seine Stimme nicht wieder. Indessen erkannte er ein Gefühl wieder.

»Gunnar? Wo bist du selbst?«

»Grillby. Aber scheiß drauf. Dies ist wichtig.«

»Wir sind im Präsidium. Gerade zurück aus Gnesta, wo wir mit Lindbergs Freundin gesprochen haben. Sie haben vor einem halben Jahr Schluß gemacht und hatten sich nur in Kumla getroffen. Also nichts.«

»Ludvig hat sich ›Kulan‹ vorgeknöpft. Checkt das.«

»Au verdammt«, sagte Hultin. »Kommst du?«

»Sobald ich kann«, sagte Nyberg und drückte auf den Ausknopf.

Er versuchte hochzukommen. Es ging schon besser. Aber der Teufel mochte wissen, ob er würde fahren können.

Das einzige, was er wußte, war, daß er Ludvig Johnsson nie mehr wiedersehen würde.

Das war ganz, ganz sicher.

Die Trauer durchströmte ihn wie Lava.

Hultin, Hjelm und Chavez trafen atemlos und im Laufschritt am Schalter des Untersuchungsgefängnisses ein. Der Wachmann sah müde aus. Nicht schon wieder. Get a life, guys. Ja, ein Kriminalinspektor Ludvig Johnsson war dagewesen. In verschwitzten Joggingsachen. Ja, er war fast eine Stunde bei Kullberg gewesen. Nein, danach war keiner mehr dagewesen.

Sie joggten den Korridor hinunter. Der Wachbeamte mußte mitjoggen. Es war lange her, daß seine Beine gelaufen waren.

Er öffnete ihnen.

›Kulan‹ Kullberg war mit vier Ledergürteln am Stuhl festgeschnallt. Sein Gesicht war blaugeschlagen und verquollen. Seine Nägel standen in sonderbaren Winkeln von den Fingern ab. Die Hosen waren heruntergezogen, und der ganze Unterleib war bläulich. Und um den Mund saß ein silberfarbenes, stark haftendes Klebeband.

Die Augen waren geschlossen.

Hultin riß den Klebestreifen ab.

›Kulan‹ erwachte. Er starrte sie aus schreckgeweiteten Augen an. »Tötet mich nicht«, sagte er kaum hörbar.

Hjelm sah ihm in die Augen. Der Blick war verändert. »Er steht unter Drogen«, sagte er.

»Herrgott«, sagte Chavez.

»Ludvig scheint das persönlich genommen zu haben«, sagte Hultin. »Okay. Hallo, Agne. Wir wollen dich nicht töten. Keine Bange. Sag uns nur, was du Johnsson gesagt hast. Dann retten wir Lindberg.«

»Ihr hattet recht«, sagte ›Kulan‹ und starrte merkwürdig auf Hjelm und Chavez. »Ich war in der Schule ein Streber. Scheiß-Agne. Die ganze Schulzeit hindurch hieß ich Scheiß-Agne. Der Saftsack Scheiß-Agne. *Ich heiß nicht Agne, ihr Drecksäcke.*«

»Was hast du Ludvig Johnsson gesagt?« sagte Hjelm. »Nun komm schon, ›Kulan‹!«

»Ich hab ihm gesagt, daß nie Mädchen vorbeiparadiert sind und meinen haarlosen Pimmel angeguckt haben. Nie. Aber ich weiß, daß sie mich mit Handtüchern gefesselt haben und meinen Schwanz gepeitscht haben, bis er blau war. Guckt mal, wie blau er ist.«

»Es war Ludvig Johnsson, der ihn blau gemacht hat, ›Kulan‹«, sagte Chavez. »Jetzt nennt dich keiner mehr Agne.«

»Nein«, keuchte ›Kulan‹. »Nein. Ich heiße ›Kulan‹, die härteste Kugel, die euch treffen kann.«

»›Kulan‹!« schrie Hjelm. »Komm zu dir. Wo ist Nicke?«

»Valhallavägen 88 natürlich. Was glaubt ihr denn, ihr Arschlöcher?«

Einfach so.

Sie stürzten davon. Liefen durchs Präsidium.

»Wieviel Uhr?« sagte Hultin.

»Fünf nach«, sagte Chavez.

»Die Nationale Einsatztruppe«, sagte Hjelm. »Wo sind sie?«

»Im Stadion«, sagte Hultin und wählte eine Nummer. »Hallo? Einsatztruppe? Wir haben eine Adresse. Valhallavägen 88.

Wahrscheinlich unterm Dach. Er darf auf gar keinen Fall den Auslöseknopf drücken. Alles andere ist unwesentlich.«

»Wir fahren hin«, sagte Hjelm.

Er saß auf dem Balkon. In seiner Hand ruhte der kreditkartengroße Minitaschenrechner mit seinem einen roten Knopf. Er streichelte mit dem Daumen die Kante. Alle Macht in einem Punkt gesammelt. So sollte es sein. Es war eine Vereinfachung. Der Mensch konnte nicht mit der Demokratie umgehen. Das Zeitalter der Demokratie war das blutigste in der Geschichte der Menschheit. Das sagte alles. Eine einfache und saubere Lebensführung. Mehr wollte er nicht. Und das verlangte ein paar Opfer.

Er blickte hinab auf Stockholms Stadion. Perfekter Überblick. Sie verfügten wirklich über Mittel. Er war beeindruckt, und das geschah nicht so häufig. Nicht seit dem Februar sechsundachtzig.

Die Eröffnungsfeier begann. Es war sonnig und schön, aber drüben hinter Gärdet hingen schwere Regenwolken. Bald würde das Wetter umschlagen.

Das würde es tatsächlich.

Zuerst Musik – sie kam ihm sonderbar verzerrt vor. Dann sollte der Einmarsch beginnen. Wahrscheinlich würde Schweden an der Spitze gehen. Die Fahne sollte implodieren. Es ging jetzt schon so lange so. Die Läuse zerfraßen die Fahne. Das Stolzeste, was es gab.

Er spürte einen Stich an der Hand. Wie ein Krampf. Als er hinsah, klammerte sich eine Wespe an seinen Daumen. Er legte den Zündmechanismus auf den Tisch und knipste die Wespe mit dem Mittelfinger tot. Der Schmerz breitete sich in der Hand aus.

Wie absurd, dachte er und hörte es klicken.

Das Entsicherungsklicken.

Er wandte den Blick in die Wohnung.

In der Tür stand ein Mann im Jogginganzug und mit Glatze. Er richtete eine Pistole auf ihn. »Ich stehe hier seit einer

Viertelstunde und warte darauf, daß du es weglegen würdest«, sagte Ludvig Johnsson.

»Eine Wespe hat mich gestochen«, sagte Niklas Lindberg.

»Die Polizei, gerettet von einer Wespe. Was für eine Ironie.«

»Nicht wahr?«

»Eine einzige Bewegung zu dem Ding, und ich schieße. Komm langsam her.«

Niklas Lindberg saß vollkommen still. Seine Pistole steckte im Hosenbund. Er würde sie nicht erreichen. Aber den Auslöseknopf? Doch, es mußte sein – ein Opfer. Postume Anerkennung.

Er machte einen Versuch. Seine Hand zuckte vor.

Ludvig Johnsson leerte das ganze Magazin in ihn. Die Hand kam bis zur Tischkante, aber nicht weiter. Sie glitt herab und erschlaffte.

Johnsson stand still und atmete schwer.

Hanna, Micke, Stefan – mein Geschenk an euch.

Er trat auf den Balkon und nahm vorsichtig, vorsichtig die kleine schwarze Platte mit dem roten Knopf auf.

Da flog die Tür auf. Die Nationale Einsatztruppe quoll herein.

Sie sahen den Mann auf dem Balkon. Sie identifizierten blitzschnell den Zündmechanismus in seiner Hand. Und sie erschossen ihn.

Sie gaben so viele Schüsse auf ihn ab, daß es nie zu zählen sein würde. Der Körper hob ab, und sie schossen weiter. Der Körper wurde über das Balkongeländer geschleudert, und sie schossen weiter. Und sie schossen noch, als er wie ein mittelmäßiger Fallschirmspringer durch die Östermalmer Luft hinabsegelte und mit einem dumpfen, nicht menschlichen Plumps auf dem Straßenpflaster aufschlug.

Auf dem Balkontisch neben dem toten Niklas Lindberg lag der Zündmechanismus.

Er war so gefallen, daß der rote Punkt nach oben zeigte.

Unten in Stockholms Stadion ging die Eröffnungsfeier ihren geplanten Gang.

48

Gunnar Nyberg sang. Er sang um sein Leben. Er stand in der wunderschönen Kungsholms Kirche ganz außen im Chor und holte die Kraft seiner Stimme ganz von den Fußknöcheln herauf. Sein Baß drohte den Rest des Chors zu übertönen. »Komm, du herrliche Blumenzeit.«

Ganz einfach.

Auf Ludvig Johnssons Beerdigung hatte er ein Solo gesungen. Eine kurze Verdi-Arie. Eine von vielen Nummern auf der Begräbnisfeier eines Helden. Kommissar Ragnar Hellberg hielt eine magnifike Rede, und keinerlei Unregelmäßigkeit wurde erwähnt. Im Gegenteil, das Polizeikorps hatte seinen langersehnten Helden bekommen. Die Geschichte wurde frisiert, um in die Boulevardpresse zu passen, die ja die Dramaturgie des Landes lenkte. Johnsson hatte Lindberg eigenhändig aufgespürt, ihn unschädlich gemacht und war gleichzeitig von ihm getötet worden. Er starb den Tod eines Helden.

Eines Helden, der einen Verdächtigten gefoltert hatte.

Zwei Tage nach seinem Tod traf das vollständige Material über Rajko Nedics Kindesmißbrauch von Johnssons Jugendfreund aus Säffle ein.

Während er sang, glaubte Nyberg einen kurzen Augenblick lang, in einer der letzten Bankreihen eine Familie zu erkennen. Zwei kleine Jungen, eine Mutter und einen Vater. Der Vater hielt seine Familie umfaßt und lachte laut. Über alles und nichts.

Aber auf der anderen Seite sah er sehr viel, während er sang.

Sobald dies hier vorüber war, würde er endlich Urlaub machen. Er würde nach Östhammar fahren und die Familie seines Sohnes überfallen und heimsuchen. Lange. Lange.

In dem umfassenden Ermittlungsmaterial wurden, soweit es Gunnar Nyberg betraf, keine Unregelmäßigkeiten genannt.

Er sang fürs Leben und blickte hinüber auf die andere Seite des großen Polizeichors. Dort stand Kerstin Holm mit bandagiertem Kopf. Sie lächelte zu ihm herüber, während sie sang. Und er lächelte zurück.

Kerstin Holm sang die zweite Altstimme. Sie band die anderen Stimmen zusammen, obwohl das, was sie sang, dem Lied ›Komm, du herrliche Blumenzeit‹ überhaupt nicht ähnelte.

Sie sang fürs Leben. Dafür, daß ein paar unerklärliche Millimeter sie vom Tod getrennt hatten. Sie sang und dankte, doch sie wußte nicht, wem sie danken sollte. Nicht einmal hier in der Kirche war sie sicher, wem sie danken sollte. Und wofür.

Und sie dachte an Orpheus und Eurydice. Sie und Paul hatten Per Karlssons Wohnung in Aspudden besucht. Es war lange niemand darin gewesen. Auf Ovids *Metamorphosen,* das aufgeschlagen auf dem Tisch lag, hatte sich eine Staubschicht gebildet, und in der Unordnung fanden sie ein altes Schuljahrbuch der Gesamtschule in Danderyd. Nach längerer Suche fanden sie Per Karlssons Klasse. Die Sieben. Er war ein schmächtiger Blondschopf, einen Kopf kleiner als der nächstkleinste seiner Mitschüler. Er sah *verbiestert* aus. Und im Hintergrund stand ein ziemlich großes, dunkles Mädchen. Sie sah *kernig* aus. Sie hieß Sonja Nedic.

Eurydice war als Sonja Karlsson im Hotel in Skövde abgestiegen. Danach wurde sie Baucis.

Rajko Nedics Tochter mußte also die beiden Mobiltelefone aus dem Restaurant Tartaros auf Östermalm, das ihrem Vater gehörte, genommen haben. Sie mußte irgendwie erfahren haben, daß ihr Vater eine große Geldtransaktion plante und daß der Treffpunkt am Abend des dreiundzwanzigsten Juni im Restaurant Kvarnen auf Södermalm ausgehandelt werden sollte. Sie schickte ihren geliebten Per Karlsson dorthin, Orpheus, der sie aus der Unterwelt herausgesungen hatte, Philemon, der gemeinsam mit ihr alt werden und sterben würde, und er erfuhr von dem Treffpunkt im Gewerbegebiet Sickla. Das Paar begab sich dorthin, und hätten sie versucht, die grausame Kriegsverbrecherbande ihres Vaters zu berauben, wären sie aller Wahrscheinlichkeit nach geschlachtet worden. Doch es kam anders. Statt dessen wurde ihnen der Aktenkoffer mehr oder weniger geschenkt – paradoxerweise von einer Gang von Nazi-Räubern. Sie nahmen ihn und hauten ab. Doch es war kein Geld darin, nur ein Schlüssel. Sonja dachte über mögliche Bankfächer nach. Sie hatte keine Ahnung, wußte jedoch, wohin ihr Vater Rauschgift lieferte. Sie mußten sich trennen, und jeder mußte auf einer Seite suchen. Zwei serpentinengleiche Wege auf der Schwedenkarte.

Paul und Kerstin gingen weiter durch Per Karlssons Wohnung. Überall standen eigenartige Holzskulpturen in allen erdenklichen Formen, und eine Kleiderkammer war zur Werkstatt umfunktioniert. Der Boden war von Eisenfeilspänen bedeckt, und in einem Abfallkorb lag ein Eisenblech, aus dem ein Schlüssel herausgestanzt war. Ein Vergleich mit dem Bankfachschlüssel zeigte identische Zacken und Einkerbungen.

Und eine gute Woche nach der Eröffnung der World Police and Fire Games teilte die Kinderschutzvereinigung BRIS mit, daß eine große Summe Geld auf ihrem Konto eingegangen war, nämlich fünf Millionen Kronen. Das Geld war in Paris eingezahlt worden.

Philemon und Baucis hatten ihr Bankfach gefunden.

Kerstin Holm sang und fand zum ersten Mal in ihrem Leben, daß Gerechtigkeit geschaffen worden war.

Sie blickte hinunter auf Jan-Olov Hultin, der mit seiner Frau in der ersten Reihe saß, inmitten der farbenfrohen Familie Chavez. Papa Chavez, Carlos, warf zwischendurch mißtrauische Blicke zu dem Mann mit der großen Nase und der Eulenbrille hinüber. Hatte ihm nicht ein solcher Mann bei einem Altherrenspiel die Augenbrauen kaputtgeköpft?

Hultin sehnte sich nach seinem Rasen. Er sehnte sich danach, wie Sisyphus seinen Handrasenmäher den Hang auf und ab rollen zu können und dabei, getreu der auf traurige Weise vernachlässigten Maxime *live and let live*, jedes Unkraut zu umgehen.

Anschließend würde er im Råvalen baden, sein Comeback im Kreis der Veteranen-Fußballmannschaft der Stockholmer Polizei feiern, nach Griechenland fahren und nie wieder einen Menschen erschießen. Es reichte.

Doch in Pension gehen würde er noch lange nicht.

Und das war schwerer, als Kraut und Unkraut zu unterscheiden.

Er blickte über den Mittelgang zu Viggo Norlander hinüber. Er saß in einem viel zu engen Frack mit seiner Astrid neben sich. Über seiner Schulter hing Klein-Charlotte mit der schief-einwärts-nach-hinten-Miene. Aus ihrem Mund löste sich ein wenig kreideweiße breiige Spucke und legte sich wie Möwenkacke auf die Frackschulter. Norlander klopfte ihr behutsam den Po und sagte kein einziges Mal ›Schnauze‹.

Norlander seinerseits sah zurück über den Gang und betrachtete eine merkwürdige Ansammlung weißer Köpfe. Er hatte die Familie Söderstedt noch nie versammelt gesehen. Arto Söderstedt saß naß gekämmt wie ein Bauernknecht aus den dreißiger Jahren da und folgte Norlanders Blick, als dieser Stufe um Stufe an fünf weißhaarigen Kinderköpfen emporkletterte und weiter über einen weißhaarigen Mutterkopf zu dem naß gekämmten weißhaarigen Vaterkopf gelangte. Er sah die Stufenleiter, kicherte und zeigte auf seine Schulter. Norlander griff mit dem Finger in die Pampe und schüttelte den Kopf.

Söderstedt dachte an den Kredit, den er bei der Bank aufgenommen hatte, um seinen nagelneuen Toyota Picnic zu bezahlen. Er wußte, daß es eine ganze Menge anderes gab, an das er denken sollte, doch er hatte nicht die Energie. Nicht gerade jetzt. Er dachte, was für einen Spaß es machen würde, Auto fahren zu können. Es waren endlich Ferien, die Familie hatte ein Auto, doch kein Geld, um irgendwohin zu fahren. Er hatte das Gefühl, sich einem grundlegenden gesellschaftlichen Paradox anzunähern. Doch er hatte nicht die Energie, dem jetzt nachzugehen. Nicht gerade jetzt.

Nicht während der Polizeichor ›Komm, du herrliche Blumenzeit‹ in einem sonderbar langgezogenen Baßton ausklingen ließ, der zu den allseits bekannten Einleitungstönen von Mendelssohns Hochzeitsmarsch überleitete.

Das Brautpaar schritt gemessen den Gang hinab. Er war dunkel, sie war hell, und es gab keine Mauern zwischen ihnen.

Sara Svenhagen betrachtete ihren Vater, während sie den Gang entlangschritt. Der granitharte Chefkriminaltechniker Brynolf Svenhagen weinte bereits vernehmlich. Das war ja wohl reichlich früh, dachte Sara. Dann dachte sie an die verzerrten Bilder der Einsamkeit, daß sie für ihr Alter viel zuviel gesehen hatte, und an Alpträume, die sich ganz allmählich verflüchtigen würden. Der große Bauch leuchtete immer ungestörter weiter. Sie dachte an Ludvig Johnsson, an den Tod von Vätern und daran, wie die eigenen Schritte einen Weg bahnten, dem ein anderer niemals ganz folgen konnte. Sie dachte an die virtuelle Welt, an die leichten Schritte im Cyberspace gegenüber den schweren der Wirklichkeit. Sie dachte an die Verbindungen zwischen Eros und Thanatos, zwischen Liebe und Tod, sie dachte an die seltsame Gerechtigkeit des Schicksals und an Rajko Nedics Zunge. Und an Jorge Chavez dachte sie, daran, wie unberechenbar die Liebe ist, an all die Voraussetzungen, die sie möglich machen, und sie sah ihm in die Augen, und zum erstenmal, fand sie, lächelte sie vollkommen vorbehaltlos.

Flitterwochen in Chile, danach zurück zu ihrem neuen Job. In der A-Gruppe.

Das klang gar nicht so schlecht.

Jorge Chavez dachte nicht soviel. Er war vor allem besorgt, seine bummelige Verwandtschaft würde in der kühlen protestantischen Kirche nicht auf dem Teppich bleiben. Ihm kam es so vor, als wären die Chilenen in der Überzahl. Es brodelte gleichsam unberechenbar in der schwarzköpfigen Masse. Er überraschte sich damit, daß er versuchte, die Szene mit Niklas Lindbergs Augen zu sehen. Warum waren sie so bedrohlich? Was bedrohten sie? Vermutlich nichts anderes als das verzerrte Selbstbild. Der Schwede, der sich im Spiegel sieht und etwas ganz anderes erblickt als alle anderen. Wo alle anderen einen Menschen sehen, sah Niklas Lindberg einen Übermenschen.

Wie ging diese Verwandlung vor sich? War es so wie bei dem kleinen Streber Agne, der zu ›Kulan‹ wurde, ›der härtesten Kugel, die euch treffen kann‹? Oder war das zu einfach?

Dann fiel ihm ein, daß dies kaum passende Gedanken waren, während er den Mittelgang der Kirche hinabwandelte, um seine Liebste zu ehelichen. Ein paar Junggesellengewohnheiten mußten noch ausgemerzt werden, auf beiden Seiten der Mauerruinen. Das einstmals verminte Gelände mußte bebaut werden. Wenngleich behutsam.

Er schaltete um. Er war froh, ganz einfach, unbändig froh. Und das mußte reichen. Für jetzt.

Sein Blick fiel auf Paul Hjelm, der fast unsichtbar in einer der hintersten Reihen saß, allein. Paul lächelte ihm zu, ein wenig glücklich, als sei Glück tatsächlich teilbar. Jorge lächelte zurück und glaubte für den Moment, daß es möglich war.

Hjelm hatte sich nach hinten gesetzt, weil er allein war. Er war der einzige, der allein war. Sogar Mörner dort vorn hatte die Gattin bei sich. Oder zumindest eine Konkubine. Aber Cilla und die Kinder waren auf Dalarö geblieben. Er hatte eine Woche dazu gebraucht, ihnen wieder nahezukommen, war zurückgekehrt wie der verlorene Sohn und wurde langsam, ganz langsam wieder ein Teil der Familie. Sie durften bleiben, wenn sie wollten. Und warum nicht? Warum eine große Affäre daraus machen?

Nach der Sicklaschlacht und allem, was sie mit sich gebracht hatte, war es schwierig, aus irgend etwas noch eine große Affäre zu machen. Entweder war es Reife – oder es war Erschöpfung. Die Grenze zwischen beidem ist oft haarfein.

Sicher wußte er nur eins, daß er ein Mann war, der getötet hatte.

Er dachte an Berggipfel. Mehrere verschiedene Berggipfel. Den der A-Gruppe zum Beispiel, der inzwischen ernstlich zur Dauereinrichtung gewordenen A-Gruppe. Sie hatten ihren Berg bestiegen, astrein, doch teils war die offizielle Wahrheit frisiert, teils fehlten ein paar Gestalten – und mit ihnen das, worum sich alles gedreht hatte. Das Geld.

Immer das Geld.

Und damit erreichte er die nächste Bergeshöhe. Die von Philemon und Baucis:

Wir sind Götter und tragen den unrechtschaffenen
Nachbarn,
sagten sie, würdigen Lohn. Doch euch vergönnen wir,
teillos
solcher Strafe zu sein. Verlaßt nur euere Wohnung;
Folget unserem Schritt, und hinauf zu den Höhen
des Berges
Gehet zugleich!

Er lächelte eine Sekunde, und ein Shakespeare-Zitat kam ihm in den Sinn. *Ein Sommernachtstraum*: ›Komm, schöne Fürstin, auf des Berges Höh: / dort laß uns in melodischer Verwirrung / das Bellen hören samt dem Widerhall.‹

Er bestieg den nächsten Gipfel. Es war der eines Eisbergs. Seine Gedanken gingen zu Conny Nilsson. Dem Kvarnenmörder. Die Spitze eines Eisbergs. Und er hatte jetzt ziemlich viel von diesem Eisberg gesehen.

Wuchs er noch, oder stand er im Begriff zu schmelzen?

Von der nazistischen Gang war nur noch ein kleinlauter Agne ›Kulan‹ Kullberg übrig. Wie gefährlich waren Leute seines Schlages? Wie viele von ihnen gab es? Waren sie eine reale Bedrohung der Demokratie? Schickten sie sich an – unmerklicher als die Sicklaschlacht –, die ganze Gesellschaft zu unterwandern? Gewannen ihre Wertvorstellungen allmählich an Boden? Oder waren sie nur die gegenwärtige Version des inhumanen unterirdischen Stroms, der immer alle Gesellschaften durchzog?

Paul wußte nur, daß er es nicht wußte.

Man konnte die Argumentation auch umkehren. Wenn Conny Nilsson nicht am dreiundzwanzigsten Juni um einundzwanzig Uhr zweiundvierzig im Restaurant *Kvarnen* Anders Lundströms Schädel zerschmettert hätte, wäre das komplizierte Netzwerk der Sicklaschlacht nie entwirrt worden. Seine Tat war wie die Zerschlagung des Gordischen Knotens.

Er versuchte, in dieser Tatsache einen positiven Sinn zu entdecken. Es wollte ihm nicht gelingen. Aber er würde weitersuchen.

Das Brautpaar war am Altar angekommen. Der Trauungsakt begann.

Doch Paul Hjelm hörte nicht besonders viel. Er war woanders. Er versuchte, den Sinn zu verstehen. Er fragte sich, ob es einen gab. Er befand sich ja nicht in einem literarischen Werk.

Aber für einen kurzen Augenblick war ihm, als könnte er das unsichtbare Muster erkennen.

Vielleicht lag der Sinn in der Metamorphose. Der ständigen, notwendigen, umständlichen, unumgänglichen, schwer zu meisternden Verwandlung. Die Nase über der Wasseroberfläche zu halten, unabhängig vom Wetter.

Der Trauungsakt ging zu Ende. Das Brautpaar küßte sich. Der Polizeichor – angeführt von einem dröhnenden Baß – stimmte einen Jubelgesang an. Und Paul Hjelm dachte: neues Jahrtausend. Er dachte: Schweden. Er dachte: Menschen.

Und die ganze Zeit – ununterbrochen – durchströmte ihn eine Stimme, die mit ihrer letzten Kraft sagte: ›Paul, ich liebe dich.‹

Und sein Blick suchte Kerstin, suchte den Chorsängerkollegen Gunnar, suchte das Brautpaar Sara und Jorge, Jan-Olov, Arto und Viggo.

Der Gesang fand Widerhall an den Kirchenwänden und mischte sich mit seinem eigenen Echo und wurde zu melodischer Verwirrung. Und plötzlich, einen kurzen, kurzen Augenblick nur, meinte er, Rilkes *Duineser Elegien* verstanden zu haben.

›Denn das Schöne ist nichts als des Schrecklichen Anfang, den wir grade noch ertragen.‹

Und Paul Hjelm sang.

Er wußte nicht richtig, was er sang, doch auch er sang.

Endlich.

49

Er hat seine Sprache verloren. Er sitzt und wartet, zusammengekauert. Er ist ein kleines, sprachloses Bündel. Die Schritte
nähern sich, und er wartet wortlos. Er liegt auf dem Fußboden
und zieht das Laken ans Gesicht, als könnte es ihn schützen.
Er liegt auf dem Fußboden, weil er im Bett nicht mehr schlafen kann. Das Bett gibt ihm einen maßlosen Schrecken ein. Er
hört, wie die Tür in dieser unverkennbaren Art und Weise
aufgleitet, die lautlos sein soll, es aber nicht ist, im Gegenteil,
sie hallt in ihm wider, und er weiß, daß sie für den Rest seines
Lebens in ihm widerhallen wird. Wie lang es jetzt dauert. Das
Laken wird fortgerissen, der Reißverschluß einer Hose wird
geöffnet, ein rohes Lachen ist zu hören, und er weint ein Weinen, das jenseits jedes Weinens liegt, und er kann kein Wort
sagen, weil er dafür keine Wörter hat.

Seine Zunge ist fort.

Er ist in den schattigen Tiefen des Tartaros.

50

Morgenrot ergießt sich über das glatte, klarblaue Meer. Das
Himmelsblau tritt aus dem Farbenspiel hervor. Am Horizont
zittert ein leichter Sonnendunst, und über den Baumwipfeln
des Waldrands schwebt ein leichter, flüchtiger Nebel. Ein paar
Regenwolken sammeln sich über dem kleinen Steinhaus –
ohne die Sonne zu verdecken, die noch unmittelbar über der
Krümmung der Erdoberfläche schaukelt.

Und die Krümmung der Erdoberfläche ist so sichtbar.

Alle Spiele des Wetters, alle Zeiten des Tages scheinen sich an einem Ort zu sammeln.

Auf der Veranda des kleinen Hauses sitzt ein Mann und liest. Es ist warm, aber es regnet leicht. Der Regen plätschert heimelig auf das Dach der Veranda, und als der Mann vom Buch aufblickt, steigt zwischen den fallenden Regentropfen Dampf auf.

Eine Frau kommt aus dem Haus und tritt neben ihn, sie legt ihm die Hand um die Schulter und fühlt, wie er seinen Arm um ihre Hüfte legt.

Sie sieht die blaue Wasseroberfläche sprudeln. Und sie hört ein Geräusch, ein knipsendes, mystisches Geräusch. Und dann versteht sie, was es ist.

Es ist der Gesang der Delphine.

Arne Dahl
Böses Blut

Kriminalroman. Aus dem Schwedischen von Wolfgang Butt.
360 Seiten. Klappenbroschur

Niemand wird deine Schreie hören. So lautete die Drohung.
Und als der Schmerz seinen letzten Gedanken auslöscht, ist
er ganz allein: Ein schwedischer Literaturkritiker wird in New
York auf grauenvolle Weise hingerichtet. Der Täter zerfetzt
seinem Opfer die Stimmbänder, bevor er es tötet, und alle
Indizien deuten auf einen Serienkiller hin. Paul Hjelm und
seine Kollegen von der Stockholmer Sonderkommission ste-
hen vor einem Rätsel: Denn bei einer früheren Mordserie,
die fast fünfzehn Jahre zurückliegt, wandte der Täter dieselbe
Foltermethode an. Sein Name war Wayne Jennings, ein Ex-
CIA-Agent, doch Jennings soll schon vor Jahren bei einem
Verkehrsunfall ums Leben gekommen sein. Hjelm und
seine Kollegin Kerstin Holm reisen nach New York, um die
Hintergründe des alten Falls aufzurollen. Aber die Zeit
drängt, denn bald geschehen in Stockholm zwei weitere
Morde – und Hjelm und seine Kollegin entwickeln eine
aberwitzige Theorie …
»Böses Blut« – der zweite packende Kriminalfall für den
Stockholmer Kommissar Paul Hjelm und sein Team.

04/1031/01/R

PIPER

Anne Holt
Die Wahrheit dahinter

Roman. Aus dem Norwegischen von Gabriele Haefs.
385 Seiten. Gebunden

Ein prachtvolles Stadthaus im Zentrum Oslos wird zum
Schauplatz einer erschütternden Familientragödie: Noch
am Tatort sterben der wohlhabende Reeder Hermann Stahl-
berg, seine Ehefrau und der älteste Sohn an ihren Schuß-
wunden. Doch wer verbirgt sich hinter der vierten Leiche, die
Hauptkommissarin Hanne Wilhelmsen in der mondänen
Wohnung der Stahlbergs vorfindet? Der Unbekannte trägt
keine Papiere bei sich. Wurde er tatsächlich das zufällige
Opfer eines geplanten Mordes, wie Hannes Kollege Billy T.
glaubt. Oder ist er der Schlüssel zu diesem grausigen Verbrechen?
Während es privat für Hanne Wilhelmsen allmählich aufwärts geht und sie mit Hilfe der verständnisvollen Nefis wieder zu sich findet, ringt sie beruflich noch immer um ihren
Platz im Team. Vor allem ihr Verhältnis zu Billy T. ist seit dem
Tod von Cecilie äußerst angespannt. Und es erschwert die
Lösung des brisanten Falls ebenso wie das unerklärliche Verhalten ihres neuen Vorgesetzten.

01/1331/01/R

PIPER ORIGINAL

Anne Holt, Berit Reiss-Andersen

Das letzte Mahl

Roman. Aus dem Norwegischen von Gabriele Haefs.
427 Seiten. Klappenbroschur

Brede Ziegler, profilierter norwegischer Restaurantchef, liegt
erstochen auf der Hintertreppe einer Osloer Polizeistation.
In seiner Brust steckt ein edles japanisches Tranchiermesser.
Wer könnte ein Interesse daran gehabt haben, den belieb-
ten und erfolgreichen Ziegler zu ermorden? Billy T., Hanne
Wilhelmsens Kollege, glaubt bald, die Schuldige gefunden
zu haben. Doch ein entscheidendes Detail ist ihm entgangen.
Ein Detail, das Hanne der Zufall in die Hände legt und die
Wahrheit über Brede Ziegler offenbart.
Anne Holts unter die Haut gehender Kriminalroman »In
kalter Absicht« stand wochenlang auf den Bestsellerlisten.
Nun legt sie einen neuen Roman um Hauptkommissarin
Hanne Wilhelmsen vor, die ihre Kollegen vor einem schwer-
wiegenden Fehler bewahrt ...

04/1030/01/R

PIPER

Karin Fossum

Schwarze Sekunden

Roman. Aus dem Norwegischen von Gabriele Haefs.
300 Seiten. Gebunden

Automatisch glitten seine Augen über die Felder. Kommissar
Konrad Sejer wollte nichts übersehen. Dieses Mädchen
kommt wieder nach Hause, sagte er sich, sie kommen so oft
nach Hause. Doch diesmal sollte Sejer sich irren: Ida Joner
kam nicht mehr zurück. Die schwarze Septembernacht verging, und dann wurde sie gefunden: gehüllt in ein creme-
farbenes Seidennachthemd, von weißen Federn bedeckt – Ida
mit ihren dichten Locken und großen braunen Augen. War
das schon zuviel des Guten, wie ihre Mutter schon immer geglaubt hatte? Aber wer würde solch einem Menschen etwas antun wollen?
Die Fahndung nach dem Mörder bleibt erfolglos. Einzig
der stumme Emil Johannes, Autist und Sonderling des kleinen
Ortes Glassverket, scheint als Täter in Frage zu kommen.
Sejer aber ist unsicher – bis Emils Mutter eine grauenvolle Entdeckung macht …
Auf fesselnde und zugleich beklemmende Weise gelingt es Karin Fossum, Anteilnahme und Interesse beim Leser zu wek-
ken, für die Opfer wie auch für die Täter.

01/1293/01/R

Jodi Picoult

Die Macht des Zweifels

Roman. Aus dem Amerikanischen von Ulrike Wasel und
Klaus Timmermann. 420 Seiten. Klappenbroschur

Nina Frost ist vollkommen außer sich. Die erfolgreiche Staats-
anwältin hat über zweihundert Fälle von Kindsmißbrauch
verhandelt. Doch obwohl sie glaubte, mit diesem vertrauten
Thema sachlich umgehen zu können, gerät sie völlig aus
der Fassung, als ihr klar wird, daß auch ihr eigener Sohn Na-
thaniel mißbraucht worden sein soll: Aber der kleine Na-
thaniel bleibt stumm und weigert sich, selbst mit ihr über die
schrecklichen Geschehnisse zu sprechen. Weil er der einzige
ist, der das Gesicht des Schuldigen gesehen hat, müssen sich
Polizei und Staatsanwaltschaft allein auf Indizien stützen.
Als es schließlich zum Prozeß kommt, geschieht ein tödliches
Unglück – und das alte Leben von Nina Frost droht für immer ein Ende zu nehmen …
Vor der malerischen Kulisse eines neuenglischen Städt-
chens entwickelt Jodi Picoult ihren packenden psycholo-
gischen Spannungsroman. Ein schreckliches Verbrechen
geschieht, und plötzlich scheint nichts mehr zu sein, wie es
früher einmal war.

04/1029/01/R

PIPER ORIGINAL